Полина Дашкова

Соотношение сил

Роман

АСТ
Москва

УДК 821.161.1-31
ББК 84 (2 Рос=Рус)6-44
Д21

Автор серии Андрей Ферез

Иллюстрация на обложку Игорь Озеров (ozerov_studio.ru)
Компьютерный дизайн Василий Половцев
Макет Андрей Бондаренко

Дашкова, Полина

Д21   Соотношение сил : роман / Полина Дашкова. – Москва: АСТ, 2014. – 668, [4] с.

ISBN 978-5-17-085419-6

1940 год. Третий рейх – единственное государство в мире, где идут масштабные работы по созданию уранового оружия. Немецкий физик сделал открытие, которое позволит решить главную техническую проблему, и тогда Гитлер получит атомную бомбу к июню 1941-го. Группа людей в СССР, Британии, Италии и Германии втайне от всех разведок мира пытается предотвратить катастрофу...

УДК 821.161.1-31
ББК 84 (2 Рос=Рус)6-44

Полина Дашкова

Спите крепко, палач с палачихой!
Улыбайтесь друг другу любовней!
Ты ж, о нежный, ты кроткий, ты тихий,
В целом мире тебя нет виновней!

Иннокентий Анненский

Глава первая

Высокие кованые двери открылись, Маша очутилась в полутемном коридоре, сквозь панический стук сердца услышала, как мужской голос объявил:

— Танец Жанны из балета «Пламя Парижа». Музыка Асафьева, сценография Дмитриева, исполняет солистка балета Государственного Большого театра Мария Крылова.

Маша выбежала на сцену. Хрустальный свет огромных люстр ослепил. Все сверкало и переливалось, словно она попала в центр гигантского бело-золотого фейерверка. Самый длинный стол стоял прямо перед сценой, дальше множество столов, белые скатерти, зеленые бутылки, пестрота снеди, смутные пятна лиц.

Натертый паркет оказался слишком скользким, но испугаться она не успела. Знакомые аккорды фортепиано подхватили ее, как живые невидимые руки, завертели, вскинули в первом, высоком и долгом прыжке. Приземлившись, Маша заметила, что за главным столом зрители сидят спиной к сцене.

На каждом витке фуэте она ловила мгновенную, как вспышка, картинку. Розовый ломоть семги дрожит на вилке. Кусок хлеба застыл в толстых пальцах, с него сползает на белую скатерть горка черной икры. Полная до краев рюмка. Судя по цвету, коньяк. Следующий виток — рюмка пуста.

Центральная фигура за главным столом сидела вполоборота. Маша успевала разглядеть только детали. Покатые узкие плечи. Щетинистый валик между затылком и воротником френча. Вялая крапчатая щека. Кончик уса, нос, глаз, бровь.

«Все-таки иногда поглядывает, — отметила про себя Маша, — поглядывает с интересом, но продолжает жевать».

Квадратная голова Молотова была обращена к сцене затылком. Дедуля Калинин сидел боком, жевал, шевеля бородкой. Берия, индюк в пенсне, развернулся, глазел, ковыряя в зубах спичкой. Ворошилов сгорбился, голову вжал, пил рюмку за рюмкой.

Маша знала, почему славный маршал такой пришибленный. Он обещал победить белофиннов к 21 декабря, к шестидесятилетию товарища Сталина, сегодня 22 декабря, а победой пока не пахнет.

Центральная фигура стукнула стулом, рядом мгновенно выросли молодые люди в штатском, бережно развернули стул вместе с фигурой и сразу исчезли. Товарищ Сталин перестал жевать, внимательно смотрел на сцену.

Ритм танца нарастал. В диком аллегро крутилась алая юбка, трепетал белый батист пышных рукавов. «Прыжки басков», повороты в воздухе, скачки «субресо», с долгим отлетом вперед, тело выгибается в воздухе крутой дугой, затылок почти касается сжатых пяток, пируэты, пробежки на пуантах, дробь, с пятки на носок, с носка на пятку, большое фуэте, тридцать два оборота без остановки.

На очередном витке она заметила, что теперь все за главным столом развернулись и смотрят, как здорово отплясывает солистка Крылова.

Маша исполнила свой коронный кабриоль, высокий прыжок, несколько быстрых ударов ногой о ногу. Почти не приземляясь, зависая невероятно высоко и долго, она кроила ногами воздух Георгиевского зала, летала над скользкой сценой и наконец застыла в арабеске. Последняя пара прыжков была импровизацией, музыка стихла. Арабеска совпала с мгновением тишины. Под шквал аплодисментов Маша сделала реверанс, потом отвесила красивый русский поклон в пояс, а когда распрямилась, сумела, наконец, разглядеть лицо центральной фигуры.

Она часто видела его издали, со сцены, в полумраке правительственной ложи, но еще ни разу так близко, при ярком свете.

Тусклые сощуренные глаза, толстый нос, мятые рябые щеки. Виски аккуратно выбриты. Неприятная диспропорция: лоб и вся голова слишком малы, а лицо большое, тяжелое, отечное.

Шевелюра густая, тщательно уложенная на косой пробор, зрительно увеличивает объем черепа, но все равно маловат гениальный череп. И вообще, не похож этот пожилой нездоровый кавказец на свои бесчисленные парадные изображения.

Маленькие, почти женские, кисти товарища Сталина двигались, смыкались, размыкались. Сквозь шум аплодисментов огромного зала Маша отчетливо различала отдельный, особенный звук этих медленных, мягких хлопков, и счастливо, широко улыбалась.

Зал продолжал аплодировать, а товарищ Сталин перестал. Рука его протягивала бокал в сторону сцены. Усы вздернулись в ответной улыбке. Он смотрел прямо в глаза солистке, слегка покачивался и даже как будто подмигивал.

Маша застыла, не понимая, что ей делать. Специальные люди вдалбливали всем участникам концерта: сразу уходить, не задерживаться, в зал не спускаться!

«Как же уйти, когда он угощает? — думала Маша. — Надо спуститься! Или не угощает, а сам будет пить из этого бокала?»

Но тут фортепиано опять заиграло. Аплодисменты смолкли. Маша повторила кабриоль, прокрутила короткое фуэте и после быстрого поклона умчалась прочь, не оглядываясь.

В коридоре, пробегая вдоль рядов охраны, она налетела на знаменитого баса Максима Дормидонтовича Михайлова. Хотела извиниться, но не смогла произнести ни слова, во рту пересохло, язык прилип к нёбу. Михайлов мимоходом похлопал ее по плечу и прошествовал дальше, к сцене. Прежде чем проскользнуть назад, в проем между литыми высоченными створками, она услышала раскаты мощного баса Михайлова:

Степь, да степь кругом,
Путь далек лежит...

Остаток пути она прошла медленно, словно утопая до пояса в снегу и замерзая, как тот ямщик в глухой степи.

Оказавшись наконец в маленькой душной комнате, она бессильно опустилась на вытертый коврик, уткнулась лбом в колени, выдохнула:

— Все...

Маша до последнего момента не верила, что ей придется выступить в Георгиевском зале, на концерте, посвященном шестидесятилетию товарища Сталина. Балет «Пламя Парижа» очень ему нравился, партия Жанны обязана была войти в программу, и непременно в исполнении его любимой балерины Ольги Лепешинской. Но Лепешинская упала на репетиции и повредила голеностоп. Другая прима Большого, Марина Семенова, была вдовой врага народа, недавно расстрелянного Карахана, и допустить ее к участию в юбилейном концерте не могли.

Маша уже год танцевала Жанну во втором составе. В чью-то административную голову пришла идея — не менять утвержденную дюжиной инстанций программу, а поставить другую исполнительницу. В Большом зале консерватории, где проходили репетиции концерта, Маша трижды станцевала перед комиссией. Комиссия одобрила. В тот же день ее вызвали в зловещую комнату возле канцелярии, в кабинет главного кадровика Большого театра.

Суетливый толстяк с бледным плоским лицом и неуловимым взглядом не поздоровался, не предложил сесть, спросил сурово, осознает ли она всю степень ответственности? Понимает ли, какая величайшая честь ей оказана? Готова ли оправдать доверие партийной организации, коллектива, всего советского народа? На «советском народе» кадровик глухо закашлялся, глотнул воды, расплескав из стакана несколько капель на стол, и вместо просто «Крылова», обратился к Маше «товарищ Крылова», перешел на «вы», поднялся, повернулся лицом к портрету на стене, поднял руку, сложил пальцы в щепоть. Маше показалось, что кадровик сейчас перекрестится. Он держал руку поднятой минуты две, пока произносил, вернее, пел остаток речи. Маша подумала, что с таким сладким тенором он сам бы мог участвовать в концерте.

Исполнив свою партию, тенор уронил руку, сел на место и уже другим, не концертным голосом, отрывисто и деловито пролаял:

— Завтра в двенадцать часов машина заберет вас из театра. Вы должны быть полностью готовы. При себе никаких вещей. Только документы.

— А костюм? — изумленно спросила Маша.

— Сказано: полностью готовы. Переоденетесь заранее, в театре.

— Мороз тридцать градусов, я окоченею...

— Вы ж не по улице пойдете. Сказано: машина заберет.

— А грим?

— Тоже заранее.

— Обязательно перед выходом надо поправить грим, и потом, расческа, запасные шпильки, канифоль...

— Что-о? — прошептал кадровик, бледнея, словно речь шла о холодном оружии и взрывчатом веществе.

— Шпильки для волос, канифолью натирают подошвы балетных туфель, чтобы не скользили, — объяснила Маша.

После долгих пререканий ей дозволено было взять с собой только туфли и грим.

Маша давно привыкла к проверкам и досмотрам. Когда в театр приезжали члены Политбюро, он весь наполнялся охраной, в форме и в штатском, но тут, на территории Кремля, творилось нечто особенное.

От Спасских ворот до Большого Кремлевского дворца красноармейцы стояли в два ряда, между рядами гуськом шли участники концерта к артистическому входу. Охрана дважды рылась в сумке, сначала у ворот, потом на входе во дворец. Прощупали стельки балетных туфель, потребовали выложить на стол содержимое карманов шубы, заставили снять вязаную кофту, которую Маша накинула на костюм, размотать оренбургский платок. Все протрясли и прощупали. Фамилию на спецпропуске без конца сверяли со списком, с фамилией в паспорте, лицо — с паспортной фотографией. Десятки глаз впивались, просвечивали насквозь, отслеживали каждое движение.

Машу вначале отправили в большую артистическую, где разместился ансамбль песни и пляски Александрова. Там было тесно, танцовщики по очереди разогревались, Маше не хватило стула. Пока она искала, где приткнуться, прошел слух: концерт отменяется. Рядом зашептали, что из-за плохих дел на Финском фронте товарищ Сталин раздумал праздновать свой юбилей. Кто-то возразил, что концерт состоится, но поздно ночью, когда закончится заседание. Все это были только слухи, точно никто ничего не знал. Вдруг Маша услышала свою фамилию, испугалась, что прямо сейчас позовут на сцену, но нет, двое красноармейцев, как под конвоем, повели в отдельную артистическую. По дороге она решилась спросить, правда ли, что концерт отменят, но ответа не получила. Спросила, есть ли тут уборная. Ответили: в конце коридора, правая дверь.

В крошечной комнатке, наедине с облезлым канцелярским столом, стулом и мутным зеркалом пришлось провести почти шесть часов. На столе стоял графин, накрытый стаканом. Маша использовала спинку стула в качестве станка, разогревалась, разминалась, пила мелкими глотками кипяченую воду, причесывалась, поправляла грим. Время тянулось страшно медленно, в какой-то момент стало казаться, что она сидит тут уже несколько суток. Дважды без стука распахивалась дверь, на пороге возникали фигуры в форме. На робкое «здрасти» никто не отвечал. Молча смотрели и уходили.

Когда ее вызвали, она не поверила своим ушам, дико занервничала, заметалась, хватая то расческу, то банку румян, в последний момент заметила, что оборка юбки держится на соплях и может оторваться во время танца. Проклиная себя, что не закрепила заранее эту несчастную оборку, захлебываясь стуком сердца, Маша просеменила по коридору и через минуту оказалась на скользкой сцене Георгиевского зала.

Никогда она не танцевала партию Жанны с таким азартом. Унижение, страх, злость переполнили ее, и танец получился как взрыв. Она ни разу не поскользнулась при сложных приземлениях, оборка не оторвалась. Товарищу Сталину понравились высокие прыжки, долгие фуэте, незапланированный кабриоль. Завтра в «Правде» появится сообщение ТАСС о концерте, в списке участников будет ее фамилия. Но ни радости, ни облегчения она не чувствовала, боялась взглянуть в зеркало, сидела на вытертом коврике у стола, обняв дрожащие колени, тихо повторяла:

— Все, все, все...

* * *

Сотрудникам Особого сектора присутствовать на кремлевских банкетах и концертах не полагалось. Особый сектор был теневым кабинетом, личным секретариатом Сталина. Двенадцать спецреферентов, составлявших для Хозяина аналитические сводки по всем областям государственной жизни, держались даже не в тени, а практически в небытии. Об их существовании знали только члены Политбюро, высшие чины НКВД, некоторые наркомы и узкий круг кремлевской обслуги. Для остального мира внутри и снаружи СССР товарищ Сталин самостоятельно, без чьей-либо помощи, ежедневно переваривал мегатонны информации, прочитывал тысячи страниц документов, газет, журналов, писем трудящихся, никогда не спал, все успевал, все знал.

Илья Петрович Крылов, сотрудник Особого сектора, спецреферент по Германии, ждал жену в артистическом подъезде. Его удостоверение позволяло ему войти куда угодно на территории Кремля, но сегодня в Большой Кремлевский дворец пускали только по спецпропускам, с подписью Власика, начальника сталинской охраны. Чтобы получить такую бумажку, Илья Петрович должен был обратиться с просьбой к самому Хозяину. Ни Власик, ни Берия не решились бы нарушить неписаный закон и позволить спецреференту явиться на юбилейный концерт. Разумеется, Хозяин знал, что солистка балета Мария Крылова, которая сегодня танцует вместо Лепешинской, — жена товарища Крылова. Два года назад он лично поздравил их по телефону с законным браком и прислал букет роз, выращенных собственноручно в теплице. Но с тех пор ни разу не поинтересовался семейной жизнью своего спецреферента. Бог миловал. Никогда ничего хорошего такой интерес не сулил. Илья давно твердо усвоил: если есть возможность не напоминать Хозяину о себе и о своих близких, то не стоит этого делать.

О времени Машиного выхода Илья узнал от Поскребышева, личного секретаря Хозяина и своего непосредственного начальника, и ждал ее в артистическом подъезде у поста охраны.

Когда он вошел в подъезд и показал удостоверение, его ни о чем не спросили. Рядовые охранники вытянулись в струнку. Но появился один из адъютантов Власика, пришлось еще раз показать книжечку и объяснить, что он тут ждет жену, артистку балета.

— Крылова? — уточнил адъютант. — «Пламя Парижа»?

Илья кивнул.

— Закончила уже выступать, сейчас выйдет. — Адъютант неожиданно улыбнулся. — Здорово пляшет супруга ваша, товарищ Крылов.

— Спасибо. — Илья улыбнулся в ответ и увидел Машу.

В ярком электрическом свете лицо ее казалось неживым, кукольным, наверное, из-за грима. Она шла в накинутой на плечи поверх сценического костюма шубе. Оренбургский платок свисал из рукава и волочился по малиновой ковровой дорожке. Вблизи Илья заметил, что глаза у нее воспаленные, мокрые.

— Ой, Илюша, ой-ой-ой, — бормотала она, пока он помогал ей одеваться.

По дороге от Спасских ворот к Васильевскому спуску, где Илья оставил свой «Бьюик», она не произнесла ни слова, тихо жалобно поскуливала. Когда сели в машину, Илья спросил:

— Домой?

— Нет, давай немножко покатаемся.

Пока он заводил мотор, она сидела, уткнувшись лбом ему в плечо, не шевелилась.

— Ну, ты чего? Мне сказали, ты танцевала здорово. Да я и не сомневался.

— Не знаю...

— Ты ела что-нибудь?

Она молча помотала головой.

— Поужинаем в «Национале»?

— Не хочу... Интересно, кто это придумал — сажать правительство спиной к сцене? Они так всегда сидят или только в честь его юбилея?

— Всегда. Они смотрели на тебя? Он смотрел?

— Сначала косился, шею выворачивал, потом стул под ним развернули. Ему понравилось, он хлопал и улыбался... Георгиевский зал очень красивый, бело-золотой, торжественный, только сцена ужасно скользкая, хорошо, у ансамбля Александрова был ящичек с канифолью, я успела подошвы натереть, а то бы непременно грохнулась.

Голос ее звучал уныло, Илья вел машину и видел краем глаза заострившийся профиль. Прядь выбилась из-под платка, ресницы дрожали.

— Что тебя мучает, Манечка?

— Ничего. Просто очень устала. Тяжело танцевать, когда они так близко и свет яркий... Может, поэтому их спиной к сцене и сажают, чтобы артистов не смущать?

— Интересная мысль.

— Мг-м... Останови, пожалуйста, давай подышим.

— Холодно, поедем домой.

— Капельку погуляем.

Илья остановился в Лебяжьем переулке, они вышли на набережную. Мороз немного ослаб, ветра не было, небо заволокло светлой кисеей облаков, мелкий редкий снег сверкал под фонарями и казался звездной пылью.

— А в Ленинграде затемнение. — Маша поймала варежкой снежинку.

— Ну, прифронтовой город.

— Бедный, бедный Май. За что ему такой ужас?

«Вот в чем дело», — подумал Илья.

Он ждал, что рано или поздно она заговорит об этом. Еще до начала Финской войны, в октябре, призвали в армию ее давнего друга и партнера Мая Суздальцева.

Май был ленинградец, в Москву переехал к бабушке, после того как его родителей посадили. Бабушка умерла, он остался один, жил в общежитии. Солиста из него не вышло. Пару лет назад он вполне удачно исполнил партию Злого петуха в балете «Аистенок», получил еще несколько второстепенных партий, но после смерти бабушки и замужества Маши, в которую он был влюблен, что-то в нем надломилось. Май танцевал все хуже, пропускал репетиции.

Неделю назад в Москву из Ленинграда приехала Агриппина Яковлевна Ваганова, лучший в СССР педагог-репетитор. Она приезжала два-три раза в году, давала индивидуальные уроки солистам Большого.

Май когда-то учился в Мариинке у Вагановой.

Однажды после занятий Агриппина отозвала Машу в сторонку и передала письмо от Мая, сопроводив его скупым комментарием, что мальчик в госпитале, пулевых ранений нет, но отморожены ноги. Она потребовала, чтобы письмо Маша прочитала при ней и сразу вернула.

Маша рассказала об этом Илье только вчера вечером, шепотом, в ванной, при включенной воде.

— Одну ногу ему ампутировали, вторую удалось спасти. Агриппина хлопочет, чтобы после выписки оставить его в Ленинграде, устроить в Кировский, в реквизитные мастерские. Знаешь, там, в госпитале, почти все обмороженные. После ампутаций москвичей и ленинградцев высылают подальше, ну, чтобы не портили своим видом красоту главных советских городов. Говорят, специальный приказ Ворошилова...

Ночью в ванной Илья слушал ее и не задавал вопросов. Он знал, что такой приказ действительно есть.

Утром он сказал ей:

— У тебя сегодня день очень ответственный. Будь, пожалуйста, внимательной, разумной и осторожной. Ничего не бойся, ни о чем постороннем не думай.

Очень ответственный день кончился. Маша, усталая, слабенькая, опять стала думать о постороннем.

— Как ему жить без ноги? Что с ним будет?

— Может, денег ему послать?

— Это само собой. — Она кивнула. — Я собрала для него семьсот рублей, зарплату свою и кое-что от концертов, хотела съездить в Ленинград, навестить...

— Съездить в Ленинград? — удивленно переспросил Илья. — Ты ничего не говорила.

— Да, меня все равно не отпустили, тут еще этот юбилей...

— Передала бы деньги Агриппине.

— Она не взяла. Сказала, чтобы я сама к нему съездила, навестила. Господи, ведь его практически убили...

— Перестань! Он жив, голова и руки целы, привыкнет к протезу, освоит какую-нибудь новую профессию, и ты его обязательно навестишь. Ну, что же делать? Война...

— Война? Они там даже не успевают воевать, рвутся на минах и замерзают. Обмундирование летнее, на ногах кирза, на головах буденновки, при сорока градусах мороза. Зачем? Кому это понадобилось? Ну, скажи, финны напали на нас?

— Ты неправильно ставишь вопрос. На Карельском перешейке граница проходит слишком близко от Ленинграда, для безопасности ее нужно отодвинуть.

— Ты мне будешь «Правду» цитировать? Политинформацию решил провести? — Маша подкинула носком сапога ком снега. — Не надо, не трудись, про границу я уже наизусть знаю, и про то, что белофинская военщина развязала против нас агрессию, а финские трудящиеся бедняки с нетерпением ждут доблестную Красную армию, чтобы освободила их от гнета помещиков-капиталистов.

— Это не совсем так...

— А как?

— Ну, видишь ли, на самом деле границу от Ленинграда лучше отодвинуть, для безопасности...

— И поэтому финны на нас напали? — она резко остановилась, взяла его за плечи и слегка потрясла. — Илюша, тебя от вранья не тошнит?

— Будешь меня трясти, затошнит от качки. — Он поправил ее сбившийся платок. — Это не вранье, Манечка, это называется генеральная линия партии.

— Хорошая линия, правильная, посылать мальчишек необученных в летнем обмундировании в сорокаградусный мороз на минные поля. — Маша развернулась и быстро пошла вперед.

Илья догнал ее, пошел рядом, заговорил мягко, тихо:

— Я много раз объяснял: обсуждать такие вещи бессмысленно. Если я скажу: финны не собирались на нас нападать, напали мы, а они защищают свою страну, — от моих слов что-то изменится? Будет заключен мир? Погибшие оживут, а у твоего Мая вырастет новая нога?

— Нет, Илюша, погибшие не оживут, и Май останется калекой. Но изменится многое, для нас с тобой, потому что ты перестанешь мне врать.

В последнее время подобные разговоры случались все чаще. В тридцать седьмом, когда они только поженились и стали жить вместе в его казенной квартире на Грановского, Маша строго соблюдала табу, не касалась опасных тем, она привыкла к этому с детства. Могла прошептать, что кого-то взяли, или тихонько рассказать, какой бред нес партийный секретарь на собрании. Но все это быстро забывалось, она танцевала много и успешно, радовалась, когда давали роль в новой постановке или получался очередной сложный прыжок. Если прыжок не получался, она отрабатывала его часами, сутками, до изнеможения, пока не добивалась своего. Если роль давали другой танцовщице, Маша огорчалась, злилась, но не слишком. Ворчала, что у той, другой, руки совсем невыразительные, корпус вялый, что распределением ролей теперь ведает партком, вручает, как премии за активную общественною работу.

Впрочем, пожаловаться на недостаток ролей Маша не могла, и заниматься для этого общественной работой ей пока не приходилось. Да и вообще, все у нее было хорошо. Родители живы-здоровы, папа, инженер-авиаконструктор, проскочил тридцать седьмой, когда в авиационной промышленности брали каждого третьего, и тридцать восьмой, когда брали каждого пятого из уцелевших. Сейчас, в конце тридцать девятого, страх отпустил. Некоторых арестованных выпускали. Люди приходили в себя, дышали свободней, охотно верили, что во всем виноват Ежов, так же как до него — Ягода. Теперь виновные разоблачены, сурово наказаны, наконец справедливость восстановлена. И Маша верила.

Илья изо всех сил поддерживал ее веру, внушал, что бред образца тридцать седьмого никогда больше не вернется. Простая возможность спать ночами, не вздрагивая от каждого звука под окнами и за дверью, удивительно преобразила Машу, она как будто выздоровела после долгой болезни, расцвела, похорошела.

Илья любил смотреть, как она просыпается по утрам. Он всегда уходил на час-полтора раньше и будил ее перед самым уходом. Она обнимала его за шею, сквозь сладкий зевок бормотала:

— Поцелуй...

Он целовал ее в глаза, и только тогда она разжимала веки, потягивалась, ежилась, осторожно вытянутым мыском касалась пола и вдруг вскакивала с кровати, встряхивала волосами, всплескивала руками, принимала каждый новый день благодарно и радостно, как драгоценный подарок.

Однажды она сказала:

— Знаешь, в тридцать седьмом я постоянно чувствовала, как у меня все внутри сгорает. Был привкус пепла во рту, я зубы чистила три раза в день, не помогало. Даже любовь сгорала, ничего от нее не оставалось, кроме страха потери. Если бы это продлилось еще немного, я бы умерла.

— Ну, не надо, не преувеличивай.

Он хотел, чтобы она забыла, старался свести для нее пережитый ужас к недоразумению, к чему-то вроде несчастного случая, выпадающего из ясной и здоровой логики жизни. Он пытался объяснить необъяснимое, выстраивал словесные конструкции, изредка удачные, а в основном неуклюжие.

Маша ездила с концертами в провинцию. Рязань, Воронеж, Псков, Вологда, колхозы Нечерноземья с волшебными названиями: «Залог пятилетки», «Путь к сознанию», «Мечты Ильича». Возвращаясь, рассказывала, как ужасно люди одеты, везде грязь, вши, нищета, и очереди, бесконечные, неистребимые, за хлебом, за мылом, в магазинах ничего, кроме ржавой селедки. Ну ведь огромная, богатая страна, люди работают, работают, куда же все девается?

Илья бормотал про гигантские стройки пятилеток, тяжелую промышленность, индустриализацию, домны, самолеты, танки, ледоколы.

— Люди жрать хотят! Какие домны? Дети босые ходят до холодов, одежка латаная-перелатаная!

Илья думал: ну ведь умудряются другие не замечать всего этого, а видят изобилие, тяжелую промышленность, домны-ледоколы, спортивные рекорды, счастливых румяных пионеров и комсомольцев.

Об очередях за хлебом, о вшивости, о босых детях, латаной-перелатаной одежке сообщали в секретных сводках сотрудники областных НКВД. Им по должности полагалось видеть и сообщать.

Илья знал, что Маша никогда ни с кем, кроме него, своими впечатлениями делиться не будет, осторожность в разговорах с чужими давно стала инстинктом, но осторожно думать и чувствовать она не могла. Приучать ее к этому было все равно что бить по-живому, втаптывать назад, в тридцать седьмой.

Словесные конструкции рушились, он ускользал от разговора, менял тему, обнимал, целовал, вытаскивал, как фокусник, из рукава купленную в распределителе шелковую блузку, флакон духов, хватал Машу в охапку, кружил по комнате, зажимал ей рот губами.

И сейчас, чтобы прекратить разговор о бедном Мае, о Финской войне, он обнял ее, стал целовать.

— Пожалуйста, не ври мне, — попросила Маша, увернувшись от его губ, — не можешь ответить — так и скажи: не знаю, или просто промолчи, только не повторяй передовицы «Правды».

— Хорошо, я попробую. — Илья взял ее под руку, они пошли дальше по набережной.

Слева, за Москвой-рекой, высилась гигантское мрачное сооружение, жилой дом Советов ЦИК и СНК. Справа был черный провал, мертвая зона, огороженная деревянным забором, на заборе масляной краской намалевано: «Строительство Дворца

Советов». Маша замедлила шаг, провела варежкой по забору и сказала:

— Я помню, как взрывали. Сначала сбили кресты, ободрали купола, как будто живое существо обглодали до костей, а потом грохот, черный дым.

— Ты же маленькая была.

— Большая, в тридцать первом мне было тринадцать. Мы с Катей иногда после уроков шли гулять от училища, от Неглинки, мимо Большого, через Театральную площадь, через Красную, по Александровскому саду, к Волхонке. Вот послушай:

> Город мой такой большой,
> в нем театр живет Большой,
> есть трамваи и мосты,
> милицейские посты,
> есть домишки и домищи,
> в них умишки и умищи.
> На Волхонке красота:
> храм Спасителя Христа.

Маша иногда сочиняла короткие стишки, не записывала их и никому, кроме Ильи, не читала. Илья пытался запоминать, понимал, что нельзя такое записывать, но сохранить хотелось.

— Хорошее стихотворение, я его раньше не слышал. Ты когда написала?

— Очень давно, лет в десять, пока храм еще стоял. Зачем взорвали? Сколько красоты погубили! Там были скульптуры Клодта, фрески Крамского, Сурикова, Верещагина. Зачем?

— Ладно, поедем домой.

— Поедем... А все-таки интересно, кому помешал Христос Спаситель? Вот вам яма вместо храма...

Пока шли к машине, она шептала что-то в ритме шагов, Илья прислушался и разобрал слова:

> Вот вам яма вместо храма,
> ну-ка, дружно славьте хама,
> жуйте ложь, месите грязь,
> славьте хама, не стыдясь.

Маша охнула, испуганно взглянула на Илью.

— Оно само сложилось, только что, сию минуту, вырвалось нечаянно, я не виновата.

* * *

Вера Игнатьевна Акимова проснулась в десять вечера. После суточного дежурства она возвращалась рано утром, за первую половину дня успевала кое-что сделать по дому, часам к четырем глаза слипались, все валилось из рук, она ложилась, обещала себе, что подремлет совсем недолго, заводила будильник, но, когда он звенел, выключала его на ощупь, не открывая глаз, и спала дальше.

Накинув халат, Вера Игнатьевна заглянула в смежную комнату, там горела настольная лампа, сын, сгорбившись, сидел за столом. Перед ним лежала открытая тетрадь, несколько книг. В круге света было видно, что тетрадь исписана длинными формулами. Четырнадцатилетний Вася в последнее время увлекся физикой, собирал приборы из лампочек, проводков, вязальных спиц и консервных банок, пропадал в кружке «Юный физик», в библиотеке, приносил домой журналы и книги, в которых было формул больше, чем слов, сидел над ними до глубокой ночи.

Вера Игнатьевна подошла к сыну, шлепнула по спине:

— Не горбись. Маша звонила?

— Мг-м.

Спину он выпрямил, но не обернулся, стал быстро писать что-то в тетради.

— Как она выступила?

— Нормально.

— Ты с ней говорил или папа? Кстати, где он?

Обычно, когда Вася углублялся в свою физику, Вера Игнатьевна старалась не беспокоить его, ограничивалась одним-двумя вопросами, и короткое мычание в ответ ее не обижало. Но сегодня был вовсе не обычный вечер. Маша, старшая дочь, танцевала в Кремле на банкете перед Сталиным, и Вера Игнатьевна считала, что ради этого можно отвлечься от формул на пару минут.

Вася так не считал, он ответил только на последний вопрос:

— Папа у Карла Рихардовича, — послюнявил чернильный карандаш и продолжил писать.

Вера Игнатьевна хотела сказать ему: «Вася, так нельзя, твоя сестра танцевала перед Сталиным в день его рождения, а тебе все равно, тебя совершенно ничего не волнует, кроме приборов и формул, ты становишься холодным эгоистом». Но она решила, что скажет это в другой раз, и, завязав потуже поясок халата, сунув ноги в тапочки, отправилась через коридор, в комнату соседа.

— Ну что, Петя, как? Ты говорил с ней? — спросила она, едва переступив порог, и, спохватившись, добавила: — Добрый вечер, Карл Рихардович.

Муж и сосед сидели за маленьким журнальным столом и, судя по выражению их лиц, были настолько увлечены беседой, что не поняли ее вопроса.

— Вера Игнатьевна, заходите, присаживайтесь. Налить вам чаю? — любезно предложил сосед.

— Веруша, ты проснулась. — Муж растянул губы в дурацкой улыбке.

— Нет, Петя, я еще сплю. — Вера Игнатьевна нахмурилась.

— Я все-таки налью вам чаю, — сказал сосед.

— Спасибо, не нужно, я на минуту, я только хочу узнать: Маша звонила?

Оба одновременно взглянули на часы и ответили хором:

— Нет.

От обиды у Веры Игнатьевны задрожали губы. Получалось, что Вася промычал свое «мг-м» и «нормально» просто так, лишь бы она отстала. А Петя, кажется, вообще забыл, какой сегодня день.

— Веруша, ну что ты? — Муж поднялся, подошел, обнял ее. — Можно подумать, у Мани первый в жизни сольный выход. Партию Жанны она танцевала сто раз, это всего лишь сцена...

— Всего лишь! — Вера Игнатьевна передернула плечами, скидывая его руку. — А нервное напряжение? Они сидят не в правительственной ложе, а в зале, прямо перед ними танцевать, совсем близко... Малейшая ошибочка, неправильное выражение лица... Господи, подумать жутко! Да одно то, что она танцует вместо его любимой Лепешинской, может вызвать раздражение!

— Веруша, сидят они за банкетным столом, едят, пьют, разговаривают, на сцену почти не смотрят. Ну, помнишь, Володя Нестеров рассказывал, он был в Георгиевском зале в декабре тридцать шестого как передовик-рационализатор...

— Петя! — жалобно вскрикнула Вера Игнатьевна. — Что ты говоришь? Володю взяли через три месяца после того банкета!

— Вера, у тебя спросонья каша в голове, после не значит вследствие, то есть, я хочу сказать, Володю взяли не потому, что он был на банкете...

— А почему?!

— Ладно, прости, я не прав, действительно, не стоило сейчас вспоминать Володю, но я хочу сказать... — Петр Николаевич совсем запутался и растерялся.

— Особенная любовь к Лепешинской, возможно, миф, — осторожно заметил Карл Рихардович, — Маша танцует лучше...

Он не успел договорить, зазвонил телефон. Вера Игнатьевна помчалась в коридор и услышала спокойный голос зятя:

— Все хорошо, она сразу уснула, очень устала, танцевала великолепно.

— Ты видел?

— Нет.

— Разве ты не был в зале?

— Нет.

— Почему?

Последовала короткая пауза, Илья кашлянул и продолжил так, словно не услышал вопроса:

— Вера Игнатьевна, не волнуйтесь, завтра после спектакля Маша зайдет и все вам подробно расскажет.

— Завтра я дежурю.

— Тогда послезавтра. Она позвонит вам в любом случае.

Вера Игнатьевна пожелала зятю спокойной ночи, заглянула к соседу, сказала, что все в порядке, вернулась к себе, улеглась на диван, раскрыла на заложенной странице свежий номер журнала «Хирургия», но строчки прыгали перед глазами. В голове крутился разговор, и, как заноза, цеплял собственный идиотский вопрос: «Почему?» Неслучайно Илья оставил его без ответа, и сразу изменилась интонация.

«Ерунда, я просто перенервничала, это вполне естественно, к тому же я очень скучаю по Манечке, давно ее не видела. А без нее в этом доме и поговорить не с кем... Ладно, пора привыкнуть. Девочка выросла, вышла замуж за умного, доброго, надежного человека, по большой взаимной любви. Отдельная квартира, всем обеспечены... У него должность...»

На слове «должность» внутренний монолог оборвался. Это была болевая точка. Мысль о том, где служит ее зять, прошибала током, пульс частил, руки дрожали, и каждый разговор с Ильей или с Машей по телефону вызывал рефлекторный ужас, как у лабораторного животного.

Телефон в квартире на Грановского прослушивался, вся их жизнь прослушивалась, прощупывалась, просвечивалась рентгеном. Ей часто снился один и тот же кошмар: Маша мечется в прозрачной клетке, а вокруг, за стеклами, темные тени, смотрят, тянут ледяные пальцы.

Вера Игнатьевна работала хирургом в кремлевской больнице, отлично знала, что такое высокая должность и близость к власти.

«Есть вещи, о которых думать нельзя». Она повторяла эту фразу про себя и вслух. Заклинание помогало, но не всегда.

В смежной комнате за перегородкой грохнул стул. Фанерная дверь открылась. Вася, как всегда, забыв тапки под столом, почесывая сморщенный нос и бормоча что-то, подошел к буфету, взял из вазочки горсть карамели, хотел вернуться к себе, но Вера Игнатьевна окликнула его:

— Посиди со мной, пожалуйста.

Он развернул конфету, кинул в рот, промычал свое «мг-м», но все-таки присел на диван. Вера Игнатьевна обняла его, уткнулась лицом ему в спину.

— Мам, ты чего?

— Ничего, сынок, все в порядке, просто соскучилась по тебе.

— Ну, ты даешь! Это Маня от нас слиняла, а я пока тут, рядом. Кстати, как она отплясалась, не знаешь?

— Знаю. Хорошо отплясалась.

— Кто бы сомневался. Что ты психуешь, мам? Может, ей теперь «заслуженную» дадут. Ладно, я пойду.

— Чаю хочешь?

— Мг-м.

Вера Игнатьевна отправилась заваривать чай. За маленьким кухонным окном покачивался в темноте старый тополь, он рос так близко к дому, что, когда дул ветер, ветки мягко, приветливо постукивали по стеклу. Вспыхнул веселый синий венчик огня под чайником, зашуршали сухие чаинки. На кухне было тепло и чисто. Вера Игнатьевна потерла глаза, как будто проснулась только что, зевнула, потянулась и проворчала:

— Петя, обормот, месяц почти не виделись, вместо того чтобы побыть с нами, застрял у соседа. Курят до одури, а Васька конфетами зубы испортит.

* * *

Пару дней назад Петр Николаевич Акимов вернулся из Иркутска, он был там в командировке на новом авиационном заводе и неожиданно встретил своего бывшего университетского преподавателя Мазура Марка Семеновича, профессора-радиофизика.

В марте тридцать шестого Мазур стал академиком, а в мае его посадили. Акимов видел несколько газетных публикаций, в которых Мазура величали «саботажником, идеалистом-вредителем, троцкистским выродком от науки».

В январе тридцать девятого десять лет тюрьмы заменили ссылкой, поселили в Иркутске, позволили преподавать в Иркутском горно-металлургическом институте.

Мазур снимал маленькую холодную комнату в двухэтажном деревянном доме позапрошлого века, неподалеку от института. Они проговорили всю ночь. Марк Семенович совал Акимову свои тетради, исписанные формулами, исчерченные схемами, взахлеб рассказывал о резонансном усилении световой волны и уровнях импульсных излучений.

Акимов вначале слушал рассеянно. Когда-то он увлекался радиофизикой, но это было давно, он успел многое забыть, к тому же спать хотелось.

— Можно выборочно ионизировать изотопы, извлекать положительно заряженные ионы, ловить их электромагнитной ловушкой, скапливать на металлической пластине, — объяснял Мазур.

Акимов согласно кивал, еле сдерживая зевоту.

— В промышленном масштабе можно получить быстро и недорого несколько килограммов обогащенного урана, — продолжал Мазур.

— Урана? — переспросил Акимов и потер кулаками глаза.

— Проснулся наконец! — обрадовался Мазур.

Он еще раз начал объяснять принцип действия прибора, над которым работал уже лет двадцать. Собирал, разбирал, совершенствовал, испытывал, придумывал все новые варианты.

Два с половиной года в одиночной камере ярославской тюрьмы подорвали здоровье, зато обострили память. Невозможно было ни читать, ни писать, но иногда удавалось думать. В голове сложилось несколько любопытных комбинаций.

Как только выпустили, Мазур все записал, просчитал. В институтской лаборатории собрал и начал испытывать новый опытный образец. Бывший студент Петя Акимов оказался первым и единственным человеком, которому Марк Семенович решился рассказать о результатах испытаний.

— Надо срочно опубликовать, запатентовать, — ошеломленно прошептал Акимов.

Но Марк Семенович в ответ упрямо мотал головой. Пятьдесят восьмую статью с него не сняли. Ни один редактор ни одного научного журнала опубликовать не решится. Он панически боялся повторного ареста, не сомневался: только высунешься, напомнишь о себе, мгновенно возьмут. Писать коллегам-физикам в Москву и Ленинград он тоже не желал, уверял, что, во-первых, из-за переписки с осужденным врагом народа могут быть неприятности. Во-вторых, даже в лучшие времена, когда он был свободным и уважаемым ученым, к самой идее резонатора коллеги относились скептически.

Под утро Акимов все-таки уговорил его изложить суть дела в письменной форме. Писать заявку об изобретении в Патентное бюро, в Академию наук, Мазур категорически отказался. В итоге вышло письмо без адреса, без обращения.

На прощанье старик сказал: «Спасибо, Петька, такая ответственность мне одному не по силам. Если бы не ты, я бы скоро допсиховался до инфаркта. После тюремной преисподней сдохнуть в этом иркутском раю обидно».

Встреча с Мазуром ошеломила Петра Николаевича. В поезде, по дороге домой, он не мог спать. Письмо жгло руки. Он перечитывал его и думал: кто знает, чем обернется для старика вся эта история? Могут вернуть в Москву и наградить, а могут арестовать. Запросто! Повторный арест для Марка Семеновича означает смерть. Однако не дать хода письму, оставить все как есть невозможно.

Петр Николаевич собирался передать письмо своему зятю Илье и, лишь доехав до Москвы, осознал, насколько сложно это сделать. Внешне отношения с зятем были вполне дружеские, но заоблачная сверхсекретная должность Ильи создавала вокруг него непроницаемое силовое поле. По его лицу никогда нельзя было понять, что он думает и чувствует. Петру Николаевичу казалось, что человек, приближенный к самому Сталину, должен иметь стальные чувства и кристально ясные мысли. Илья напоминал идеального большевика из кинофильма про хорошую, правильную советскую жизнь, в которой арестовывают только матерых врагов, шпионов и вредителей, а честных граждан —

никогда. Заговорить с таким человеком о ссыльном профессоре было все равно что на собрании проголосовать против линии партии или свистнуть, когда полагается аплодировать.

Акимов готов был одолеть свой зажим, но Илья пропадал на службе до ночи. Звонить ночью домой? Объяснять намеками, мол, произошло кое-что важное, не телефонный разговор, необходимо срочно встретиться? Телефон на Грановского слушают, и кто знает, как истолкуют такие намеки? Да и когда сумеет Илья выкроить несколько часов? Он своим временем не распоряжается. А за двадцать минут человеку, далекому от физики, ни черта не объяснишь.

Акимову предстояло скоро опять ехать в командировку. Он не мог тянуть, ждать подходящего случая и решил, что разумней всего передать письмо через доктора Штерна. Он знал, что они с Ильей каким-то образом связаны по службе, встречаются часто. Да и отношения с соседом были куда проще, чем с зятем. Не нужно звонить, договариваться. Достаточно пройти пару шагов по коридору и постучать в дверь.

Разговор длился третий час, но Штерн так ничего и не понял. Он начал было читать письмо, пролистал семь страничек скверной бумаги, исписанных мелким почерком с обеих сторон, увидел схемы, цепочки формул, покачал головой и положил странички на стол.

— Там вначале общая описательная часть, довольно понятно изложено, — уговаривал Акимов.

Карл Рихардович попробовал еще раз, но после первых двух абзацев решительно отказался. Он легко разбирал почерк, но путался в терминологии и попросил Акимова рассказать все своими словами. Тот принялся рассказывать и запутал доктора еще безнадежней.

— Расщепление ядра урана открыто всего год назад, — с жаром объяснял Петр Николаевич, — физики едва начали переваривать и сразу признали, что высвобождающаяся энергия может быть использована для создания сверхоружия, правда, пока только теоретически. В природном уране всего ноль целых семь десятых процента активно делящихся изотопов двести тридцать пять, чтобы создать критическую массу и запустить цепную реакцию...

— Петя, — взмолился Карл Рихардович, — про изотопы и критическую массу вы рассказываете уже в пятый раз, я, честное слово, не понимаю, зачем вам мое посредничество? Илья ваш зять, отдайте вы сами ему это письмо.

— Да не могу я! Не могу, не имею права, именно потому, что он мне зять, а я ему, — Петр Николаевич нервно защелкал пальцами, — как это? Деверь? Шурин? Ладно, не важно. Родственник. Тесть! Обращаться к нему с такими просьбами неэтично, бестактно.

— Что же тут бестактного? — мягко спросил доктор.

— Автор письма в ссылке, — прошептал Акимов, сморщился и помотал головой, — к тому же Илья постоянно занят, а я скоро опять уезжаю.

— Да, Илья человек занятой, это верно. — Доктор помолчал минуту, потом резко вскинул глаза: — Петя, а почему все-таки Мазур передал письмо именно вам? Было бы логичней обратиться в Академию наук, в Патентное бюро или к кому-нибудь из авторитетных физиков. Наверняка с кем-то у вашего профессора сохранились дружеские отношения.

— Дружеские отношения? — Акимов нахмурился. — После ареста, с приговором по пятьдесят восьмой? Не знаю... Он боится высовываться, напоминать о себе. Два с половиной года одиночки не шутка. Я еле уговорил его написать, когда он мне рассказал. Вопрос настолько важный...

Доктор испугался, что опять речь пойдет об изотопах, и поспешно перебил:

— А если бы вы не уговорили, человечество так никогда и не узнало бы о гениальном изобретении профессора Мазура?

— Узнало бы рано или поздно. — Петр Николаевич нервно хрустнул пальцами. — Прибор, который он собрал, пока только первый образец, вроде эскиза. Он бы не спешил, дождался бы лучших времен, когда снимут статью. Но речь идет об уране, понимаете?

Доктор Штерн виновато улыбнулся и развел руками.

Петр Николаевич сунул в рот очередную папиросу.

— Я же объясняю, ядро урана расщепили год назад, это невероятно, ошеломительно, так же, как теория относительности Эйнштейна. Но теория относительности перевернула научное мировоззрение, а расщепление ядра урана может уничтожить мир.

— Так, минуточку. — Доктор помотал головой. — Вы сказали, ядро урана расщепил немецкий химик Отто Ган. При чем здесь советский радиофизик Марк Мазур?

Петр Николаевич сжал ладонями виски, пробормотал глухо:

— Господи, как же мне объяснить? Именно в связи с открытием Гана изобретение Мазура приобретает совершенно особое значение. Оно вроде маленького ключика к большому сундуку, который нашли, но отпереть не могут. Вот, смотрите. При расщеплении ядра выделяется колоссальная энергия. Но расщепляться, создавая цепную реакцию, может только крошечный процент изотопов. Для оружия, для бомбы, нужно выделить из огромной массы вещества именно этот крошечный процент. Ну, примерно как разыскать в гигантском стогу сена не иголку, а травинку, которая от миллиардов прочих травинок не отличается ни цветом, ни размером, ни запахом. Допустим, на нее когда-то покакала бабочка.

— Петя, бабочки не какают.

— Вы уверены? Ладно, они переносят пыльцу. Так вот, на нашей травинке микроскопические частицы пыльцы. Мы должны перебрать и рассмотреть под микроскопом весь стог, да не один, а десятки, сотни, чтобы получился небольшой букет таких травинок. Вот вам картина разделения изотопов урана. А теперь представьте: у нас есть прибор, который не только окрасит нужную нам травинку в контрастный цвет, но и притянет ее, как магнит.

— И ваш Мазур придумал такой прибор?

— Да. Правда, сравнение с травинками не годится, потому что речь идет о кошмарных вещах. Выделяется энергия невероятной, фантастической силы, все сегодняшнее оружие — детские игрушки. Один самолет скидывает одну-единственную небольшую бомбу, и за считаные минуты огромный город превращается в развалины, гибнут сотни тысяч людей...

— От одной бомбы?

— Вот именно!

— Петя, хотите коньяку?

— Вы же не пьете!

— Иногда, чуть-чуть. Это хороший, армянский, пять звезд. И вот еще шоколад.

Бутылка стояла почти полная с прошлого Рождества. Карл Рихардович протер носовым платком пыльные рюмки, распечатал плитку шоколада.

— За здоровье профессора Мазура Марка Семеновича. — Он прищурился, посмотрел коньяк на свет. — Сколько, говорите, он просидел в одиночке?

— Два с половиной года.

Чокнулись, выпили. Акимов залпом, а доктор только слегка пригубил, поставил рюмку, закурил и после паузы тихо спросил:

— Петя, вы абсолютно уверены, что поступаете правильно?

— То есть?

— Ну, может, не стоит давать ход этому письму? Мазур не хотел его писать, вы уговорили. Зачем?

— Карл, я вас не понимаю...

— Прибор дает возможность сравнительно быстро сделать оружие чудовищной силы, верно?

— Да, именно так. Не за десять лет, а года за два. Точно рассчитать пока трудновато, нужны испытания в промышленном масштабе.

— Допустим, они пройдут успешно, и через два года появится первая небольшая бомба чудовищной разрушительной силы. Что дальше?

— Понятно что. Сбросят на кого-нибудь.

— На кого?

Акимов не ответил, сидел неподвижно, низко опустив голову. Папироса дымилась в пепельнице. Доктор молча загасил ее, сходил на кухню, вытряхнул окурки в помойное ведро, вернулся. Акимов сидел все так же. Наконец прозвучал хриплый шепот:

— Карл, я идиот. Три часа морочу вам голову научными тонкостями, а дело вовсе не в них. — Петр Николаевич поднял голову, взглянул доктору в глаза и произнес чуть громче: — Если прибор Мазура признают у нас, все равно потребуется слишком много времени, чтобы начать испытания в промышленных масштабах.

— Вы же сказали — наоборот, прибор сократит время...

— Когда уран есть, а у нас его нет.

— То есть как?

— Вот так. Урановых разработок на территории СССР нет. Месторождений полно, а добыча не ведется. — Акимов плеснул себе в рюмку коньяку, выпил залпом. — У нас не ведется, а там уже наверняка начали.

— Где — там?

— В Судетах, — пробормотал Акимов, — в Богемии. Там точно есть месторождения.

— Вы хотите сказать, уран добывают на территории Третьего рейха? — осторожно уточнил Карл Рихардович.

— Я не знаю. — Акимов тяжело вздохнул. — Точно узнать может только наша разведка. Марк Семенович так думает, и, в общем, это похоже на правду. Понимаете, он боится до смерти, ему ведь пришили шпионаж.

— Петя, вы, пожалуйста, успокойтесь, шоколадкой закусите, и я вас внимательно слушаю.

Акимов сжевал кусок шоколаду, тяжело вздохнул.

— Прибор свой Марк Семенович начал разрабатывать давно, еще в двадцатых. Был у него друг, немецкий радиофизик Вернер Брахт. Когда-то они стажировались у Резерфорда, многие годы переписывались, встречались то в Копенгагене у Бора, то в Берлине у Планка, на конгрессах, семинарах. Так вот, Брахт тоже занимается импульсными излучениями, они с Мазуром двигались параллельно, делились идеями. Брахт работает в Институте физики Общества кайзера Вильгельма в Далеме[1], именно там, где Ган расщепил ядро урана. — Петр Николаевич встал, принялся расхаживать по комнате. — Брахт очень

---

[1] Далем — пригород Берлина.

скоро соберет его, если уже не собрал, и тогда... Черт, а ведь если он действительно уже собрал, опубликовал...

— Петя, пожалуйста, откройте форточку, — попросил доктор, — мы с вами надымили.

Акимов поднялся на цыпочки, но до наружной рамы не дотянулся, и легко, как на пружине, вскочил на подоконник.

— Да вы настоящий акробат! — восхитился Карл Рихардович. — Вот в кого Маша такая прыгучая.

— У вас там крючок на одном винте болтается, напомните потом, я подкручу, — сказал Акимов, спрыгивая на пол.

Из форточки повеяло холодом, в комнату залетели снежинки. Акимов взял очередную папиросу, но закуривать не стал. Остановился напротив доктора и, глядя на него сверху вниз, тихо спросил:

— Вы понимаете, что это значит?

— Не совсем.

— Это значит, что первая небольшая бомба чудовищной разрушительной силы может года через два появиться у Гитлера.

Доктор закашлялся, передернул плечами, заговорил медленно, монотонно, немецкий акцент заметно усилился:

— Лучшие физики из Германии уехали, Эйнштейн уехал еще в тридцать втором. Гитлер считает всю современную науку еврейской выдумкой, его бесят ученые, и вряд ли научные разработки щедро финансируются в рейхе.

Акимов нервно сглотнул, помотал головой:

— Для бомбы Эйнштейн не нужен. Там остались нобелевские лауреаты Гейзенберг, Планк, фон Лауэ. Остался химик Ган, который расщепил ядро. Идет война. Если кто-то сумеет растолковать Гитлеру, что такое урановая бомба, на ее производство будут выделены любые средства. Нужно сообщить Сталину, чтобы этим серьезно занялась наша разведка. Главное, найти радиофизика Вернера Брахта и попытаться... ну, не знаю, остановить его, перекупить, что угодно... если не поздно еще...

— Между СССР и Германией заключен мирный договор, — напомнил доктор.

— Ага, конечно. — Акимов криво усмехнулся.

— Гейзенберг, Планк, фон Лауэ, да и этот Брахт вряд ли согласятся делать такую бомбу для Гитлера, — доктор, не вставая, стянул с дивана плед и накинул на плечи, — они все-таки ученые, у них есть какие-то этические принципы, банальный здравый смысл...

Акимов знал доктора пять лет, привык к его акценту, перестал замечать. А тут вдруг резануло. К тому же лицо Штерна в эту минуту странно изменилось, застыло, стало похоже на гипсовый слепок. Губы сжались, глаза потускнели, провалились глубоко в глазницы, спрятались под лохматыми седыми бровями. Смотреть было неприятно. Он отвернулся и выпалил куда-то в сторону:

— Они немцы!

Он продолжал расхаживать по комнате, задел и едва не опрокинул торшер, но поймал его, поставил на место, покраснел и забормотал виновато:

— Простите, Карл. Я не то хотел сказать. Вот вы удрали из рейха, а они остались, значит, нацистский режим их вполне устраивает.

Лицо доктора стало прежним, появилась знакомая открытая улыбка, глаза ожили. Когда он заговорил, акцент смягчился и больше не резал ухо.

— Ничего, Петя, не стоит извиняться. Лучше объясните, каким же образом Мазур сделал свое открытие, если в СССР нет урана?

— Под Иркутском месторождение, — спокойно объяснил Акимов, — Марк Семенович знал о нем еще до революции, он просто собирает там урановую смолку, сколько нужно для экспериментов. А что касается этических принципов и здравого смысла... Знаете, что такое ученые? Конкуренция, тщеславие, азарт, дикое любопытство. Ядро урана расщепилось, процесс пошел, невозможно остановить исследования, даже если в результате получится урановая бомба. Рано или поздно они ее все равно сделают, не приведи господь, чтобы она досталась Гитлеру.

Послышался тихий стук, дверь приоткрылась, заглянула Вера Игнатьевна:

— Петя, ты совсем замучил Карла Рихардовича своей болтовней, тебе завтра вставать в семь.

— Извини, мы еще не закончили, — резко, почти грубо ответил Петр Николаевич.

— Да нет же, Петя, мы обо всем договорились. — Доктор взглянул на часы, присвистнул. — Ого, начало двенадцатого, поздно уже, вам в семь вставать, а мне в половине шестого. Забирайте его, Верочка, а то мы так до утра проговорим.

— Ладно, простите, что отнял у вас столько времени. — Петр Николаевич поднялся. — Так вы письмо передадите?

— Конечно, передам.

— Какое письмо? — тревожно спросила Вера Игнатьевна.

— Потом объясню, пойдем спать, Веруша.

Карл Рихардович пожелал им спокойной ночи. Дверь они прикрыли за собой неплотно, из коридора донесся испуганный голос Веры:

— Это от Мазура письмо? Ты с ума сошел? Зачем ты впутываешь Карла Рихардовича? Кому он передаст? Еще только не хватало впутать Илью... Не вздумай! Твой Мазур просто помешался на своих излучениях, он больной человек, после двух с половиной лет одиночки, в Иркутске...

Акимов загудел в ответ что-то сердитое, слов Карл Рихардович не разобрал. Он закрыл дверь плотнее, подошел к окну, уперся лбом в холодное стекло.

Глава вторая

Белоснежка и гномы весело отплясывали в уютном кукольном домике, а тем временем ведьма в страшном замке наедине с черепом и вороном готовилась убить Белоснежку. Яблоко на веревочке опустилось в чан с ядовитым зельем и почернело. Дети в зале смеялись, замирали, вскрикивали. Когда ведьма в облике вкрадчивой старухи уговаривала Белоснежку откусить яблоко, из первых рядов звучали детские голоса: «Нет, не ешь, оно отравлено! Прогони ее!»

Доцент кафедры экспериментальной физики Института физики Общества кайзера Вильгельма Эмма Брахт, высокая русоволосая дама тридцати пяти лет, пришла в воскресенье на дневной сеанс, чтобы посмотреть «Белоснежку» в третий раз.

Эмма влюбилась в диснеевские мультфильмы с первого взгляда, как только в берлинских кинотеатрах появились короткометражки с Микки и Дональдом. Взрослые игровые фильмы ее раздражали. Актеры таращили глаза, заламывали руки. Эмма думала, что вульгарная имитация чувств — особенность немого кино, однако когда актеры заговорили, запели, получалось еще фальшивей. Экранные страсти, любовь, предательство, страдания казались грубой пародией на реальную жизнь. Комедии вызывали оскомину, словно кто-то насильно заставлял смеяться. Из игровых Эмма могла смотреть только фильмы Чарли Чаплина, но их в рейхе запретили.

Полнометражный мультфильм Диснея «Белоснежка и семь гномов» очаровал Эмму. На второй просмотр она притащила своего мужа Германа. Ничего хорошего из этой затеи не вышло. Герман уснул, уронив голову ей на плечо, прохрапел весь фильм, а потом сказал:

— Ну что ж, мило.

— Ты о своих снах? — язвительно уточнила Эмма.

— При чем здесь мои сны? Я ни на минуту не отрывался от экрана. В основе сюжета известная сказка братьев Гримм.

«А чего ты ожидала? — подумала Эмма. — Ты же знаешь Германа».

Через неделю, в свой очередной выходной, она отправилась на «Белоснежку» в третий раз. Первый просмотр так сильно ее впечатлил, что она не успела насладиться деталями. Второй не в счет, Герман все испортил своим храпом. Третий был жизненно необходим.

Когда гномы плакали над уснувшей принцессой, из больших серых глаз Эммы покатились слезы, засверкали в длинных темных ресницах. Рядом с ней сидела девочка лет восьми. Она тронула руку Эммы и прошептала:

— Не плачьте, фрау, все будет хорошо. Принц поцелует Белоснежку, и она проснется.

— Я знаю, дорогая. — Эмма благодарно улыбнулась, вытерла платочком глаза и щеки, но слезы покатились еще сильней.

На мгновение ей показалось, что рядом не чужая девочка, а ее дочь, которая могла бы родиться именно восемь лет назад, в тридцать первом. Возможно, это был бы мальчик, точно уже не узнаешь, но почему-то Эмма всякий раз представляла своего нерожденного ребенка девочкой, с таким же, как у нее самой, нежным, слегка удлиненным овалом лица, с пепельно-русой копной прямых жестких волос. Эмма сворачивала свои волосы тяжелым узлом на затылке и закалывала шпильками, а волосы дочери, наверное, заплетала бы в косы с шелковыми лентами, вот как у этой девочки в соседнем кресле.

Герман напрочь забыл трагедию восьмилетней давности, будто и не было ничего. Когда это случилось, он сказал: «Не стоит так переживать, ты же сама понимаешь, сейчас не самое подходящее время, чтобы заводить ребенка».

Время правда было ужасным. В двадцать девятом разразился кризис, улицы наполнились безработными, выстроились очереди у магазинов, начались трудности с продуктами. Лопнул банк, в котором Герман и Эмма хранили основную часть своих сбережений. Жалованье задерживали, к концу тридцатого года урезали на треть. Пришлось переехать в квартиру подешевле, экономить каждый грош. Никто не знал, что будет завтра.

Эмма была не только женой, но и ассистенткой Германа. Без нее он не мог провести ни одного эксперимента. Беременность и рождение ребенка означали уход с работы, хотя бы на некоторое время. Герман это, конечно, понимал, но только теоретически, и просил поработать еще месяц, два. «Сейчас я на взлете, нашел перспективную тему, Планк и Лауэ увидели, наконец, во мне серьезного ученого, а не беспомощного серенького сыночка знаменитого Вернера Брахта. С новым ассистентом мне придется начинать с нуля. Малейшая неудача, и меня загрызут, затопчут, потопят в интригах. Ты этого хочешь?».

Эмма этого не хотела и продолжала работать.

Она была на пятом месяце. Во время очередного эксперимента ее сильно ударило током, она отскочила, стукнулась копчиком об угол стола, потеряла равновесие, рефлекторно ухватилась за стеклянную колбу и раздавила ее. В ладонь впились осколки. Медсестра в больнице вытаскивала их пинцетом, Эмма удивилась, почему так много крови, лужица на полу, кровь течет по ногам. Никакой боли она в тот момент не почувствовала, только голова закружилась и последнее, что она услышала, было слово «обморок». Очнувшись в другой палате, в окружении врачей в масках, она узнала, что потеряла ребенка.

Врачи рассказали, что кровотечение долго не останавливалось, она едва не погибла. Герман приехал забирать ее из больницы с букетом крупных чайных роз и улыбался, будто произошло что-то хорошее. Она спросила, чему он так радуется. Он ответил: «Ты жива, это главное, а дети у нас еще обязательно будут, двое, трое, сколько захотим».

Перед выпиской врач сообщил ей, что детей у нее не будет никогда. Герману она не сказала об этом ни слова.

Экономический кризис кончился, они с Германом работали успешно, Эмма получила звание доцента, что для женщины было почти невероятно. Они в рассрочку купили маленькую виллу в Далеме, тихом зеленом пригороде Берлина, неподалеку от института, могли позволить себе отдых на фешенебельных курортах.

Герман с тех пор больше ни разу не заводил разговоров о детях, не замечал чужих детей. Возможно, он так и не понял, что произошло. Беременность — это когда большой живот. А живот у Эммы вырасти не успел.

Она постепенно справилась с болью, лишь изредка наваливалась тоска, возвращалось зудящее чувство вины.

Конечно, следовало уйти из института сразу, как только она узнала, что беременна. Эксперименты, которыми они занимались, вообще несовместимы с беременностью. Но не ушла, испугалась, что Герман ее бросит. Вместо того чтобы думать о будущем ребенке, она заранее ревновала мужа к одной молодой сотруднице, которая могла занять ее место, сначала в качестве ассистентки, а потом... Эмма знала, как сближает совместная работа, знала, что для Германа самым важным, самым близким человеком становится тот, без кого он не может обойтись в работе.

Именно таким человеком была для него Эмма многие годы. Самостоятельная научная карьера ей не светила. Женщине в одиночку в мужском мире большой науки не пробиться ни талантом, ни упорством, только статус жены и помощницы ученого дает шанс. Мари Кюри единственное исключение, впрочем, вряд ли она сумела бы стать мировой величиной, если бы не была сначала женой, а потом вдовой Пьера Кюри.

Эмма студенткой слушала несколько лекций мадам Кюри, видела ее издали, восхищалась и верила, что, если женщина стала первым в мире лауреатом двух Нобелевских премий, по химии и по физике, с предрассудками покончено. Никто не посмеет сказать, что наука — не женское дело.

В тридцать четвертом Мари умерла от лейкемии. Эмма всплакнула, вместе с мадам Кюри исчезли последние иллюзии ее студенческой юности. Великая женщина умерла, а предрассудки остались.

Герман говорил: «Я, моя тема, моя статья». На самом деле его гордое научное «я» содержало изрядную долю трудолюбия, азарта, бессонных ночей Эммы. И с каждым годом эта доля увеличивалась.

У него часто не совпадали показания приборов, он путался, нервничал. Эмма терпеливо разбиралась в показаниях, вычисляла, сверяла записи, повторяла опыты, находила элегантные простые решения сложных задач, выдавала свежие идеи, которые так нравились Герману, что он принимал их за свои собственные. «Вот, я только подумал, а ты уже сказала».

Когда они писали отчеты, доклады и статьи, Эмма сидела за машинкой, а Герман диктовал, расхаживая по кабинету. Он мучительно трудно подбирал слова. Много курил, багровел от напряжения. Эмма придумывала точные и внятные формулировки. Ее пальцы летали по клавишам «Ундервуда». Герман вытягивал из каретки очередную готовую страницу, читал, бормотал: «Да-да, именно это я имел в виду».

Гордое научное «я» Германа давно стало иллюзией, но упорно не желало превратиться в реальное «мы». В их дуэте роли распределялись так: Герман — серьезный ученый, как положено ученому, рассеянный, погруженный в себя. Он занят разгадкой сокровенных тайн природы, все, кроме физики, ему чуждо и скучно. Его время и силы бесценны. У него дар, призвание, и, если бы не интриги завистников, он давно бы стал членом Прусской академии, а может, даже нобелевским лауреатом. Эмма — любящая жена и преданная помощница серьезного ученого, способная, но звезд с неба не хватает. Для нее вполне естественно отвлекаться на пустяки, на устройство быта, стряпню, вязание. Нежный желудок серьезного ученого привык к домашним супчикам, паровым куриным котлетам и легким фруктовым десертам. Нежная кожа привыкла к свитерам и джемперам, связанным руками Эммы.

При нынешнем режиме от серьезного ученого требовались не только научные достижения, но и кое-что еще. Если бы Эмме пришлось публично клеймить «еврейскую физику», называть теорию относительности Эйнштейна «колдовством, направленным на порабощение человечества», восхищаться «арийской физикой», прославлять сумасшедшего шарлатана

Горбигера с его теорией «космического льда и полой земли», она бы сгорела со стыда, чувствовала бы себя идиоткой. Герман испытывал те же чувства, но отказаться не мог. И в партию ему пришлось вступить, он ведь еще не стал нобелевским лауреатом и мировой знаменитостью, как Гейзенберг и Планк.

Жизнь института кипела конкуренцией, интригами. Герман захлебывался в этом, а Эмма только утешала его. Серьезный ученый был вынужден суетиться, врать, интриговать, приспосабливаться, а скромная ассистентка спокойно, почти безмятежно занималась чистой наукой, не отвлекаясь на пустяки. Устройство быта теперь почти не отнимало времени, они с Германом могли позволить себе приходящую прислугу. Так что роль скромной ассистентки оказалась весьма удобной, Эмма играла ее с удовольствием.

Что касается роли любящей жены, ее Эмма вовсе не играла. Она искренне любила Германа, с его эгоизмом, амбициями, неряшливостью, упрямством. Вот эта последняя черта была невыносима. Именно из упрямства Герман второй год не общался со своим отцом. Он практически бросил старика, причем в самый тяжелый момент.

Вернер Брахт еще недавно был знаменитым радиофизиком, авторитетным уважаемым ученым, но теперь потерял все — кафедру, научную репутацию, связи, здоровье, а возможно, и разум. Эмма навещала старика каждое воскресенье и тщетно пыталась помирить сына с отцом.

Карл Рихардович Штерн не разбирался в физике, никогда ею не интересовался, о расщеплении ядра урана впервые услышал от своего соседа Акимова и при всем желании не мог понять, какое отношение к созданию чудовищной бомбы имеет простой прибор, сконструированный ссыльным профессором в лаборатории Иркутского горно-металлургического института.

Сначала, слушая Акимова, он смутно припоминал, как в середине двадцатых гуляли панические слухи о сверхоружии, «лучах смерти», способных уничтожать огромные города в считаные минуты. Лучи оказались блефом, вместо них по Европе и Америке ударил экономический кризис.

Когда Петр Николаевич возбужденно рассказывал о разделении изотопов урана, доктор Штерн подумал: «Кризис — реальность, но до сих пор никто не понимает, почему он случился. Реальность загадочней и абсурдней любого вымысла».

Одна-единственная небольшая бомба, способная в считаные минуты превратить огромный город в развалины и убить сотни тысяч людей, показалась доктору куда менее фантастичной, чем реальность по имени Гитлер.

Когда прозвучала фраза, что первая урановая бомба через пару лет может появиться у Гитлера, доктора сильно зазнобило. Фуфайка под джемпером стала мокрой от ледяного пота. Дыхание перехватило, словно он нырнул в прорубь.

Спасибо Вере Игнатьевне, вовремя появилась и увела мужа. Доктору хотелось поскорей остаться одному, переварить услышанное.

Он очень долго неподвижно стоял у окна, прижимаясь лбом к стеклу. Он боялся обернуться, слишком велик был риск увидеть вместо привычной уютной комнаты, в которой он прожил последние пять лет, большую палату, ряды коек.

Ноябрь восемнадцатого, прифронтовой госпиталь в Посевалке.

Доктор Штерн пытался жить здесь и сейчас, а не там и тогда. Прошло больше двадцати лет, но сквозь тяжелые слои самых страшных, невыносимых воспоминаний упрямо сочился мутный ноябрьский свет восемнадцатого года.

Доктор видел пространство палаты, белый кафель с тонким васильковым бордюром, штативы капельниц, костыли, прислоненные к стене, на столе дежурной сестры измятый номер «Франкфуртер цайтунг» с фотографией генерала Людендорфа и крупным заголовком: «Капитуляция Германии». Он видел самого себя, военного психиатра, в белом халате поверх формы.

Молодой прусский интеллектуал, коренной берлинец из богатой семьи, с отличным университетским образованием, твердыми этическими принципами и чуткой совестью шел по проходу между койками в дальний угол палаты, откуда звучал хриплый монотонный крик: «Германия погибла! Заговор! Темные силы торжествуют!»

За годы войны молодой успешный доктор приобрел огромный опыт. Через его руки прошли сотни раненых, контуженных, засыпанных землей с посттравматическими психозами и фобиями. Он научился чувствовать чужие недуги, проникать в больное сознание, вступать в диалог не с человеком, а с его страхами, с причудливыми персонажами бреда и темными покровителями смертельных пристрастий. Иногда он казался себе Крысоловом из старой сказки, который подобрал правильные ноты на своей дудочке, и волшебная мелодия освобождает человеческую душу от страданий, как город от крыс. Только он знает эти ноты, он один может сыграть мелодию, больше никто.

Словосочетание «дар внушения» звучало слишком высокопарно и нескромно, молодой доктор даже в личном дневнике не решился написать об этом. Дар свой он чувствовал, но боялся себе в этом признаться, его грызли сомнения: «Чем я заслужил? А вдруг тот, кто дал, отнимет, подарит кому-то другому?» Он брался за самые тяжелые случаи, чтобы в очередной раз проверить, убедиться.

Вопли несчастного больного, у которого случился психопатический приступ, гулко отдавались от кафельных стен.

Маленький усатый ефрейтор, отравленный ипритом, ничем не отличался от прочих пациентов. Все пациенты чем-то отличались друг от друга, а этот — нет. Ефрейтор не имел никаких индивидуальных, личных черт, кроме, пожалуй, одной. Он был изумительно фальшив. Любое проявление чувств казалось скверной игрой. За такую игру балаганного лицедея на рыночной площади забросали бы гнилыми овощами.

Факт отравления ипритом не вызывал сомнений, все признаки были очевидны, но страдания ефрейтора выглядели так фальшиво, что даже самые сердобольные сестры избегали разговоров с ним, выполняли свои обязанности молча, без обычных слов утешения. Соседи по палате сторонились его. Он не получал и не писал писем, не имел ни дома, ни семьи, ни друзей, ни профессии. Он никого не интересовал, никому не нравился.

Если бы выяснилось, что у этого нелепого существа вместо мозга ядро грецкого ореха, а вместо сердца комок каучука, доктор Штерн удивился бы куда меньше, чем если бы ему описали последующие события. Легче было представить на посту рейхсканцлера госпитального дворника или его метлу, чем вообразить главой Германии маленького ефрейтора.

В ноябре восемнадцатого имя Адольф Гитлер абсолютно ничего не значило.

Когда пришло известие о капитуляции Германии, Гитлер уже выздоравливал, но вдруг стал жаловался на слепоту, изводил своими воплями соседей по палате.

У доктора Штерна этот ефрейтор вызывал отвращение и жалость. Первое он считал недопустимым для врача, а насчет второго врал себе. Не жалость это была, а любопытство, амбиции, очередная проверка своих сил: справлюсь или не справлюсь?

Доктор Штерн помнил каждую мелочь того серого ноябрьского дня. Когда его вызвали к больному ефрейтору, он оставил на столе в ординаторской недописанное письмо своей невесте Эльзе, рядом лежала ее фотография. Конечно, он должен был вернуться и убрать это от посторонних глаз. Но он спешил к больному. Доктор Штерн образца восемнадцатого года никак не мог услышать сквозь глухую толщу будущих десятилетий тихий голос нынешнего доктора Штерна: «Остановись, не ври себе!»

Бред Гитлера имел ярко выраженную параноидную форму: «Темные силы, всемирный заговор». В таких случаях бесполезно разубеждать, обращаться к логике и здравому смыслу. Больной ничего не воспринимает вне круга своих бредовых идей, и вести диалог приходится внутри этого круга, на языке, доступном больному. Вылечить все равно нельзя, но успокоить можно.

На очередной волне воплей о гибели Германии доктор Штерн произнес: «Вот вы ее и спасете, Адольф». Больной вытаращил глаза, вцепился в его руку, пробормотал: «Да, о да!

Я спасу Германию» — и затих, к великому облегчению соседей по палате.

Доктор Штерн не сделал ничего особенного, он использовал элементарный терапевтический прием, описанный в любом учебнике психиатрии, но ничтожный эпизод кувалдой ударил по его жизни. В тот момент он не почувствовал удара, не заметил трещину. Она медленно, неумолимо росла и еще лет десять не давала о себе знать, а потом расколола жизнь на две неравные части.

После войны Карл Штерн вернулся домой, женился на Эльзе, у них родились сыновья, Отто и Макс. Он умел лечить тяжелые психические расстройства, алкоголизм, наркоманию при помощи мягкой психотерапии. Вначале среди его пациентов каждый второй был членом нацистской партии, потом остались только они, причем самые высокопоставленные, вплоть до морфиниста Геринга.

Доктор Штерн превратился в придворного врача нацистов. Они хорошо платили, а ему надо было кормить семью.

Гитлер не забыл прозорливого доктора из госпиталя в Посевалке, рассказал о нем своему обожателю Гессу, и тот назвал Карла Штерна «посвященным в великую тайну». Когда у фюрера случались истерические припадки, когда он катался по полу и грыз ковер, к нему привозили доктора, посвященного в тайну. Припадки были фальшивыми и лечение — фальшивым. Карл Штерн исполнял роль статиста в бесконечном ритуальном действе, делал значительное лицо, произносил магические тексты.

Все это слишком далеко зашло. Попробуй скажи Герингу: «Вы мерзавец, я больше лечить вас не желаю, подыхайте от морфия и ожирения, чем скорее, тем лучше. И к вашему фюреру я не поеду, пусть он подавится ковром и заткнется навеки».

Сколько раз он произносил это мысленно и понимал, что произнести вслух не посмеет никогда. Будет являться по первому зову, считать пульс, следить за реакцией зрачков, проводить ритуальные сеансы психотерапии. Любая попытка выйти из игры означала смертный приговор. Он знал, в лагерь не отправят, прикончат тихо. А семья?

Он был самому себе противен. Он, христианин, воспитанный в католической вере, верующий искренне с детства, не мог молиться. Стоило начать: «Отче наш...» — и сразу щекотал ноздри госпитальный запах карболки, слышался скрип панцирной койки, сиплый голос с австрийским акцентом повторял: «Да, о да, я спасу Германию».

Прошло много лет, но дрожащие влажные пальцы ефрейтора все не отпускали запястье прозорливого доктора. Иногда по утрам Эльза спрашивала: «Карл, что тебе снилось? Ты кричал: "Остановись! Не ври себе!"».

Гитлер ничуть изменился с тех пор, только усы укоротил и слегка располнел. Его жесты, гримасы, интонации были все так же тошнотворно фальшивы, но толпы на площадях Германии, вместо того чтобы освистать лицедея и забросать гнилыми овощами, рукоплескали, бились в экстазе. Люди, которые прежде, соприкасаясь с ним, брезгливо отворачивались, теперь не могли оторвать от него глаз. Те же люди. И тот же ефрейтор.

Поражение в войне, унизительный версальский мир, экономический кризис, коррупция, безработица, глупость Папена, старость Гинденбурга, пристрастие мелких лавочников к мистике и теории заговора — все объективные и субъективные причины прихода к власти нацистов были известны, но совершенно не объясняли, как удалось втянуть миллионы немцев в круг бредовых идей и превратить ничтожество в божество. А главное — зачем?

Доктор Штерн запрещал себе думать об этом и думал постоянно. Его жена Эльза восхищалась Гитлером. Старший сын Отто готовился вступить в молодежную группу СС. Младший, Макс, каким-то чудом избежал заразы, но страдал оттого, что не мог быть как все.

Пора было удирать. О легальной эмиграции мечтать не стоило, но имелась возможность отправиться на отдых в Швейцарию. Он все продумал и подготовил. Один из его пациентов, военный летчик, бывший однополчанин Геринга, летел в Швейцарские Альпы на собственном самолете. В последний момент доктора попросили задержаться в Берлине. Готовилась расправа с Ремом и его штурмовиками, ближайшее окружение беспокоилось за нервы фюрера.

Чудесным июньским утром тридцать четвертого на берлинском аэродроме Темпльхофф доктор Штерн проводил свою семью, поцеловал Эльзу, Отто, Макса. Он был уверен, что увидит их через несколько дней, и не увидел больше никогда. Самолет разбился в горах на швейцарской границе. Вот тогда и распалась жизнь на две неравные части. Собственно, жизнь кончилась, остался осколок, острый и мучительный, как кость в горле.

Позже он узнал, что авария была подстроена. Военный летчик что-то наболтал английскому корреспонденту о своем бывшем командире, Геринг приказал тихо убрать его. Никто не предполагал, что в неисправном самолете полетит семья доктора Штерна.

В Швейцарию на опознание погибших доктора сопровождал давний университетский друг Бруно Лунц. Дальше был инфаркт, швейцарская клиника.

Он быстро выздоравливал, не понимал зачем и вяло, по инерции, думал, что теперь делать. В Берлин стоило возвращаться лишь с одной целью: убить ефрейтора. Но это из области бреда, никого он убить не сумеет. Остаться в Швейцарии? Слишком больно. Ведь он собирался жить тут с семьей.

Когда Бруно предложил ему ехать в СССР, у него не было сил удивляться. Умный, живой, ироничный, все понимающий Бруно оказался советским шпионом, а он, доктор Штерн, объектом разработки, деталью отвратительной шпионской авантюры.

Он бы послал все это к черту, но маленькая дочь Бруно страдала врожденной болезнью сердца. Жить и лечиться она могла только в Швейцарии. Бруно нашел гениальный аргумент: если он не переправит доктора Штерна в СССР, его отзовут в Москву за провал операции. А там ребенок погибнет.

Терять все равно было нечего, а девочку жалко. Он согласился.

Переправляли его долго, сложно, с фальшивыми паспортами и накладными усами. Сначала привезли в Крым, несколько месяцев он жил в санатории, совершенствовал русский язык, который знал прежде, но плохо. Потом доставили в Москву, поселили в комнате на Мещанской. Он не понимал, зачем и кому тут нужен.

Он до сих пор не понимал этого, хотя прошло пять лет. Он числился за иностранным отделом НКВД. Все, что было ему известно о личной жизни, привычках и психологических особенностях нацистских вождей, он выложил устно и письменно. Несколько раз его возили на дачу к Сталину, обязательно ночью. Вождя и компанию — Молотова, Ворошилова, Кагановича — интересовало, кто там в рейхе с кем спит, кто гомосексуалист, кто предпочитает несовершеннолетних девочек, что они пьют и едят, как развлекаются. Историю о том, как Гитлер грыз ковер, доктору приходилось повторять на бис.

Ритуальное действо продолжалось. «Доктор, посвященный в великую тайну», превратился в «того немца, который лечил Гитлера». Так называл его Сталин. Это звание сохранило ему жизнь и свободу, когда всех прочих немцев, коммунистов, эмигрантов, бежавших к Сталину от Гитлера, отправляли в лагеря и расстреливали. А возможно, уцелел он потому, что не был ни коммунистом, ни эмигрантом, ни евреем.

До своего приезда в СССР доктор Штерн не питал иллюзий относительно большевизма и Сталина. Реальность превзошла все его прежние расплывчатые представления. Он в очередной раз убедился, что реальность абсурдней и загадочней любых фантазий. Но, что бы ни происходило с ним за прожитые в СССР пять фантастических лет, он то и дело нырял, как в прорубь, в ноябрь восемнадцатого, в госпиталь в Посевалке. Это сопровождалось сильным ознобом, ледяным потом, болезненным спазмом в горле. Надо было перетерпеть. Он вспоминал Эльзу, Отто, Макса, шептал их имена, и палата исчезала. Так случилось и сегодня. Он вернулся в знакомую обжитую комнату на Мещанской, увидел ночную метель за окном, услышал вой ветра и пробормотал, обращаясь к своему смутному отражению в холодном стекле:

— Ефрейтор Гитлер и урановая бомба... Когда эти двое найдут друг друга, мир исчезнет. Что я могу? Совершенно ничего... но если хорошенько подумать...

* * *

«Белоснежка» давно закончилась, Эмма брела по ледяным сумеречным улицам и не могла расстаться с мультфильмом, вспоминала, как птицы и звери помогали принцессе наводить порядок в доме гномов. Она попробовала хотя бы примерно подсчитать, сколько нужно нарисовать картинок, чтобы получились такие изумительные, тонкие, сложные и совершенно естественные движения. У каждого персонажа свой характер, своя мимика, пластика. Сложить целую сказку из отдельных картинок — это почти как создать живое неповторимое существо из атомов. Задачка для Господа Бога. А гном Ворчун чем-то похож на старика Вернера.

Эта мысль заставила ее взглянуть на часы.

— Ужас! Без двадцати пять! — пробормотала Эмма и прибавила шагу.

Было воскресенье, старик ждал ее. Она совсем забыла, что обещала принести с воскресной ярмарки его любимый домашний сыр и серый деревенский хлеб.

Она добежала до площади у старой кирхи, когда торговцы уже убирали товар, но все-таки успела купить маленькую головку сыра, между прочим, последнюю, что вызвало у нее особенную гордость. Хлеб был теплый, торговка держала его в корзине, обернутой ватным одеялом. Еще она купила три крупных зеленых яблока, бутылочку жирных сливок и толстые шерстяные носки.

Нагруженная пакетами, она проехала несколько остановок на трамвае. Вернер жил в Шарлоттенбурге, в собственной вилле. Герман тут родился и жил до восемнадцати лет, во дворе за домом сохранились его детские качели. На месте сгоревшего сарая выросла тонкая кривая осина.

Калитка оказалась незапертой. Дым не шел из трубы, значит, камин не топили. Темнело, но фонарь над крыльцом не горел, и не было света в окнах. Только за круглым окном мансарды подрагивали смутные сполохи.

Переступив порог, Эмма поняла, что горничная тут не появлялась давно. В прихожей свет не включился. Было холодно, пахло пылью. Эмма прошла на кухню, там тоже перегорели лампочки. Она осторожно, на ощупь, сложила покупки на стол, нашла спички, зажгла свечи, вернулась в прихожую, сняла шубку, поправила прическу перед полуслепым зеркалом, нарочно громко топая и покашливая, поднялась по лестнице в мансарду. Из-под двери пробивались белые сполохи. Эмма постучала:

— Вернер, это я.

В ответ ни звука, только пульсация света. Эмма приоткрыла дверь. Вспышки ослепили ее.

В просторной комнате у широкого лабораторного стола, склонившись к прибору, стоял маленький тощий старик. Свет окружал его сутулую фигуру дрожащим нимбом. Из-под выношенного, растянутого до колен лыжного свитера торчали фланелевые пижамные штаны в клетку, заправленные в серые войлочные сапоги без подметок с кожаными заплатами на пятках. На голове красовался колпак из грубого шинельного сукна, по форме напоминающий заостренный купол. Нечто среднее между шлемом и кепи. По бокам короткие овальные уши, спереди нашита пятиконечная звезда из красного сатина.

Вернер не расставался с этой обувью и этим головным убором. Название сапог Эмма примерно знала, что-то вроде «вауленык». А как называется колпак, забыла. Он был частью большевистской военной формы. И то и другое когда-то подарил Вернеру его советский друг радиофизик Марк Мазур.

— Перегорели все лампы, вы ни разу не разжигали камин. Холод страшный. Вы опять прогнали горничную, — строго сказала Эмма.

— Она дура, — ответил Вернер и передернул плечами.

— Все у вас дуры и дураки.

Он повернул голову, сердито сверкнул глазами из-под рыжих бровей и саркастически хмыкнул.

«Ну точно гном Ворчун», — подумала Эмма и суровым тоном предупредила, что ужин будет готов часа через полтора, не раньше, поскольку без дуры горничной в доме страшная грязь.

Прежде чем заняться стряпней, она вытащила из кладовки стремянку, упаковку лампочек, мешок с углем, разожгла камин. В доме стало светло и тепло. Она подмела пол, вытерла пыль, вымыла посуду. Все это она делала быстро и весело, насвистывая мелодию из «Белоснежки» и представляя, что с ней рядом чудесные помощники, птицы и звери, обитатели диснеевского леса.

За ужином Вернер не снял свой большевистский колпак и произнес всего одно слово: «Вкусно!»

Перед уходом Эмма поменяла постельное белье, достала из комода чистую пижаму, положила на покрывало новые носки, налила воду в стакан для зубных протезов, добавила несколько капель мятного эликсира.

Поднявшись в мансарду, чтобы попрощаться с Вернером, она сказала:

— У вас кончается уголь, остался последний мешок.

Старик все так же стоял над прибором, в пульсирующем нимбе, но теперь свет был не белый, а зеленовато-голубой. Эмма не ждала, что он ответит, произнесла свое обычное:

— До свиданья, Вернер, до следующего воскресенья.

Уже у двери она услышала:

— Ну что, дорогуша, тебя и твоего мужа включили в проект?

Эмма замерла и после паузы спросила:

— В какой проект?

— В урановый, конечно. В какой же еще?

Эмма почувствовала, как запылали у нее щеки и уши, ей стало жарко в холодной мансарде, она дрожащей рукой расстегнула верхнюю пуговицу вязаной кофточки.

— О чем вы? Я не понимаю...

Зелено-голубые вспышки стали нестерпимо яркими, раздалось сухое потрескивание, что-то щелкнуло. Вернер выключил прибор и повернулся всем корпусом. Эмма щурилась, после вспышек не могла разглядеть лицо старика. Его высокий, захлебывающийся смех напоминал голубиное воркование.

— Интересно, кто там у вас главный? Храбрый кролик Гейзенберг? Сладкий сухарь Отто Ган? А может, они пригласят Альберта?

— Какого Альберта?

— Великого, — старик подмигнул.

— Да уж, Альберт Великий[1] был бы сейчас кстати. — Эмма криво усмехнулась. — Жалко, что кафедры спиритизма в нашем институте нет. Идея красивая, но нереальная.

— Расщепление ядер тяжелых элементов совсем недавно тоже называли красивой, но нереальной идеей. — Вернер в последний раз хохотнул и добавил серьезным тоном: — Я имел в виду другого великого Альберта.

— Другого я не знаю.

Старик приблизил к ней лицо и прошептал:

— Ты хорошо его знаешь, дорогуша, лично знакома, зачитывалась его трудами, умилялась игре на скрипке.

— Это плохая шутка, — испуганно прошептала Эмма.

— Шутка, — кивнул старик и поправил свой дурацкий колпак. — Альберт Эйнштейн — теоретик, гений, а тут нужны практики, скромные исполнители, вроде тебя и твоего мужа. Разумеется, вас включили в проект.

— Вернер, я прошу вас никогда больше не касаться этой темы, — выпалила Эмма.

— Постараюсь, но не обещаю, очень уж интересно, как вы все там перегрызетесь. Да ты не бойся, в моем доме гестаповских ушей нет.

Он опять подмигнул и внезапно чмокнул ее в щеку. Это получилось так трогательно, по-детски, что Эмма невольно улыбнулась. Она не могла долго сердиться на Вернера. Огромный запас любви, предназначенный ребенку, который никогда уже не родится, разрывал душу. Старик был одинок, беззащитен и наивен, как малое дитя.

— Пожалуйста, наденьте на ночь шерстяные носки и постарайтесь не спалить дом до следующего воскресенья, — сказала она на прощанье.

«А все-таки откуда он мог узнать? — думала она по дороге домой. — Проект настолько секретный, что даже названия у

---

[1] Альберт Великий (1200–1280) — немецкий ученый, философ, канонизирован в 1932 г., считается покровителем всех естественных наук.

него нет, только кодовая фраза: "*создание новых источников энергии для ракетных двигателей*". В институте между собой мы называем это "урановым клубом" и говорим шепотом, как заговорщики. Мы все давали подписку о неразглашении... Гестаповские уши... Он проработал в институте почти тридцать лет, может, кто-то навещает его? Нет, вряд ли. Тогда откуда?»

Ответ пришел сам собой. О расщеплении ядра урана известно всему миру. Уж кто-кто, а Вернер Брахт легко может представить, какой ажиотаж теперь поднялся вокруг урана. На самом деле членами секретного «клуба» стали сотни физиков и химиков по всей Германии. Работы начались в апреле, в них участвует двадцать два научных института, они щедро финансируются, их курируют Управление вооружений сухопутных войск, министерство образования, министерство связи. Все публикации по этой теме запрещены.

«Пусть болтает что хочет, — решила Эмма, — я буду молчать. Даже к лучшему, что Герман с ним не общается, его бы такие разговорчики напугали до смерти».

Когда она вернулась домой, Герман спал на диване в гостиной. Рядом на ковре валялся свежий номер «Берлинер тагеблат» с портретом фюрера. Эмма присела на край дивана, погладила мужа по щеке и тихо произнесла:

— Он опять прогнал горничную.

Герман открыл глаза, поймал ее руку, поцеловал в ладонь и спросил:

— На улице холодно?

— Не очень. Знаешь, я сегодня в третий раз посмотрела «Белоснежку».

— Тебе не надоело? — Герман сладко, со стоном зевнул.

— Нет. Нисколько. Подвинься.

Эмма прилегла с ним рядом и стала тихо напевать песенку гномов, возвращающихся с работы.

Глава третья

В первый день войны Джованни Касолли отправился в Гляйвиц, городок на границе Польши и Германии. Международную группу журналистов повезли туда на автобусе, прямо из министерства пропаганды, после короткого брифинга, на котором Геббельс сообщил, что поляки совершили очередную чудовищную провокацию, варварский акт, переполнивший терпение немцев.

Первый пасмурный сентябрьский день после изнурительного августовского пекла был сонным, вялым. Солнце, всю неделю палившее нещадно, наконец скрылось за высокими светлыми облаками, угомонился горячий ветер, на берлинских улицах стало спокойно и приятно, как в теплице.

Кроме чиновников министерства, международную группу сопровождала сотрудница пресс-центра МИДа Германии фрау фон Хорвак. По дороге все молчали, избегали смотреть друг на друга, усердно любовались несущимися вдоль трассы аккуратными прусскими пейзажами.

— Мы едем к границе, но нет никакого движения войск, — заметил кто-то из журналистов.

— Наши войска уже пересекли границу и стремительно продвигаются в глубь вражеской территории, — гордо объяснил чиновник.

Джованни возился со своей новенькой кинокамерой, шестнадцатимиллиметровой «Аймо» американской фирмы «Белл энд Хоуэл». Он купил эту модную игрушку в Риме неделю назад и не мог с ней расстаться. Компактная, легкая, она удобно ложилась в саквояж. Ее объективу он доверял больше, чем собственным глазам. Умница «Аймо» дарила чувство отстраненности, превращала реальность в череду безобидных, последовательно движущихся картинок, которые можно в любой момент остановить, пустить в обратном направлении, двинуть время вспять, вернуться к началу действия.

«Аймо» тихо заурчала, как только в объектив попала белокурая голова Габриэль фон Хорвак. Она сидела через ряд, у окна. На соседнем сиденье лежала ее сумка. Когда рассаживались, Джованни удалось незаметно сжать ее руку, пропуская вперед. Они быстро обменялись взглядами. Сесть с ней рядом он не решился. Все, что они могли позволить себе, — формальное «добрый день».

А день был вовсе не добрый. Пока ехали, несколько раз слышали тяжелый гул, крыша автобуса вибрировала. Это летели бомбардировщики люфтваффе бомбить польские города.

Автобус остановился на окраине Гляйвица. Вокруг было безлюдно. Ни местных жителей, ни военных, словно все вымерло. Журналистов подвели к симпатичному двухэтажному дому под черепичной крышей. Джованни скользнул камерой по легкой кружевной конструкции, деревянной радиобашне. Она красиво смотрелась на фоне сизого неба. Потом он снял разбитое окно, следы пуль на розовой штукатурке.

— Служащих радиостанции связали и посадили в подвал, — сказал чиновник, — прошу вас, господа.

Журналисты гурьбой вошли внутрь здания. Там были опрокинуты стулья, на полу следы крови, осколки стекла. Чиновник включил магнитофон, зазвучали выстрелы, высокий мужской голос, медленно выдавливая каждое слово, заговорил по-польски.

— Господа, вы слышите оскорбительные выпады и угрозы в адрес германского народа. Поляки объявили Германии войну, пообещали уничтожить всех немцев, включая женщин и детей, — объяснил чиновник, почти дословно повторяя утреннюю речь Геббельса.

— Оскорбления, угрозы немцам и объявление войны Германии прозвучали по-польски? — с нервной усмешкой спросил молодой репортер CNN.

— Разумеется. Ведь по радио говорил поляк, — не моргнув глазом, ответил чиновник.

«У этого поляка очень сильный немецкий акцент», — заметил про себя Джованни. Судя по лицам журналистов, не он один это заметил, но все промолчали.

Возле дома, на просторном газоне, лежало три трупа в польской военной форме. Их не убрали, не прикрыли, хотя прошло больше двенадцати часов. Вокруг них, по кромке газона, белели поломанные астры. Чиновник пригласил подойти ближе.

— Можете снимать, господа.

Защелкали затворы фотоаппаратов, зажужжало несколько камер, таких же маленьких, любительских, как у Джованни. Он увидел через объектив мертвые лица. Два в запекшейся крови, одно чистое, молодое, с правильными тонкими чертами. Над ними вились мухи. Рядом, на куске брезента, валялись винтовки. Чиновник несколько раз повторил, что, по заключению экспертов, это табельное оружие польской армии.

Джованни продолжал держать камеру, но смотрел мимо объектива. Чиновник, наконец, замолчал, журналисты перестали снимать. Все оцепенели, не задавали вопросов, не писали в блокнотах. В мертвой тишине деловито гудели крупные мухи. Когда их заглушил гул очередной стаи бомбардировщиков, все, как по команде, вскинули головы, уставились в небо. Джованни стоял так близко к трупам, что носок его ботинка почти уперся в подметку сапога убитого с чистым молодым лицом.

«Совсем ребенок, форма явно велика», — отметил он про себя и почувствовал легкое прикосновение. Фрау фон Хорвак подошла сзади неслышно, встала рядом.

— Печальное зрелище, — кашлянув, произнес Джованни, опустил камеру, взял фрау под руку и добавил громко: — Картина не для дамских глаз.

Сквозь небольшую толпу он потащил ее к автобусу. За ними потянулись остальные.

— Габи, может, все обойдется, — успел прошептать он по дороге.

Она ничего не ответила, молча шла рядом и выглядела вполне спокойной. Он слишком хорошо знал ее. Такое нарочито спокойное, отрешенное выражение лица означало, что она сейчас заплачет.

Габриэль фон Хорвак безупречно владела собой. Она умела так плакать, что слезы текли внутрь, и со стороны это было совершенно незаметно. Она могла обмануть кого угодно, даже своего мужа Максимилиана. Только не Джованни Касолли. Между ними все уже кончилось, но он продолжал ее чувствовать на расстоянии. Она тоже знала его слишком хорошо и понимала, что бессмысленная реплика «может, все обойдется» означает крайнюю степень отчаяния и растерянности.

В автобусе им не удалось поговорить, хотя он все-таки решился сесть рядом. На листке отрывного блокнота она написала несколько букв и цифр. Он едва заметно помотал головой. Он никак не мог встретиться с ней сегодня в восемь вечера в Шарлоттенбурге, поскольку в половине восьмого улетал в Рим. Она кивнула, скомкала листок, бросила в сумку. Когда автобус подъезжал к зданию министерства, она громко произнесла:

— Благодарю вас, господин Касолли, вы вовремя увели меня от этих трупов, до сих пор не могу прийти в себя.

— О нет, фрау Хорвак, так просто вы не отделаетесь, — ответил он в шутовской манере бывалого ловеласа, — вам придется со мной пообедать. Я здорово проголодался, терпеть не могу есть в одиночестве в чужом городе.

— Ты правда проголодался? — спросила она, когда они остались наконец вдвоем, пошли к Тиргардену.

— Не очень. А ты?

— Мне вряд ли сегодня кусок полезет в горло.

— Габи, ты правда хотела назначить мне свидание?

— Я не собиралась, я вообще не знала, что ты в Берлине. Просто мне поручили явиться на брифинг и съездить в Гляйвиц. Я в последнее время не вылезаю из министерства пропаганды. На всех важных мероприятиях должен быть представитель МИДа. Других из нашего ведомства Геббельс шпыняет, только мое присутствие терпит. А Риббентропу нравится читать в моих отчетах, как тупо и бездарно работают с иностранной прессой люди Геббельса.

— Значит, ты отправилась любоваться мертвыми поляками не ради того, чтобы проехаться со мной на автобусе?

Она не ответила. Несколько минут шли молча, свернули с главной парковой аллеи, сели на свободную скамейку. Габи закурила и произнесла, наблюдая за струйкой дыма:

— Это не поляки.

— Думаешь? Или точно знаешь? — спросил Джованни.

— Утром думала, теперь знаю точно.

Послышался детский рев. Мальчик лет трех семенил по аллее, прижимая к груди большой красный мяч. За ним ковыляла полная пожилая дама в цветастом платье и сквозь одышку повторяла:

— Фредди, отдай Монике мяч, сию минуту отдай мяч!

Фредди в ответ ревел громче и семенил быстрей.

— Они не понимают, — пробормотала Габи, когда рев затих и парочка удалилась. — Люди на улицах ведут себя как обычно, будто ничего не произошло. Наши танки прут по чужой земле, наши самолеты бомбят чужие города, а им все нипочем. Надеются, что так и будет продолжаться, безнаказанно? Интересно, кто-нибудь из твоих коллег догадался, что это не поляки?

— Голос на пленке говорил с сильным немецким акцентом. Кажется, многие заметили. Ты, насколько я помню, внутрь здания не заходила, запись не слышала.

— Не заходила. Не слышала. Я смотрела на трупы. Тот, у которого лицо не замазано кровью, работал поваренком в доме фон Блеффа. Его звали Путци.

— Габи, ты так часто видела этого поваренка, что сумела узнать его мертвого, в польской форме?

— Да, я видела его часто. Он был глухонемой и служил сексуальной игрушкой Франса, а Франс фон Блефф, если ты помнишь, был моим женихом.

— Неужели ты ревновала?

— Замолчи. — Она сморщилась, помотала головой. — Около года назад Путци выпил уксусную кислоту, попал в больницу. Его вылечили и отправили в лагерь. Он был в лагере, понимаешь? А потом оказался на газоне у радиостанции в Гляйвице в польской форме. Мертвый. — Она бросила окурок в урну возле скамейки, зажмурилась и прикусила губу.

Джованни взял ее руку, стал осторожно перебирать, гладить ледяные пальцы и прошептал:

— Он сбежал.

— Кто?

— Этот твой Путци. Он сбежал из лагеря, перешел польскую границу.

— Мг-м, перелетел по воздуху, в шапке-невидимке.

— Ты почти угадала. Он переплыл Одер под водой, и, когда у него осталась последняя капля кислорода в легких, крючок польского рыбака зацепился за его штаны. Рыбак решил, что поймал огромную рыбу, обрадовался, стал тянуть, чуть не сломал удочку, но вместо рыбы вытянул полудохлого юношу. Радости, конечно, мало, однако не бросать же его назад в реку. Пришлось тащить домой. Жена рыбака, добрая женщина, выходила беднягу. Они хотели оставить его у себя, собственных детей у них не было. Как только Путци стал поправляться, он сразу вспомнил все беды и унижения, которые ему пришлось вынести в Германии. Он решил записаться в польскую армию.

— Его не могли взять в армию, он глухонемой.

— Он притворялся глухонемым, ему не с кем и не о чем было разговаривать в доме фон Блеффа.

— Ося, ты опять рассказываешь сказки. — Габи вздохнула и погладила его по голове.

Кроме нее, никто не называл его по имени. О том, что Джованни Касолли на самом деле еврейский сирота Ося Кац, бежавший из Ялты в Константинополь в двадцатом году, было известно нескольким сотрудникам британской разведки. Для них он уже десять лет существовал под кличкой Феличита. Для людей в СССР, которым он иногда передавал информацию через священника итальянского посольства в Москве, он тоже был Ося, но они понятия не имели, что это его настоящее имя и что он родился в России.

Ося прижал к губам ее ладонь. Запах ее кожи, птичий щебет, детские голоса в глубине аллеи, шорох велосипедных шин
по мелкому гравию, трепет липовых и дубовых листьев — все
это было абсолютно несовместимо с войной. На мгновение ему
почудилась, что они с Габи проснулись. Им обоим снился один
и тот же кошмар. Гляйвиц, трупы в польской форме на газоне,
стаи бомбардировщиков люфтваффе над головой. Он отпустил
ее руку и сердито произнес:

— Пожалуйста, не перебивай меня. На чем я остановился?

— На том, что Путци решил записаться в польскую армию.

— Ну да, конечно, он стал солдатом.

— И напал на немецкую радиостанцию в Гляйвице?

— Нет, он не собирался нападать на немецкую радиостанцию. Он пришел на берег Одера, чтобы выполнить поручение
карпа, который спас ему жизнь.

— Какой карп? Жизнь Путци спас рыбак.

— Крючок зацепился за штаны... — Ося скептически хмыкнул. — Ты веришь в такие случайности? Я — нет. Если ты перестанешь меня перебивать на каждой фразе, я расскажу тебе, что
произошло на самом деле. Путци так долго плыл под водой, что на
него стали обращать внимание коренные жители Одера. Особенно заинтересовался гостем старый заслуженный карп. Людей он
не любил, поскольку сам когда-то был человеком. Веков пять тому
назад он работал поваром в замке князей Олесницких, выпотро-
шил и зажарил в сметане такое количество речных карпов, что
пришлось ему после кончины надолго переселиться в шкуру своих жертв, то есть в чешую. Подплыв ближе к тощему юноше, карп
почуял, что подводный гость относится к той породе людей, которых потрошат и жарят в сметане чаще и охотней, чем речных карпов. Он пожалел юношу, подтолкнул к удочке.

— Да, это похоже на правду, — кивнула Габи.

— Это чистая правда, но еще не вся. Карп, конечно, знал,
что едоки человечины скоро устроят грандиозное пиршество.
Это испоганит спокойную речную жизнь. От войны много шума и грязи. Деликатно подталкивая умирающего Путци к рыбо-
ловному крючку, он успел открыть ему один древний секрет.

В развалинах замка, где он когда-то потрошил карпов, хранится наконечник копья Вотана. С ним ты, надеюсь, знакома?

— Герой «Старшей Эдды», бог войны, предводитель душ мертвых воинов, в скандинавском эпосе его зовут Оден, — не задумываясь, отчеканила Габи, — он отец колдовства, хозяин магических рун, начальник валькирий, гигантских женщин, которые по его команде распределяют военные победы и поражения, а в минуты отдыха ткут полотно из человеческих кишок и поют хором: «Фюрер наш бог, мы живем ради фюрера, мы умрем ради фюрера».

Последние слова Габи пропела, причем довольно громко. Проходившая мимо пожилая пара хмуро взглянула на нее и ускорила шаг.

— Гунгнир, — прошептал Ося, — так называется копье Вотана, символ власти, главный атрибут военной магии. Представляешь, что значит для твоих приятелей Гитлера и Гиммлера наконечник Гунгнира? Вот карп и попросил Путци разыскать в развалинах эту железку и бросить в Одер, чтобы они никогда ее не нашли.

— Неужели твой мудрый карп верит в магическую силу какого-то Гунгнира?

— Не то чтобы верит. Просто на всякий случай решил подстраховаться. Конечно, трудно представить, что небольшой кусок металла обладает мощью миллионов пуль и сотен тысяч бомб, но мы с тобой видели, как самые нелепые мифы становятся былью. Все, нам пора. Ты отвезешь меня в аэропорт.

Габи взглянула на часы и охнула:

— Без двадцати шесть, надо еще заехать в гостиницу.

— Не надо. Мой саквояж в твоем багажнике.

— Разве? Ну да, я забыла.

Свой темно-синий «Порш» Габи оставила в квартале от министерства пропаганды. Они добежали минут за двадцать. Сев за руль, она отдышалась и спросила:

— Он успел?

— Кто?

— Путци успел найти Гунгнир и выбросить в Одер?

— Конечно. Только потом его и двух его верных друзей схватили агенты Гейдриха, которым срочно понадобились мертвые поляки для инсценировки нападения на радиостанцию.

Несколько минут Габи молча вела машину, смотрела прямо перед собой.

— О чем думаешь? — спросил Ося.

— Еще месяц назад эта информация имела смысл. Разоблачение инсценировки... А сейчас некому передавать. Англичане и так все знают, но ничего не делают. Советы — союзник Германии.

— У англичан и французов договор с Польшей, они просто обязаны вмешаться, а союз Сталина и Гитлера — это ненадолго...

Его вдруг прошиб холодный пот. Они говорили в ее машине совершенно открыто. Раньше ничего подобного себе не позволяли. Шансы, что в новенький «Порш» фрау фон Хорвак успели установить записывающее устройство, равны нулю, но есть элементарные правила безопасности, их нельзя нарушать.

Они подъехали к аэропорту, вышли из машины.

— Давай тут попрощаемся, — сказал Ося, — не надо, чтобы лишний раз нас видели вместе.

— Да, ты прав. — Она посмотрела на часы. — Тебе пора.

— Еще есть минутка. — Он открыл багажник, взял свой саквояж. — Послушай, долго этот кошмар не продлится, немцы не хотят войны, это не четырнадцатый год, ты же видишь, никакого энтузиазма.

— Никто не хочет войны, никто, кроме одного сумасшедшего, и вот сегодня она началась.

— Война очень быстро надоест всему населению Германии, истощит ресурсы, вымотает нервы. А магическую железку они не найдут, это я тебе гарантирую.

Габи провела кончиками пальцев по его щеке и прошептала:

— Ося, как хорошо, что именно сегодня ты оказался рядом.

Он увидел влажный блеск в ее глазах и понял, что она больше не может сдерживать слезы.

Она вдруг тихо рассмеялась:

— Магическая железка... Небольшой кусок металла... Где-то я уже слышала...

— О чем ты?

— Ерунда, пьяный треп... Ладно, раз уж вспомнила, расскажу. В прошлую пятницу был день рожденья Максимилиана, гостей собралось довольно много, один его приятель здорово напился и бранил последними словами бельгийцев. Они сорвали какую-то страшно важную сделку, обещали продать сколько-то тонн урана и в последний момент отказались. Макс удивился, спросил, зачем покупать уран в таком немыслимом количестве, и этот тип понес полную околесицу про энергию распада, мол, недавно что-то там открыли насчет урана. В общем, почти как твой Гунгнир. Сила миллионов пуль и сотен тысяч бомб.

— А этот приятель, он где служит?

— Он советник торгового отдела Управления сухопутных вооружений. Знаешь, он вдруг замолчал на полуслове, будто в один миг протрезвел, очень сильно испугался. Такая паника никак не вязалась с фантастической ахинеей, которую он нес. Это было... Ну, как если бы ты, рассказывая свою историю про карпа и Гунгнир, вдруг осознал, что выбалтываешь государственную тайну.

— У них сплошные тайны. — Ося махнул рукой. — Для того их и сочиняют, чтобы выбалтывать на вечеринках.

— Думаешь, ерунда, пустышка? — неуверенно спросила Габи. — Но ведь правда было какое-то открытие насчет урана, я читала.

— Только что ты сама сказала: ерунда. — Ося поцеловал ее в нос. — Уран — это божество из греческой мифологии, кстати, довольно мерзкое. Без конца брюхатил свою мамашу Гею и заставлял ее прятать детей в утробе, потому что получались уроды...

— Знаю, но это еще и химический элемент, который...

Ося закрыл ей рот ладонью.

— Тс-с! Один из сыновей, Хронос, в конце концов отсек папаше Урану яйца серпом.

Под ладонью он почувствовал улыбку, потом поцелуй. Габи обняла его, прижалась всем телом, скользнула губами по шее, легонько прикусила ухо и тут же отпрянула, зажмурилась, помотала головой.

— Все, иди, твой самолет улетит!

— Чиано должен встретиться с Риббентропом, я буду в свите, как всегда, — выпалил Ося.

Он схватил саквояж, побежал к воротам аэропорта, запрещая себе оглядываться, но все-таки оглянулся. Темно-синий «Порш» сорвался с места и помчался прочь на большой скорости.

* * *

Куранты пробили полночь, спецреферент Крылов машинально взглянул на часы, глотнул остывшего чаю, отчеркнул на полях пару абзацев. Прогудел последний удар и мягко слился с воем ночного ветра. Мела метель. За дверью глухо простучали шаги. Кремлевские коридоры жили своей обычной ночной жизнью. Пока Хозяин не уезжал в Кунцево, никто не смел покинуть рабочее место. А уезжал он, как правило, под утро.

Илья прошелся по кабинету. Сквозь оконные щели дуло, ветер выл, как живое существо. На подоконнике шевелились, шуршали номера «Правды» за прошедшую неделю.

В номере от 23 декабря рядом с портретом юбиляра в полный рост, в галифе и высоких сапогах, были напечатаны приветствия иностранных государственных деятелей.

Господину Иосифу Сталину.

Ко дню Вашего 60-летия прошу Вас принять мои самые искренние поздравления. С этим я связываю свои наилучшие пожелания, желаю доброго здоровья Вам лично, а также счастливого будущего народам дружественного СССР.

Адольф Гитлер

Когда пришла телеграмма из Берлина, спецреферент Крылов перевел ее вслух прямо с листа. В тот момент он не видел лица Хозяина, но казалось, лицо должно улыбаться, и даже представилась картина в карамельном стиле художника Герасимова:

улыбающийся товарищ Сталин принимает теплые поздравления товарища Гитлера.

Подняв глаза, Илья не заметил и тени улыбки. Хозяин был серьезен, задумчив, пальцы нежно покручивали кончик уса.

Вторую телеграмму прислал Риббентроп.

Господину Иосифу Сталину.

Памятуя об исторических часах в Кремле, положивших начало решающему повороту в отношениях между обоими великими народами и тем самым создавших основу для длительной дружбы между ними, прошу Вас принять ко дню Вашего шестидесятилетия мои самые теплые поздравления.

Иоахим фон Риббентроп,
министр иностранных дел

Вот тут господин Сталин улыбнулся, с удовольствием вспомнил *«исторические часы».* Во время второго, сентябрьского визита Риббентропа, когда был подписан договор «О дружбе и границах», на ночном банкете членам германской делегации пришлось выпить за здоровье Кагановича. Сталин считал, что это невероятно остроумно — заставить немцев чокнуться с евреем, и потом часто подшучивал над Кагановичем.

Ответы он продиктовал сразу. Гитлера поблагодарил коротко и сухо:

Прошу Вас принять мою признательность за поздравления и благодарность за Ваши добрые пожелания в отношении народов Советского Союза.

И. Сталин

Риббентропу ответил с мрачным пафосом:

Благодарю Вас, господин министр, за поздравления. Дружба народов Германии и Советского Союза, скрепленная кровью, имеет все основания быть длительной и прочной.

И. Сталин

Всего четыре иностранных государственных деятеля откликнулись на славную дату. Не густо. Кроме Гитлера и Риббентропа, с шестидесятилетием товарища Сталина поздравил китайский лидер Чан Кайши, да еще товарищ Куусинен, глава нового демократического правительства Финляндии. Это государство и это правительство товарищ Сталин придумал сам.

Реальная Финляндия изо всех сил защищалась от Красной Армии и приветствий товарищу Сталину не присылала. Сказочная Финляндская демократическая республика в лице главного финского коммуниста Куусинена смиренно сидела в Москве, в гостинице «Националь», подписала договор о мире и дружбе с СССР и сердечно поздравила товарища Сталина со сказочным юбилеем.

На самом деле шестьдесят ему исполнилось чуть больше года назад, 6 декабря 1938-го. Илья узнал реальную дату рождения Хозяина давно, в начале тридцатых, когда еще не был сотрудником Особого сектора, протирал штаны в Институте марксизма-ленинизма, работал с партийными архивами. Это была одна из бесчисленных и бессмысленных государственных тайн. Каждый декабрь двадцать первого числа Илья с любопытством наблюдал, как поздравляют Хозяина его приближенные. Все они — Молотов, Каганович, Ворошилов, Калинин — отлично знали, что он родился 6 декабря 1878-го, а не 21 декабря 1879-го. Дату он изменил, когда стал генеральным секретарем, в двадцать втором году.

Илья часто думал: зачем? Что значит для Хозяина эта нумерология? Привычка к конспирации? Очередная ложь ради лжи? Или цифры имеют для него какой-то тайный магический смысл?

Когда они с Машей шли поздним вечером после юбилейного концерта по Волхонке мимо забора и она прочитала свой стишок, Илья вдруг вспомнил, что храм Христа Спасителя был взорван 5 декабря 1931-го. Он ничего не сказал Маше, у него сильно стукнуло сердце, и стало жарко на морозе. К 6 декабря, к своему пятьдесят третьему дню рождения, товарищ Сталин, большевик Коба, недоучка-семинарист Сосо подарил самому себе «яму вместо храма».

Илья мгновенно отбросил эту мысль. Ерунда, случайное совпадение. Но сейчас, ночью в кабинете, под шорох страниц юбилейных номеров «Правды», он поймал себя на том, что в который раз перебирает в памяти даты и события.

После взрыва храма в следующие годы в начале декабря ничего особенного не происходило. Тридцать второй, тридцать третий... Опять сердце стукнуло. 1 декабря 1934-го был убит Киров.

Илья не понимал, зачем об этом думает. Перед ним лежали толстенные папки с копиями перехваченной дипломатической переписки, с записями речей Гитлера и Геббельса, стопки главных газет рейха. Гора бумаги — как всегда. Он должен был подготовить сводку к завтрашнему утру, то есть уже сегодня. Он скучал по Маше, ему хотелось домой. Слипались глаза, ныла шея.

Илья встал, открыл форточку, сделал несколько наклонов, приседаний, подвигал руками. Он задеревенел от долгого неподвижного сидения за столом, надеялся, что короткая гимнастика не только разогреет мышцы, но и мозги прочистит.

Ветер ворвался, окатил, как ледяным душем. Илья вспомнил, что Кирова хоронили 5 декабря. На следующий день после похорон началась новая эпоха, мясорубка стала набирать обороты в бешеном темпе. Именно убийство Кирова послужило сюжетным стержнем процессов тридцать шестого, тридцать седьмого, тридцать восьмого.

Илья вернулся за стол и несколько минут сидел, глядя в одну точку, на свое смутное отражение в стекле книжного шкафа. Он редко открывал этот шкаф, там стоял официальный набор книг, который положено иметь в рабочем кабинете чиновнику его уровня. Собрание сочинений Ленина, тома Маркса и Энгельса. В ряду скромных синих и серых корешков бросался в глаза один шикарный, малиновый. Подарочное издание «Краткого курса истории ВКП(б)».

В стекле Илья видел собственное лицо, разрезанное пополам высоким малиновым корешком. Парча переплета выткана золотом. Плотная шелковистая бумага. Крупный красивый шрифт. Таких изданий выпустили совсем немного, для членов Политбюро, для высшего партийного руководства союзных республик. Хозяин распорядился, чтобы его спецреференты тоже получили по экземпляру. Это было справедливо. Ни орденов, ни званий им не полагалось, а такой подарок дороже любого ордена.

Илья вспомнил, как Хозяин лично вручил ему малиновую с золотом роскошь. Очередной вызов в кабинет, несколько пустых вопросов по сводке, потом пауза, долгий молчаливый взгляд в глаза. Наконец медленное движение, бесшумный проход по кабинету, еле слышный голос за спиной:

— Товарищ Крылов, вот вы работаете, честно работаете, вам должно быть обидно: другим награды, а вы ничего не получаете. Обидно вам это, товарищ Крылов?

— Да, товарищ Сталин, немного обидно. Но у меня зарплата хорошая.

Ответ понравился. Хозяин одобрительно хохотнул и произнес с улыбкой:

— Чтобы вы не обижались, мы тут приготовили скромный подарок для вас, товарищ Крылов.

Илья не видел, как оказался в руках Хозяина фолиант в малиновом парчовом переплете.

— Спасибо, товарищ Сталин. Такая награда из ваших рук дороже всех орденов на свете.

Ответ прозвучал, как всегда, искренне, голос слегка дрожал. Хозяин протянул ему правую кисть. Чтобы пожать ее, следовало положить книгу, одной рукой эту тяжесть не удержишь. Не дай бог уронишь. Ритуал будет испорчен. А положить некуда. Илья быстрым движением зажал фолиант под мышкой и освободил правую руку для державного рукопожатия.

Это было больше года назад, 6 декабря 1938-го.

«Вот тебе и нумерология, — думал Илья, — яма вместо храма. Образ Друга, Убитого Врагами. «Краткий курс». Три подарка тесно связаны между собой и знаменуют три главных этапа жизненного пути, от недоучки-семинариста до живого божества. Последний, итоговый подарок Сосо преподнес себе в честь круглой даты, на свое тайное шестидесятилетие. В нем и яма, и смерть Кирова, и конец реальности».

У книги была долгая, сложная предыстория.

В тридцатом году старый большевик Емельян Ярославский выпустил четырехтомник «Краткая история ВКП(б)». Солидный труд товарищу Сталину не понравился, он раскритиковал Ярославского в «Правде». К тридцать второму Политбюро приняло постановление «О составлении Истории ВКП(б)». Ярославский остался жив и вошел в число составителей.

К тридцать восьмому из дюжины составителей в живых остался все тот же Ярославский, да еще некто Поспелов, аппаратный чиновник. Эта пара тихо корпела над текстом и отправляла написанное Сталину. Ему ничего не нравилось, он все перечеркивал. Наконец заперся в кремлевском кабинете и стал писать сам, выдавал по главе в день, отправлял членам Политбюро, а заодно и Ярославскому с Поспеловым.

Благодарные первые читатели на полях рукописи писали: «*Работа прекрасная!*» (Ворошилов); «*Удивительно хорошо!*» (Калинин); «*Прочел с большим удовольствием*» (Хрущев); «*Категорически за!*» (Молотов).

В четвертой главе имелось лирическое отступление, небольшой философский этюд под названием «*О диалектическом и историческом материализме*». Этот вкусный кусочек читатели съели с особенным удовольствием. «*Миллионы людей получили возможность почти осязательно понять идеологию коммунизма*» (Калинин); «*Превосходно!*» (Ворошилов).

Ярославский и Поспелов захлебнулись восторгами, не уместившимися на полях. Бывшие составители строчили длинные любовные письма, каялись в ошибках, признавали свою бездарность, никчемность и выливали ушаты обожания на голову автору. Слово «СТАЛИН» оба писали только большими буквами.

«*Краткий курс истории ВКП(б)*». Так деловито, по-научному, озаглавил товарищ Сталин плод своего творчества. Произведение печаталось главами в «Правде» с сентября 1938-го. В ноябре вышла книга тиражом шесть миллионов, тираж был распродан за две недели, сразу выпустили еще четыре миллиона.

Обязательные коллективные читки проводились во всех учреждениях, на заводах, в колхозах, в школах, в больницах. Учителя, старшеклассники, преподаватели и студенты вузов учили наизусть целые главы, пересказывать своими словами считалось кощунством и вредительством. Текст перевели на языки всех союзных республик, а также на французский, английский, немецкий, польский, чешский, шведский, финский, испанский, итальянский, китайский, японский, малайский, болгарский, хинди.

К 6 декабря 1938-го, к шестидесятилетию недоучки-семинариста Сосо, на всей территории СССР вряд ли осталась живая душа, не обработанная «Кратким курсом», разве что младенцы и слепоглухонемые.

В начале тридцатых в Институте марксизма-ленинизма Илья по поручению тогдашнего своего начальника Толстухи перевел «Майн кампф» для товарища Сталина. Осенью тридцать восьмого ему выпала честь перевести на немецкий «Краткий курс», в срочном порядке, всего за полтора месяца.

Текст «Майн кампф» Илья успел подзабыть, но за переводом «Краткого курса» вспомнил и невольно сравнивал два шедевра.

Гитлер изложил свою сказку в двадцать третьем году. Ему исполнилось тридцать пять, он сидел в тюрьме. Его мало кто знал, но уже появились сподвижники, покровители, обожатели.

Для Сталина двадцать третий тоже стал своего рода точкой отсчета. Что он имел? Бюрократическую должность генерального секретаря, болезнь и беспомощность Ленина, склоки в партийной верхушке. Никаких сподвижников-покровителей, ни одного обожателя. В отличие от Гитлера, он стартовал в полном, глухом одиночестве, взглядами и планами ни с кем не делился. Он сначала сделал свою сказку былью и только потом изложил в письменной форме. Почему? Слишком дорожил сказкой, чтобы заранее вываливать ее на бумагу? Или сам не знал, как повернется сюжет?

Гитлер подписал «Майн кампф» собственным именем. И хотя злые языки утверждали, что в создании шедевра участвовал еще кто-то, что в тексте много плагиата и ничего нового будущий фюрер в своем тюремном труде не сказал, все-таки сказка Гитлера была безусловно его сказкой, повествование велось от первого лица. Гитлер вообще всегда говорил и писал «я». «Я решил, я хочу, я знаю». Сталин это местоимение не жаловал. Его «я» пряталось за множеством псевдонимов: «Политбюро», «советское правительство», «партия», «линия партии».

На обложке «Краткого курса» мелкими буквами значилось: *«Под редакцией комиссии ЦК ВКП(б); одобрено комиссией ЦК ВКП(б)».* Еще два новых псевдонима.

На совещании работников партийной пропаганды Хозяин изрек: *«Исторический материал служит служебным материалом».*

Семинарист-недоучка на седьмом десятке все еще плохо владел русским языком и самим собой иногда владел плохо. Проговаривался. Но, разумеется, никто этого не замечал. Неуклюжую двусмысленную фразу слушатели встретили очередным взрывом аплодисментов. Сосо нахмурился и спросил:

— *Для чего мы собрались?*

Повисла трепетная тишина.

— *Тут, товарищи, не митинг,* — мрачно продолжал Сосо. — *Что вы только время отнимаете своими аплодисментами? Вот вы все хвалили, что книга такая, дает все и прочее. Нам здесь не похвала нужна, а помощь в виде поправок, замечаний, в виде указаний, происходящих из вашего пропагандистского опыта.*

Зал замер, а потом поправки и замечания посыпались горохом, одинаковые, как горошины: в книге недостаточно полно отражена руководящая, направляющая, организующая роль товарища Сталина.

С «Майн кампф» начался новый отсчет времени для Германии и для всей Европы, но ни Германия, ни Европа тогда, в двадцать третьем, еще не знали об этом. Никто тюремный шедевр не читал. Только узкий круг обожателей мог осилить бесконечный поток сознания, кишащий вшами, червями, сифилисом, раковыми опухолями, с которыми автор сравнивал евреев.

Сюжета не было, среди поучений и рассуждений попадались автобиографические фрагменты и грандиозные планы борьбы со всем миром и с самой реальностью.

В «Кратком курсе» сюжет имелся, простой и грубый сюжет бульварного шпионского романа, щедро приправленный мрачной мистикой. Автобиографические фрагменты были совсем смутными, планов — никаких. Зачем делиться планами, если они уже выполнены? Сосо победил реальность и ликвидировал ее, как врага народа, под восторженные аплодисменты народных масс.

Каждая глава завершалась порцией магических заклинаний, они вбивались в головы бесконечными повторами.

В последней, двенадцатой главе четвертый параграф назывался *«Ликвидация остатков бухаринско-троцкистских шпионов, вредителей, изменников родины»*. Сосо посвятил им всего полторы страницы, но какие!

«Эти белогвардейские пигмеи, которых можно приравнять по силе всего лишь ничтожной козявке, видимо, считали себя для потехи хозяевами страны. Эти белогвардейские козявки забыли, что стоит советскому народу шевельнуть пальцем, чтобы от них не осталось и следа».

За счастливым финалом — окончательной победой «блока коммунистов и беспартийных» на выборах в Верховный Совет СССР 1937 года — следовало многостраничное «Заключение», каждый абзац начинался словами: *«История ВКП(б) учит...»*, и так двадцать раз, в ритме отбойного молотка.

На последней странице Сосо подробно, со множеством повторов, пересказал греческий миф об Антее и залил его цементом финального заклинания:

«Большевики напоминают нам героя греческой мифологии Антея. Они так же, как Антей, сильны тем, что держат связь со своей матерью — с массами, которые породили, вскормили и воспитали их. И пока они держат связь со своей матерью — с народом, они имеют все шансы на то, чтобы остаться непобедимыми. В этом ключ непобедимости большевистского руководства».

В рейхе «Майн кампф» считалась «библией национал-социализма». В СССР аппаратные чиновники между собой называли «Краткий курс» «Библией коммунизма». Прочие писания на тему ВКП(б) были изъяты из библиотек. «Краткий курс» означал конец времени, конец истории для населения СССР. Осталось много живых свидетелей событий, описанных в сказке, но они забыли, как было на самом деле, стали помнить прошлое страны и собственное прошлое строго по «Краткому курсу», не только из-за инстинкта самосохранения, но и потому, что созданная Сталиным механическая картина мира оказалась удобней живой реальности. Сталинская «библия» ответила на все вопросы, раз и навсегда освободила миллионы советских трудящихся от тяжкого бремени собственных мыслей.

После выхода книги директор Государственного музея революции, старый большевик Самойлов, попросил для музея черновики «Краткого курса». Письмо он передал Поскребышеву. Хозяин прямо на бланке музея черкнул ответ: *Т. Самойлову. Не думал, что на старости лет займетесь такими пустяками. Ежели книга издана в миллионах экземпляров — зачем Вам рукописи? Чтобы успокоить Вас, я сжег все рукописи. С приветом. И. Сталин».*

Илья иногда ненавидел свою память. В голове хранились тонны аппаратной макулатуры. Ему снилось, что его организм состоит не из живых клеток, а из слов, отстуканных на машинке, написанных от руки, косым, скачущим почерком Хозяина. Остроугольные, рваные буквы, первая всегда крупная, четкая, к концу слова — кривой бисер. Пометы на полях, гвозди восклицательных знаков, *«ха-ха!»*, жирные кривые подчеркивания.

Он забывал лица, звуки, запахи, события, но помнил наизусть почти каждый прочитанный текст. Вот и эта записка застряла в мозгу. Слово «все» Хозяин подчеркнул.

Конечно, черновиков не осталось. Какие черновики у «библии»?

«Вот тебе и нумерология, — подумал Илья, уже спокойно, без дрожи и стука сердца, — время остановилось. Прошлое исчезло, будущего не будет. Будущее означает перемены, движение. Но чему меняться? Кому и куда двигаться? Победа блока коммунистов и беспартийных окончательна и обжалованию не подлежит. Интересно, Гитлер читал «Краткий курс»? Трудно представить. Вряд ли он вообще знает о существовании книги, остановившей время. А Сталин читал «Майн кампф» очень внимательно, однако так и не понял, что сей шедевр запустил новый отсчет времени, не только для европейского континента, но и для него лично».

Дверь открылась, сквозняк скинул газеты на пол. Поскребышев заглянул в кабинет.

— Сидишь?

— Сижу, Александр Николаевич.

— Ма-ла-дэц. — Он мягко спародировал акцент Хозяина и добавил уже своим нормальным голосом: — Учти, завтра тоже до утра.

Илья покорно кивнул. Завтра, то есть уже сегодня, — тридцать первое декабря. Придется встретить Новый, тысяча девятьсот сороковой, год в этой постылой клетухе, под звон курантов, такой близкий, что иногда закладывает уши.

Поскребышев удалился. Илья закрыл форточку, поднял с пола газеты, машинально отметил ошибку в ответе Риббентропу. Напечатали «*господину Иоахим фон Риббентроп*». То ли дежурный редактор напутал, то ли наборщики. В общем, ерунда, и сами эти поздравления ерунда. Юбилеи закончились 6 декабря 1938-го. Куранты бьют, стрелки движутся, меняются цифры на календаре. В буфете шампанское, севрюга, шоколад, мандарины. Можно заказать все себе в кабинет. Маша нарядила елку на Грановского. Новый год встретит у родителей, на Мещанской. Они чокнутся, пожелают друг другу счастья и чтобы наступивший сороковой был не хуже ушедшего, тридцать девятого. Никто не решится спросить Машу, где ее муж. Ясно, на службе, на своей сверхсекретной, сверхважной службе.

— Господи помилуй, — прошептал Илья и продолжил работу над сводкой.

Глава четвертая

Доктор Штерн вызвал к доске курсанта Наседкина, попросил прочитать наизусть кусок из «Фауста» Гёте.

Толик Наседкин, коренастый, белобрысый, почти альбинос, попал в Школу особого назначения при ГУГБ НКВД из Чебоксар, по комсомольской путевке. В Чебоксарах он работал механиком на автобазе. Зачем его отправили учиться на разведчика, чего от него хотят, Толик не понимал, но радовался койке в общежитии, добротному казенному обмундированию, мясному супу в столовой. Из всех предметов ему кое-как давалось только радиодело. Прочее было мучением. Отрывок из Гёте он учил третий месяц и не мог запомнить, спотыкался каждый раз на одной и той же строке, багровел, потел, начинал сначала.

Карл Рихардович подсказал ему злосчастную строку и несколько следующих, но без толку. Наседкин насупился и молчал. Класс терпеливо ждал.

Их было десять человек, так называемая «немецкая группа». А всего в ШОН обучалось семьдесят курсантов. Возраст от девятнадцати до тридцати. Большинство из провинции, ни одного с законченным высшим образованием.

Карл Рихардович работал в ШОН уже год и до сих пор удивлялся бессмысленной случайности отбора. Вступительных экзаменов они не сдавали. Каждого сопровождала куча бумаг. Партийно-комсомольские рекомендации, характеристики, медицинские карты, многостраничные анкеты. Главными критериями были рабоче-крестьянское происхождение, отсутствие родственников за границей, отсутствие связей с врагами народа. Интеллект, хорошая память, способности к иностранным языкам и перевоплощению, наконец, простое человеческое обаяние, необходимое в работе разведчика-нелегала, не учитывались и в партийно-комсомольских характеристиках не значились.

В тишине из предпоследнего ряда раздался низкий женский голос. С той строки, на которой остановился доктор Штерн, и дальше, нараспев, с отличным берлинским произношением, курсант Люба Вареник продекламировала длинный монолог Фауста до конца.

Она была из Вологды, окончила восемь классов и педучилище. Маленькая, с коротко стриженными каштановыми волосами, с круглыми светло-карими глазами, она выглядела лет на четырнадцать, глубокий низкий голос не соответствовал ее детскому сложению, подвижному курносому лицу. Когда Люба открывала рот, получался странный эффект, словно тростниковая дудочка издает звуки орга́на.

Последние слова «Явись, явись, явись! Пусть это будет стоить мне жизни!» Люба произнесла так выразительно, что Карл Рихардович не удержался, продолжил: «Кто звал меня?»

Они по ролям дочитали диалог, курсант Вареник за Фауста, доктор Штерн — за Духа, явившегося на зов.

— Отлично, фрейлейн, — сказал Карл Рихардович, — было бы очень любезно с вашей стороны немного подтянуть юношу Наседкина.

— Простите, господин Штерн, я уже пыталась, бесполезно.

Класс понял каждое слово. Толик разобрал лишь свою фамилию и растерянно захлопал белыми ресницами.

— Ладно, курсант Наседкин, с Гёте у вас отношения не складываются, — обратился к нему Карл Рихардович по-русски, — давайте попробуем вспомнить, какие в Германии есть пивные, как они называются и чем друг от друга отличаются.

Толик покраснел и сморщил лоб. Поднялось несколько рук. Карл Рихардович отрицательно помотал головой и приложил палец к губам, чтобы никто не подсказывал.

Тишина длилась пару минут, наконец Толик выдавил с растяжкой и рычанием слово «бир-р».

— Ну-ну, курсант Наседкин, вы на правильном пути, — подбодрил его Карл Рихардович.

— Бирр... — грустно повторил Толик и затих.

Люба Вареник тянула руку и подпрыгивала от нетерпения. Рядом с ней сидел Владлен Романов, мощный, бритоголовый, с приплюснутым носом и квадратной челюстью. Он успел окончить четыре курса юридического факультета Казанского университета, был чемпионом Казани по шахматам, хотя больше походил на чемпиона по боксу. Его имя означало сокращенное «Владимир Ленин», а фамилия была царская. На грубом, тяжелом лице нежно сияли небесно-голубые глаза, опушенные девичьими длинными черными ресницами. Крупные оттопыренные уши придавали суровому облику трогательную беззащитность. Доктор Штерн про себя называл Владлена Романова «единство противоположностей» и считал его самым способным учеником после Любы Вареник. Следующие восемь шли с большим отрывом, на последнем месте стоял бедолага Толик. Это было чудо — при таком случайном подборе два очевидно талантливых человека из десяти.

Вздохнув и взглянув на часы, Карл Рихардович сказал:

— Курсант Романов, помогите курсанту Наседкину.

Владлен поднялся и заговорил на отличном немецком:

— Бирхаус. Пивной ресторан при пивоварне, с определенными сортами пива и множеством горячих блюд. Биркеллер — подвал, подают только свежесваренное пиво. В гасштатте ходят каждый день, там собираются завсегдатаи, что-то вроде клуба по интересам. Кнайпе — маленький кабачок, там только легкие закуски к пиву. Кнайпе распространены в Пруссии, их много в Берлине. Это дешевое заведение для рабочих и студентов. Локаль — тоже ресторан, в локаль приходят по выходным, по праздникам. Там принято хоровое пение, традиционное немецкое качание. Биргартен типичен для Баварии. Пивная на открытом воздухе, под каштанами, с длинными скамейками и столами. Обязательно играет музыка. Можно приносить еду с собой.

— Спасибо, курсант Романов, садитесь. — Карл Рихардович повернулся к Толику: — С пивными не лучше, чем с Гёте.

Ладно, курсант Наседкин, попробуйте вспомнить хотя бы пару пригородов Берлина.

На доске висела подробная карта, каждый район был выделен своим цветом, названия обозначены крупными буквами. Но Толик не догадался обернуться. Глаза его заблестели, щеки залились румянцем.

— От это могу, а че тут не мочь-то, могу! От там есть такой пригород, вроде поселка, называется Дальний! — он с победной улыбкой оглядел класс.

Послышались сдержанные смешки.

— Ничего смешного, дамы и господа, — тихо сказал Карл Рихардович по-немецки и добавил по-русски, громко: — Курсант Наседкин имел в виду Далем. Просто немного ошибся.

Грянул звонок. Класс радостно загремел стульями, все ждали праздника, в актовом зале нарядили елку. Люба подошла к столу. От нее пахло «Красной Москвой», на носу скаталась комочками розовая скверная пудра, на губах блестела малиновая помада. Девушкам-курсантам запрещалось пользоваться пудрой и помадой, да и не шло это маленькой Любе. Он не сказал ни слова, но она покраснела, объяснила смущенно:

— Я в честь праздника.

— Заметит комендант, будет вам, курсант Вареник, в честь праздника внеплановый шмон.

— Не заметит, пьяненький с утра, — прошептала Люба и, кашлянув, произнесла громко, своим органным контральто: — Товарищ Штерн, от имени и по поручению комсомольской организации приглашаю вас на праздничный вечер.

— Спасибо, я привык дома, по-стариковски.

— Что значит — по-стариковски? Какой вы старик? Слушайте, ведь завтра Новый год! Мы концерт подготовили, карнавал, разные смешные сюрпризы, танцы.

— Люба, я бы с удовольствием, но меня будут ждать.

— Кто? — Она испугалась собственного вопроса, зажала рот ладошкой и пробормотала по-немецки: — Простите, господин Штерн, я понимаю, это бестактно, не мое дело, но я знаю, семьи у вас нет.

— Нет, — Карл Рихардович улыбнулся и развел руками, — семьи нет. Я с соседями привык встречать, соседи по квартире, они для меня почти семья.

Люба молча кивнула и убежала.

Карл Рихардович не спеша уложил в портфель тетради. В коридоре натирали полы. Мастика пахла медом, два курсанта в майках и галифе исполняли веселый танец полотеров, к босым ногам были пристегнуты щетки брезентовыми ремешками, один напевал, подражая Утесову: «С одесского кичмана сбежали два уркана», другой аккомпанировал при помощи художественного свиста и шлепал себя по коленкам в такт. Увидев преподавателя, они остановились, гаркнули хором:

— Здравия желаю, товарищ Штерн!

— Привет, ребята, — доктор улыбнулся и пошел дальше к лестнице.

Послышались смех и топот. Карлу Рихардовичу пришлось посторониться, мимо пробежал табунок курсантов обоего пола в русских народных костюмах. Они спешили в актовый зал, на генеральную репетицию перед завтрашним концертом. По стенам кто-то развесил самодельные бумажные гирлянды. Зайчики, снежинки.

Еще недавно встречать Новый год запрещалось. Только в декабре тридцать пятого разрешили, елку реабилитировали, звезду объявили не рождественской, а советской. Единственный неофициальный праздник сразу затмил все официальные. Ни 1 Мая, ни 7 Ноября не сопровождались таким искренним весельем, дурашливой суетой. Выходных не давали, 31 декабря и 1 января были обычными рабочими днями, но никто не спал в новогоднюю ночь.

На площадке между этажами стоял и курил крепкий широкоплечий мужчина. Костюм сидел на нем как влитой. Конечно, заграничный или сшитый в спецателье. Идеальный узел галстука, идеальный воротничок сорочки, каштановая шевелюра зачесана назад, волосок к волоску. Мужественное лицо, правильные черты. Красавец.

— Добрый день, товарищ Штерн.

— Здравствуйте, Павел Анатольевич.

Они поравнялись, обменялись рукопожатиями.

При встречах с красавцем капитаном ГБ в стенах школы Карла Рихардовича слегка знобило. Из всех преподавателей этот капитан был единственным, кого доктор знал еще до начала работы в ШОН. Кое-что их объединяло. Спецлаборатория «X» при 12-м отделе. Там экспериментировали с отравляющими и психотропными веществами. В качестве подопытных кроликов использовали приговоренных к высшей мере. Для испытаний «таблетки правды» понадобился профессиональный психиатр. До ноября тридцать восьмого доктор Штерн числился в лаборатории внештатным консультантом. А потом ему повезло: по личному распоряжению нового наркома Берия он стал преподавателем.

Капитан работал в Иностранном отделе, был одним из заказчиков спецпродукции, иногда присутствовал при испытаниях.

«Мы с ним соучастники, мы оба преступники, — думал доктор, — мое путешествие в ад закончилось, а он, вероятно, продолжает туда наведываться. Что он чувствует? Люди, которые там работают, давно перестали быть людьми. Они ничего не чувствуют. Бессмысленно их судить, их надо изолировать, как бешеных животных. Но капитан — человек. Он должен оставаться человеком, ему нужно хорошо соображать, а бешеное животное не соображает. Среди приговоренных его бывшие коллеги. В любой момент он может оказаться на их месте. Это помогает ему поверить в их виновность?»

Предмет, который преподавал в ШОН красавец капитан, именовался «спецдисциплиной». В расписании все прочие предметы назывались прямо: радиодело, шифровальное дело, взрывное дело, документоведение, фотографирование. Доктор Штерн преподавал страноведение (Германия), немецкий и основы психологии.

На занятиях по «спецдисциплине» курсанты обучались методике проведения «спецопераций». Так на профессиональном языке назывались убийства и похищения людей за границей. Курсанты придумали для капитана кличку — Хирург.

Пожимая руку Хирургу, Карл Рихардович увидел мрак в серых глазах. Обычно капитан был улыбчив, любезен, а сейчас лицо потяжелело, широкие черные брови сдвинулись, губы поджались и рука показалась какой-то деревянной.

«Кажется, у него серьезные неприятности», — подумал доктор и не стал поздравлять капитана с наступающим Новым годом.

* * *

Каждое утро Эмма шла на работу с отвратительным чувством, что сегодня будет хуже, чем вчера. Институт день за днем погружался в какое-то военно-бюрократическое болото.

Унизительные проверки, идиотские правила секретности, строжайшая цензура, без которой не могла выйти ни одна статья, ни один реферат, — все это смертельно надоело. Домашний телефон прослушивался. Не дай бог забыть дома пропуск.

Конечно, участие в проекте давало огромные преимущества. Прежде всего бронь, ну и повышение оклада.

С первых дней войны стали призывать в армию не только молодых ученых, но и тех, кому под сорок. Плоскостопие и близорукость вроде бы освобождали Германа от призыва, но ползли слухи, что перечень медицинских показаний каждый месяц сокращается. С плоскостопием не возьмут в пехоту, а в танковые и мотострелковые войска могут. В сентябре ограничения по зрению были минус-плюс три, а теперь берут, у кого минус-плюс четыре.

Герман, человек сугубо штатский, капризный, избалованный, панически боялся получить повестку, и, хотя уже в сентябре стало ясно, что никого из нескольких сотен членов «уранового клуба» не призовут, он немного успокоился, лишь когда институт официально перешел в подчинение Управления вооружений сухопутных войск. Это давало самую надежную бронь из всех возможных.

Как только Общество кайзера Вильгельма подписало договор с управлением о передаче своих институтов военному ведомству, директор Петер Дебай попрощался со своими сотрудниками. Известнейший физик-экспериментатор, нобелевский лауреат Дебай был гражданином Голландии. Иностранец не мог возглавлять учреждение, занятое сверхсекретными военными исследованиями. Дебаю предложили принять германское гражданство либо подать в отставку. Он не сделал ни того ни другого, уехал в Америку читать курс лекций в Принстоне, но все понимали, что не вернется.

В директорском кабинете, который до Дебая занимал фон Лауэ, а еще раньше — Эйнштейн, теперь обосновался некто Курт Дибнер, эксперт по взрывчатым веществам из Управления сухопутных вооружений.

В институте знали, что именно Дибнер выбил огромные деньги на финансирование исследований, добился квоты на бронь. Но работать под его началом было унизительно. Ни пробивные способности, ни докторская степень, ни очки в толстой роговой оправе не превращали военного чиновника в ученого. Даже тупые солдафоны из управления догадывались, что Дибнер не может занять место нобелевского лауреата Дебая, и должность его скромно обозначили «временно исполняющий обязанности».

В институте считали, что директором должен стать Гейзенберг. Но Дибнер не собирался уступать, а Гейзенберг не хотел переезжать в Берлин из родного Лейпцига. В своем физико-химическом институте при Лейпцигском университете он занимался той же урановой темой и чувствовал себя свободней, чем в Берлине.

Карл Вайцзеккер, молодой талантливый сноб, сын высокого чиновника МИДа, автор оригинальных работ о превращении элементов в недрах звезд, близкий приятель Гейзенберга, все-таки уговорил его приехать в Берлин и одновременно внушил Дибнеру, что Гейзенбергу карьерные амбиции чужды, на директорский пост он не претендует, достаточно пригласить его в качестве консультанта. Участие мировой величины поднимет не только эффективность, но и статус проекта.

Слово «статус» подействовало, Дибнер клюнул.

Конечно, все мечтали попасть в команду Гейзенберга. Эмма слышала, что их фамилия есть в заветном списке, но не смела надеяться. Герман всю прошлую неделю ждал, нервничал, заранее копил обиду, ворчал, что Гейзенберг — раздутая величина, подумаешь, нобелевский лауреат! Уж мы-то знаем, успех в науке зависит от связей, случайных удач, умения интриговать, пробиваться, дружить с нужными людьми, а такая «ерунда», как талант, никого не интересует.

Глупости типа «Гейзенберг — раздутая величина» выдавали крайнюю степень раздражения и нетерпения.

О том, что Гейзенберг включил чету Брахт в свою группу, стало точно известно за день до его приезда из Лейпцига. И вот сегодня утром прошло первое заседание. Потом пили кофе в комнате отдыха.

Впервые за многие годы у Эммы возникло почти забытое чувство свободы, легкости общения. Она словно вернулась в прекрасное прошлое. Вместо собраний и митингов — пикники, велосипедные прогулки, теннис, домашние вечеринки, розыгрыши, музыка. Конечно, в прекрасном прошлом тоже были интриги, зависть, конкуренция, но доносов не писали. Сотрудники института при встрече говорили друг другу «добрый день», обменивались рукопожатиями и улыбками, а не вскидывали руки с лающим возгласом. При таком приветствии разве улыбнешься? Надо оставаться серьезным. Эта серьезность въелась в лицевые мышцы, как формалин. Эмма приспособилась, привыкла, а тут вдруг словно распахнулись окна в душной комнате.

Слушать Гейзенберга, следить за ходом его мысли было все равно что дышать свежим воздухом. Мозги прочищались, исчезала усталость от ежедневной рутины, от бесконечного топтания вокруг крошечных прикладных задач. Шелуха отлетала, физика представала в своем изначальном великолепии.

«Если есть бог физики, то это не Эйнштейн, — думала Эмма. — Всклокоченные волосы, мятый пиджак, коротковатые брюки, ботинки на босу ногу, лицо, как морда старого сеттера, жалкая скрипочка. Ничего божественного. Бог физики, конечно, Гейзенберг. Гордая осанка, безупречная элегантность, футбол, фортепиано».

У Гейзенберга был тихий, глуховатый голос, светлые пушистые брови нависали низко над глазами, затеняли их острый блеск. Когда он рассказывал о проекте реактора на обогащенном уране, его мягкое улыбчивое лицо стало строже, сосредоточенней. Он предлагал использовать в качестве замедлителей чистый графит и тяжелую воду. В теории все выглядело красиво. Гейзенберг был гениальный теоретик.

Эмма знала, что в Германии графита нужной чистоты нет, его нигде нет, технологии такой высокой очистки графита пока не разработаны. Единственный в мире завод, выпускающий тяжелую воду, находится в Норвегии. Даже если скупить ее всю, до капли, хватит только на первый этап экспериментов. Производство одного грамма тяжелой воды съедает сто киловатт электроэнергии, а нужны десятки, сотни тонн. Уран добывают в Богемии, в Судетах, крупные поставки идут из Бельгийского Конго, через Бельгию, но способов обогащения урана еще никто не придумал. Разделение изотопов тяжелых элементов — одна из самых сложных задач экспериментальной физики. Эмма и Герман давно занимались изотопами, приходилось работать и с ураном. В лаборатории они имели дело с ничтожными количествами вещества. Промышленные масштабы Эмма представить не могла. Но Гейзенберг так внятно и просто формулировал задачи, что сомнения таяли.

Когда пили кофе, Гейзенберг сказал, что урановая бомба будет размером с ананас, и показал ладонями объем.

Кто-то с комическим испугом спросил:

— А этот ананас не пробьет земную кору?

— Ни в коем случае, — ответил Гейзенберг, — мы все рассчитаем заранее. С нами фрау Брахт, наша прекрасная Эмма считает так тщательно и точно, что ошибки исключены, — и он поцеловал ей руку.

Она едва сдержалась, чтобы не чмокнуть маленькую розовую лысину на макушке Гейзенберга, когда он склонился к ее руке. Она истосковалась по доброму слову, пусть даже сказанному в шутку. Планк иногда благосклонно отзывался о работе Германа, но фрау Брахт существовала лишь как бесплатное приложение к мужу, никто из корифеев не замечал ее, не помнил имени.

Герман то ли не услышал слов Гейзенберга, то ли не обратил на них внимания. Участие в команде он теперь воспринимал как само собой разумеющееся, иначе и быть не могло. Гейзенберг из «раздутой величины» снова превратился в гения.

По дороге домой Герман не закрывал рта. И опять все то же: «я, мои статьи, моя тема».

— Игры закончились. Для серьезной работы нужны настоящие ученые. Моя тема тут ключевая... Черт возьми, ведь это фантастика, священный Грааль, магическая энергия Вриль, самое сокровенное, что есть в природе... В голове не укладывается... Мы ведем диалог со Вселенной, на равных... Бомба — всего лишь промежуточный этап на пути к великой цели, тростинка Прометея, в которой он принес людям огонь из очага Зевса. Ну и конечно, разумный способ сохранить миллионы жизней. В Польше погибло тысяч двадцать наших солдат, таких потерь больше не будет. Германия выиграет войну быстро и бескровно...

Эмма не прислушивалась к его болтовне, но эта фраза вдруг застряла в мозгу, стала повторяться опять и опять, как на испорченной граммофонной пластинке. Герман продолжал свой монолог, а Эмма слышала одно и то же: «Быстро и бескровно». Каждый повтор убавлял радость, словно откалывал от нее по кусочку.

«Зачем он это сказал? — застонала про себя Эмма. — Зачем он испортил такой чудесный день? Да, быстро. Никто не успеет опомниться. Да, бескровно. Люди, на которых упадет урановая бомба, сгорят, как бумага, не то что крови, пепла почти не останется».

— Ты подумай, ведь никогда еще наука не подходила так близко к решению глобальных геополитических задач, — продолжал Герман, — электричество, телеграф, телефон сильно изменили мир, но не избавили от войн, не накормили голодных, не искоренили преступность. Наоборот, возникло государство-преступник, большевистская Россия...

В мозгу Эммы продолжали пульсировать слова: «Быстро и бескровно». Она не могла от них избавиться.

— Столкновение неизбежно, никакими иными способами чуму большевизма не одолеть. Война с Британией всего лишь трагическое недоразумение. Настоящая война будет там, на Востоке. Учитывая колоссальные пространства, ужасный климат, сотни миллионов безумных дикарей, покорных своему большевистскому Чингисхану... Они ко всему привыкли, их кладут на рельсы вместо шпал. Ну, скажи, разве полноценные человеческие существа позволят так с собой обращаться? Дикари, тупое стадо. Вряд ли они способны производить современное оружие, но их чудовищно много, им не хватит боеприпасов — они зарядят пушки собственными головами, их жизни ничего не стоят, они облепят наши танки, как термиты, и прогрызут броню... Ты же понимаешь, дело не в расовых различиях, — он понизил голос, — дело в идеологической заразе. Зараженных невозможно вылечить, но необходимо спасать здоровых.

В голове Эммы бесконечно повторялось: «Быстро и бескровно». Ее рука соскользнула с его локтя. Она взглянула на часы и произнесла:

— Ох, прости, совсем забыла, я должна навестить Вернера, проверить, все ли в порядке, проконтролировать новую горничную.

— Европейская цивилизация в опасности, пока рядом существует этот гигантский чумной барак.

Он никогда не слышал ее с первого раза. Пришлось повторить. Наконец до него дошло. Он остановился, посмотрел удивленно и обиженно:

— Разве ты планировала сегодня идти к нему? Мы вроде бы собирались поужинать вместе.

Она поправила его шляпу, застегнула верхнюю пуговицу пальто.

— Надо пополнить запасы, новая горничная, полька, совсем не говорит по-немецки и пока не может покупать продукты. Я ненадолго, не сердись.

Они стояли возле остановки, и как раз подъехал нужный трамвай. Эмма поднялась в вагон, помахала рукой и улыбнулась Герману из окна. Он кивнул в ответ и побрел дальше, к дому. Трамвай тронулся, она проводила взглядом его высокую сутулую фигуру. Она знала, что он продолжает бормотать на ходу неоконченный монолог.

«Жаль, я не могу поделиться с Вернером своей радостью, — думала Эмма, — он хотя бы не испортит ее геополитическими глупостями».

Между тем от радости уже ничего не осталось. Колеса трамвая стучали, и в этих ритмичных звуках Эмме чудилось бесконечное повторение: «Быстро и бескровно, быстро и бескровно».

* * *

Хозяин не мог допустить, чтобы весь массив информации о настроениях в стране был бесконтрольно сосредоточен в руках Берия. Материалы из глубинки шли не только в НКВД для принятия мер, но и в Особый сектор «для ознакомления». Спецреференты сверяли справки и доклады, поступавшие к Хозяину от руководства НКВД, со сводками из областей, по которым они были составлены. Истина таким образом не прояснялась, зато поддерживалось взаимное недоверие между Лубянкой и Особым сектором. Ни Берия, ни Меркулов никогда точно не знали, кто именно из двенадцати спецреферентов их проверяет, и ненавидели всех сразу.

Илья при всяком удобном случае старался показать Берия свою лояльность. Однажды Хозяин вызвал его, когда Берия комментировал очередную справку о настроениях народных масс. Поскребышев ввел Илью в кабинет, поставил за спинкой стула, на котором сидел Берия, и шепнул на ухо: «Стой тут, не двигайся».

Берия обернуться не мог, поскольку во время доклада полагалось смотреть в глаза Хозяину. С каждой фразой нарком все сильней ненавидел спецреферента. Так и было задумано. Илья чувствовал кожей накал этой ненависти и, глядя на лысую бугристую голову наркома, повторял про себя: «Я тебе не враг, не враг, нам делить нечего».

Хозяин перебил Берия внезапно, на полуслове, коротким резким жестом, и обратился к Илье:

— Скажите, товарищ Крылов, вам не кажется, что товарищ Берия сгущает краски?

Прежде чем ответить, Илья сделал шаг в сторону, чтобы не стоять у Берия за спиной и не задумываясь ответил:

— Товарищ Сталин, в докладе товарища Берия, на мой взгляд, преувеличений нет.

— Что же, по-вашему, советский народ не одобряет политику партии? Почему так много критических замечаний о наших мирных соглашениях с немцами? — щурясь от папиросного дыма, спросил Хозяин.

— Товарищ Сталин, бабы в очередях болтают, а сотрудники самое остренькое фиксируют. Треп он и есть треп.

Илья давно усвоил этот слегка дурашливый доверительный тон. Набор слов не имел значения. Хозяин мог придраться к любому, самому невинному слову, все зависело от его настроения. Главное, следить за мимикой и тембром голоса, смотреть прямо в глаза, не менять интонации, не удивлять, не создавать дискомфорта, не выходить за пределы привычного образа говорящего карандаша.

Илье в тот раз так и не удалось заглянуть в лицо Берия. Оставалось надеяться, что нового наркома устраивают простодушные ответы спецреферента, что он не затаил злобу, не заподозрил в Крылове тайного врага. В самом деле, делить им нечего. Берия отлично понимает, что на его место спецреферент Крылов претендовать никак не может, а продвинуть своих людей в Особый сектор Хозяин ему все равно никогда не позволит.

В отличие от Ежова, новый нарком был психически здоров и вполне способен понимать.

Ежов убивал всех подряд, без разбора, без всякой цели, чем больше, тем лучше, действовал только с разрешения Хозяина, интриг за его спиной не выстраивал, о собственной выгоде не заботился. Хозяин оставался для него единственным божеством. А для Берия никаких божеств не существовало. Он заботился исключительно о собственной выгоде, интриговал непрерывно, убивал выборочно и прагматично. В принципе, мог быть опасен даже для Хозяина. Его назначение свидетельствовало, что чутье Сталина притупилось. Не было в товарище Берия фанатичной преданности, которая недавно светилась в фиалковых глазах Ежова. В отличие от Молотова, Ворошилова, Кагановича, он не растворился в сталинской реальности без остатка, под льстивой личиной скрывалась личность, патологически жестокая и вполне самостоятельная.

«В общем, ничего нового, — думал Илья, — правила игры все те же. Угадать, угодить, уцелеть. Только теперь получается не три, а шесть "у", лавировать приходится между Хозяином и Берия. Все-таки прагматик-уголовник безопасней для страны, чем фанатик-маньяк, особенно сейчас, накануне большой войны. В этом смысле Сталин, конечно, прав, что назначил Берия».

В открытой папке перед ним лежала копия особо секретной справки за подписью Берия:

«По сообщениям ряда УНКВД республик и областей (Киевская, Рязанская, Воронежская, Орловская, Пензенская, Куйбышевская обл., Татарская АССР), за последнее время имеют место случаи заболевания отдельных колхозников и их семей по причине недоедания. Проведенной НКВД проверкой факты опухания на почве недоедания подтвердились».

Вот так. Ни тебе вредителей, ни троцкистов, ни заговоров. *«Имеют место случаи».*

После отмены нэпа такие случаи имели место постоянно, только цифры разнились. В начале тридцатых в деревне от голода пухли и погибали миллионы. В тридцать пятом, в тридцать шестом — десятки тысяч. Единственным более или менее сытым годом оказался тридцать седьмой. Урожай зерновых выдался необыкновенно богатый.

В январе 1939-го цены на одежду и промтовары удвоились. Молотов по радио гарантировал, что теперь цены будут только снижаться. Сороковой год начался новым повышением цен на сахар, картошку, молоко, мясо, на ткани и готовую одежду.

Политбюро настрочило очередную порцию постановлений об усилении борьбы с очередями.

Для тех, кто не имел доступа к закрытым спецраспределителям, то есть для девяноста пяти процентов людей, стояние в очередях оставалось единственным способом добыть еду и одежду. Место в очереди было целью, средством, товаром и профессией под названием «стояльщик». За место сражались, его теряли и обретали, покупали и продавали. Сложилась целая наука — когда и куда встать, как выстоять в жару, в мороз, под дождем, как избежать милицейской облавы, как пробиться внутрь магазина и не быть побитым, как продраться к прилавку и не быть раздавленным. Очередь имела свои ритуалы, праздники и тризны, свою элиту, свой фольклор в виде анекдотов и слухов, свои подробные многотомные летописи в виде сводок НКВД.

«Ночью на улице Горького возле магазинов можно наблюдать сидящих на тротуаре людей, закутанных в одеяла, а поблизости в парадных — спящих на лестнице. Магазин «Ростекстильшвейторга» (Кузнецкий Мост). Очередь примерно шесть тысяч человек. Ленинградский универмаг. К 8 часам утра очередь тысяча человек. Нарядом милиции было поставлено 10 грузовых автомашин с целью недопущения публики к магазину со стороны мостовой. Народ хлынул на площадку между кинотеатром «Спартак» и цепью автомашин. Создались невозможный беспорядок и давка. Сдавленные люди кричали. Милицейский наряд оказался бессилен что-либо сделать, и, дабы не быть раздавленным, забрался в автомашины, откуда призывал покупателей к соблюдению порядка».

Очереди обслуживал огромный штат осведомителей, они терпеливо просеивали тонны серого песка обыденных разговоров, выбирали и записывали самое, на их взгляд, важное, опасное, антисоветское:

«В деревне ничего нет, а здесь тоже в очередях мучаешься, ночами не спишь... Белого хлеба вообще нет, забыли, какой он *на вкус, только черный, да и тот стал несъедобный, жмых, отруби, дают кило в руки, раз в неделю, на семью. Хоть бы карточки вернули, мыла три месяца не видели, дети в школе вшивые... Хожу в рваных брюках. Взял отпуск на 5 дней, простоял в очередях, а брюк не достал».*

Но попадалось и кое-что посерьезней: *«Угадай, как расшифровывается СССР? Смерть Сталина Спасение России»; «Скорей бы пришел Гитлер, отменил бы колхозы»; «Будет война, первым пойду воевать против советской власти».*

Читая сводки, Илья каждый раз думал: «Вот они болтают, болтают. А что им еще остается? Одна радость — потрепаться, душу отвести. Потом на заводах, в конторах, в колхозах, в больших и малых городах единодушно одобряют, единогласно голосуют, отбивают ладони при каждом упоминании Сталина, и доносы строчат, и речи толкают на собраниях. Те же люди. Бедолага, оставшийся без штанов, шутник, расшифровавший аббревиатуру, храбрец, готовый воевать против советской власти. Гестапо тоже получает сводки о народных настроениях и разговорах. Вряд ли там есть такое: «Скорей бы пришел Сталин». Недовольных режимом поменьше, чем у нас. На нехватку хлеба и штанов немцам жаловаться не приходится. А что будет, если, напав и заняв какую-то часть нашей территории, Гитлер отменит колхозы? Могут поверить ему, особенно крестьяне. Им-то уж точно терять нечего. Отменит колхозы, даст крестьянам землю, что тогда?»

Илью зазнобило от этой мысли, но он сразу ее отбросил, потому что читал «Майн кампф». Для Гитлера на Востоке людей нет. Рабы, недочеловеки. Ни черта он не даст. Будет грабить и убивать. Иллюзии несчастных анонимов разлетятся вдребезги.

Сводки последних месяцев были пропитаны ожиданием войны, причем не с какими-то абстрактными капиталистами, а с Германией. Что Гитлер скоро нападет, знали все. Об этом говорили постоянно, открыто, писали в письмах, перлюстрированных НКВД.

Сразу после публикации в «Правде» поздравительных телеграмм Сталину и его ответа Риббентропу (*«Дружба народов*

Германии и Советского Союза, скрепленная кровью, имеет все основания быть длительной и прочной») по Москве пошел гулять перифраз: *«Дружба, скрепленная польской кровью, будет еще длительней и прочней, скрепившись кровью русской».*

В областных НКВД не хватало кадров. Чувствовалась растерянность. Новички, не прошедшие ежовской выучки, не справлялись, халтурили, закидывали центр горами бумаг, иногда даже не разобранных.

В очередной папке Илья обнаружил кусок оберточной бумаги, исписанный чернильным карандашом, крупным корявым почерком полуграмотного крестьянина и украшенный сверху жирной свастикой:

«Товарищи! Все люди села Долгоруково, колхозники и служащие. Вы видите, какое Ваше положение безвыходное. Власть негодная и хлебом не кормит. Примите это объявление. Просите хлеба. Идите против правителей села и города и губернии и столицы. Эх Вы, за что они Вас мучают. Просите хлеб всем селом. Выходите все. В колхозе хлеба не дали. Товарищи, бунтуйте каждый день, пока хлеба не дадут. Просите паспорта. Объявление от всей нашей партии».

В сопроводительной справке пояснялось, что не менее десяти таких листовок было прилеплено к стенам клуба, сельсовета, сельмага и прочих общественных зданий в селе Долгоруково Саратовской области. Стояли соответствующие резолюции: выявить и строго наказать виновных.

В следующей папке — еще одна рукопись. Тетрадные страницы. Чернильный карандаш. Детский почерк.

«Как я провел зимние каникулы.

Я, Соколов Алеша, ученик 6-го класса группы «Г», провел зимние каникулы очень нерадостно. Я лучше бы согласился ходить в школу в это время. Когда я пришел в школу, то учителя стали говорить: «Давайте, ребята, занимайтесь с новыми силами». Я за каникулы потерял все силы. Мне некогда было повторять уроки и прогуляться на свежем воздухе. Мне приходилось с 3-х часов утра вставать и ходить за хлебом, а приходил человеком 20-м или 30-м, а хлеб привозили в 9–10 утра. Приходилось мне мерзнуть на улице по 5–6 часов. Хлеба привозили мало. *Стоишь, мерзнешь-мерзнешь, да и уйдешь домой ни с чем. Я думаю, что другие ученики провели так же, как и я, каникулы. Если не так, то хуже моего. Судя по этому, можно сказать, что Советская власть нисколько не улучшила жизнь крестьянина, наоборот, еще ухудшила. Быть может, мое сочинение не подходит под тему, но в этом я не виноват, так как я ничего не видел, кроме обиды. Я — пионер и школьник и пишу то, что видел и делал. Так провел я каникулы».*

Директор средней школы отправил детское сочинение в областное НКВД. А там то ли не поняли, то ли не захотели принимать меры, сунули в общую сводку. Никаких резолюций, ни номеров входящих-исходящих. Ничего, кроме жирной красной единицы. Перепуганная учительница отметилась, прежде чем нести сочинение директору.

Из Особого сектора сводки возвращались в НКВД, шли по лабиринтам инстанций. Где гарантия, что сочинение Алеши Соколова так и останется незамеченным? Нормативы по обязательным цифрам разоблаченных врагов больше не рассылают, но вдруг детские каракули вдохновят какого-нибудь областного молодца продвинуться по службе путем раскрытия подпольной антисоветской организации школьников Рязанской области? Сразу, без усилий молодец все себе повысит: звание, должность, паек, размер жилплощади, уровень распределителя.

Илья вытащил тетрадные странички вместе с сопроводительной запиской директора из папки, сложил и сунул в карман, чтобы потихоньку сжечь их дома в большой пепельнице, так же, как сжег уже десяток незарегистрированных доносов, попавших случайно вместе со сводками к нему на стол.

«Ты, Алеша Соколов, скажи спасибо товарищу Берия, что не навел еще надлежащего порядка в своем ведомстве, а сочинений таких больше ни пиши. Пожалей себя, родителей своих, одноклассников. На этот раз тебе и им повезло».

В дверь постучали, Илья захлопнул открытые папки, убрал в ящик, громко произнес:

— Да-да, войдите.

Из буфета принесли кофе, бутерброды с сыром и черной икрой. Буфетчица Тася поставила на поднос вазочку с шоколадными конфетами.

— Кушайте на здоровье, товарищ Крылов. Конфетки-то вы не заказывали, а я вот принесла.

Илья посмотрел на круглую, румяную физиономии Таси и увидел бледного, продрогшего шестиклассника в ночной очереди где-то под Рязанью. Увидел так отчетливо, что побежали мурашки.

— Холодрюга тут у вас, Илья Петрович, бр-р. — Тася передернула пухлыми плечами. — Может, форточку прикрыть?

— Не нужно, пусть будет воздух.

— Ой, глядите, простудитесь.

— Ничего, я закаленный. Спасибо.

Она вышла, а Илья подумал: «Вот, Алеша Соколов, жру твой хлеб, с маслом, с икрой. Таких конфет ты отродясь не пробовал. Не я у тебя все это отнимаю, но жру отнятое, причем даром. Двенадцать часов в сутки занимаюсь идиотизмом, не могу ничего изменить».

Может, стоило сохранить эти странички для истории? Но заводить домашний архив — безумие, самоубийство. Документов и так горы, на всех папках с расстрельными делами гриф *хранить вечно*. А под грифом бредовые признания в шпионаже и вредительстве, выбитые сапогами из животов. Если останутся только эти архивы, будущие историки спятят.

«Какие историки? Война — вот ближайшее будущее».

Опять забили куранты. Половина седьмого. В любой момент Хозяин может затребовать сводку по Германии.

Она была готова еще вчера. Перечитав ее, он усмехнулся, поражаясь собственному упорству. Материалы подобраны так, чтобы хоть немного развеять плотные слои эйфории Хозяина.

Никаких разведсообщений из Германии не поступало. В распоряжении Ильи имелись перехваты тайной дипломатической переписки, иностранная пресса. Там о реальных планах Гитлера, разумеется, ни слова.

Для всего мира Россия и Германия выглядели близкими, надежными союзниками. Готовилось очередное хозяйственное соглашение. В секретном отчете торгового советника Шнурре, постоянного участника переговоров, приводились колоссальные цифры советских поставок. Нефть, цветные металлы, золото, платина, зерно, хлопок. Взамен Германия обязалась поставлять промышленные товары, технологии и оборудование.

«Советский Союз выразил готовность быть закупщиком металлов и сырья в третьих странах, — писал Шнурре, — сам Сталин неоднократно обещал в этом вопросе щедрую помощь».

Под «третьими странами» подразумевались те, кто отказывался продавать немцам товары, прежде всего США.

Личная инициатива Хозяина. СССР покупает как бы для себя все, что нужно Германии, доставляет на своих судах в свои порты, а потом по суше отправляет в рейх. Таким образом ломалась британская экономическая блокада, росли международная изоляция СССР, мощь германской армии и уверенность Гитлера, что Сталин его боится.

Соглашение планировали заключить в начале февраля. Илья еле удержался, чтобы не подчеркнуть в сводке красным карандашом замечание Шнурре:

«Советский Союз обещал куда больше, чем это могло быть оправдано с чисто экономической точки зрения. Поставки в Германию наносят ущерб собственному снабжению СССР».

На недавнем политбюро Хозяин объяснял: *«Надо тянуть время, пусть они там хорошенько дубасят друг друга, а мы пока будем укреплять свою армию».*

Но в реальности было все наоборот. Красная армия несла чудовищные потери в Финляндии, а *«они там»* дубасили друг друга как-то совсем вяло и неохотно. У них там шла странная война.

«Воевать с Британией Гитлер никогда не хотел. Родная раса, благородные англосаксы. — Илья пробегал глазами страницы готовой сводки. — Да и британского энтузиазма не видно. Сейчас на Западе ни то ни се. Англичане с французами точно как большевики в восемнадцатом: ни мира, ни войны, хорошо хоть армии свои не распускают. Сталин надеется, что война на Западе продлится несколько лет, Германия в ней завязнет и ослабнет, и при этом делает все, чтобы усилить военную мощь Германии за счет России».

Последнюю страницу Илья украсил цитатой из очередной триумфальной речи Гитлера: «*В качестве главного фактора наших побед я со всей скромностью должен назвать собственную личность. Я незаменим. Ни одна личность ни из военных, ни из гражданских кругов не смогла бы меня заменить. Я убежден в силе своего разума и в своей решимости. Никто не сделал того, что сделал я*».

К последнему предновогоднему занятию курсанты подготовили сюрприз. Парты были сдвинуты к задней стене. В образовавшемся пространстве для Карла Рихардовича разыграли несколько сцен из «Крошки Цахеса» Гофмана.

Длинный худющий Гена Дятлов, скрючившись, косолапо коряча ноги, изображал Циннобера. Люба Вареник играла фею и читала куски авторского текста. Владлен был влюбленным студентом Бальтазаром, роль красавицы Кандиды досталась Наташе Гуськовой, хрупкой белокурой тихоне с тонким голоском и всегда сонными серыми глазами. Толик Наседкин играл князя. За музыкальное сопровождение отвечал Витя Нестеренко, невысокий, полноватый, с неистребимым украинским говорком, по успеваемости недалеко обогнавший Толика. Детским ксилофоном и губной гармошкой Витя владел виртуозно.

Инсценировку, конечно, писала Люба. Она же была и режиссером. Каким-то чудом ей удалось вдолбить в голову Наседкина несколько княжеских реплик.

Доктор чуть не упал со стула от хохота, когда Наседкин, напяливая на скрюченного Дятлова блестящую елочную мишуру, пыхтя от усердия, старательно бубнил заученный текст:

— Я должен отличить вас, Циннобер, как подобает по вашим высоким заслугам! Примите из моих рук орден Золотого тигра!

Дятлов прижимал локти к бокам, мелко тряс головой и кулаками, корчил рожи, сердито верещал:

— Зачем вы так несносно тормошите меня? Пусть эта дурацкая штуковина болтается как угодно! Я теперь министр и останусь им навсегда!

В сцене обручения Наташа-Кандида стояла в марлевой фате, Циннобер-Гена сидел рядом с ней на корточках, весь обвитый мишурой. Когда Бальтазар-Владлен подскочил к нему и принялся сдергивать мишуру, Гена заквакал по-лягушачьи, подпрыгнул и стал кувыркаться через голову. Курсанты, изображавшие публику, громко переговаривались:

— Откуда взялся этот маленький кувыркун?

— Что нужно этому маленькому чудовищу?

Чудовище прыгало и визжало:

— Я министр Циннобер! Я золотой тигр с двадцатью пуговицами!

Бальтазар занял место жениха рядом с невестой Кандидой. Князь-Толик, взобравшись на стул, торжественно возложил ладони на их головы. Гена-Циннобер, напрыгавшись, забился в угол, жалобно поскуливал и прятал лицо в колени. Ксилофон и губная гармошка сыграли сначала траурный, потом свадебный марш. Люба, взмахнув указкой — волшебной палочкой, произнесла:

— Внезапно всем показалось, что никакого министра Циннобера никогда не было, а был всего лишь маленький, нескладный, неотесанный уродец, которого ненароком приняли за сведущего, мудрого министра Циннобера.

Карл Рихардович аплодировал стоя. Раскрасневшиеся артисты кланялись. Гена улыбался и разминал затекшие ноги. Потом все хором крикнули:

— С Новым годом!

Витя сыграл фрагмент вальса из «Щелкунчика». Доктор поздравил и поблагодарил каждого. Люба прошептала ему на ухо:

— Я немножко изменила финал. Не хотелось, чтобы Циннобер умер, испортил праздник.

— Ты молодец, Гофман точно не в обиде, — прошептал в ответ доктор.

На улице была благодать, ранние морозные сумерки, крепкий хруст снега под ногами, яркая, глубокая синева неба с малиновым отливом у горизонта.

Школа находилась в городке Балашихе, недалеко от Москвы. Когда-то это место славилось мельницей, поставлявшей муку к царскому двору, древними курганами и суконной фабрикой, которая теперь называлась «Мошерстьсукно». С конца двадцатых здесь успели построить авиационные и военные заводы. Несколько сел по берегам речек Горенка и Пехорка объединили и назвали городом совсем недавно, в сентябре тридцать девятого. Рядом с заводскими корпусами и рабочими бараками сохранились старинные храмы и совсем близко — лес, поле, плакучие ивы над прудами.

У ворот он увидел красавца капитана и вдруг подумал: «А если спросить его про урановую бомбу? Просто прощупать, они хотя бы знают? Допустим, я в журнале прочитал, и стало интересно. Все-таки открытие мирового масштаба, оружие чудовищной силы... При ИНО есть научно-техническое подразделение, должны отслеживать такие вещи. Он, конечно, ничего определенного не скажет, но по глазам, по реакции пойму».

Капитан стоял и разговаривал с каким-то мужчиной. Одеты они были одинаково. Кожаные черные пальто реглан, подбитые коричневой цигейкой, теплые шапки-финки.

«Надо подождать, когда он останется один», — решил доктор, выстраивая в голове план разговора, и помахал капитану рукой. Тот помахал в ответ, а незнакомый мужчина обернулся и вдруг побежал навстречу.

— Митя? — изумленно прошептал Карл Рихардович, когда между ними осталось несколько метров. — Митя! — повторил он громче и уверенней.

— Так точно, товарищ Штерн, лейтенант Родионов в ваше распоряжение прибыл. — Он остановился, лихо козырнул.

— В какое распоряжение? Митька, что ты несешь? — Доктор засмеялся, обнял и расцеловал его.

Митя Родионов был лучшим из первого выпуска. До ШОН прослужил год в секретно-шифровальном отделе НКВД, взяли его туда с четвертого курса физико-математического факультета Московского университета. Он все схватывал на лету. Цепкая память, наблюдательность, быстрота реакции плюс обаяние и жажда приключений — идеальные качества для будущего разведчика-нелегала. В свои двадцать четыре года он мог бы справиться с самыми сложными заданиями, но только при твердой уверенности, что цель благая. Въедливый, логический ум ничего не принимал на веру. Мите надо было все понять, обдумать, додумать, решить уравнение со множеством неизвестных. Дисциплинарная рутина ШОН угнетала его. Он легко выполнял то, что считал разумным, и лишь чувство юмора помогало мириться с нагромождением идиотских правил и запретов.

За полгода учебы у него сложились приятельские отношения со всеми однокашниками, кроме двух очевидных мерзавцев, случились конфликт с комендантом после первого из регулярных шмонов в прикроватной тумбочке и короткий бурный роман с одной очень красивой курсанткой. Но никто из однокашников, включая героиню романа, не стал для него по-настоящему близким человеком. Со сверстниками ему было скучновато. Тянуло к старшим, которые знают больше. Он нуждался в умном собеседнике, и если находил такого, то доверял безгранично. В нем жило убеждение, что умный не может быть подлым. В азарте диалогов он терял всякую осторожность. К счастью, высокого звания «умный» удостоились лишь двое. Первым был старейший сотрудник секретно-шифровального отдела Кирилл Петрович Поспелов по прозвищу Кирпетпо. Он преподавал в ШОН. Митя начинал свою службу в НКВД под его руководством и был очень к нему привязан. Вторым стал доктор Штерн по прозвищу Карлуша.

Карл Рихардович знал, что после окончания ШОН Родионова отправили в Берлин, в советское торгпредство. Они не виделись больше трех месяцев. Митя повзрослел, круглые детские щеки втянулись. Долговязый нескладный мальчик, у которого вечно отпарывался подворотничок гимнастерки, болтался ремень, пальцы были в заусенцах и чернильных пятнах, превратился в осанистого холеного щеголя.

— Мне надо произношение поставить. За две недели успеем?

— Нет, конечно, — доктор перешел на немецкий, — в прошлый раз была спешка, теперь опять спешка.

— Обязаны успеть, справимся, — ответил по-немецки Митя, — каждый день будем заниматься, вот прямо сейчас и начнем.

— Митя, у тебя по-прежнему «р» французское, нужно жестче, и гласные гуляют. «А» тянешь по-московски.

— Да, я знаю, я отрабатываю, как вы учили. Давайте на лыжах покатаемся!

— С ума сошел? Какие лыжи? Домой пора, скоро стемнеет, и вообще Новый год. — Доктор вздохнул, заметив, что капитан скрылся за воротами.

— Часа полтора еще будет светло, мы совсем немного, вдоль опушки.

— Кладовщик ушел, дежурный нам ключи ни за что не даст.

— Ну пожалуйста! Я соскучился по лесу нашему, по снегу, по лыжам, до невозможности соскучился.

Митя говорил быстро, взахлеб, и тащил доктора назад, к школе. Щеки и уши пылали, зеленые глаза сверкали из-под заиндевевших ресниц. Он улыбался во весь рот, но сквозь преувеличенную веселость проглядывало жуткое нервное напряжение.

Кладовщик оказался на месте и лишь слегка поворчал, открывая маленькую комнату возле физкультурного зала, где хранилось спортивное снаряжение.

— Ах да, чуть не забыл! — воскликнул Митя, когда они уже переоделись и шнуровали лыжные ботинки.

Он вскочил, бросился к вешалке, по дороге наступил на шнурок и едва не грохнулся. Из внутреннего кармана своего новенького кожаного пальто он извлек небольшой сверток.

— Конечно, глупо, но ничего лучше я не нашел. Все сувениры со свастикой, знаете, там даже на коробках с лезвиями и на зубном порошке свастика, — говорил он, пока доктор разворачивал бумагу.

Это был маленький берлинский плюшевый медведь, темно-коричневый, толстолапый, с умной сердитой мордой.

— Ну, не кружку же пивную вам дарить, не открытки с видами, — продолжал бормотать Митя, — а он вроде симпатичный. Медведь — символ Берлина. У него ошейник был со свастикой, я снял нафиг.

— Что ты оправдываешься? Мог вообще ничего не привозить. — Доктор понюхал игрушку. — Спасибо, вот подарок так подарок, детством моим пахнет...

На лыжах Карл Рихардович катался неплохо. Он часто проводил занятия на природе. С апреля по октябрь устраивал для немецкой группы нечто вроде берлинских пикников в лесу, на берегу маленького чистого пруда. Зимой отправлялся со своими курсантами на лыжные прогулки.

Как только выехали к опушке, Митя остановился, снял варежки, набрал в руки снег и протер лицо.

— Ну вот, теперь можно жить дальше.

— Устал?

— Не то слово. Противно. Лебезим перед ними, откупаемся поставками, а в итоге они на нас нападут.

— Почему ты так думаешь?

— Не думаю. Чувствую. Ненавидят они нас. С улыбочкой, с любезным подходцем, дружба-фройдшафт, но все равно мы для них недочеловеки.

— Для Гитлера все недочеловеки.

— Не-ет, — задумчиво протянул Митя, — британцев он уважает. Строго по теории. Арийцы.

— Но пока он с ними воюет, при всем к ним уважении, ему сотрудничать с нами выгодно, — возразил Карл Рихардович и тут же подумал, как странно из его уст звучит это «они» и «мы».

— Выгодно, — кивнул Митя, — даже слишком. Наглеют с каждым днем, они-то со своими поставками запаздывают, а мы свои увеличиваем, все точненько в срок. Золота семь тонн, это же охренеть, собственными руками, сто ящиков золотых слитков доставил, битте, господа фашисты, кушайте на здоровье. Последним гадом себя чувствую. Действовал согласно приказу, а кажется, будто из родного дома золото это украл и врагу отдал.

Карл Рихардович резко остановился, воткнул палки в снег.

— Все, Митя, ты ничего не говорил, я ничего не слышал. Давай сменим тему.

Ответом был внезапный судорожный детский всхлип. Лейтенант Родионов шмыгал покрасневшим носом. В глазах стояли дрожащие лужицы слез.

Доктор протянул ему платок. Митя шумно высморкался, произнес по-немецки:

— Спасибо. Это от мороза... — он сморщился и заговорил по-русски: — Не могу я больше. Там было тошно, вернулся, а тут... Фуражка в отделе на вешалке висит вторую неделю, никто тронуть не решается.

— Какая фуражка?

— Кирпетпо. — Митя ударил палкой по еловой ветке так сильно, что сбитый снег взвился маленькой вьюгой. —Вызвали к руководству, и все, исчез. Ладно, ежовскую сволоту вычищают, отлично, туда и дорога. Но Кирпетпо при чем? Честнейший человек, специалист бесценный, шифры японские, английские, немецкие как орешки щелкал.

— Позволь, я видел его совсем недавно, — доктор наморщил лоб под шапочкой.

— Когда?

Точно Карл Рихардович вспомнить не мог, но, чтобы успокоить Митю, соврал:

— Дней пять назад, тут, в школе, и в расписании значится его предмет. Так что не выдумывай. Наверное, перевели куда-то, а фуражку он просто забыл на вешалке по рассеянности.

Митя помотал головой.

— Я заходил к нему домой... Не понимаю... Ладно, был заговор в самом главном органе, фашисты-троцкисты. А теперь новый заговор? Или все тот же, только под видом официального договора? Он опять не знает? Молотов подписал, его не спросил?

— Прекрати! — жестко одернул доктор.

Но Митя не услышал, продолжал возбужденно, перескакивая с немецкого на русский:

— Что же получается? Фашистам золото вагонами, зерно, уголь, стратегическое сырье, а своих, лучших, в расход?

— Разберутся и отпустят, — кашлянув, быстро произнес доктор по-немецки.

— В тридцать седьмом так же говорили.

— В тридцать седьмом молчали и тряслись.

— Домолчались. Вступили в мировую войну на стороне Гитлера.

— Что ты несешь? СССР ни с кем не воюет!

В голове вспыхнуло: «Финляндия!» — он поспешно добавил:

— Никаких боевых действий на стороне Гитлера. — Но сразу подумал о Польше и закончил раздраженно: — Все, хватит об этом!

— Не могу! — Митя провел рукой возле горла. — Оно душит меня, надо выговориться, иначе задохнусь, свихнусь. Я не машина, живой человек, с мозгами, с совестью. Подъезжал к Москве, минуты считал. Там все чужое, не знаешь, кто опасней, немцы или свои в торгпредстве. Слово не с кем молвить. А тут вместо Кирпетпо — фуражка... Только вы остались, больше никого. Мама пуганая-перепуганая, сердце у нее, чуть занервничает, сразу приступ. Я ей даже про Кирпетпо сказать не решился.

— Ну и правильно, — кивнул доктор, — вот увидишь, выпустят.

— Вряд ли. Про Хирурга знаете?

— Что именно? — спросил доктор и вспомнил мрачное лицо красавца капитана.

— То самое. — Митя зло оскалился. — Уволили из органов, из партии собираются исключать. В школе пока оставили.

«Хорош бы я был, подкатив к товарищу капитану с урановым разговором», — подумал доктор, загнул край варежки, взглянул на часы.

— Митя, пора. Надо еще переодеться. Теперь помолчи, послушай. С такими мыслями и чувствами ты работать не сможешь. Да, ты человек, не машина, и у тебя есть мозги, чтобы думать. Союз с Гитлером — вынужденная мера, единственный способ выиграть время. Из курицы, несущей золотые яйца, бульон варить невыгодно. Может, золото, которое ты туда привез, отсрочит нападение и спасет тысячи жизней?

— Нет, — Митя упрямо помотал головой, — не спасет, погубит, потому что будет потрачено на танки и самолеты, которые вдарят по нам.

— Вдарят, — кивнул доктор, — и довольно скоро. Поэтому хватит ныть, соберись. Исстрадался: золото вагонами, уголь, стратегическое сырье... Вон англичане и французы Гитлеру уже пол-Европы подарили, и ничего, совесть не мучает. Политики всего лишь люди. Глупые, лживые, жестокие. Разные. Но уж точно не лучшие из людей. Среди них умных мало, честных еще меньше, добрых вообще нет. Попробуй сменить угол зрения, взгляни на это здраво, без детских иллюзий, без презумпции идеальности. Человек у власти и страна, которой он руководит, — не одно и то же. Просто делай, что можешь, для своей страны, а не для... в общем, ты меня понял.

Стемнело. Они подъехали к воротам, из будки вылез охранник. В ярком фонарном свете доктор поймал изумленный взгляд Мити, брови под шапочкой напряженно сдвинулись.

— Презумпция идеальности, — повторил он, — а ведь правда... Почему мне это никогда в голову не приходило?

Глава пятая

Весь сентябрь 1939 года Ося мотался по Европе и в своих репортажах убедительно доказывал, что никакой войны нет. Его шеф Чиано, министр иностранных дел Италии и зять Муссолини, четко сформулировал задачу и выдал стержневой тезис: германская армия улаживает локальный конфликт.

Слово «война» не употреблялось. Немецкая сторона заменила его выражением «борьба за мир в Европе». Советская — «защитой братских народов», без уточнения от кого. Итальянская пресса факт нападения Гитлера на Польшу называла «выполнением миротворческой миссии».

Муссолини был обязан выступить на стороне Гитлера. Дуче смертельно боялся, что Англия и Франция ударят по нему, как по союзнику Германии, призывал к перемирию, предлагал собрать конференцию и всячески подчеркивал свой нейтралитет. Настроение его менялось каждую минуту. То он кричал, что надо порвать с Гитлером, то надувал щеки и заявлял, что ему судьбой предназначено идти с фюрером до конца.

В последние дни августа Чиано подсказал ему хитрый ход — передать немцам список того, что нужно итальянской армии для участия в боевых действиях. Тысячи тонн угля, нефти, стали, сотни самолетов и танков. Требования были очевидно невыполнимы и означали отказ от союзнических обязательств. Фюрер великодушно простил своего робкого друга и заверил в официальной ноте, что Германия справится собственными силами. Телеграмму фюрера дуче лично зачитал по радио, чтобы успокоить итальянцев, которые совершенно не хотели воевать и уже начали тихо ненавидеть немцев.

Конечно, Германия справилась. Фюрер легко обошелся без римских легионов, вооруженных ружьями образца 1891 года, способных сражаться лишь с босоногими эфиопами и албанцами. От Муссолини требовалась только моральная поддержка. Но и это оказалось для дуче слишком тяжким испытанием. Повторять нацистскую пропаганду, будто поляки напали первыми, он не мог, не хотел раздражать англичан и французов. Они и так были раздражены, настолько сильно, что 3 сентября объявили Германии войну.

В Лондоне копали траншеи. Из США в Британию поступали партии детских противогазов в виде Микки-Мауса. Во Франции шла мобилизация, новобранцы бегали по лужайкам и кололи штыками соломенные чучела. Британские парламентарии обращались к военным: «*Почему мы не бомбим Германию?*» Министр авиации отвечал: «*Потому что германские стратегические объекты — частная собственность, мы обязаны уважать частную собственность*».

Джованни Касолли в своих репортажах не врал. Войны действительно не было. Она существовала лишь на бумаге, в официальных нотах правительств Англии и Франции. То, что происходило в реальности, то, что он видел своими глазами в Польше, называлось как-то иначе. Он не мог подобрать точного определения. В голове крутились слова: подлость, трусость, тупость, ужас, безумие. Подлость англичан. Трусость французов. Тупость и тех и других. Ужас поляков и всеобщее безумие.

1 сентября, в четыре утра, без предупреждения, без объявления войны, первая бомба люфтваффе упала на городскую больницу польского городка Велюнь в двадцати километрах от немецкой границы. Велюнь, старинный, тихий, с костелами, монастырями и мирно спящими жителями, не имел никакого стратегического значения. Его разбомбили, чтобы посеять ужас.

Поляки не успели мобилизовать свою армию. В небе ревели истребители и бомбардировщики люфтваффе. По земле со скоростью тридцать миль в день катилось чудовище, гигантский сплав смертоносного железа и людей, убежденных в своем биологическом праве убивать. Польские кавалерийские бригады с пиками наперевес неслись под гусеницы немецких танковых дивизий. Дымились развалины городов, торчали печные трубы сгоревших деревень, повсюду лежали трупы солдат, женщин, детей, лошадей. Погорельцы копошились у пепелищ, искали уцелевшие пожитки, беженцы шли на восток. Но еще оставалась надежда. Польская армия продолжала сражаться. Впервые после бескровных триумфов в Рейнской зоне, в Австрии и Чехословакии, вермахт встретил сопротивление и нес потери. Ни один польский город не сдавался без боя.

Окруженная, зажатая в клещи Варшава держалась. Информационные агентства рейха твердили, что Варшава пала, а варшавское радио продолжало играть государственный гимн Польши. Надеяться было не на что, но надежда еще жила. Она угасла в шесть утра 17 сентября, когда с востока в Польшу вошла Красная армия. Через двенадцать часов несколько уцелевших членов польского правительства покинули страну через румынскую границу.

22 сентября Ося стоял в небольшой группе журналистов на центральной улице польского города Брест-Литовска и снимал на свою «Аймо» совместный парад девятнадцатого мотострелкового корпуса вермахта и двадцать девятой отдельной танковой бригады Красной армии.

Сводный военный оркестр играл нацистские и советские марши. В объектив попало рукопожатие генерала Гудериана и комбрига Кривошеина. Они принимали парад, стоя на импровизированном постаменте, сколоченном из досок, вроде низкого стола с толстыми ножками. Они улыбались друг другу и говорили по-французски.

— У этого русского гитлеровские усики, — ехидно заметила корреспондентка «Нью-Йорк таймс» Кейт Баррон.

— Этот русский — еврей, — интимным шепотом сообщил пожилой толстяк в зеленой шляпе.

— Откуда вы знаете? — удивился Ося.

— Я хороший физиономист, — ответил толстяк и кивнул на Кейт: — Молодая леди полукровка, среди американцев таких все больше. Рене Тибо, радио Брюсселя.

Ося представился и пожал протянутую пухлую кисть.

Оркестр играл громко, но Кейт расслышала слова бельгийца, смерила его надменным взглядом.

— При такой озабоченности еврейским вопросом почему вы стоите здесь, а не шагаете там? — она кивнула на немецкую колонну.

— Я бы не прочь, но, к сожалению, возраст и комплекция не позволяют.

— Скажите, вы только прикидываетесь мерзавцем или в самом деле сочувствуете нацистам? — язвительно спросила Кейт.

— Сочувствуют побежденным. — Тибо ухмыльнулся. — А победителям завидуют. Вот они, победители. Смотрите, какая выправка, какие гордые сильные лица.

— А по-моему, тупые самодовольные рожи, — возразила Кейт.

— Чем вас не устраивают немцы? Они всего лишь захватывают колонии, так же, как это делали испанцы, британцы, французы. Почему другим можно, а им нельзя? К полякам они относятся ничуть не хуже, чем ваши соотечественники к неграм. — Тибо весело подмигнул. — Расовая теория.

— Да, но поляки белые! — выпалила Кейт.

Тибо хлопнул в ладоши и тихо рассмеялся:

— Вот она, истинная демократия! Браво, детка!

— Я вам не детка, — огрызнулась Кейт.

Ося стоял между американкой и бельгийцем. В «Аймо» закончилась пленка, запасные катушки остались в гостинице, но все самое интересное было уже отснято. Он просто смотрел на марширующие колонны и слушал чужую болтовню.

Американка и бельгиец были знакомы. Кейт Баррон вообще знала всех на свете. Ося часто встречал ее в разных европейских городах на брифингах и пресс-конференциях. Бельгийца он впервые увидел утром в холле гостиницы. Пожилой толстяк резко выделялся в международной группе репортеров, молодых, поджарых, бодрых. По-английски он говорил с мягким французским акцентом.

— Победители, — Тибо покачал головой. — Завтра таким же красивым маршем они пройдут по Амстердаму, Копенгагену, Осло, по моему маленькому тихому Брюсселю, по Парижу...

— Париж немцы не возьмут. — Кейт фыркнула. — У Франции сильная армия, Британия, наконец, проснется.

— И мирным американцам не придется проливать кровь на чужом континенте, — пробормотал бельгиец.

Еще одна хорошая шпилька. Кейт Баррон бравировала своей левизной только в разговорах с коллегами. Ее статьи и репортажи строго соответствовали умеренно-изоляционистской линии правительства США.

— Завтрашние парады будут тоже совместными, как этот? — спросил Ося.

— Что за глупости? Никаких завтрашних парадов не будет, тем более совместных! Этот противоестественный союз — хитрый политический маневр, Сталину нужно время, чтобы укрепить свою армию.

— Которую он сам же и разгромил, — ласково промурлыкал Тибо и подмигнул Осе. — Джованни, эта очаровательная леди удивляется, почему я не марширую в нацистской колонне, а я недоумеваю, почему она до сих пор не эмигрировала из капиталистической Америки в сталинский рай.

Кейт его уже не слушала. Парад заканчивался. Увидев, как Гудериан и Кривошеин слезают со своего постамента, она кинулась к ним, громко крича по-французски:

— Господа, прошу вас, несколько слов для читателей «Нью-Йорк таймс»!

Через мгновение ее стриженая рыжая голова исчезла в толпе журналистов, обступившей генерала вермахта и комбрига Красной армии.

— Джованни, что же вы не бежите брать интервью? — спросил Тибо.

— Нет смысла. Все важные вопросы задаст мисс Баррон.

— И сама же на них ответит. — Тибо хмыкнул. — Предлагаю вернуться в гостиницу, пора перекусить.

Старинному Брест-Литовску повезло, его не разбомбили, он почти уцелел, улицы выглядели мирно и даже нарядно. Открылись магазины. Лица людей казались спокойными, многие улыбались — радовались передышке. Вряд ли им хотелось думать, долго ли она продлится, что будет завтра. Они устали бояться и ждать худшего.

Напротив мясной лавки застыли два красноармейца, смотрели, как загипнотизированные, сквозь стекло витрины на окорока и колбасы. Проходя мимо них, Ося услышал:

— От живут, буржуи, мать их, жрачки завались, и никаких очередей.

— Вы поняли, что он сказал? — спросил Тибо, блеснув сощуренным глазом на Осю.

— Хотел бы, но, к сожалению, не знаю русского.

Возле открытой витрины с фруктами стояли еще трое.

— Это у вас все только для буржуев, — объяснял продавщице тот, что постарше, — вот у нас в СССР апельсины-мандарины любому рабочему человеку доступны. У нас все фрукты на заводах делают, сколько хочешь.

Продавщица улыбалась и протягивала красноармейцам тарелку с аккуратно разложенными дольками апельсина.

На углу торговой улицы стоял советский танк. Танкисты по очереди вылезали из люка, прыгали на мостовую, ошалело озирались. Рядом остановились две девушки, одна вручила танкисту белую хризантему.

— Они не понимают, им кажется, что Красная армия пришла освободить их от немцев, — заметил Тибо.

— После предательства англичан и французов что же им остается, кроме этой последней иллюзии?

— Все-таки предательство не совсем подходящее слово, — мягко возразил Тибо, — никто не ожидал, что все закончится так быстро и что Сталин окончательно добьет их ударом в спину. Они бежали от немцев на восток, теперь им бежать некуда.

На газетном лотке лежали свежие номера «Правды» и «Фолькишер беобехтер». Тибо остановился, прочитал вслух по-немецки жирный текст на первой полосе «Фолькишер» под портретом Гитлера:

— *«Правительства Германии и России совместными усилиями урегулируют проблемы, возникшие в результате распада Польского государства, и закладывают прочную основу для длительного мира в Восточной Европе».*

Короткая прогулка по городу явно утомила толстяка, он говорил сквозь одышку, из-под мягких полей зеленой шляпы текли струйки пота. Тибо на ходу вытирал платком пухлое красное лицо и старался не отставать от своего молодого спутника. Ося привык ходить очень быстро, но спохватился, замедлил шаг и сказал:

— Сегодня утром варшавское радио опять играло гимн.

— Да, это похоже на чудо, но уже ничего не значит. Сегодня Польша перестала существовать.

— Капитуляция еще не подписана.

— Просто уже некому подписывать... Ужасная, ужасная судьба. Почти полтора века Польша принадлежала России, Австрии, Пруссии, и всего-то двадцать лет удалось ей пожить как независимому государству. Господи, благодарю Тебя, что я не поляк.

Ося искоса взглянул на Тибо. Точно такая же фраза вспыхнула у него в голове сегодня утром, когда он поймал в приемнике в гостиничном номере варшавское радио и услышал государственный гимн Польши. Звуки лились словно с того света. Больно было слушать, и он подумал: «Господи, благодарю Тебя, что я не поляк!»

— Ну, кто следующий? — спросил Тибо, когда сели за столик в гостиничном ресторане. — Россия или Англия?

— Россия — союзник Германии.

— Вы не считаете этот союз временным?

— Все союзы временные, но они разрываются после войны, а не в начале. С таким же успехом можно гадать, нападет ли Гитлер на Италию.

— Ну, это совсем другое дело, союз с Муссолини крепко спаян идеологией.

— Идеология нужна, чтобы начать войну, а для ее продолжения нужны металл, топливо, хлеб и надежный тыл. Все это дает Гитлеру Сталин. Зачем нападать на такого выгодного союзника, когда есть реальные противники?

— Но они не воюют, — заметил Тибо и помахал рукой, разгоняя дым Осиной сигареты.

— Потому что он напал не на них. Когда нападет на них, им придется сопротивляться.

— Поляки тоже сопротивлялись...

К столу подошел официант, Тибо уставился в меню, пробормотал, потирая переносицу:

— Что будем пить?

— Кофе, — сказал Ося, — от спиртного я сразу усну, не спал двое суток.

— Ну, как хотите. А я предпочитаю чай. Спиртного мне вообще нельзя, и кофе тоже. Гипертония, знаете ли, сердце слабое... Итак, Англия?

— Вероятно, — Ося пожал плечами, — впрочем, к Па-де-Кале можно подойти только через Францию.

— А как же Мажино?

— Она не достроена, и там есть кусочек...

— Кусочек называется Бельгия, — Тибо кисло усмехнулся, — французы не хотели нас обидеть, отгородились своей Мажино от Германии, а границу с нами оставили открытой. Вот вам и ответ на вопрос: «Кто следующий?» Благодарить Бога, что я не бельгиец, не приходится, ибо я бельгиец.

В зал влетела запыхавшаяся, разгоряченная Кейт, огляделась и направилась к их столику.

— Конечно, это временный союз! — выпалила она, не успев сесть. — Русские так смущаются, этот танковый командир... черт, не могу произнести фамилию... Кривчеин или Кривачин. Он отлично владеет французским, но в ответ на вопросы мямлил, словно подросток. Ему явно неловко в этой нацистской компании. А, вот и официант. Сейчас умру от голода.

— Он мямлил потому, что каждое лишнее слово, сказанное иностранцу, может стоить ему головы, — снисходительно объяснил Тибо, после того как она сделала заказ и официант удалился.

— Опять вы несете чушь! — Кейт шлепнула пальцами по скатерти. — Вам не нравится Сталин? Ну, скажите, чем его союз с Гитлером отличается от той гнусности, которую устроили в Мюнхене Чемберлен и Деладье в прошлом году?

— Детка, английские и французские солдаты не маршировали вместе с войсками Гитлера по Праге, — ласково объяснил Тибо. — Чемберлен и Деладье откупились чужой страной. Но они не делили эту страну с Гитлером. Они не стали союзниками Гитлера, наоборот, объявили ему войну. Попустительство преступнику и соучастие в преступлении — разные вещи.

— Объявили войну, обещали помочь Польше, но пальцем не шевельнули. Вместо бомб разбрасывают с самолетов дурацкие листовки, в которых объясняют немцам, что война — это плохо! И будьте любезны, не называйте меня деткой!

— Да, детка, — смиренно кивнул Тибо, — ваш любимый Сталин войны никому не объявлял, но пальцем шевельнул.

Официант принес напитки и закуски. Кейт загасила сигарету, схватила с подноса стакан воды, выпила залпом и произнесла:

— Эти территории раньше принадлежали России. Сталин восстанавливает прежние границы.

— Гитлер тоже начал с этого.

— Тут живут не только поляки, тут много украинцев, белорусов, евреев.

— В Америке много немцев. Как вам понравится парад вермахта у Капитолия? Украинцев, русских, евреев там тоже немало. Почему бы не быть совместному параду? Итальянцев полно. — Тибо повернулся к Осе. — Джованни, почему синьор Муссолини не заявляет о своих правах на кусок северо-американского континента?

— Обязательно спрошу его при встрече, — кивнул Ося.

Кейт вдруг потеряла всякий интерес к разговору, озиралась по сторонам, энергично махала кому-то.

— Пожалуйста, отнесите мой заказ во-он туда, — сказала она подоспевшему официанту и, сухо извинившись, упорхнула.

— Джованни, вы слишком печальны и молчаливы для итальянца, — тихо прошептал Тибо, когда они остались вдвоем, — прозвище Феличита вам совершенно не подходит.

С набитым ртом Ося не мог ответить сразу. Пока он жевал, Тибо смотрел на него и улыбался.

— Не спешите, а то поперхнетесь.

— Мг-м. — Ося глотнул воды, закурил и медленно произнес отзыв на пароль: — В детстве я был веселей и болтал без умолку.

— Да, «Сестра» рассказывала, — кивнул Тибо, — она передает вам привет.

Ося заулыбался так радостно, словно речь шла о реальной родной любимой сестричке, по которой он ужасно соскучился. На самом деле «Сестрой» называли SIS (Secret Intelligence Service), секретную разведку Великобритании.

Двенадцать лет назад глава SIS адмирал Хью Синклер через свои вашингтонские связи поменял нансеновский паспорт[1] молодого журналиста Иосифа Каца на американский. Новоиспеченный гражданин США итальянского происхождения Джованни Касолли стал активно сотрудничать с итальянскими газетами. Когда в США разразился экономический кризис, Касолли решил переехать в Италию. «Сестра» благословила его кодовой кличкой Феличита и организовала его знакомство с министром иностранных дел Чиано.

Молодой обаятельный журналист владел немецким и французским так же свободно, как итальянским и английским, писал хлесткие остроумные статьи, умел разговорить и рассмешить кого угодно, великолепно играл в теннис и футбол. Чиано такие нравились, он взял Касолли в свою свиту.

Эмма открыла калитку и увидела в сумерках силуэт старика. Он ходил вокруг дома, от качелей до осины, выросшей на месте

---

[1] Нансеновский паспорт — международный документ, который Лига Наций выдавала беженцам без гражданства, в основном из России.

сгоревшего сарая, от осины до дальнего угла забора. Это называлось прогулкой. Он шел довольно быстро, подавшись корпусом вперед, заложив руки за спину. На ногах все те же войлочные сапоги, на голове — красноармейский шлем.

Эмма подумала: «Хорошо, что уже темно и соседи не могут заметить звезду на шлеме».

Впрочем, звезда давно выцвела, наполовину отпоролась и висела бесформенным розоватым лоскутком.

Машинально отметив про себя, что задвижку и петли калитки пора смазать, Эмма направилась к крыльцу, чтобы положить тяжелые сумки и взять из прихожей шарф. Вернер, как всегда, забыл его надеть, только куртку накинул, а вечер был очень холодный.

Новая горничная, полька, открыла дверь, взяла сумки. Эмма приветливо поздоровалась с ней и четко, без ошибок произнесла непривычное славянское имя Агнешка.

В доме было чисто и тепло. Напрасно говорят, будто бесплатная польская прислуга годится только для сельской местности. Считается, что славянские девушки ленивы, неопрятны и бестолковы. Вот уж неправда. Если с ними хорошо обращаться, они тоже работают на совесть. Во всяком случае, эта Агнешка очень удачный вариант. Она тут всего неделю, а дом преобразился, в углах ни пылинки, белье и одежда Вернера в полном порядке.

Агнешка, в отличие от прошлой прислуги, не забывала класть в ящики комода мешочки с лавандой, и моль, наконец, исчезла. Столовое серебро сверкало. Она даже окна помыла, чего ни одна немецкая горничная не стала бы делать зимой. Но главное, эта полька не вызывала у Вернера ни малейшего раздражения. Она знала не больше десятка немецких слов и все время молчала.

Эмма четко и медленно объяснила Агнешке, что надо выпотрошить форель, промыть шпинат и почистить картофель. Полька поняла, принялась за работу. Эмма вышла на крыльцо, прихватив шарф для Вернера.

Почти стемнело. Вернер стоял у осины, обхватил ладонями тонкий кривой ствол и прижимался к нему щекой. Объятья с деревом означали, что прогулка закончена, стало быть, шарф уже не нужен. Да и не стоило трогать старика в эти минуты. Если окликнуть, он сильно вздрогнет и потом весь вечер будет мрачным и злым, откажется от ужина, поднимется в мансарду, и никакая сила не заставит его спуститься в столовую.

Сарай сгорел десять лет назад, через пару месяцев после того, как в нем устроили лабораторию. Там было много горючих веществ. Пожарные приехали достаточно быстро, чтобы огонь не перекинулся на соседние здания, но слишком поздно, чтобы спасти Марту.

Марта помогала мужу в его опытах, проводила в лаборатории многие часы. Когда случился пожар, Вернер был в Кембридже у Резерфорда. Обычно Марта ездила вместе с ним, а в тот раз приболела и осталась в Берлине. Но простуда не помешала ей отправиться ночью в лабораторию. Там плохо работала электропроводка, то и дело выбивало пробки, в темноте приходилось зажигать свечи и керосинку.

Пожарные так и не сумели определить точную причину возгорания. В нескольких метрах от пожарища нашли массивный фанерный ящик, внутри стружка, закопченные металлические детали, зеркальные осколки, треснутые стеклянные трубки. Рядом валялись три толстые тетради. Судя по всему, Марта дважды выходила из пылающей лаборатории, выносила самое ценное и возвращалась назад. В третий раз ей не удалось выбраться. Приборы Вернер потом восстановил, а записи пропали. Вода из пожарных шлангов размыла чернила.

Герман страшно переживал гибель матери. Несколько суток пролежал на диване, отвернувшись к стене, трясясь от рыданий. Отправлять телеграмму в Кембридж и встречать Вернера пришлось Эмме.

Ее тогда поразило его спокойствие. Ни слезинки, ни слова. Вещи Марты он отдал в какой-то приют. В доме не осталось ни одной ее фотографии. А Герман развешивал их повсюду. Многочисленные изображения Марты украшали каждое их жилище. Маленькая девочка с плюшевым медведем. Большая девочка в гамаке с книгой. Девочка-подросток на лужайке с теннисной ракеткой. Юная девушка у открытого фортепиано. Девушка постарше в свадебном платье (полтора года назад Герман аккуратно отсек фигуру отца бритвенным лезвием, по линейке). Молодая женщина в парке с коляской и с младенцем Германом на руках. Женщина средних лет в кресле у камина, с кошкой на коленях.

Вернер хранил тетради со сморщенными хрупкими страницами в чернильных разводах, серебряную шкатулку с украшениями и маленький граненый флакон. На донышке осталось немного духов, но запах выдохся. На месте сгоревшего сарая за десять лет так ничего и не выросло, кроме кривой осины.

Видеть Вернера возле одинокого дерева было грустно, сердце сжималось. Эмма не стала его окликать, вздохнула и вернулась в дом.

Горничная нарезала лук. Эмма остановилась в дверном проеме кухни, минуту молча за ней наблюдала. Кольца получались тонкие и ровные, глаза польки не краснели и не слезились, она то и дело смачивала нож в холодной воде.

«Удивительно, — подумала Эмма, — оказывается, им тоже знакомы эти маленькие кухонные хитрости».

Полька почувствовала взгляд, резко обернулась, выронила нож, наклонилась, чтобы поднять. Эмма заметила в кармашке ее блузки свернутые купюры. Сразу стало тревожно и противно.

«Вот тебе и удачный вариант... Вернер такой рассеянный, совершенно беззащитный... Мерзавка... Как же быть? Обыскать ее каморку? Позвонить в полицию?»

— Что это у вас? — спросила она, указывая пальцем на кармашек.

Девушка покраснела, дрожащей рукой вытащила две пятерки и залопотала что-то невнятное.

— Откуда у вас деньги? — медленно, по слогам, произнесла Эмма. — Вы разве не знаете, что красть нельзя?

В испуганном лепете польки звучали отдельные немецкие слова, Эмма поняла только «нет, я не...». Девушка протягивала ей купюры и мотала головой.

Стукнула дверь. В прихожей послышались шаги.

— Вернер! — громко позвала Эмма.

— А, привет, дорогуша, не видел, как ты пришла. — Он чмокнул ее в щеку.

— Вернер, у нас проблема, — жестко отчеканила Эмма, — она оказалась воровкой.

— Что за ерунда? — старик нахмурился.

— К сожалению, это не ерунда. — Эмма кивнула на купюры в дрожащей руке польки.

— Ну, вижу, да, десять марок. Ее жалованье за неделю. Я решил платить ей на две марки больше, чем прошлой дуре.

— Платить ей? Зачем? Господи, ну я же вам столько раз объясняла: польская прислуга работает бесплатно.

Старик ничего не ответил, словно не услышал, и обратился к девушке:

— Все в порядке, милая, не волнуйтесь, спрячьте деньги, они ваши, — он жестом показал, что купюры нужно убрать назад, в карман.

— Благодарю, господин, — чуть слышно прошептала полька.

Вернер покосился на Эмму и тихо спросил:

— Дорогуша, ты не хочешь извиниться?

Эмма почувствовала, как кровь прилила к лицу. Прежде чем она успела что-либо сообразить, у нее вырвалось:

— Простите, Агнешка, я ошиблась.

— Умница. — Старик взял ее под руку, ободряюще сжал локоть, увел в гостиную, уселся на диван и закурил.

Эмма тоже взяла сигарету.

— Ты же не куришь, — ехидно заметил Вернер и щелкнул зажигалкой, — что, так сильно разволновалась?

— Не то слово, — Эмма закашлялась, — ужасная гадость.

— Да, неприятно получилось.

— Я о табачном дыме. — Эмма затушила сигарету. — Вернер, все-таки это неправильно — платить польке, да еще такую сумму.

— Платить польке, — со вздохом повторил старик. — А тебе не приходит в голову, что на ее месте могла бы оказаться Мари Кюри?

— Кто?! — Эмма даже привстала от удивления.

— Мари была полька, ее девичья фамилия Складовская. Случись наша национальная катастрофа лет пятьдесят назад...

Эмма знала, что «национальной катастрофой» старик называет приход к власти нацистской партии. От подобных разговоров ее знобило, она попыталась сменить тему.

— Десять марок в неделю, получается больше сорока в месяц. Зачем ей столько? Языка не знает, в приличных магазинах восточных рабочих не обслуживают, разве только в продуктовой лавке. А если, допустим, на улице ее задержит полиция и найдет у нее большую сумму? Ведь за это...

— М-м. — Старик растянул губы в лягушачьей улыбке. — Я предупредил ее, чтобы не таскала с собой деньги, только мелочь. Да она и сама понимает.

— Тем более глупость! Ну зачем ей столько?

— Не век же ей тут торчать. — Старик усмехнулся. — Вернется домой не с пустыми руками. Если, конечно, германская марка к тому времени будет что-нибудь стоить. Эй, дорогуша, о чем мы говорим? Ты разве не знаешь, что красть нельзя?

Эмма вздрогнула. Он не мог слышать фразу, которую она сказала польке, он вошел позже. Но повторил слово в слово.

— Что вы имеете в виду? — спросила она обиженно.

— Ты отлично меня поняла, не прикидывайся.

— Да, но ведь все пользуются. Восточные рабочие повсюду, на заводах, на фермах... — Эмма запнулась и почувствовала, как забегали у нее глаза.

— Вот именно, — кивнул Вернер, — все воруют чужой труд. А я не буду, и тебе не советую. Хотя куда ты денешься? Ты и твой муж, мой бывший сын. Работа небось кипит? Реактор уже строят?

— Вот этим поляки точно не занимаются, — выпалила Эмма и прикусила язык.

Она была уверена, что старик сейчас спросит, кто же, если не восточные рабочие, добывает уран, однако ошиблась.

— Вы уже удостоились личного благословения нейтрона? — с хитрой усмешкой спросил Вернер.

Вопрос, хоть и звучал странно, показался Эмме вполне безобидным. Он касался исключительно науки. Старика интересовало, как продвигаются опыты, удалось ли получить свободные нейтроны и просчитать цепную реакцию. Сейчас Эмма занималась именно этим и с удовольствием бы поделилась своими успехами с Вернером. Конечно, секретность, подписка и все такое... Впрочем, она опять ошиблась.

— Он ведь, нейтрон этот ваш, с усиками. — Старик весело подмигнул. — Все люди — заряженные частицы со знаками плюс или минус, а он никто, ничто, собственного заряда не имеет, возник в результате распада ядра, неуловим, не поддается никакому воздействию, обладает колоссальной проникающей способностью. Чедвик открыл нейтрон в тридцать втором, и сразу нейтрон выпрыгнул, воплотился. Интересная аналогия, ты не находишь? На самом деле их два. Второй тоже выпрыгнул в результате распада, тоже никто, ничто и тоже с усами. Больше одного нейтрона — вот тебе цепная реакция. Точная дата ее начала — первое сентября тысяча девятьсот тридцать девятого. Ну, дорогуша, ты возьмешься просчитать результат?

«Ладно, — спокойно подумала Эмма, — пусть болтает, ничего страшного, к тому же слишком путано...»

Зашла горничная, произнесла одно слово: «Битте» — и показала знаками, что стол уже накрыт.

— Ой, я хотела сама приготовить, — всполошилась Эмма.

— Отдыхай, дорогуша. Ты уж не обижайся, но стряпает она лучше, чем ты. Пойдем, сейчас сама убедишься.

— Спасибо на добром слове.

Стол накрыт был правильно, не придерешься. Эмма разложила салфетку на коленях, взяла бокал, щурясь, полюбовалась игрой хрусталя.

— Ваше здоровье, Вернер.

— Мг-м. — Он пригубил, кивнул. — Вкусно.

— Еще бы, — улыбнулась Эмма, — настоящее рейнское, мягкое и совсем не кислое.

— Что же ты, дорогуша, принесла такую прелесть сюда? Выпила бы дома, с мужем.

— У Германа от белого сухого изжога.

— Изжога у него от вранья. — Старик бросил в рот маслину и спросил с деланым равнодушием: — Небось по-прежнему твердит, будто это я убил Марту?

Эмма заерзала на стуле. Меньше всего ей хотелось сейчас говорить на эту тему. Болевая точка, корень конфликта. Нет, конечно, в убийстве Герман отца не обвинял, это было бы слишком нелепо. Он говорил о косвенной вине. Будто бы отец вынудил маму работать в лаборатории. Она его любила, ни в чем отказать ему не могла, а он никогда никого не любил, использовал ее любовь в корыстных целях.

Между прочим, слово «любовь» впервые возникло в лексиконе Германа именно в момент разрыва с отцом. Прежде Эмма от него этого слова не слышала ни в романтические времена, до свадьбы, ни в моменты близости. Предложение он ей сделал коротко и сухо: «Давай-ка, выходи за меня». Конечно, ей не хватало нежности, признаний, но она внушила себе, что Герман избегает говорить о любви из-за особенного, суеверно-трепетного отношения к этому чувству, и страшно удивилась, когда заветное слово вдруг сорвалось с его уст и бешено запрыгало по фразам, наполненным ненавистью.

Это была последняя встреча отца и сына. Полтора года назад они сидели втроем тут, в столовой, и Герман кричал о том, как беззаветно мама любила отца. Кричал он вроде бы негромко, но голос его заполнял пространство, энергия ненависти превращалась в материю, в плотную вязкую массу, в которой невозможно дышать и двигаться.

— Мало тебе званий, мало медали Планка? — орал Герман. — Хочешь Нобелевскую?

— Конечно, хочу, — кивнул Вернер со спокойной улыбкой, — и ты хочешь, но только ни одному немцу она теперь не светит.

— Чушь! — прошипел Герман.

Старик молча пожал плечами.

Эмма знала, что это вовсе не чушь. В тридцать пятом, после того, как Нобелевский комитет присудил премию за мир писателю Карлу Осецкому, который сидел в лагере за свои антинацистские убеждения, фюрер запретил всем немцам принимать Нобелевские премии. В институте по этому поводу шептались: а что, если следующий приказ вынудит всех нобелевских лауреатов отказаться от премий, полученных до тридцать пятого? Как поступят Планк и Гейзенберг?

Герман продолжал орать:

— Ты помешался на своих излучениях, ради них пожертвовал репутацией, кафедрой, уважением коллег, маминой жизнью, моей карьерой! Никогда ты ее не любил, и меня тоже! Считаешь себя великим ученым? Когда-то ты правда был ученым. А теперь превратился в шарлатана. Ты шарлатан! Мама погибла ради твоего шарлатанства! А тебе наплевать! Мы для тебя только средство, расходный материал!

Вернер больше не произнес ни слова, молча встал и затопал наверх, в мансарду. А Герман как будто не заметил этого, продолжал орать. Эмме пришлось несколько раз повторить:

— Замолчи, он ушел.

Сразу после трагедии подобная истерика могла быть вполне понятна, оправдана шоком, болью. Но прошло много лет. До этой минуты Герман вел себя как примерный, любящий сын.

Прежде чем уйти, Эмма поднялась к Вернеру, сказала: «Простите его, он сам не знает, что мелет, просто нервный срыв». Старик покосился на нее, пробормотал: «Мг-м, конечно, дорогуша, я понимаю», и продолжил как ни в чем не бывало писать что-то в своей тетради.

Потом еще долго вертелся у Эммы на языке вопрос: «За что ты так ненавидишь отца?» Но ужасно не хотелось возвращаться в тяжелую атмосферу конфликта, вопрос приходилось проглатывать, а чтобы не застревал в горле, Эмма растворяла его в жидкой субстанции оправданий мужниной истерики, пыталась убедить себя, что старик сам во многом виноват. Был слишком строгим и требовательным отцом, постоянно шпынял Германа в детстве, в юности и всегда поступал так, как ему хотелось, не думая о других.

Конечно, обвинения в том, что он пожертвовал ради своих опытов жизнью Марты и карьерой Германа, — это чересчур. Марта погибла из-за несчастного случая, а на карьере Германа уход отца из института никак не отразился, но его вызывающее поведение было неприятно. Эти язвительные реплики и вот, сегодняшний гадкий эпизод с полькой...

Эмма представила, как отреагировал бы Герман, и невольно поморщилась.

— Ты чего, дорогуша? Молчишь, рожицы корчишь. О чем задумалась? — спросил старик, ласково глядя ей в глаза.

— Вернер, меня очень угнетает ваш конфликт. Вы никак не можете забыть. Полтора года прошло. Герман тогда был не в себе. Но его тоже надо понять. Вы поступили более чем странно. Уйти из института, все бросить, порвать все профессиональные и человеческие связи. Ради чего?

— Ради чего? — старик поиграл вилкой, пошевелил бровями. — Ну, Герман же объяснил: я бессердечный эгоист, шарлатан, тщеславный до безумия. И ведь он прав. Живу замкнуто, веду себя странно. Давно пора сдать меня куда положено и решить проблему в соответствии с гуманным законом об эвтаназии. Разве Герман не обсуждал с тобой этот вариант?

— Ну зачем вы так? — Эмма покачала головой. — На самом деле Герман до сих пор сильно переживает, он тогда просто сорвался.

— Мг-м, я понимаю, — кивнул старик и принялся за еду.

Эмма тоже взяла вилку. Несколько минут молча жевали, уставившись в свои тарелки. Вернер закончил первым, промокнул губы, откинулся на спинку стула и пробормотал чуть слышно:

— Не сорвался он, а заврался, все вы заврались, вот и пошла цепная реакция. Скоро испугаетесь, захотите остановить, да не получится. Поздно.

Илья проснулся среди ночи, будто кто-то нарочно разбудил его, выдернул из жуткого сна. Снилось ему унылое пространство под бурым небом, выжженное поле, обугленные палки вместо леса, развалины вместо города, все мертвое, плесневело-серое, и повсюду бродили зыбкие существа, отдаленно похожие на людей, с белыми лицами, черными дырами ртов и глазниц. Они копались в развалинах, таскали с места на место камни, полоскали в лужах рваное тряпье, мыли, оттирали какие-то побитые склянки, мятые кастрюли, но все оставалось грязным и негодным. Иногда они пропадали, сливались с тусклым пейзажем, опять возникали и продолжали свою бессмысленную работу. Илья был одним из них, осознавал ужас этого полусуществования, тело не слушалось, из горла не вырывалось ни единого звука, будто удалили голосовые связки.

Открыв глаза, он не сразу понял, что больше не спит, неподвижно лежал, глядел в потолок и видел те же развалины, тех же призраков.

Рядом, свернувшись калачиком, крепко спала Маша. Он слышал ее ровное дыхание, чувствовал тепло. Фосфорные стрелки будильника показывали четверть пятого. Илья полежал еще немного, окончательно пришел в себя и понял, что уснуть уже не сумеет. Осторожно вылез из-под одеяла, надел халат, тихо прикрыл дверь, включил маленький ночник на кухне и поставил чайник на огонь.

Кошмар тяжело, как перекисшее тесто, перевалил за пределы сна и не желал убираться восвояси. А вдруг он вещий? Картина мира после победы Гитлера. Точно как в нацистской песне: *«Мы все победим и растопчем огонь, и, погибель неся, Германия наша сегодня, а завтра вселенная вся».*

Он налил себе чаю, отправился со стаканом в гостиную, включил приемник, надел наушники, принялся крутить ручку.

Сквозь треск и свист прорывалась музыка. Танго, фокстроты, военные марши. Илья послушал ноктюрн Шопена, потом поймал Би-би-си, выпуск новостей:

— *Рано утром десятого января немецкий военный самолет, летевший из Мюнстера в Кельн, потерял ориентировку в облаках над Бельгией и совершил вынужденную посадку на территории Бельгии. Самолетом управлял ответственный штабной офицер люфтваффе. При нем был портфель с секретными документами, которые он пытался уничтожить, но не успел.*

Таким образом в руки бельгийской полиции попали немецкие оперативные планы наступления на западе, разработанные во всех деталях и неопровержимо доказывающие намерение Германии напасть на Бельгию.

Илья взял листок, карандаш, стал быстро записывать, то и дело поглядывая на большую подробную карту Европы, занимавшую полстены, и думал: «Фальшивка, блеф? Странно, что англичане сообщают об этом, обычно они все засекречивают. Впрочем, случай с самолетом ничего не меняет. Можно засекретить, можно по радио объявить, напечатать во всех газетах. Что Гитлер скоро продолжит наступление, и так очевидно. Если в портфеле пилота был реальный план, Гитлер его подкорректирует, двинется сначала на север, в Скандинавию. Ну, это не война. Аншлюс по австрийскому образцу. Скандинавы — сверхнордическая раса, почище самих немцев. Гитлер оккупирует их нежно».

Выпуск продолжился новостями из Финляндии:

— *Вчера во время очень интенсивных воздушных налетов на гражданское население несколько сотен советских самолетов сбросили около трех тысяч бомб на разные районы, включая Тампере, Турку, Пори. Очень много обстрелов из пулеметов, но благодаря эффективной организации гражданской обороны, по нашим данным, было убито трое гражданских и тридцать пять ранено... Финский патруль наткнулся на отряд из ста пятидесяти русских, финны приготовились к бою, но оказалось, что русские, все до одного, замерзли насмерть...*

Затем выступил корреспондент, только что вернувшийся из Финляндии и побывавший в районе боевых действий:

— *Теперь я знаю, что такое артобстрел. Если бы не ужасающий, рвущий мозг на куски огонь артиллерии, я бы испытывал жалость к серым русским массам. Они шли в своих длиннополых шинелях, по пояс в снегу, прямо на финские пулеметы. Их танки были уничтожены финскими противотанковыми пушками и меткими гранатометчиками. Русские шли в атаку покорно и тихо, тщетно пытаясь прикрыться бронещитками. Пулеметный огонь прошивал поле, оставляя изувеченные тела, которые вскоре застывали навсегда.*

Илья выключил радио, снял наушники. Не мог он это слушать. Любое упоминание о Финской войне вызывало лютую тоску и боль. Он открыл форточку, несколько минут смотрел в окно, в темноту спящего двора.

Аккуратный сугроб на месте центральной клумбы под фонарями отливал бледным золотом. Ряды окон были темны, но далеко не все за этими окнами крепко спали. Хроническая бессонница — самый безобидный из недугов, которыми страдают обитатели чиновных домов в центре Москвы. О чем они думают во время своих бессонниц? Раньше лучшим лекарством от неправильных мыслей было магическое заклинание: «Товарищ Сталин не знает, что делается, во всем виноваты враги». Недавно вошла в обиход новая формула: «Товарищ Сталин знает, что делает». Но к ней упрямо цеплялась закорючка вопросительного знака, превращая заклинание в вопрос. А вопрос требовал ответа, хотя бы самому себе.

Илья допил чай, улегся на диван, но никак не мог согреться под пледом. В голове продолжал звучать бесстрастный голос британского диктора: «*...отряд из ста пятидесяти русских... оказалось, что русские, все до одного, замерзли насмерть...*»

Он съежился, зарылся лицом в подушку, пробормотал:

— И мальчики замерзшие в глазах...

Сталинский блицкриг бездарно забуксовал в маленькой Финляндии. А раньше Хозяину все удавалось. Творил ужасные вещи на огромных территориях и не встречал сопротивления. Избалован легкими победами. Коллективизация, индустриализация, чистки. Вот его триумфальные блицкриги. Сотни миллионов безропотно подчинились его воле.

«Краткий курс» сумел победить реальность внутри СССР, но время не остановилось, пространство не сжалось до пределов одной, отдельно взятой страны, зато сжалось личное пространство Сталина, замкнулось между Кремлем и Ближней дачей. Внешний мир для него закрыт, как для заключенного. Сквозь пуленепробиваемые стекла автомобиля по дороге из Кремля в Кунцево и обратно он ничего не видит, сидит в центре салона, на специальном откидном стульчике, между офицерами охраны. Раньше он хотя бы иногда отдыхал на Черноморском побережье, послов принимал. Последним иностранцем, с которым он общался, был Риббентроп. Хороши плоды триумфа, ничего не скажешь.

Да, «Курс» победил, но дела его шли скверно. Главный пропагандистский козырь — «происки врагов-троцкистов-фашистов» — больше не работал. Фашисты стали друзьями, но поскольку много лет они с «троцкистами» оставались неразлучной парой, использовать в пропаганде только «троцкистов» уже не получалось. И другой козырь — борьба за мир — лопнул. В Польшу вошли вместе с Гитлером, на Финляндию напали. Попытка назвать это борьбой с польским и финским фашизмом провалилась. И сама Финская кампания — позорный провал. Понятно, Ворошилов кретин, в армии бедлам, нет зимнего обмундирования, лыж, маскхалатов, полевых кухонь, командиров, способных принимать решения. Но население Финляндии чуть больше трех миллионов, а СССР — гигантская держава, которая последние десять только и делала, что вооружалась, готовилась к войне. Хороша готовность!

Стрелки вытянулись в одну линию вдоль циферблата. Шесть утра. За окном стали слышны первые утренние звуки. Шорох лопаты дворника, грохот мусоровоза. Во дворе заурчал мотор, хлопнула дверца автомобиля. Кто-то из сановных соседей уже отправлялся на работу.

У Ильи осталась пара часов до начала рабочего дня. Он не спеша сделал гимнастику перед открытой форточкой, принял контрастный душ. Горячая вода, почти кипяток, потом ледяная, и так до тех пор, пока не смоется муть бессонной ночи.

Перед уходом он разбудил Машу, она обняла его, забормотала что-то и открыла глаза только после того, как он поцеловал их, один за другим. Нежное тепло ее сонных век, щекотное покалывание ресниц долго оставались на губах.

На улице у редких прохожих пар валил изо рта. По Воздвиженке, по Моховой, урча моторами, проезжали вылизанные начальственные «Паккарды». В свете фар и фонарей кружились мелкие редкие снежинки. Из-за облака, пушистого и толстого, как дымчатый кот, выглянул бледный утренний месяц и сразу спрятался, словно испугавшись боя курантов. На фоне темного неба матово светились новенькие рубиновые звезды кремлевских башен, отчего башни напоминали рождественские елки.

«Господи, как же хорошо жить, — думал Илья, втягивая ноздрями упругий морозный воздух. — Зачем война? Зачем эти два фантома? Кто они такие? Исчадья ада, которые хотят превратить живую землю в мертвую колонию своей подземной империи? Или два сумасшедших, поднявшихся на вершину власти из-за стечения случайных обстоятельств?»

У подъезда его нагнал Поскребышев. В белом тулупе, в ушанке со связанными под подбородком ушами, в валенках с калошами, он был похож на деревенского сторожа. Похлопав Илью по спине рукой в меховой варежке, бодро крякнул:

— Морозец-то хорош, градусов двадцать. — И добавил, когда вошли в подъезд: — Нянька форточку в детской на ночь открывает, Наташка чихает. За завтраком чихнула с полным ртом манной каши, и все на мой новый пиджак. Нет чтоб на няньку. Я ж говорил ей, дуре: закрой, простудишь ребенка. А она: свежий воздух, свежий воздух.

Дочь Наташа стала самым главным человеком в жизни Поскребышева, главнее товарища Сталина, теперь уж точно главнее. Жену Александра Николаевича, Бронку, арестовали в мае тридцать девятого, когда Наташе не было и двух месяцев. Хозяин с тех пор часто спрашивал свою обезьянку: «Как Наташа?» Поскребышев благодарил за заботу, да так горячо, что казалось, сейчас к руке приложится. Но Илья видел его лицо потом, когда Хозяин не видел. Забавная обезьянья личина сползала, лицо искажалось гримасой ненависти, придушенной, глубоко запрятанной, но очень сильной.

Когда поднялись наверх, Поскребышев вручил Илье две увесистые папки. В одной материалы с Лубянки, в другой — из Разведуправления Генштаба. Сводку приказано было подготовить к завтрашнему утру.

Илья поднялся в свой кабинет, позвонил в буфет, заказал завтрак и раскрыл первую папку.

Перед ним лежало спецсообщение НКВД, украшенное самой солидной шапкой: *«Сов. секретно, ЦК ВКП(б) тов. Сталину, СНК СССР тов. Молотову»*. На сопроводительной записке стояла подпись Берия. В документе излагалась пространная речь Геббельса. Начиналась она так:

«Я говорю перед интеллигентными немцами, говорю искренне и прямо».

Далее — тирада о чешском духовенстве, монархических кругах и семье Габсбургов. Длинный пассаж, касавшийся чехов, завершался по-геббельсовски красиво: *«Нам не остается ничего другого, как обращаться с ними по Библии: стегать их железными кнутами и истреблять их всеми возможными средствами»*.

Конечно, не ради Габсбургов и железных кнутов Берия знакомил Хозяина с этим шедевром. После длинной чешской преамбулы Геббельс произнес следующее: *«СССР обречен на исчезновение со времени подписания с нами договора. Мы знаем, что СССР постарается однажды обратиться против нас. Но будет слишком поздно. Он ошибается, как все низшие народы, которые пытаются сблизиться с германской расой... Итак, я резюмирую нашу позицию. Наш экономический враг — Англия. Но нашим смертельным врагом всегда останется СССР»*.

Где говорил Геббельс, кто эти «близкие сотрудники, интеллигентные немцы», не указывалось. Берия пояснял, что «закордонный источник» получил текст от руководителя филиала чешской разведки в Париже, и страховался в конце: *«Не исключена возможность, что материал составлен самими чехами с ведома французской разведки»*.

В дверь постучали, Илья привычным жестом закрыл и убрал в ящик папки. На этот раз вместо буфетчицы Таси завтрак принес незнакомый хмурый официант. Ни конфет, ни прибауток. Все быстро, молча и как-то слишком напряженно. «В тридцать седьмом я бы из рук этого хмыря ни пить, ни есть не решился, — подумал Илья, — впрочем, отраву могла принести и Тася, с прибаутками. Конечно, грохнуть могут в любой момент, но отравят вряд ли, кажется, у Берия другой стиль».

Илья отхлебнул кофе, откусил бутерброд, пробормотал:

— «Да» и «нет» не говорите, черный, белый не берите. Вы поедете на бал?

Он перечитал текст еще раз. Для фальшивки опус выглядел слишком по-геббельсовски, стиль рейхсминистра пропаганды спецреферент Крылов изучил досконально. Геббельс мог говорить все это на закрытом совещании в своем министерстве, на одном из ежедневных инструктажей для немецких журналистов.

Берия второй год возглавлял НКВД, но еще ни разу не украсил своей подписью ни один документ, касавшийся Германии. Он аккуратно обходил гитлеровскую тему, во всяком случае в документах. Значит, сорвался, не выдержал, решил угостить Хозяина изрядной порцией суровой реальности, слегка подсластив ее осторожной припиской.

Илья вспомнил пометки покойного Артузова, начальника ИНО НКВД, расстрелянного в тридцать седьмом. За несколько лет до начала процессов стала нарастать волна сообщений о подготовке переворота в СССР, о бесчисленных шпионах, немецких, английских, французских, польских, о сговоре Троцкого с Гитлером против Сталина.

К тридцать шестому развединформация окончательно слилась воедино с генеральной линией партии, советские агенты из Берлина, Парижа, Лондона присылали на родину дословное изложение передовиц «Правды» в зашифрованном виде. Артузов ставил восклицательные и вопросительные знаки, писал: «Чушь, бред, провокация, надежность источника сомнительна». Сменивший Артузова Слуцкий ничего подобного себе не позволял. Потом разведка исчезла.

Теперь что же? Опять появилась? Впервые за последние четыре года развединформация не совпадала с генеральной линией и передовицами «Правды». Раньше приписки и пометки на донесениях оставались последними слабенькими проблесками здравого смысла в кромешной тьме. Теперь они выглядели заплатками на капсуле сталинской сказки, которая трещала и крошилась под напором реальности.

Глава шестая

Ося не сомневался, что война сильно изменит стиль работы «Сестры», но не мог представить, что в качестве связника явится такой пожилой, солидный господин. В любом случае, он был рад. Долгое молчание «Сестры» и собственное вынужденное бездействие изматывали нервы.

После обеда бельгиец предложил опять отправиться на прогулку. Как только они оказались вдали от посторонних ушей, в парке на окраине Брест-Литовска, Тибо резко прервал печальную болтовню о нацистско-советском триумфе, замолчал на полуслове и после паузы произнес тусклым, приглушенным голосом:

— В Британии на основе новейших открытий физиков создано оружие чудовищной силы. — Он поймал на лету кленовый лист, покрутил его и продолжил со вздохом: — Бомба весом не более пяти килограммов взорвется с мощностью десяти мегатонн тротила. Окончательные испытания приостановлены, они могут привести к страшным последствиям и скомпрометировать работу в целом. Сейчас на острове проводятся мероприятия по расчетам времени, необходимого самолету, который сбросит бомбу, чтобы отлететь на безопасное расстояние.

Выдав этот странный пассаж, Тибо засопел, снял шляпу и стал обмахиваться ею, как веером. Ося решил не задавать вопросов. После минуты молчания бельгиец пояснил:

— Примерно такой текст в виде короткой заметки должен появиться в воскресном приложении «Пополо де Италия», чем скорее, тем лучше.

— За чьей подписью?

— Надеюсь, не за вашей. — Тибо вытер платком мокрую лысину и надел шляпу. — Подарите сенсацию какому-нибудь начинающему репортеришке, не мне вас учить. Приписка о конфиденциальности источника только добавит перцу.

Задание было до обидного легким. Организовать такую публикацию ничего не стоило.

— Это что, попытка напугать Гитлера? Оправдание своего бездействия? — спросил он с грустной улыбкой.

Тибо помотал головой.

— Это попытка выяснить, как далеко продвинулись немцы в работе над урановой бомбой.

Они остановились у скамейки. Прежде чем сесть, Тибо аккуратно расправил полы светлого плаща, потом положил шляпу на колени, принялся вытирать лицо и лысину. Носовые платки лежали у него во всех карманах, Ося подумал, что в день он использует не меньше дюжины. В голове замелькали обрывки прощального разговора с Габи в первый день войны. Недавно что-то там открыли насчет урана... Советник торгового отдела проболтался спьяну... Сила миллионов пуль и сотен тысяч бомб... бельгийцы сорвали сделку...

— Среди физиков нет разведчиков, зато они есть среди журналистов и дипломатов, — сердито проворчал Тибо, — но журналисты и дипломаты ничего не смыслят в физике.

— Справедливое замечание, — кивнул Ося.

Бельгиец повернулся к нему всем корпусом и впервые за несколько часов их знакомства взглянул прямо в глаза. Он близоруко щурился, Ося подумал, что, кроме дюжины платков, в его карманах должны лежать очки. И тут же они появились, вместе с очередным платком. На этот раз Тибо протер не лицо, а круглые стекла в тонкой стальной оправе.

«Дальнозоркость», — заметил про себя Ося, когда очки оказались у Тибо на носу и, словно лупы, увеличили его светлокарие, с зеленым отливом, глаза.

— Ну вот, — Тибо отвел взгляд и улыбнулся, — первый отборочный тур вы прошли успешно.

— Простите? — Ося удивленно шевельнул бровью.

— Рекомендации «Сестры» — условие необходимое, но недостаточное. Я же сказал вам, я хороший физиономист. Надеюсь, что не ошибся в вас. Предупреждаю, то, что я вам собираюсь предложить, потребует серьезных интеллектуальных усилий, будет сопряжено с дополнительной нагрузкой. Ни сверхурочных, ни нобелевских премий. И даже морального удовлетворения не обещаю, потому что усилия и риск могут оказаться напрасными. Лучше сразу откажитесь.

— Вы еще ничего не предложили.

— Потому что не знаю, с чего начать, — бельгиец нахмурился, на лбу образовалась аккуратная комбинация морщин в форме буквы «W», — газетная утка — это, так сказать, официальная часть нашей встречи. Задание «Сестры». Кроме газетных уток, «Сестра» организовала утечку информации из министерства обороны. Если немцы клюнут, сунут свой нос, значит, они сами работают над бомбой и хотят выяснить, как обстоят дела у британских физиков. На мой взгляд, затея глупая и бессмысленная. Во-первых, у британских физиков в этом направлении дела никак не обстоят. Во-вторых, работа немецких физиков над бомбой — очевидный факт. Вы что-нибудь знаете об открытии деления ядра урана?

— Нет, — честно признался Ося, — хотя слово «уран» в связи со сверхоружием я уже слышал.

— Имя Лео Силард вам знакомо?

Ося вздохнул и помотал головой.

— Это физик, немецкий эмигрант. Он первым забил тревогу. А теперь, пожалуйста, попробуйте вспомнить, каких современных физиков вы знаете.

— Альберт Эйнштейн, Нильс Бор, Энрике Ферми, Кюри... Да, Кюри во Франции целая династия. В Германии Макс Планк, Вернер Гейзенберг, Карл Вайцзеккер.

Тибо рассмеялся:

— Малыш Карл, наверное, лопнул бы от гордости, услышь он свое скромное имя в компании гениев, нобелевских лауреатов.

— Просто он сын статс-секретаря германского МИДа, поэтому я знаю, — объяснил Ося.

— Это уже кое-что. Ваш коллега из Испании, с которым я общался десять дней назад, назвал только Эйнштейна.

— Еще, конечно, Эрнст Резерфорд, — вспомнил Ося, — но он умер.

— Мг-м, и с ним умерла эпоха. — Тибо засопел, опять полез в карман, но вместо очередного платка извлек замусоленный, сложенный вчетверо листок бумаги и протянул Осе.

Это был третий или четвертый, почти слепой экземпляр машинописного текста, напечатанный через один интервал. Ося начал читать и тихо присвистнул.

Франклину Д. Рузвельту, президенту Соединенных Штатов. Белый дом. Вашингтон. 2 августа 1939 года.

Сэр!

В течение последних четырех месяцев стала вероятной осуществимость ядерных цепных реакций в большой массе урана. Это новое явление может привести к созданию чрезвычайно мощных бомб нового типа... Ввиду этого, может быть, Вы сочтете желательным установление постоянного контакта между правительственной администрацией и группой физиков, работающих над проблемами цепной реакции в Америке...

Я осведомлен, что Германия в данный момент прекратила продажу урана из захваченных ею чехословацких рудников...

Искренне Ваш, А. Эйнштейн

— Силард уговорил Эйнштейна написать это письмо и передал его ближайшему советнику Рузвельта. Прошло полтора месяца, но никакого ответа, никакой реакции, — объяснил Тибо, забрал листок, сложил, спрятал в карман, — итак, Альберт Эйнштейн, физик номер один, выражает озабоченность. Физик номер два, Нильс Бор, утверждает в своих статьях и устных выступлениях, что тревожиться не стоит, и приводит пятнадцать веских доводов, почему в ближайшие десять лет сделать урановую бомбу практически невозможно. А физик номер три, Вернер Гейзенберг, уже начал делать урановую бомбу для Гитлера.

— А физик номер четыре, Лео Силард, пытается этому помешать, — задумчиво пробормотал Ося.

— Лео Силард в число мировых знаменитостей не входит. — Тибо усмехнулся. — На четвертое место я бы поставил Ферми, хотя это вопрос спорный, может быть, на четвертом Гейзенберг, а Ферми на третьем. Неважно. Главное, Силард единственный из физиков, кто отдает себе отчет в реальности мировой катастрофы и пытается ее предотвратить. Как только стало известно об открытии деления ядра урана, он обратился ко всем физикам с предложением не публиковать ничего по этой теме, засекретить исследования. Это вызвало недоумение: как? цензура в храме науки? Никто не согласился. Тогда он обратился к Эйнштейну. Письмо есть, а результат — ноль. Пока удалось только приостановить продажу урана немцам. В Чехословакии урана немного, есть он в Богемии, основной мировой уран добывается в Бельгийском Конго. Добычу ведет бельгийская фирма «Юнион майнер». Лео убедил сначала Генри Тизарда, председателя комитета научного планирования Великобритании, а потом Жолио-Кюри встретиться с директором «Юнион майнер». К их доводам директор прислушался и не заключил с немцами очередной контракт.

— Значит, все-таки Силард не единственный, Кюри тоже, — заметил Ося.

— Кюри и Ферми продолжают публиковать информацию, которая может помочь немцам в работе над бомбой. Они сторонники своей научной славы и противники цензуры в храме науки. А немцы между тем еще в апреле прекратили публикации на урановую тему. Они все засекретили, и неизвестно, что там у них происходит. К счастью, в «Сестре» есть люди, которые осознают уровень проблемы. Было принято решение подключить к этому самых надежных нелегалов, имеющих гражданство дружественных рейху государств.

— Да, я понял, — кивнул Ося. — Что конкретно я могу сделать?

— Пока только организовать газетную «утку» и освоить урановую тему. По нашей информации, бомбой занимается около двух десятков институтов по всей Германии, но сердце исследований в Далеме, в Институтах физики и химии Общества кайзера Вильгельма. Кстати, ваш знакомый Карл Вайцзек-кер работает сейчас там под руководством Гейзенберга.

— Мы знакомы шапочно, два-три раза встречались на теннисном корте и на дипломатических вечеринках.

— Вы часто бываете в Берлине, попробуйте продолжить и развить это знакомство. Вайцзеккер любит болтать о философии, людям его типа всегда не хватает слушателя, восторженного дилетанта. Работа над бомбой — тоже нечто вроде философских упражнений. Познание сокровенных тайн материи, победа разума над хаосом. А бомба — так, побочный продукт. Конечно, в глубине души каждый из них понимает, что такое урановая бомба в руках Гитлера, но к их услугам высокая и красивая демагогия, вечная помощница мерзавцев. В Первую мировую те самые институты в Далеме занимались химическим оружием.

— Завербовать Вайцзеккера вряд ли удастся, — осторожно заметил Ося и закурил.

— Об этом не может быть речи. Просто поддерживайте контакт, следите за настроением. Возможно, удастся познакомиться с кем-то рангом пониже, тогда подумаем о вербовке.

— Этак мне придется переехать в Берлин.

— Зачем? У вас есть там близкая подруга, подключите ее.

Ося нервно передернул плечами. Конечно, «Сестра» знала о Габи, но никогда не требовала подключать ее к работе.

— Хорошо, я подумаю. Сначала я сам должен освоить урановую тему, моя берлинская знакомая не тот человек, который...

— Перестаньте. — Тибо сморщился. — Как раз тот. Просто вы ее бережете. В мирное время «Сестра» давала вам право использовать этот источник по вашему усмотрению. А сейчас война.

— Я заметил.

— Вот и отлично. Вернемся к урану. Наши эксперты считают доводы Бора против возможности создать бомбу абсолютно справедливыми. Сегодняшний уровень знаний и технологий не позволит немцам двигаться быстро. Но наука развивается скачками. Однажды в чью-то голову придет гениальная идея. С делением ядра получилось именно так. Лучшие физики и химики несколько лет дробили урановые ядра, не понимая, что делают.

Они по-разному трактовали показатели приборов, предлагали все версии, кроме одной, единственно верной. Представьте, перед вами каменная глыба, ее невозможно пробить самыми тяжелыми снарядами. И вдруг глыба разваливается пополам от удара теннисного мяча. Это противоречит всем законам науки, но это факт. Идея, которая доказательно опровергнет любой из доводов Бора, станет открытием такого масштаба, что никакое гестапо не помешает ему просочиться сквозь стены секретных лабораторий. Но от идеи до практического применения пройдет время, пусть недолгое. Это наш шанс. Главное — не прозевать.

— Кто же все-таки кинул мячик, развз́аливший глыбу?

— Кидали все. Важно не кто кинул, а кто осмелился пренебречь общепринятыми законами и поверить в невозможное.

— Вы так и не назвали имя.

Тибо пожал плечами.

— Оно вам ничего не скажет. Профессор Мейтнер.

Сигарета в руке Оси вдруг зашипела и погасла, на ее кончик упала крупная капля. Он и Тибо только сейчас заметили, что стемнело, подул холодный ветер и дождь зашлепал по аллее, по листьям кленов.

— Зонта, разумеется, нет ни у меня, ни у вас, — сердито проворчал Тибо, поднимаясь со скамейки, — мне ни в коем случае нельзя простужаться.

* * *

Карл Рихардович удивился, когда вместе с Машей на Мещанскую пришел Илья. В Новый год он сказал Маше, что ему надо срочно встретиться с Ильей по важному делу, но не надеялся увидеть его так скоро.

— Спасибо Яше Риббентропу, что нам открыл окно в Европу, — вполголоса пропела Маша, — самая модная частушка в театре. Музыка Вагнера, слова народные.

— На большой сцене первая репетиция «Валькирии» для Политбюро, — объяснил Илья.

— Растут и крепнут культурные связи. — Маша размотала пуховый платок, поправила волосы перед зеркалом. — У меня спектакль отменили. Видела сегодня Эйзенштейна, совсем близко. Потрясающе! Утомленный гений, сократовский лоб, шевелюра дыбом, как корона, а глаза детские.

— Как может ставить Вагнера режиссер, который снял «Александра Невского»? — прошептала Вера Игнатьевна. — Любимый композитор Гитлера, а Эйзенштейн к тому же...

— Утомленный гений ставит что велят, — сказал Илья.

— Не язви, — одернула его Маша, — он правда гений, без шуток.

— Без шуток, но с детскими глазами, — небрежно заметил Вася и стал рассказывать о невероятном устройстве, чуде современной техники, которое передает изображение на расстоянии. Называется иконоскоп или телевизор.

— Экран крошечный, как спичечный коробок, перед ним здоровущая лупа, передачи идут через Шуховскую башню на Шаболовке, красивая такая стальная конструкция. Уже сто телеприемников в Москве, скоро будут везде, как радио. Что хочешь смотри — кино, цирк, концерты...

Все толклись в коридоре и говорили одновременно. Маша — об Эйзенштейне, Вася — об иконоскопе, Вера Игнатьевна — о платье для Маши, уже раскроенном, сметанном.

— Лето не за горами, крепдешин тот самый, голубенький, в мелкий цветочек, ну, помнишь?

Карл Рихардович под шумок увел Илью к себе в комнату.

— Я готов полюбить эту валькирию. — Илья тяжело опустился в кресло. — Подарила нам с Машкой аж четыре часа свободного времени. Правда, никто не знает, куда он отправится из театра, спать или опять работать.

— Будем надеяться, Вагнер не вдохновит его на новые подвиги, — сказал Карл Рихардович.

— Да уж, одного вдохновленного довольно. — Илья усмехнулся.

Торшер стоял возле кресла, в круге света доктор заметил, что голова у Ильи стала почти седая, лицо осунулось, и подумал: «Ему только тридцать два, мы знакомы пять лет, за это время он постарел на все двадцать. Как же ему достается...»

— Что, доктор, хреново выгляжу? — спросил Илья, поймав его взгляд.

— Ну нет, почему? Просто не высыпаешься, на воздухе мало бываешь.

Прежде им удавалось хотя бы раз в неделю выкраивать время, гулять по московским бульварам. Эти долгие прогулки были отдушиной, прибавляли сил. Не только свежий воздух и быстрая ходьба, но и возможность выговориться.

Илья оставался единственным человеком, с которым доктор мог свободно говорить о чем хочется, и последней ниточкой, связывающей с прошлой жизнью.

Задолго до их первой встречи доктор Штерн существовал для спецреферента Крылова как Д-77, закодированный берлинский источник в спецсообщениях ИНО. Вряд ли сейчас кто-либо, кроме Ильи, доподлинно знал реальную биографию доктора Штерна, как и почему он очутился в СССР. Спецреферент Крылов продолжал числиться куратором «немца, который лечил Гитлера», так что их встречи и долгие разговоры были вполне оправданны и законны. Но в последнее время они виделись редко. Доктор каждое утро уезжал в Балашиху, возвращался поздно, курс в школе был ускоренный, приходилось часто заниматься со своей группой в выходные. Илья пропадал на службе сутками.

С начала января ударили морозы под тридцать, по бульварам не разгуляешься. Зато теперь они могли спокойно говорить в квартире на Мещанской. Илья, наконец, выяснил систему прослушек. Специальная техника была в большом дефиците, ее использовали только в служебных кабинетах. В жилых помещениях слушали люди, через стены. В доме на Грановского, в других спецдомах оборудовались простенки-каморки между квартирами, там посменно дежурили «слухачи». А на Мещанской, в обычном доме, прослушивался только телефон.

— Голова часто болит? — спросил доктор, вглядываясь в припухшие, красные от недосыпа глаза Ильи.

— Не очень. — Илья махнул рукой. — Как обычно. Да и болеть нечему. Нет у меня никакой головы. Кто я? Говорящий карандаш. Расставляю акценты в сводках и докладах, тешу себя иллюзиями, будто могу хоть как-то повлиять, посеять сомнения.

— Считаешь, он действительно верит в здравый смысл Гитлера?

— Мг-м. — Илья сморщился. — Верит так же, как несчастные старые большевики перед процессами верили в его, Сосо, здравый смысл. Бумажкам договоров верит так же, как Чемберлен с Деладье в Мюнхене. Глупость та же, масштаб последствий другой.

— Да, масштаб другой. — Доктор задумчиво потер переносицу. — Неужели выход на международную арену нисколько его не отрезвляет? Он хотя бы заметил, что во внешнем мире не все ему подвластно?

Илья молча помотал головой.

— Но ведь он издал указ о всеобщей воинской обязанности, снизил призывной возраст, увеличил срок службы! — вспомнил доктор.

— Ага, — кивнул Илья, — только забыл, что солдатам нужны одежда, обувь, казармы, полевые кухни, лазареты, оружие, транспорт.

— Все-таки указ издал, значит, чует опасность.

— Смутно. — Илья усмехнулся. — Сквозь сияние своего ослепительного величия. Представить невозможно, сколько идет сейчас в рейх нашего зерна, нефти, золота, платины. Ленин говорил: полезные буржуазные идиоты сами продают нам веревку, на которой мы их повесим. Именно этим Сталин сейчас и занимается. Продает Гитлеру веревку.

— Ну а что ему остается? — Доктор пожал плечами. — Загнал себя в эту ловушку, когда подписал пакт.

— Брестский мир, — чуть слышно пробормотал Илья.

— Что, прости?

— Пакт — второй Брестский мир. Ленин в восемнадцатом откупился территориями. Сталин откупается огромными поставками. Ленин понимал, что делает, называл Брестский мир «похабным». А Сталин считает пакт величайшим своим достижением.

— Но ведь ему удалось вернуть территории, — возразил доктор.

— Удалось. — Илья кивнул. — И этим он значительно облегчил Гитлеру его задачи.

— То есть как?

— А вот так. Территорию расширили, а там границ-то раньше не было, все голенькое, беззащитное. Ни дотов, ни аэродромов.

— Неужели трудно построить? — изумился доктор.

— Не трудно вовсе. Но вдруг Гитлер обидится, если мы начнем укреплять границы? К тому же бетон нужен для фундамента Дворца Советов. В дыру на месте взорванного Христа Спасителя тысячи тонн залили бетона. Каркас для дворца собрали гигантский. Сталь самая лучшая. Из нее могло бы получиться тысячи три-четыре танков. Но вместо танков ему понадобился океанский флот, крейсеры и линкоры в толстой стальной броне.

— Зачем? — выдохнул доктор. — Америку завоевывать?

— Вот уж нет, воевать с Америкой ему точно неохота. Да и флот этот, скорей всего, никуда не поплывет. Но ему хочется, чтобы его броня была самая толстая, пушки самые длинные, патроны самого крупного калибра, дворец самый высокий и прочный, на века. А что корабли в такой броне потонут, танки с места не сдвинутся, пушки не выстрелят, самолеты разобьются, это происки врагов.

— Интересно, почему он всегда выбирает наихудший вариант действия из всех возможных?

Илья пожал плечами и после долгой паузы произнес:

— Он всегда выбирает вариант, который считает самым выгодным для себя лично. Странная закономерность. То, что выгодно ему, для всех остальных кошмар.

— Думаешь, он осознает это?

— Не знаю. — Илья потянулся за папиросой. — Помню, много лет назад, в двадцать пятом, на похоронах Фрунзе, он произнес: «*Может быть, это так именно и нужно, чтобы старые товарищи так легко и так просто спускались в могилу?*»

— Прости, а кто такой был Фрунзе? — спросил доктор, чиркнув спичкой.

— Командарм, герой Гражданской войны, толковый военный, — объяснил Илья, прикуривая, — ходили слухи, что умер не сам. Я, мальчишка, первокурсник, слушал траурную речь, и от этой фразы мороз продрал. До сих пор не могу забыть, хотя за эти годы слышал и читал тысячи разных его перлов...

— Что же тут особенного? — перебил доктор. — Древняя проверенная формула власти: уничтожать конкурентов, критиков, умников. Так поступали все диктаторы.

— Да, — кивнул Илья, — но никто еще не объявлял об этом публично, в самом начале своего правления. Поразительная искренность. Ну, уважаемый психиатр, скажите, как уживаются в одной голове изощренная дьявольская хитрость и глупость на грани кретинизма?

— Что-то хитрости особенной я больше не вижу, — тихо заметил доктор. — А ведь раньше казалось...

— Вот именно, казалось. — Илья затушил папиросу, потянулся в кресле, закинул руки за голову. — Эта пресловутая дьявольская хитрость такой же фантом, как здравый смысл Гитлера и автографы Риббентропа под договором о дружбе и границах.

— Не понимаю...

— Я тоже. — Илья нервно хохотнул. — Но не потому, что слишком сложно для понимания, а потому, что стыдно. Огромная, богатейшая страна ослаблена и унижена, как никогда за всю свою историю. Сыты и одеты меньше пяти процентов, счастливчики вроде нас с вами. Остальные стоят ночами в очередях за хлебом. Армия разгромлена, разведки нет. Не осталось ни одной здоровой, дееспособной отрасли хозяйства. Великие победы индустриализации, изобилие, ликование, дисциплина и порядок существуют лишь на парадах, в кино, в передовицах «Правды».

— Фантомы, фантомы, — растерянно повторил доктор, — а что же реально?

143

— Война.

— Когда?

— Весной, как только дороги подсохнут.

— В этом году?

— Надеюсь, все-таки в следующем.

— Но к войне надо готовиться, хотя бы границы прикрыть, они же теперь вплотную с Гитлером.

— Это мы с вами думаем, что надо прикрыть границы. А для него Гитлер союзник, выгодный и надежный. Вот Вагнера в Большом ставят. На премьеру фюрер вряд ли пожалует, но ему обязательно доложат. Он же сентиментальный. Заплачет и не нападет.

— В таком состоянии страна воевать не сумеет...

— Сумеет. Только погибнет в тысячу, в десять тысяч раз больше людей, чем во всех прежних войнах вместе взятых. — Илья помолчал и добавил другим голосом, пародируя грузинский акцент: — «Чтобы легко и просто спускались в могилу...».

— Очень похоже на какой-то дьявольский план, — прошептал доктор. — Измотать, заморочить, вытянуть из миллионов людей силы — физические, умственные, моральные. Грабить собственную страну, кормить и вооружать Гитлера, оголить границу, открыть ее Гитлеру. Шаг за шагом, четко по плану.

— Мг-м, — кивнул Илья, — очередной троцкистско-фашистский заговор в Кремле.

— Не передергивай. — Доктор нахмурился. — Ну, согласись, невозможно объяснить события такого масштаба идиотизмом и трусостью одного человека.

Илья с таинственным видом поманил доктора пальцем и прошептал:

— Есть два грандиозных тайных плана. Один называется «Краткий курс», другой — «Майн кампф».

— Перестань. — Доктор махнул рукой. — При чем здесь их параноидный бред? Какая разница, что они там понаписали? А вот оговорка про могилу кое-что значит. Не случайно ты запомнил.

— Дурацкое свойство памяти. Нет бы Пушкина помнить наизусть или Тютчева. Вы даже не представляете, сколько за эти годы скопилось у меня в голове его речей, писулек, оговорок.

— Ничего не поделаешь, Илюша, работа у тебя такая.

— Работа? — Илья рассмеялся. — Есть в ней смысл? Кому она нужна, моя работа? Я сам слишком охотно опускаюсь до убогого уровня. Дьявол ворожит? Не исключено. Однако ворожба сильна, пока дьяволу верят, а вера — дело добровольное. Ладно, заболтались мы, давно не виделись. Выкладывайте, что стряслось.

Карл Рихардович заранее подготовился к разговору, даже набросал конспект. За эти дни он успел кое-что почитать, одолжил у Васи пару учебников, научно-популярные журналы. Но прочитанное не помогло, наоборот, затуманило ту малость, которую он сумел усвоить из объяснений Акимова.

Доктор коротко выложил историю ссыльного профессора Мазура, попытался объяснить, что такое расщепление ядра и разделение изотопов урана, однако запутался и посетовал, что Акимов вернется только через неделю.

— Я понял, не мучайтесь. — Илья улыбнулся.

— Так быстро? — Доктор изумленно поднял брови. — Мы с Петей часа четыре проговорили, прежде чем я стал хоть что-то понимать.

— Вы старались вникнуть слишком глубоко, а я даже не пытаюсь. Мне ядерную физику изучать поздно, да и некогда. Письмо и ваш конспект возьму с собой.

— Подожди, я дам тебе копию. — Доктор достал из ящика несколько листков.

— Ого, вы так старательно переписали, даже формулы. — Илья не сумел сдержать ироническую улыбку. — А все-таки странно, почему этот ваш гениальный изобретатель не написал в Академию наук?

— Я же сказал, с него пятьдесят восьмую не сняли, публиковаться не может. — Доктор сердито тряхнул головой. — Ты вообще представляешь, что такое для ученого его открытие? Создать нечто новое и молчать — настоящая пытка. Мазур молчит. Никому, кроме Пети Акимова, своего бывшего студента, и то после долгих уговоров.

— Вот это меня и смущает, — пробормотал Илья, скользя глазами по строчкам.

— Да, — кивнул доктор, — меня это тоже сначала смутило. Я вот когда-то выдвинул парочку идей о связи психических заболеваний с соматическими. Не ахти что, но мое, оригинальное. Никто не додумался, я первый. Потребность поделиться с теми, кто поймет и оценит, колоссальная, неодолимая. Почему он отказывается писать коллегам? Почему? Я много думал об этом, искал ответ.

— Нашли?

— Представь, нашел. Мазур молчит потому, что уверен: писать коллегам бесполезно. Пока он в таком положении, никто не откликнется. Если бы не этот Брахт... — Доктор осекся, заметив ироническую улыбку Ильи, раздраженно выпалил: — Нет, ничего ты не понял!

— Почему? Главное до меня дошло. Если Брахт в Германии придет к тем же выводам, что Мазур, немцы могут достаточно быстро сварганить такую бомбу, что от нас мокрого места не останется.

— Ладно, — вздохнул доктор, — пока ты не осознал, но, надеюсь, скоро до тебя дойдет. Скажи, ты хотя бы примерно, в общих чертах, представляешь, что можно сделать?

Дверь открылась без стука, Маша впорхнула в комнату.

— Ужин на столе, все стынет. Ну, как вам? — Она завертелась перед ними в чем-то воздушно-голубом.

— Красиво, — кивнул Илья.

— Из тебя нитки торчат и булавки, — заметил Карл Рихардович, — смотри, уколешься.

— Это не просто красиво, это потрясающе, настоящий шедевр, ничего вы не видите, не понимаете оба. Ужинать идете или нет? Мама дуется уже на вас.

Вера Игнатьевна обижаться вовсе не собиралась, зато Вася встретил их надменно-отстраненным выражением и проворчал, ни к кому не обращаясь:

— Сидим, как дураки, с мытой шеей. А жрать-то хочется.

— Ну, извини, заболтались, — виновато улыбнулся доктор.

Вера Игнатьевна разложила по тарелкам жареную рыбу с картошкой. Вася набросился на еду, а Маша только слегка ковырнула вилкой и, пока все жевали, продолжила рассказывать об Эйзенштейне и «Валькирии».

— В принципе, мне Вагнер никогда не нравился, ледяная истерика, пафос. Если, допустим, танцевать, музыка тебя не держит, а изматывает, подавляет, в ней, конечно, есть величие, но не человеческое, а какое-то чужое. Чувствуешь себя беспомощной, никому не нужной былинкой под ураганом. Любви в ней нет, вот что. А под пафос танцевать невозможно.

— Так он балетов и не писал, кажется, — заметил Карл Рихардович.

— И правильно делал, — кивнула Маша, — у него вообще не балетный образный ряд.

— Маня, ты бы съела рыбы хоть кусочек, — вклинилась Вера Игнатьевна.

— Да-да, мамочка, обязательно, очень вкусно... Так вот, когда Эйзенштейн появился в театре, все побежали на него смотреть, слушать, как он общается с артистами. Он потрясающе интересно объясняет. Мимические хоры. Массовка полуголая, в шапках меховых с бараньими рогами. Они сливаются с главным персонажем, не помню, как его зовут. У них нет собственных чувств и мыслей. Каждая эмоция главного персонажа течет сквозь мимический хор. Текучее единство, руническая значимость мизансценического письма.

— Что, прости? — сдерживая улыбку, спросил Илья.

— Ну, имеются в виду магические руны древних германцев, — объяснила Маша, — он мизансцены называет рунами.

— Мимико-магические руны полуголые с бараньими рогами, — хмыкнул Вася и отправил в рот небольшую картофелину, целиком.

Илья повернулся к нему и спросил:

— Ты знаешь что-нибудь о расщеплении ядра урана?

— Главное открытие двадцатого века, — промычал Вася с набитым ртом. — Резерфорд не верил до конца жизни, а Вернадский предсказал еще в начале века, и цепную реакцию наши первые просчитали...

— Ты прожуй сначала, — посоветовала Вера Игнатьевна.

Вася кивнул, прожевал, поспешно выпил компот и обрушил на них лавину информации.

Карл Рихардович отметил про себя, что четырнадцатилетний ребенок рассказывает о ядерной физике проще и понятней, чем его отец, хотя сыплет терминологией так же лихо. Видимо, люди, неспособные отличить ион от изотопа, еще не превратились для него в безнадежных тупиц, которым бессмысленно что-либо объяснять.

Голос у Васи ломался, скакал от фальцета к басовым нотам и обратно.

— Уран самый тяжелый элемент, последний в таблице Менделеева, в его ядре девяносто два протона и сто сорок шесть нейтронов. В ядрах одного элемента число протонов всегда одинаковое, а нейтронов может быть чуть больше или чуть меньше.

— Откуда это известно? — спросила Маша. — Ты же сказал, все крошечное, невидимое. Как их можно посчитать?

— Для этого, Маня, надо быть Резерфордом, — Вася запустил пальцы в свою русую, ежиком стриженную шевелюру, — так вот, ядра одного элемента с разным числом нейтронов называются изотопами.

Он сбегал за перегородку, притащил стопку журналов, открыл верхний на заложенной странице, посыпались цитаты из статьи какого-то ленинградского профессора, и все заволоклось туманом. Карл Рихардович, поглядывая на остальных, заметил, что они тоже перестали понимать, растерялись и заскучали.

— Васенька, ты лучше своими словами, — попросила Вера Игнатьевна.

— Ладно, попробую. — Он отодвинул журналы, взял бумагу, карандаш, нарисовал большой овал.

— Атом, оболочка, а вот ядро. — Внутри овала появился крошечный кружок. — В ядре протоны и нейтроны. — Кружок наполнился едва заметными точками.

— Погоди, — опять перебила Маша, — я не понимаю. Атом по отношению к ядру у тебя огромный.

— Не у меня. — Вася сердито мотнул головой. — Он вообще огромный, на уровне микромира.

— А что же там, во всем этом пространстве, между ядром и оболочкой?

— Пустота.

— Внутри каждого атома? Просто пустота? Но если мир состоит из атомов, значит, в основном из пустоты? — Маша растерянно оглядела комнату. — Вот это все вокруг — стол, тарелки, картошка, соль в солонке, компот в стакане и мы сами — пустота?

— Не совсем. Там энергия, движение. Электроны крутятся вокруг ядра, как планеты вокруг Солнца. А внутри ядра движутся протоны и нейтроны. Протоны заряжены положительно, электроны отрицательно, нейтроны заряда не имеют.

— Стой, минутку, — перебила Вера Игнатьевна, — я ведь учила физику в институте. Плюс и плюс отталкиваются, а плюс и минус притягиваются. Верно?

— Мг-м.

— Не могу понять одну штуку. Почему электроны крутятся, а не притягиваются к ядру?

— Мам, это вообще-то квантовая механика. — Вася хмыкнул. — Мы сейчас в такие дебри залезем, если честно, я сам пока не очень секу. Давай сначала с расщеплением разберемся.

— Ладно, сынок, извини, больше перебивать не буду, — смиренно кивнула Вера Игнатьевна.

— Да, так вот, — кашлянув, продолжал Вася, — чем больше в ядре протонов, тем мощнее внутриядерные силы. Когда в ядро при обстреле попадает лишний нейтрон, порядок движения нарушается, начинается сутолока, возникает дополнительная энергия и получается вот что.

Вася стал быстро рисовать фигуры: овал вытянулся, превратился в песочные часы, потом в восьмерку, потом появилось два кружка, которые он украсил множеством летящих в разные стороны стрелок, и объяснил:

— Оболочка натягивается и разрывается пополам.

— Похоже на деление бактерий, — заметила Вера Игнатьевна, разглядывая рисунок.

— Да, точно, только бактерии тихо расползаются, а половинки ядра разлетаются с дикой скоростью. По формуле Эйнштейна, материя переходит в энергию. В уране есть маленький процент изотопов, у которых не сто сорок шесть, а сто сорок три нейтрона. Эта крошечная разница в три нейтрона может привести при расщеплении к цепной реакции. Ядра будут разлетаться одно за другим, каждое очередное расщепление даст два следующих, потом четыре, восемь, шестнадцать. В общем, бабахнет так... — Вася тихо, выразительно присвистнул и покачал головой.

— На уровне микромира бабахнет? — спросила Маша.

— Вот уж нет. — Вася развел руками, обозначая большое пространство. — На уровне целых континентов, а может, и всей планеты. Огромные города взлетят на воздух, например Москва, Лондон. Ничего живого не останется.

— Ты серьезно или шутишь? — Маша нервно поежилась.

Вася прикусил губу, помотал головой.

— Это не шутка, но пока только теория. Для цепной реакции нужен чистый уран двести тридцать пять, тот, у которого на три нейтрона меньше. А получить его практически невозможно. Сначала надо научиться разделять изотопы урана.

Доктор вспомнил удачный образ, придуманный Петром Николаевичем: стог сена и несколько травинок. Вася нашел другой, не хуже:

— Все равно что стрелять птиц в темноте, когда их там совсем мало.

Впрочем, тут же пояснил, что придумал это не он, а Альберт Эйнштейн.

— А если кто-то вдруг изобретет простой способ? — спросил Илья.

— Разделять изотопы урана? — Вася пожал плечами. — Великие уверены, что до этого далеко. Бор, Эйнштейн, Ферми.

Но, с другой стороны, совсем недавно они были так же уверены, что ядра тяжелых элементов вообще не способны расщепляться. Ферми и Кюри в тридцать четвертом начали их расщеплять, но не понимали, что происходит на самом деле, выдумывали кучу разных объяснений в духе прежних теорий.

— То есть, возможно, какой-нибудь ученый уже нашел способ, но еще сам не догадался? — спросила Вера Игнатьевна.

Вася сначала скептически хмыкнул, наморщил лоб, помолчал минуту, наконец пробормотал:

— Мг-м... химически они ведут себя совершенно одинаково, разница только в весе, но это важно. Это физическая разница. Может, кто-то уже сумел зацепить, нащупать, но еще лет десять не поймет. Или уже завтра догадается. В науке так все и происходит. Один упрется в догму, застрянет, а другой возьмет да и перепрыгнет.

— Я привыкла, что Васька маленький, а он стал взрослый, — сказала Маша, когда сели в машину, — зрелая личность, умней меня в сто раз, и как хорошо, что нашел себе это убежище. Чистая наука, точная, красивая.

Они ехали по ночным улицам, совершенно пустым, подернутым звенящей белесой дымкой. Из-за лютого мороза город вымер. Исчезли постовые милиционеры, сизые тротуары матово лоснились в тусклом фонарном свете.

— Знаешь, — продолжала Маша, — папа все это объяснял много раз. Протоны, нейтроны, электроны. Какая-то абстракция. Я не понимала, мне было скучно, слушала, чтобы не обидеть его. А сейчас впервые попыталась представить. Весь мир, вся материя состоит из миллиардов микроскопических вселенных, наполненных энергией. То есть получается, есть только пустота и энергия, а остальное символы, слова.

— Вначале было Слово, — пробормотал Илья, сворачивая с Садовой на Горького.

— Что?

— Евангелие от Иоанна.

Маша зажмурилась и произнесла на одном дыхании:

— «Вначале было Слово, и Слово было у Бога, и Слово было Бог... И свет во тьме светит, и тьма не объяла его».

— Откуда знаешь? — изумился Илья.

— С детства. Бабушка читала, я именно эти строчки запомнила, как стихи. Постоянно думала: что же за Слово такое? Оно похоже на наши слова? Можно его услышать, прочитать, понять? Наши слова на девяносто девять процентов бессмысленные. Только иногда мелькнет слабенький отблеск смысла и спрячется, будто дразнит. Ну, а про взрыв, который может уничтожить огромный город, что думаешь?

Илья пожал плечами.

— Что тут думать? Вася объяснил, это только теория.

— Война тоже теория?

— Не вижу связи, — пробормотал Илья.

— Конечно, видишь! Опять врешь. Ядро расщепили в Германии, войну развязал Гитлер. Между прочим, ядовитые газы, самое страшное оружие в прошлой войне, придумали и использовали именно немцы. Вдруг там какой-нибудь очередной гений, с идеальным мозгом и вагнеровской ледяной душой, возьмет и сделает эту бомбу?

— Не сделает. — Илья помотал головой.

— Почему ты так уверен?

— Потому, что «...и свет во тьме светит, и тьма не объяла его». Маша задумалась, замолчала надолго. Только когда вышла из ванной, нырнула под одеяло, зашептала ему на ухо:

— Если бы у нас начали делать такую бомбу, Гитлер бы точно не решился напасть.

— Тс-с. — Илья прижал ее к себе, стал целовать.

— Прости, все время забываю, — испуганно пробормотала Маша, оторвавшись от его губ, — но ведь я ничего такого... и очень тихо, не могли они...

— Не волнуйся, конечно, не могли, да и спят наверняка.

В темноте он почувствовал, как она помотала головой, и услышал шепот:

— Свежая смена после полуночи. Мы с тобой тут вдвоем никогда не остаемся, ни на минутку.

Глава седьмая

На утреннем совещании объявили, что Управление сухопутных вооружений ждет создания опытного образца урановой бомбы не позднее февраля сорок первого года.

«С таким же успехом они могли бы сказать: завтра», — подумала Эмма и услышала громкий, на выдохе, шепот:

— Безумие...

Справа от нее, в следующем ряду, сидел Отто Ган. Она обернулась, встретилась с ним взглядом и кивнула, показывая, что полностью с ним солидарна. Герман тревожно засопел, заерзал на стуле, однако в сторону Гана не взглянул.

Сегодня на совещание пожаловал главный куратор проекта, начальник исследовательского отдела УСВ Эрих Шуман. Он был профессором физики и отдаленным потомком композитора Шумана, заведовал кафедрой экспериментальной физики в Берлинском университете и сочинял военные марши. Институтские остряки прозвали его Physik-Musik. Говорили, что кафедру Шуман получил в награду за свои марши, поднимающие патриотический дух, а профессорское звание — дань уважения к его знаменитому предку.

Возможно, марши Эриха Шумана были хороши, но в физике он смыслил мало, как положено невежде, ненавидел и презирал профессионалов.

— Государство оказывает вам огромное, беспрецедентное доверие, — вещал Шуман, взобравшись на кафедру, — в тяжелые дни войны, когда наши доблестные войска сражаются за мир и процветание Европы, когда все силы нации, физические и духовные, посвящены борьбе, когда денно и нощно лучшие сыны германского народа отдают свою энергию великому делу...

Physik-Musik выступал без бумажки, речь лилась легко, бравурно, Эмма подумала, что его марши должны воодушевлять. Он еще раз повторил срок: февраль сорок первого, и внимательно оглядел зал.

— У кого-нибудь есть вопросы?

— Это нереальный срок, — громко произнес Ган.

Аудитория согласно загудела.

— Это срок, в который вы обязаны уложиться, — ответил Шуман и, пристально глядя на Гана, добавил: — Подобные замечания кажутся странными, особенно из ваших уст, профессор Ган. Если не ошибаюсь, именно вы оповестили мир об открытии стратегического значения, которое должно было остаться государственной тайной. По вашей вине информация о расщеплении ядра урана стала достоянием наших врагов.

Повисла тишина. Эмма решилась искоса взглянуть на Гана. Он побледнел, веки мелко дрожали за стеклами очков.

«Был бы тут Гейзенберг, он бы ответил, — думала она, — Physik-Musik свято чтит табель о рангах. Его хамство строго дозировано. Доцентов вроде меня он просто не замечает. На профессоров орет. На академиков голоса не повышает, но позволяет себе мерзкий, угрожающе-язвительный тон. И только с мировыми величинами, нобелевскими лауреатами, говорит любезно, как с равными. Да, Гейзенберг мог бы ответить. Однако мировые величины пользуются привилегией прогуливать эти гнусные совещания».

— Вы ошибаетесь, господин Шуман, — прозвучал в тишине спокойный голос Карла Вайцзеккера, — профессор Ган не виноват, первым об открытии поведал миру вовсе не он.

Из всех присутствующих лишь один Карл Вайцзеккер мог позволить себе вступиться за Гана, не опасаясь нарваться на неприятности. В табели о рангах Physik-Musik статус Вайцзеккера-старшего, статс-секретаря МИДа, конечно, превосходил статус нобелевского лауреата, а статус сына статс-секретаря был примерно на одном уровне с самим Physik-Musik.

— Не он? А кто же, позвольте вас спросить, дорогой мой Карл? — Голос Шумана мгновенно смягчился.

— Нильс Бор, — холодно ответил Вайцзеккер.

— Вот как? В таком случае, может, и само открытие принадлежит Бору?

Тон Вайцзеккера кольнул Physik-Musik, он решил выместить обиду, покуражиться, но не над сыном статс-секретаря, а над профессором Ганом.

— Нет, господин Шуман, открытие принадлежит профессору Гану и его ассистенту доктору Штрассману, — вяло парировал Вайцзеккер. — Профессор Бор всего лишь доложил о нем на пятой конференции физиков в Нью-Йорке в середине января тридцать девятого года.

— Доложил? Но позвольте, чтобы доложить, надо знать. От кого мог узнать профессор Бор, когда ничего еще не было опубликовано? — Шуман хмуро оглядел аудиторию. — Считаю своим долгом напомнить вам, господа, что разглашение информации, составляющей государственную тайну, карается по законам военного времени...

— В январе тридцать девятого война еще не началась, — громко, раздраженно перебил его Вайцзеккер.

— Мирное время не отменяет понятие государственной тайны, — рявкнул Physik-Musik и добавил чуть мягче: — Нет, я не обвиняю профессора Гана, я просто пытаюсь понять, каким образом открытие, сделанное в стенах вашего института, мгновенно просочилось за пределы страны и стало известно всему миру прежде, чем появилась публикация в германской прессе? Может быть, профессор Ган поспешил по-дружески поделиться своей великой радостью с великим Бором? Или это сделал доктор Штрассман?

Эмма услышала, как позади заскрипел стул. Ган встал и громко произнес:

— Нет, господин Шуман, ни я, ни доктор Штрассман этого не делали.

— Допустим, — кивнул Physik-Musik, — в таком случае кто?

Стул опять заскрипел. Ган уселся на место. Оглянувшись, Эмма увидела, что лицо его побагровело, на лбу блестели бисерины пота. За всю свою жизнь Отто Ган вряд ли когда-нибудь подвергался такой унизительной публичной порке.

Аудитория напряженно молчала. Никто, даже Вайцзеккер, не мог проронить ни слова. Эмма вспомнила недавний рассказ Гейзенберга о том, как его вызывали на допрос в гестапо. В подвале страшного дома на Принцальбертштрассе на стене была намалевана надпись: *Дышите глубоко и спокойно*.

Тишина в аудитории сгущалась. Герман незаметно сжал руку Эммы. Она почувствовала дрожь его ледяных влажных пальцев, склонилась к его уху и прошептала:

— Ну-ну, успокойся, мы ни при чем, — и подумала: «Еще как при чем! Этот мерзавец имеет над нами полную власть. Участие в проекте не гарантирует безопасность, наоборот, делает каждого из нас еще более уязвимым. *Дышите глубоко и спокойно*».

Physik-Musik взглянул на часы и произнес бодро-деловитым голосом:

— Приступайте к работе, господа. Время дорого. Прошу запомнить: февраль сорок первого. Хайль Гитлер!

Все повставали с мест, кто-то вскинул руку, кто-то лишь слегка приподнял, но каждый, громче или тише, произнес свое ответное «Хайль».

День прошел бестолково, работа не ладилась, барахлили приборы, Герман нервничал, без конца повторял:

— Февраль сорок первого... Почему такая бешеная спешка? Они с ума сошли! Ну а если не получится, не успеем, тогда что?

— Расстреляют, — буркнула Эмма, не выдержав его нытья.

— Прекрати! Это не повод для идиотских острот! Мы топчемся на месте, я измотан до предела!

— Бедненький! А я сегодня вернулась с курорта.

И пошло-поехало. Они поссорились так, что потом не разговаривали до вечера, спать легли в разных комнатах, утром завтракали молча, не глядя друг на друга.

Это было воскресенье. Эмма, не попрощавшись с мужем, отправилась в Шарлоттенбург пораньше, хотела немного погулять в одиночестве, выветрить все гадкое, тревожное, что накопилось в душе.

«Что же меня так мучает? — размышляла она, шагая по аллее пустынного парка, поеживаясь от порывов ветра. — Хамский разнос на совещании? Но ведь не меня разносили и не Германа. Да, неприятно, однако можно забыть. Что еще? Ссора с Германом? Ерунда. Помиримся сегодня вечером. Он спать один не может, вот под одеялом и помиримся, как всегда».

Ледок хрустел под каблуками, глаза слезились. Эмма села на скамейку, откинулась на жесткую спинку, увидела пасмурное небо. Мелкие бурые клочья неслись наперегонки. Над ними тяжело плыли крупные сизые облака, и совсем высоко стоял неподвижный желтовато-белесый слой туч, такой плотный, что ветер не мог его разогнать, он висел над Берлином вторую неделю, как грязный саван.

«Так что же? — Она, поеживаясь, плотнее замотала шарф. — Абсурдная дата — февраль сорок первого? Конечно, мы не успеем. Расстрелять не расстреляют, но финансирование срежут, а главное, могут сократить штат, снять бронь».

Эмма сморщилась, прикусила губу. Не стоило обманывать себя. Это был все тот же страх. Он поселился в ее душе с первого дня войны. Герман боялся панически, называл имена общих знакомых, которые получали повестки, несмотря на самую надежную бронь. Эмма легко клала на обе лопатки его панику, но оказалась бессильна против собственного страха.

Сегодня война вроде бы притихла, шли вялые сражения с англичанами где-то в Атлантике. Призыв приостановился, но было ясно, что ненадолго. Всего лишь зимняя спячка, передышка. Весной начнется настоящая, большая война, по сравнению с которой Польская кампания только разминка. Куда двинутся войска, на запад или на восток, во Францию или в Россию, не важно. Призывать станут всех подряд.

Во сне и наяву Эмму преследовали жуткие видения. Повестка. Бледное застывшее лицо Германа. Чемоданчик, который она собирает трясущимися руками. Теплое белье, шерстяные носки, мыло, бритвенный станок, упаковка лезвий, зубная щетка, книги. Зачем ему там — книги?

Иногда ей казалось, что она страдает галлюцинациями и теряет рассудок. Мерещился призывной пункт, Герман, обряженный в грубую униформу в строю новобранцев. Он не может шагать в ногу, семенит, горбится, роняет очки, он абсолютно беззащитен и обречен.

Когда они начали работать в команде Гейзенберга, страх почти исчез. А вчера на совещании внезапно и мощно ударил под дых.

Как и все в институте, Эмма понимала, что любые сроки бессмысленны. Работа будет продвигаться черепашьим шагом или стоять на месте, пока не случится прорыв. Нужна свежая идея, на грани гениальности.

Эксперименты показали, что ни один из известных методов разделения изотопов не годится для урана. Крупнейшему германскому заводу пришлось бы работать тысячу лет, чтобы получить один грамм чистого урана 235. А для бомбы потребуется несколько килограммов. Тупик, непреодолимая стена.

Эмма добросовестно выполняла свои обязанности, занималась вычислениями скорости резонансного поглощения нейтронов и все острей чувствовала бесполезность этого кропотливого рутинного труда. Ну, примерно как собирать пылинки со стены, которую надо просто пробить неожиданным, точным и красивым ударом.

«Должен быть какой-то особенный метод, пусть он покажется абсолютно невозможным на первый взгляд. Пусть он будет противоречить всем законам физики и химии», — размышляла Эмма, изумляясь собственной наглости.

Табель о рангах существовала не только в чиновничьем сознании Physik-Musik. В мужском мире интеллектуалов, настоящих ученых, доценту женского пола полагалось знать свое место. В другое время, в другой ситуации Эмма ни за что не решилась бы, даже мысленно, замахнуться на идею, достойную если не Нобелевской премии, то медали Планка. Но сейчас у нее не было выхода. Только поиск идеи отвлекал ее от страха за свой маленький мир, который рухнет, как только Герман получит повестку.

Эмма зубами стянула перчатку, принялась щелкать замком сумочки, открывать, закрывать, бормоча себе под нос:

— Я больше не могу. Этот страх меня убивает. Я просто сойду с ума и не доживу до февраля сорок первого.

Роскошные сентенции, что бомба — тростинка Прометея, диалог со Вселенной, геополитическая необходимость, лучшее лекарство от чумы большевизма, которое действует быстро и бескровно, Эмму не утешали. Она бы рада так возвышенно врать, но не получалось. Она отчетливо представляла масштаб бедствия. Сотни тысяч убитых. Развалины городов. Выжженная земля. Атмосфера, пронизанная смертельными излучениями.

Промокнув платочком слезящиеся от холода глаза, Эмма захлопнула сумочку, надела перчатки и честно призналась себе: «Да, катастрофа, но она случится далеко отсюда, мой маленький мир уцелеет. Достаточно того, что я потеряла ребенка и саму возможность иметь детей».

Она встала со скамейки, быстро пошла к площади у кирхи. С каждым воскресеньем ярмарочных палаток становилось все меньше, цены росли. Яблок и сливок не было. Удалось купить только сыр и хлеб, в полтора раза дороже, чем в прошлое воскресенье.

* * *

Вечером в гостинице Тибо вручил Осе пухлую папку и сказал:

— Кое-что, для начала. Утром вернете, не позже семи. Я уезжаю в половине девятого. Только, пожалуйста, разложите бумаги в том же порядке.

Ося взвесил папку на ладони, хмыкнул.

— Думаете, одолею за ночь?

— Придется. — Тибо сладко, со стоном, зевнул. — Можете делать выписки.

Пожелание «спокойной ночи» из его уст прозвучало как издевательство. Ося отправился к себе, по дороге попросил коридорного принести кофе.

Письменного стола в номере не было, только низенький журнальный и туалетный, такой узкий, что папка на нем не помещалась. Усевшись в кресло, он раскрыл папку на коленях.

Сверху лежала толстая стопка листов, заполненных машинописным текстом на английском, под заголовком: «Строение атома. Механизм деления ядра урана. Краткая справка».

Ося начал читать. Со дна памяти потихоньку всплывали фрагменты гимназического курса, какие-то киножурналы, научно-популярные брошюры, пролистанные от нечего делать в поезде, газетные заголовки и прочая дребедень. Он вспомнил, что Резерфорд любил футбол, собирал свои приборы из жестянок, велосипедных насосов, вязальных спиц, алюминиевой фольги, создал планетарную модель атома и открыл атомное ядро. Эйнштейн играл на скрипке, придумал теорию относительности, вывел формулу $E = mc^2$ и сбежал из Германии в тридцать втором. Оставалось только понять связь фольги с планетарной моделью, смысл теории относительности и значение формулы Эйнштейна.

Вернулось давно забытое подростковое недоумение: почему физику, в которой все условно и фантастично, именуют точной наукой? Атом, протон, электрон — только слова, символы, их невозможно увидеть и пощупать. Строение микромира, само его существование известно по косвенным признакам, смутным намекам. Вспышки, потрескивания, щелчки, свечение.

Перевернув очередную страницу, Ося узнал, что ядро соотносится с размером атома как буква в книге с размером здания библиотеки. Между ядром и оболочкой атома пустота, в масштабах микромира настолько гигантская, что, если из человека выкачать все пустоты его атомов, он легко проскользнет в игольное ушко.

«А сквозь колючку нацистских и советских лагерей тем более, — подумал Ося, — вот достойное изобретение, универсальный способ побега для всех желающих. Лучше бы этим занялись вместо бомбы».

В тексте густо замелькали нуклоны, протоны, нейтроны, электроны, изотопы. Ося решил, что пора последовать совету Тибо, выписать основные определения. Он переложил раскрытую папку на кровать, хотел достать из саквояжа блокнот, но в дверь постучали.

— Минуту! — он захлопнул папку и открыл дверь.

Официант вкатил сервировочный столик с дымящимся кофейником, чашкой, сахарницей. Осе не понравился его быстрый, шарящий взгляд, вдруг пришло в голову, что, прежде чем постучать, парень заглянул в замочную скважину.

«Ерунда, — одернул себя Ося, — ключ торчит внутри, ничего он не мог увидеть. Тибо вообще оставлял папку в номере на весь день. Ну что там секретного? Строение атома? Газетные вырезки?»

Официант расстелил салфетку на журнальном столе и переставил все туда. Ося расплатился, дал хорошие чаевые. Официант поблагодарил, спрятал деньги. Вместо того чтобы уйти, схватился за ручку кофейника.

— Спасибо, не нужно, я сам налью, — сказал Ося.

Но струйка кофе уже лилась, причем мимо чашки.

«Второй раз то же лицо... Он обслуживал нас в ресторане за обедом, но не был таким рассеянным...» — подумал Ося и услышал:

— Пан — итальянец?

— Да.

— У пана кинокамера? — официант кивнул на «Аймо», лежавшую на кровати, рядом с папкой.

— Да.

— Пан снимал сегодня их парад?

— Снимал.

— Пожалуйста, берегите пленки, пригодятся потом, когда их будут судить.

Официант говорил на смеси польского с ломаным немецким и промокал салфеткой кофейную лужицу.

— Кого? — спросил Ося.

— И тех и других, за то, что они сделали с Польшей. — Он бросил салфетку на сервировочный столик. — Простите, я пролил кофе, если пан желает, могу принести другой кофейник.

— Спасибо, не нужно, вы пролили совсем немного.

Ося запер за ним дверь, вместе с блокнотом достал новую пачку сигарет. Прежде чем отдёрнуть плотные шторы и открыть окно, погасил свет. Ещё не отменили затемнение. В доме напротив смутно чернели прямоугольники окон. Мелкий дождь стучал по карнизу. Бои закончились, на город опрокинулась первая тихая ночь. Но казалось, никто не спит за тёмными окнами.

«Будут судить, — повторил про себя Ося. — Когда? Кто и кого? Господи, всё только началось, а что же дальше? Выживет эта уютная частная гостиница при Советах? Кофе в номер, кружевные салфетки, жёлтый шёлковый абажур с бахромой, деревянная Мадонна на прикроватной тумбочке... Что станет с парнем, верящим в праведный суд? Надолго Советы тут укрепятся, или Гитлер скоро двинется дальше на восток, вышибет их отсюда?»

Он докурил, задёрнул шторы, включил свет, налил себе кофе, раскрыл папку.

В Париже супруги Кюри бомбили альфа-частицами алюминий. В Берлине химик Ган со своим ассистентом Штрассманом обстреливали нейтронами уран. Чья-то заботливая рука подчеркнула синим карандашом слова Резерфорда: *Некий болван в лаборатории может взорвать вселенную*. На полях стояла цифра «1924». То есть Резерфорд сказал это пятнадцать лет назад. Ну что ж, предвиденье сбывается. Сегодня некий болван уже взрывает Европу, пока не всю, частями, бомбы не урановые. А завтра?

На следующей странице синий восклицательный знак сопровождал высказывание Эйнштейна:

«Мне представляется маловероятным такое устройство мироздания, при котором человеку могут стать доступны разрушительные силы, способные уничтожить само здание ми-

*ра. Но если появилась хотя бы тень подозрения, что' такие си-
лы могут стать доступны Гитлеру, следует действовать».*

Ося делал выписки, сидя по-турецки на ковре. Столом служил кофр для пленки. Строчки плыли перед глазами, казалось,
никогда он не сумеет разобраться в ужимках и прыжках вездесу-
щих нейтронов, в капризах радия, который после облучения
урана ведет себя не как радий, а как барий.

Ныла спина, затекали ноги, в блокноте осталась последняя
чистая страница, в самописке закончились чернила, кофе
остыл. Он встал, прошелся по номеру, умылся холодной водой,
отыскал в саквояже склянку чернил. Заправляя самописку, поставил небольшую кляксу на полях, осторожно промокнул ее
бумажной салфеткой.

Из двадцати страниц «Краткой справки» он одолел уже пятнадцать. На шестнадцатой наконец появился герой, которого
Тибо назвал главным. Ося с изумлением обнаружил, что профессора Мейтнер зовут Лиза.

Он довольно легко понял суть открытия, возможно потому,
что уже немного освоился в микромире. Он заполнил выписка-
ми последний листок блокнота и картонку обложки, отложил
дочитанную до конца «Краткую справку». Но осталась еще со-
лидная порция бумаг.

Он принялся читать газетные и журнальные вырезки. Замелькали заголовки: *«Ядро урана расколото! Выделена колоссальная энергия, достаточная, чтобы взорвать планету»*;
*«Будущую войну выиграет то государство, которое первым
создаст оружие массового уничтожения на основе деления
атомного ядра».*

Это началось с первых дней тридцать девятого года. Весь ян-
варь американская и британская пресса жонглировала эпите-
тами. Открытие называли великим, величайшим, грандиоз-
ным, невероятным, репортеры объясняли широкой публике
основные законы ядерной физики.

Ося поразился — эти газеты он уже читал, заголовки видел,
но они бесследно испарились из памяти. Политика, предчувствие войны — вот что было тогда главным.

Теперь он читал другими глазами. И сразу заметил странность. Открытие выглядело анонимным.

«Всемирно знаменитый Нильс Бор из Копенгагена и Энрико Ферми из Рима, оба нобелевские лауреаты, восторженно приветствуют это открытие как одно из самых выдающихся за последние годы».

Понятно, приветствуют. А кто же все-таки открыл?

«Тибо не мог ошибиться, когда назвал профессора Мейтнер, — недоумевал Ося, листая вырезки, — и в «Справке» речь идет о ней. Но почему нигде нет ее имени?»

Наиболее добросовестные репортеры упоминали немецких химиков Гана и Штрассмана. В подборке Ося нашел вырезку из немецкого научного журнала. Статья за подписями Гана и Штрассмана вышла в начале января. Текста в ней было меньше, чем формул, однако достаточно, чтобы понять: химики описывают результаты своих опытов и замечают в них нечто странное, то, чего в принципе не может быть по всем законам химии. Но о делении ядра урана — ни слова.

Ферми в интервью «Нью-Йорк таймс» формулировал суть открытия слишком сложно и путано, использовал местоимение «мы». «Мы наблюдали», «мы обнаружили», «мы поняли». Как будто открытие было коллективным. В одно прекрасное мгновение всех вдруг осенило. Слепые прозрели.

За интервью следовала вырезка из «Таймс»: *«В Колумбийском университете физик Энрике Ферми, работающий в США, при помощи циклотрона и магнита весом в 76 тонн открыл новый процесс — расщепление атома».*

Британская «Ивнинг пост» напечатала открытое письмо Лео Силарда. Он тоже не упоминал Мейтнер, просто призывал прозревших ученых прекратить публикации работ по делению ядра. *«Все это при некоторых обстоятельствах может привести к созданию бомб, которые окажутся чрезвычайно опасными орудиями уничтожения вообще, а в руках некоторых правительств в особенности».*

Имя профессора Мейтнер впервые возникло в «Физикл ревью», в короткой заметке Нильса Бора. Там приводились веские доводы против опасений Силарда. Опять формулы. Ося даже не пытался в них ковыряться, читал только текст. Бор утверждал, что на пути к созданию бомбы стоят проблемы, неразрешимые при уровне современной техники. Знакомый синий карандаш оставил на полях крючок вопросительного знака.

Статья в февральском номере британского журнала «Нейчер» называлась: *«Расщепление ядра урана нейтронами: новый тип ядерной реакции».* После полутора месяцев слухов, эмоций, путаных комментариев появилось первое спокойное, внятное изложение сути открытия, за подписями профессора Лизы Мейтнер и доктора Отто Фриша. На обратной стороне листа синий карандаш пояснил, что доктор Фриш — молодой немецкий физик, еврей, удрал из Германии в тридцать четвертом, работает у Бора в Копенгагенском университете. Профессор Мейтнер приходится ему родной теткой.

На следующих страницах был машинописный английский текст, с пометкой «перевод с датского». Интервью Фриша корреспонденту маленькой копенгагенской газеты.

Из интервью Ося наконец узнал, кто, когда и каким образом открыл деление ядра.

Лиза Мейтнер всю жизнь посвятила физике, стала первой женщиной в истории, получившей звание профессора в Германии. Тридцать лет проработала в Институте химии Общества кайзера Вильгельма в Далеме, бок о бок с тем самым химиком Ганом, которому в некоторых публикациях приписывалось открытие.

В отличие от разумного племянника, Лиза оставалась в Германии до последней возможности. Ее спасало австрийское подданство. В тридцать восьмом, после аншлюза Австрии, ее паспорт стал недействителен. А новый, немецкий, ей не выдавали, поскольку была еврейкой. В шестьдесят лет ей пришлось бросить все — лабораторию, квартиру, имущество и удрать нелегально в Швецию.

Ган не мог без нее обойтись, ежедневно отправлял письма с описанием своих экспериментов. Она оценивала результаты, анализировала, подсчитывала, разъясняла.

В последние дни тридцать восьмого, в Рождество, профессор Мейтнер отправилась отдохнуть в курортное местечко на побережье под Гетеборгом. Племянник приехал навестить ее и застал за чтением очередного письма Гана. Чтобы отвлечь тетушку от работы хотя бы в эти праздничные дни, он уговорил ее погулять по лесу. Сам встал на лыжи, а тетушка ковыляла за ним в больших сапогах и продолжала размышлять вслух над загадочными результатами опытов Гана.

Вначале Фриш едва прислушивался к ее бормотанию, ему приходилось то и дело тормозить, возвращаться, вытаскивать тетушку из снега. Наконец они остановились передохнуть, профессор Мейтнер уселась на ствол поваленного дерева и высказала идею, которая в первую минуту показалась племяннику безумной. Тетушка достала из кармана какие-то бумажки, огрызок карандаша, принялась выводить формулы, и Фриш понял, что идея не безумна, а гениальна. При обстреле урана нейтронами ядра просто разрываются пополам, выделяя невероятную энергию. Профессор Мейтнер сразу подсчитала количество энергии в электрон-вольтах, на той же бумажке, карандашным огрызком.

Потрясенный племянник помчался в Копенгаген, ему не терпелось проверить тетушкино открытие экспериментально в университетской лаборатории и поделиться новостью с Бором. Приборы все подтвердили. А Бор в это время отправлялся в Америку. Отто Фриш поймал его в порту.

Бору хватило пары минут, чтобы понять масштаб открытия, он воскликнул: «*Боже, какими же мы были слепцами!*» — велел Фришу срочно вместе с Мейтнер написать статью для «Нейчер» и пообещал никому ничего не рассказывать до публикации. Понятно, что авторство открытия принадлежит тому, кто первый опубликовал.

На вопрос корреспондента, как же удалось профессору Мейтнер произвести столь сложные вычисления, не имея под рукой никаких справочников, Фриш ответил: «*Она все держит в голове*».

Ося потер сонные глаза, потянулся, налил в чашку остатки холодного кофе.

Итак, одно из главных открытий двадцатого века сделано пожилой одинокой еврейкой, эмигранткой, в лесу, в глухом курортном местечке на западном побережье Швеции, под Рождество, на поваленном дереве, без циклотрона, без магнита весом в семьдесят шесть тонн, огрызком карандаша на клочке бумаги.

Датский корреспондент спросил Фриша: *«Если бы вы разминулись с Бором, мир узнал бы об открытии на полтора месяца позже?»*

Фриш ответил: *«Нет. В тот же вечер профессор Мейтнер отправила письмо Гану, где все изложила. Мне не удалось отговорить ее, она проработала с Ганом тридцать лет и полностью ему доверяет. Вот почему я так спешил рассказать Бору».*

Ося пролистал оставшиеся вырезки. Среди них была еще одна статья Гана и Штрассмана. Она вышла в немецком научном журнале в конце января, на две недели раньше британского «Нейчер» со статьей Мейтнер и Фриша.

В первой части повторялось описание опытов, во второй преподносились выводы Мейтнер, которые они узнали из ее ответного письма. Но никаких ссылок, словно Мейтнер не существует. Синий карандаш не забыл пояснить, что немецкие химики не могут упоминать имя еврейки-эмигрантки.

«И поэтому приписывают ее открытие себе», — подумал Ося, зевнув так, что чуть не вывихнул челюсть.

Глаза слипались, читать стало невозможно. Сквозь щель между темными шторами пробивался бледный рассвет. Хватило сил лишь на то, чтобы почистить зубы. Он уснул одетый и проснулся от стука в дверь. Казалось, поспал минут десять, не больше. Часы показывали семь. На пороге стоял бодрый, улыбающийся Тибо.

— Доброе утро. Ну, как наши ядерные успехи? О, вижу, ночь прошла бурно, — он кивнул на бумаги, разложенные по ковру.

— Не все успел прочитать, вот тут еще стопка... — У Оси спросонья слегка заплетался язык.

— Значит, читали внимательно. Жду вас внизу, позавтракаем. А потом будет еще пара часов, дочитаете. Спешка отменяется. У меня тут появились кое-какие дела.

За завтраком Ося немного пришел в себя, с аппетитом умял омлет с сыром и большой клин яблочного пирога. Отхлебнув кофе, взглянул на Тибо, задумчиво произнес:

— Среди физиков нет разведчиков. Но вы по образованию физик.

— Я изучал физику в Брюссельском университете, очень давно, еще до прошлой войны, до сих пор тешу себя иллюзией, что, если бы не война, мог бы стать ученым. — Тибо вздохнул. — Не стоит вспоминать, слишком печальная история.

Ося понимающе улыбнулся и спросил:

— Скажите, Рене, почему так упорно замалчивается имя профессора Мейтнер?

— Неужели не ясно? — Бельгиец усмехнулся. — Я вам уже объяснял. Лучшие физики попали в глупое положение. Ферми только что получил Нобелевскую премию за открытие, которое в свете деления ядра оказалось ошибкой. Супруги Кюри пять лет упорно не замечали того, что сегодня стало очевидным. Только у Бора хватило мужества сказать: какие мы все были слепцы.

— Однако именно Бор рассказал об открытии до публикации, нарушил обещание, — заметил Ося.

— На его месте кто бы сумел удержаться? — Тибо задумчиво помешал сахар в стакане. — Девять дней плыть в океане и держать язык за зубами, не обсудить, не поделиться? Вы, очевидно, так и не поняли масштаба открытия и что оно значит для физиков.

— Зато я понял масштаб подлости уважаемых господ ученых.

— Нильс Бор человек кристальной порядочности, вот это прошу запомнить, — жестко проговорил Тибо и добавил чуть мягче: — Он делает для эмигрантов все что может. Он организовал побег Мейтнер из рейха, у него был острый конфликт с Ферми, когда тот не назвал имен Мейтнер и Фриша в своем интервью. Он так бьется за их права, что поползли слухи, будто Фриш его зять. Все отлично знают, что у Бора четыре сына. Легче наградить Бора несуществующей дочерью и выдать ее замуж за Фриша, чем смириться с бескорыстием и благородством. А вообще, я рад, что вас задела человеческая сторона этой истории.

— Да, признаться, нейтроны и протоны тронули меня меньше. — Ося допил кофе и закурил.

— Мг-м, — кивнул Тибо, — нам с вами придется иметь дело с людьми, а не с атомами. Те, кто сейчас работает над бомбой в Далеме, не произносят вслух имени Мейтнер. Между тем Вайцзеккер был ее учеником. Ган тридцать лет не мог без нее шагу ступить. Гейзенберга связывают с ней общие воспоминания.

— Надеетесь, муки совести притормозят их работу над бомбой для Гитлера? — с усмешкой спросил Ося.

— Просто дополнительные штрихи к портретам. — Тибо взглянул на часы. — Все, мне пора. За папкой зайду в десять.

Ося вернулся в номер. Просмотреть осталось совсем немного. Короткие досье на известных и предполагаемых участников немецкого уранового проекта, таблицы с цифрами по закупкам урана, карта Германии, на которой помечены крестиками места, где есть или могут быть объекты, задействованные в работе над бомбой.

Последней лежала копия письма на бланке министерства военно-морского флота Великобритании, адресованного министру авиации Кингсли Вуду.

Сэр!

Несколько недель назад одна из воскресных газет расписала в ярких красках огромное количество энергии, которое можно высвободить из урана с помощью недавно открытых цепных процессов, возникающих при расщеплении нейтронами атома. На первый взгляд это может предвещать появление новых взрывчатых веществ большой разрушительной силы. Необходимо отдать себе отчет, что это открытие, каков бы ни был его научный интерес и дальнейшее возможное практическое значение, не угрожает привести в ближайшие годы к результатам, которые можно было бы практически использовать в широком масштабе.

Судя по некоторым данным, можно предполагать, что при обострении международного напряжения будут намеренно распускаться слухи о применении этого процесса для создания какого-то нового страшного секретного взрывчатого вещества, способного смести Лондон с лица земли. «Пятая колонна», без сомнения, попытается путем такой угрозы убедить нас пойти на новую капитуляцию. Поэтому совершенно необходимо заявить о подлинном положении дела.

Во-первых, лучшие специалисты считают, что лишь небольшая составная часть урана играет действенную роль в этих процессах и для получения крупных результатов ее нужно будет извлечь. Это — дело многих лет.

Во-вторых, цепная реакция возникает лишь в том случае, если масса урана большая.

В-третьих, такие опыты невозможно сохранять в тайне.

По всем этим причинам явно нет оснований опасаться, что это новое открытие дало нацистам какое-то зловещее новое секретное взрывчатое вещество. Глухие намеки будут, несомненно, делаться, и будут упорно распространяться угрожающие слухи. Однако нужно надеяться, что они никого не обманут.

Искренне Ваш,
министр военно-морского флота Уинстон Черчилль
5 августа 1939

«Молодец, мистер Черчилль, все угадали точно, — ехидно заметил про себя Ося, — никаких слухов немцы не распространяют. Они сразу все засекретили, быстро закупили уран и начали делать бомбу. Слухи распространяет «Сестра», а бомбой британское правительство не занимается. Понятно, сейчас война, но в августе ее еще не было, и, наверное, стоило отнестись к этому серьезнее».

Не надеясь на свою память, он решил переписать фамилии предполагаемых участников проекта из Институтов физики и химии Общества кайзера Вильгельма. Тибо нацелил его именно на Далем. Он обратил внимание, что в солидном списке профессоров и доцентов было единственное женское имя: Эмма Брахт.

Глава восьмая

«**Т**риумф воли» Сталин смотрел трижды. Именно из-за «Триумфа» спецреферент Крылов попал в «сектор особых просмотров», так назывался кремлевский кинозал. Туда допускались только члены Политбюро, да еще начальник Главного управления кинопромышленности Борис Захарович Шумяцкий, который сам когда-то этот сектор придумал и создал.

Шумяцкому приходилось переводить Сталину иностранные фильмы, главным образом голливудские вестерны, Хозяин их любил, но переводчиков на просмотры не допускал.

Борис Захарович языками не владел. Он заранее просматривал очередную ленту вместе с переводчиком, записывал текст, заучивал наизусть, поскольку читать в темном зале по бумажке невозможно.

В ноябре тридцать седьмого Шумяцкого, который практически создал советскую кинопромышленность, наградили орденом Ленина, а в январе тридцать восьмого расстреляли. Его место занял Дукельский Семен Семенович. Он имел три класса образования, служил начальником Управления НКВД Воронежской области. С кино Дукельского связывало лишь то, что в ранней юности он подрабатывал тапером в провинциальных кинотеатрах. Смотреть иностранные фильмы с переводчиком и заучивать перевод оказалось для него непосильной задачей.

Дукельский чудом не развалил советское кино, так и не заметив разницы между областным НКВД и кинопромышленностью. Через год его наградили орденом Ленина. Но не расстреляли, как Шумяцкого, а назначили наркомом Морского флота СССР.

С тридцать девятого советским кино руководил Большаков Иван Григорьевич, бывший управделами Совнаркома, вполне толковый профсоюзный чиновник с двумя высшими образованиями. Иностранными языками он тоже не владел, но с переводом вестернов для Хозяина по заранее заученному тексту справлялся.

Накануне подписания пакта с Гитлером Хозяин решил посмотреть «Триумф воли». Фильм вышел давно, в тридцать четвертом. Конечно, Сталин видел его и раньше, без перевода, или довольствовался заученными комментариями Шумяцкого. Но в ночь с восемнадцатого на девятнадцатое августа тридцать девятого ему вдруг потребовался точный перевод, Большаков подготовиться не успел, и Поскребышев догадался привести Илью.

Сектор особых просмотров находился возле Кремлевского дворца в помещении бывшего зимнего сада. Всего три ряда кресел, больших, мягких, с подлокотниками. В центре первого ряда сидел Хозяин. Молотов справа, Ворошилов слева. Перед ними — низкий широкий стол. Чай, конфеты, фрукты, воды Лагидзе, белое и красное грузинское вино. Остальные — Каганович, Калинин, Микоян, Хрущев — появлялись не на каждом просмотре, садились обычно по бокам, рядом с Молотовым и Ворошиловым. Илье определили место во втором ряду, позади Хозяина, чуть правее.

«Триумф» снова крутили накануне сентябрьского визита Риббентропа и сразу после него. На втором просмотре Хозяин задавал вопросы о нацистских вождях, появлявшихся на экране. Особенно интересовал его Гесс. За «Триумфом» последовал «Чапаев». Третий просмотр сопровождался одобрительными матерными комментариями. После небольшого перерыва показали «Волгу-Волгу».

С тех пор Илья стал постоянным переводчиком немецкой хроники, уходить раньше Хозяина не дозволялось, и он смотрел «Чапаева», «Веселых ребят», «Волгу-Волгу», «Цирк». Каждый фильм уже в пятый, в десятый раз. Именно благодаря этим просмотрам Илья хорошо проинструктировал Машу перед выступлением в Георгиевском зале: «Ты ни в коем случае не танцуй. Ты пляши, скачи, бей чечетку и улыбайся, постоянно улыбайся. Вот это ему нравится».

Немецкую хронику в последнее время крутили все чаще, большими порциями, сразу по несколько выпусков «Еженедельного обозрения» и документальные фильмы.

На этот раз ждали свежую порцию о Польской кампании. Хозяин со свитой уже сидел в зале, но случилась какая-то неувязка, пленки запаздывали, и поставили выпуск «Союзкиножурнала».

На экране мирное население городов и сел Восточной Польши радостно приветствовало советские танки. Девушки с цветами в украинских костюмах. Старухи в белых платочках, нарядные смеющиеся дети. Закадровый голос вещал: *«Над Польшей восходит лучезарное солнце свободы и счастья. Долгие годы нищеты остались позади».*

Следующая сцена: добродушные красноармейцы бережно спускают с крыльца элегантной виллы кресло, в нем толстая старуха в шляпке. Рядом идут женщины помоложе, тоже в шляпках, с чемоданчиками. На экране все улыбались, включая старуху. Диктор комментировал: *«Бывшие польские князья покидают свои хоромы. Теперь здесь будут рабочие клубы, школы, детские сады».*

Открытый грузовик с мебелью стоял возле хорошего городского дома. Персонажи все как на подбор, молодые, крепкие, и опять в украинских костюмах. Дивчины в веночках с лентами, парубки в вышитых косоворотках пели хором веселую украинскую песню и затаскивали в парадный подъезд комоды, кровати, стулья, граммофон, зеркальный шкаф. Девочка с бантиками несла большую куклу, мальчик-подросток — стопку книг, перевязанную бечевкой. И опять все улыбались.

Диктор: *«Украинская рабочая семья меняет адрес, переселяется в квартиру, где прежде жили польские богатеи».*

Сюжет был снят халтурно, однако старуха в кресле рассмешила Хозяина. Следом засмеялись все, Илья тоже. Рефлекс работал автоматически, хотя в зале было темно.

— Рожи какие довольные у них, — заметил Хозяин, тыча пальцем в экран.

— Еще бы, — подхватил Молотов, — мы же их освободили.

Илья подумал: «Интересно, кто это «мы»? Он имеет в виду только Красную армию или вермахт тоже?» Он вспомнил торг, разгоревшийся накануне «освобождения» Польши.

Третьего сентября, как только Англия и Франция объявили Германии войну, Риббентроп потребовал, чтобы Красная армия вошла в Польшу немедленно. Это означало открытое вступление СССР во Вторую мировую войну на стороне Германии. Но воевать Сталину вовсе не хотелось. Им завладела идея при поддержке Гитлера восстановить прежние границы Российской империи, предстать перед миром и будущими поколениями кем-то вроде Ивана Грозного, Петра Первого. Он рассчитывал расширить территорию своего величия за счет чужой войны.

Конечно, он понимал, что подписанием бумажек не отделается, и помогал чем мог. Увеличил свои военные поставки в Германию, выполнил просьбу Геринга, чтобы радиостанции в Минске во время передач как можно чаще повторяли слово «Минск», которое летчики люфтваффе могли использовать в качестве маяка. Спрятал в Мурманске от англичан германские суда, плавающие к началу войны в Северной Атлантике. Оказалось — мало.

Риббентроп торопил, настаивал: *«Если не будет начата русская интервенция, неизбежно встанет вопрос о том, не создается ли в районе, лежащем к востоку от германской зоны влияния, политический вакуум».*

Сталин передавал через Молотова:

«Мы согласны с вами, что в подходящее время нам будет совершенно необходимо начать конкретные действия. Мы считаем, однако, что это время еще не наступило. Возможно, мы ошибаемся, но нам кажется, что чрезмерная поспешность может нанести нам ущерб и способствовать объединению наших врагов».

Восьмого сентября немцы начали блефовать, объявили, что уже взяли Варшаву, и категорически потребовали ввести войска, иначе двинутся дальше на восток.

Молотов от лица советского правительства тепло поздравил через Шуленбурга германское правительство со взятием Варшавы, хотя обе стороны знали, что Варшава еще не взята. В ответ прозвучали сдержанная благодарность за поздравления и все тот же насущный вопрос: когда?

Молотов пообещал: скоро, в ближайшие дни. Немцы не унимались: когда именно? Молотов заявил, что Красная армия не готова: *«Советские военные власти оказались в трудном положении, так как, принимая во внимание местные обстоятельства, они требовали, по возможности, еще две-три недели для своих приготовлений».*

Действительно, положение трудное. На халяву сцапать солидный кусок чужой территории куда легче, чем сочинить уважительную причину такого некрасивого поступка.

Через руки Ильи проходили перехваты секретных телеграмм, отчетов Шуленбурга германскому МИДу о встречах с Молотовым.

«Молотов заявил, что советское правительство намеревалось воспользоваться дальнейшим продвижением германских войск и заявить, что Польша разваливается на куски и что вследствие этого Советский Союз должен прийти на помощь украинцам и белорусам, которым угрожает Германия».

«А ведь Хозяин совсем свихнулся, — с ужасом констатировал Илья, — логика «Краткого курса»: СССР вводит войска в Польшу по соглашению с немцами, с их благословения. Зачем? Чтобы защитить украинцев и белорусов от германской агрессии! И он ни секунды не сомневается, что немцы это съедят».

В следующей телеграмме приводилось по-детски искреннее объяснение Молотова: *«Этот предлог представит интервенцию СССР благовидной для масс и даст возможность СССР не выглядеть агрессором».*

Риббентроп передал через Шуленбурга недовольство фюрера и свой вариант: *«Имперское правительство и правительство СССР сочли необходимым положить конец нетерпимому далее положению, существующему на польских территориях. Они считают своей общей обязанностью восстановление на этих территориях мира».*

Пока немецкая армия громила Польшу, а Красная готовилась к «интервенции, благовидной для масс», «Майн кампф» и «Краткий курс» энергично спорили о формулировках.

Илья запомнил еще один изумительный пассаж: *«Молотов согласился с тем, что планируемый советским правительством предлог (спасти Восточную Польшу от угрозы со стороны Германии) содержал в себе ноту, обидную для чувств немцев, но просил, принимая во внимание сложную для советского правительства ситуацию, не позволить подобным пустякам вставать на нашем пути. Советское правительство не нашло какого-либо другого предлога, поскольку до сих пор Советский Союз не беспокоился о своих меньшинствах в Польше и должен был так или иначе оправдать за границей свое теперешнее вмешательство».*

Наконец договорились. Получилось вот что:

«Правительства Германии и России совместными усилиями урегулируют проблемы, возникшие в результате распада Польского государства, и закладывают прочную основу для длительного мира в Восточной Европе».

Но, по большому счету, фюрер плевал на формулировки. Для него было важно, чтобы Красная армия вошла в Польшу до взятия Варшавы и официальной капитуляции. Он хотел представить СССР державой, воюющей на его, Гитлера, стороне, и тем самым окончательно отсечь Москву от Лондона. А Сталин хотел совершенно противоположного: не воевать, получить свой кусок из рук Гитлера, и чтобы СССР при этом выглядел мирной державой.

Немцам надоело требовать ввода войск, они пустили слух, будто намерены заключить с поляками перемирие. Этот блеф сработал мгновенно. В случае перемирия Сталин терял обещанный кусок Польши и оставался в дураках.

В два часа ночи семнадцатого сентября он вызвал Шуленбурга и официально объявил ему, что сегодня в шесть утра Красная армия пересечет границу на всем ее протяжении от Полоцка до Каменец-Подольска и займет оговоренную пактом территорию.

Таким образом границы «Майн кампф» и «Краткого курса» сдвинулись вплотную, за несколько дней до падения Варшавы и окончательной капитуляции Польши. *«Лучезарное солнце свободы и счастья взошло над Польшей».*

У Ильи в ушах продолжал звучать смех и реплика Молотова: «Еще бы, мы же их освободили».

В зал на цыпочках, согнувшись, впорхнул Поскребышев, произнес на выдохе:

— Через двадцать минут...

Хозяин смешал в своем бокале белое с красным. Настроение у него было самое благодушное. Он ткнул бокал в склоненное лицо Поскребышева так резко, что край стукнул о зубы и половина смеси пролилась на пиджак. Последовал очередной взрыв общего смеха. Но на этот раз инстинкт у Ильи не сработал. Он не сумел заставить себя улыбнуться. К счастью, никто не обратил на это внимания. Спецреферента Крылова тут вообще не замечали. Он допускался в святилище в качестве переводящего устройства.

— Выпей, Сашка, не суетись, — сказал Хозяин.

Поскребышев, разумеется, выпил, хотя ненавидел эту смесь, к тому же язва у него была. Он стоял спиной к экрану, лицом к залу, медленно пил, под общий смех, кадык двигался вдоль горла. Глаза его на миг встретились с глазами Ильи и тут же спрятались, сощурились, лицо исказилось в смешной обезьяньей гримасе, одной из тех, которые так забавляли Хозяина.

— Ну, что там еще? — спросил Хозяин после очередного раската смеха.

— «Цветущая молодость», — ответил Поскребышев.

— Длинный?

— Как раз двадцать минут.

— Давай.

«Цветущая молодость» был первым цветным документальным фильмом о майском параде физкультурников. Под бравурную музыку по Красной площади двигались сложные стальные конструкции, обвешанные гирляндами девушек в гимнастических купальниках. Гигантская белая скульптура Хозяина плыла на живом постаменте из полуголых мужчин и женщин. Узбечки в шароварах, узбеки в розовых трусах и тюбетейках кувыркались и размахивали руками вокруг бутафорских кустов хлопчатника. Колонна НКВД в майках и трусах несла гигантский портрет Берия. Впереди вышагивал упитанный малыш лет пяти. Камера тут же показала Хозяина. Он улыбался и помахивал малышу рукой. Грянула песня:

> Все мы загорелые,
> Сильные и смелые.
> За Сталина и родину
> Всегда готовы в бой.

Проскакали дети верхом на бутафорских конях, волоча тачанки с деревянными пулеметами. Сотня девушек в купальниках, с лентами, опустилась на шпагат, прямо на брусчатку.

Илья смотрел и думал: «Скачут перед ним в полуголом виде... Мы все скачем перед ним. Мы заводные игрушки, я, Машка... Его игрушки... Жизнь каждого в его руках. Как он любит повторять: *"Одним движением пальца..."*»

Режиссером-постановщиком этого парада был Всеволод Эмильевич Мейерхольд. В титрах его имя не значилось. Оно больше нигде не значилось. Как только репетиции закончились, Мейерхольда взяли.

Илья на секунду представил другое кино, где красочные кадры парада чередовались с кадрами избиения его режиссера-постановщика в кабинете следователя на Лубянке.

Песня оборвалась на полуслове, экран погас и тут же замерцал опять. Под музыку Вагнера возникла черно-белая заставка, медленно поплыл готический шрифт. Илья краем глаза заметил, как проскользнул в зал запыхавшийся Большаков, и сквозь увертюру к «Полету валькирии» услышал собственный голос:

— *«Крещение огнем». Фильм о действиях германской авиации в Польше. Борьба Германии за свою свободу. Только факты, простые и подлинные, суровые и беспощадные, как сама война.*

Под аккорды арфы возникла панорама Данцига. Закадровый голос рассказал, что это исконно германский город, древняя земля тамплиеров. Потом минут десять маршировали польские войска, мелькали заголовки газет, открыточные виды Лондона и Парижа.

Илья переводил рубленые лозунги:

— *Политические провокации в стиле Пилсудского не знают границ, Польша провоцирует весь мир, Польша наращивает вооружение, Лондон — гнездо поджигателей войны.*

В кадре появились германские военные части, расчехленные орудия, танки, полевая кухня, солдаты с обнаженными мускулистыми торсами, офицеры, склонившиеся над топографическими схемами. Суровый голос диктора смягчился, зазвучал тепло и задумчиво:

— Немецкие солдаты в ожидании команды отдыхают, занимаются спортом, полдничают, играют в карты.

Панорама военного аэродрома сопровождалась стихами в прозе:

«*Как меч в небе, наши доблестные люфтваффе готовы сокрушить каждого, кто покушается на мир в Европе*».

Опять замелькали города и газетные заголовки.

«*Весь земной шар затаил дыхание,* — объяснял диктор, — *фюрер все еще пытается сохранить мир*».

Появился дорожный указатель с названием «Посевалк», радиовышка, небольшое здание с разбитыми окнами.

«*Польские войска провели обстрел нашей территории. Мы отплатим бомбой за бомбу*».

Затем — небо, пухлые облака. Кадры напоминали начало «Триумфа воли», но вместо фюрера в облаках плыли стаи люфтваффе. Общие планы чередовались с крупными. Небо, облака, толстобрюхие, похожие на навозных мух бомбардировщики, быстрые косые крестики истребителей. Кабина, летчик в шлеме за штурвалом, один, другой. Под веселый мотивчик мужской хор запел:

«*Тра-ля-ля, тра-ля-ля, мы летим бить врагов, мы с победой вернемся домой*».

Пространство внизу выглядело плоской схемой. Бомбы казались не крупнее фасоли, взрывы — искорками, вспышками спичек.

«Военно-воздушная мощь Германии обрушила стальной ураган. Стремительные, как ветер, наши истребители, взрывают покоренное воздушное пространство. Все важные военные объекты уничтожены с воздуха за несколько дней».

«Тра-ля-ля» сменилось благостной медленной мелодией. Опять аэродром. Самолеты приземляются. Голос диктора зазвучал игриво-умильно:

«Как голодные птенцы, открывают они свои люки, чтобы принять новый бомбовый груз».

Лица летчиков, все как на подбор правильные, арийские. Короткий отдых, полевая кухня. Опять облака, бомбы, взрывы, но вместо «тра-ля-ля» — Вагнер.

Диктор — торжественно, с воодушевлением:

«Бомбы сыплются стальным дождем. На волю выпущены смерть и разрушение».

Фильм шел уже минут тридцать, а в маленьком зале не прозвучало ни слова. Только голос Ильи механически повторял по-русски немецкие фразы. Он произносил их медленно, четко, как положено механизму.

«На волю выпущены смерть и разрушение».

На экране смерть и разрушение выглядели красиво, режиссеры, операторы, монтажеры знали свое дело. Облака, плавный танец самолетов, «Полет валькирии», чеканные арийские профили летчиков. Сквозь эти картинки Илья видел гибель множества людей, детей, женщин. Трупы, трупы...

Вагнер, «тра-ля-ля», немецкий диктор и собственный голос не могли заглушить грохот взрывов, панику, крики, стоны, от которых лопалась голова, хотя ничего этого не показывалось и не звучало.

Поплыла панорама разрушенной Варшавы.

— *Мы пролетели над городом, с нами не мешало бы лететь мистеру Чемберлену. Что вы теперь скажете, мистер Чемберлен? Вот результат вашей безжалостной политики, за нее придется отвечать перед всем миром,* — повторял Илья вслед за немецким диктором и думал:

«Вот кто бомбил, стрелял, давил гусеницами. Чемберлен. А Гитлер со Сталиным пришли освобождать, спасать...»

Тут Хозяин оживился, звякнул бутылкой о стакан, налил себе «Лагидзе», ткнул пальцем в экран:

— Правильно, так его... — Он обматерил Чемберлена и отхлебнул воды.

На экране германские солдаты раздавали с грузовиков хлеб жителям Варшавы. Затем появился Геринг и произнес небольшую речь:

«Люфтваффе добились невероятных свершений. Первая фаза великой битвы завершилась триумфом. То, что люфтваффе продемонстрировало в Польше, скоро продолжится в Англии и Франции».

Хозяин, перебив Илью, громко заметил:

— А, вот и жирный!

Он всегда произносил это, когда в кадрах хроники появлялся Геринг.

Илья взглянул на часы. Половина второго. Нестерпимо хотелось домой. Он тосковал по Машке. Только с ней рядом, прижавшись, зарывшись лицом в ее волосы, он выныривал из мертвой сталинской реальности, дышал, жил. Потом опять уходил на дно тухлого болота, леденел, притворялся заводной игрушкой, говорящим карандашом. Зачем? Ради чего?

Он закрыл глаза на мгновение, представил, как Машка спит, ворочается, бормочет, вздрагивает во сне, и тут же загадал: если сейчас будет перерыв, значит, придется сидеть до утра. Он никогда точно не знал, сколько продлится очередной просмотр. Изредка удавалось потихоньку спросить у Большакова. Но сейчас Иван Григорьевич сидел слишком далеко, а вставать и пересаживаться нельзя.

Экран замерцал, без всякого перерыва. И опять Илья услышал собственный механический голос:

— *Польский поход. Вероломные заговорщики-поляки. Бессмысленная оборона окруженной Варшавы. Данциг, город там-*

плиеров. Пока западные военные миссии пытались втянуть СССР в военную агрессию против Германии, рейхсминистр Риббентроп вылетел в Москву, чтобы подписать пакт. Дни террора и польских репрессий ушли раз и навсегда.

Ползли немецкие танки, Риббентроп спускался по трапу в Москве, высилась гора касок с голов побежденных поляков, брели бесконечные толпы военнопленных.

— *За первые восемь дней кампании захвачены территории, на покорение которых в Первую мировую требовалось не меньше года, польской армии больше нет,* — повторял Илья вслед за немецким диктором и думал: «Неужели потом еще "Чапаев"? Хозяин вроде зевнул, Ворошилов клюет носом, Молотов сидит прямо, неподвижно, пялится в экран. Скоро конец. Парад в Варшаве...»

Немецкие колонны шагали четко, мощно, под разудалый марш.

«Парад в Варшаве принимает фюрер. Германия может чувствовать себя спокойно под защитой такой армии».

Начался кусок мультипликации. Карта Европы, море с подвижными закорючками волн. Британия по форме напоминала зайца, присевшего на задние лапы. Над островом с игрушечным жужжанием летел германский бомбардировщик и сбрасывал на него овальную, с рыбьим хвостом, бомбу. Британия раскалывалась на части и тонула в нарисованных волнах.

— *У Германии теперь остался один враг, которого нужно победить,* — перевел Илья последнюю фразу диктора и подумал: «Бомба, та самая. Если они ее правда сделают, понятно, для кого. Британию им нужно победить, а нас — уничтожить».

Титры пошли на фоне настоящего, не мультяшного моря, по которому плыли настоящие германские корабли, утыканные дулами орудий. Мужской хор пел:

«Мы идем на битву с врагом. Пусть звонят колокола, чтобы о нашем превосходстве знали все. Дай я возьму тебя за руку, за твою лилейно-белую руку. Прощай, моя дорогая. Мы идем сражаться с Англией. Мы потопим всю гордость англичан».

Переводить песню Илья не стал, свет включили, Хозяин, позевывая, поднялся со своего кресла. Часы показывали половину третьего.

На следующее утро он перечитал еще раз письмо Мазура. Конечно, в открытии расщепления ядра урана сомневаться не приходилось, и Мазур вряд ли шарлатан, все-таки профессор, академик, но это вовсе не значит, что завтра в руках Гитлера может оказаться бомба фантастической разрушительной силы. Гитлер сам бомба, на фоне его личной разрушительной силы любое сверхоружие пустяк.

Сотни изобретателей закидывают своими заявками Комиссариат обороны, Политбюро, Президиум Верховного Совета и прочие инстанции. Тут тебе и летающие танки с вечными двигателями, и смертоносные лучи, и аппараты для чтения мыслей. Что, если прибор Мазура нечто из этого ряда?

«Слова, слова, — вздохнул про себя Илья, — Мазур преувеличивает значение своего изобретения, это вполне нормально для ученого. Акимов пытается вытащить из ссылки своего старого учителя, и это тоже нормально. Карл Рихардович завелся потому, что у него фюерофобия. А у меня ее разве нет? О господи, как же мне хочется убедить себя, что урановая бомба — родная сестра вечного двигателя, и махнуть рукой!»

Ударили такие морозы, что о лыжных прогулках не могло быть и речи. Митя Родионов каждое утро приезжал в Балашиху, сидел на занятиях немецкой группы, потом еще пару часов Карл Рихардович занимался с ним отдельно в классе. В Москву они возвращались вместе на служебном автомобиле, предоставленном доктору Штерну по личному распоряжению Берия. Говорили по-немецки о чем хотели, без иносказаний и купюр. Шофер не понимал ни слова. Иногда занятия продолжались в комнате Карла Рихардовича на Мещанской до глубокой ночи.

Доктора беспокоило произношение Мити. Никак не удавалось убрать русский акцент. Пока Карл Рихардович размышлял, к кому обратиться, чтобы занятия продлили хотя бы на месяц, их продлили без всяких его ходатайств, и не на месяц, а на два.

Однажды Митя, махнув рукой, заявил:

— А, все равно акцент должен быть.

Он очень хотел спать, зевал и тер глаза. Доктор подумал, что парень просто устал.

— Перестань валять дурака. Выспишься, завтра будем отрабатывать гласные.

— Нет, я серьезно. Небольшой акцент нужен.

— Мг-м, — кивнул доктор, — необходим, чтобы гестапо было легче тебя ловить. «В рамках сотрудничества и обмена любезностями», — добавил он про себя, но, конечно, вслух этого не произнес.

— Латышский или эстонский, — продолжал Митя, позевывая в кулак, — точно еще не решили.

Карл Рихардович застыл с открытым ртом, минуту смотрел на Митю. Тот сидел на кушетке, поджав ноги в штопаных шерстяных носках, бледный, взъерошенный.

— Поставлю чай, — пробормотал доктор и быстро ушел на кухню.

Перед вводом советских войск в Прибалтику оттуда эвакуировались в Германию фольксдойче. В чью-то светлую голову пришла идея перебросить в рейх группу советских агентов под видом прибалтийских немцев. Еще в декабре к доктору обратился майор Журавлев, новый начальник немецкого отделения ИНО: кого из курсантов его группы можно превратить в фольксдойче? Срок — максимум полгода. Доктор мигом сообразил, в чем дело, и ответил: никого. Даже если человек выучит немецкий как родной, вызубрит выдуманную автобиографию, географию места, где, по легенде, родился, вывернется наизнанку, сменив бытовые советские привычки на буржуазные, все равно ему не обойтись без родителей, родственников, бывших одноклассников, друзей, знакомых. Человек не может свалиться с неба или вырасти из-под земли, как гриб, и незаметно затесаться в толпу. Фольксдойче будут прочесывать очень тщательно, выискивая именно таких, затесавшихся.

Журавлев молча выслушал, не спорил, кивал. Доктор тогда подумал: «Наконец догадались реанимировать агентурную сеть в Германии. Отлично. Только идея с прибалтийскими немцами — бред. Провалятся все до одного».

Больше никто с ним на эту тему не говорил, и доктор решил, что они сами поняли.

Он вернулся в комнату с двумя стаканами чаю. Митя спал, свернувшись калачиком на кушетке. Доктор, стараясь не шуметь, поставил стаканы на журнальный стол, уселся в кресло, макнул в чай сушку. Митя завертелся и открыл глаза.

— Акцента мало, — тихо произнес доктор, — если ты там родился и жил, должен знать язык.

— Какой? — не совсем еще проснувшись, спросил Митя.

— Латышский или эстонский. Сядь, чаю выпей.

— У меня будет месяц, там, на месте, выучу. — Митя пересел с кушетки на стул, развернул карамельку. — Ничего, я освоюсь.

— Язык выучишь за месяц?

— Попробую...

— Попробует он, — доктор усмехнулся, — вундеркинд-полиглот. Ну а родственниками, знакомыми, которые поручатся за тебя перед гестапо, обзаведешься за месяц?

Митя подул на чай, осторожно отхлебнул.

— Допустим, я сирота.

— Ладно, — кивнул доктор, — где ты рос, сирота? В приюте? Кто из работников этого приюта узнает тебя в лицо при очной ставке? Хорошо, рос ты не в приюте, а в приемной семье. Допустим, семью тебе организовали. А соседи, родственники, одноклассники, учителя где? Или, может, тебя в капусте нашли, готовенького, взрослого, с подходящим акцентом? Откуда известно, что ты немец? Это надо доказать, фальшивых документов недостаточно.

— Все будет хорошо, не волнуйтесь, — медленно выговорил Митя по-немецки.

— Мг-м, навербуют дюжину реальных фольксдойче на каждого фальшивого.

— Конечно, а как же иначе? — Митя насупился, помолчал и добавил по-русски: — Ну, не пошлют же они нас, голеньких, на верную смерть?

Доктор молча помотал головой и вдруг с такой силой шлепнул ладонью об стол, что зазвенели стаканы в подстаканниках.

— Карл Рихардович, вы чего? — испуганно прошептал Митя.

Для него, как и для всех курсантов, доктор Штерн был воплощением терпения и спокойствия, никогда не срывался, не повышал голоса.

— Ты работал в советском торгпредстве, вот чего! — Доктор сморщился, разглядывая покрасневшую ладонь.

— Кто меня запомнил? — Митя сломал в кулаке сушку. — Я ж там почти не высовывался, на машинке печатал, бумажки перебирал.

— Достаточно, чтобы попасть в картотеку гестапо. Каждого иностранца автоматически ставят на учет. За советскими гражданами ведется плотное наблюдение. В картотеке твои фотографии в профиль и анфас.

— Внешность изменят, — неуверенно перебил Митя.

— Пластическую операцию сделают?

— Нет, ну, можно волосы покрасить, усы отрастить, бородку.

— Отпечатки пальцев, рост, вес, телосложение, приметы, привычки... — Доктор нервно загибал пальцы. — Допустим, подберут тебе родственников и знакомых, выучишь ты несколько латышских или эстонских фраз. Но любая случайность, любая...

Митя сидел, низко опустив голову. Карл Рихардович заметил, что у него двойная макушка, и подумал: «Может, все-таки повезет? Единственный сын одинокой матери... Поговорить с Журавлевым? Глупо. Не мне его учить. Вообще, куда я лезу?»

— Пойми, я не пугаю тебя, просто есть вещи, о которых нельзя забывать.

— Да знаю я. — Митя махнул рукой. — Конечно, меня там пасли, фотографировали и пальчики могли срисовать запросто.

«Господи, как же ему страшно, — подумал Карл Рихардович, — держится, хорохорится, а внутри все застыло. Зачем я затеял этот разговор? Он сам все отлично понимает. Нет, поговорю с Журавлевым, вроде не похож на идиота. Это элементарные вещи. Забрасывать в качестве нелегала человека, который работал в советском торгпредстве, — преступление. Может, у них там какая-то ведомственная неразбериха? Ошибка? Бумажки перепутали?»

— Ладно, в конце концов, операция секретная, не нам с тобой ее обсуждать, — произнес он с вымученной улыбкой.

— Не нам? — Митя вскинулся, выпрямился, жестко прищурился. — А кому? Я туда отправляюсь, вы меня готовите.

— Ну, наверное, не я один. — Доктор пожал плечами.

— Мг-м, — кивнул Митя, — меня еще в спецотделе обрабатывают, кишки на кулак мотают, чтоб я к немцам не переметнулся. — Он сморщился и добавил чуть слышно: — Гады...

— Митя, все, не заводись. Они выполняют свои обязанности, — сказал доктор и подумал: «Нет, не ошибка, в спецотделе бумажки не путают, просто им плевать. Перебросят как можно больше, на удачу. Если хоть один не провалится в первые пару месяцев, выживет, выйдет на связь, операцию назовут успешной. С кем же он выйдет на связь, этот везунчик? Агентурная сеть уничто-жена».

— Маму жалко, она все чувствует. — Митя поежился. — Не спрашивает ни о чем, только смотрит. На сердце не жалуется, а комната насквозь каплями пропахла.

— Ей передается твой страх. Но ведь еще ничего плохого не произошло, операцию только готовят, разрабатывают, по-разному может повернуться.

«Да, по-разному, допустим, хватит ума не перебрасывать Митю, так перебросят моих лучших — Любашу, Владлена. Они в картотеке гестапо не числятся. А собственно, почему лучших? Им ведь главное — количество. Пожалуй, всех перебросят, всю мою группу, включая Толика Наседкина».

— Ладно, Митя, меняем тему, — произнес он бодро по-немецки, — ты ведь учился на физико-математическом факультете.

— С четвертого курса забрали, по комсомольской путевке. А что?

— Физику совсем забросил?

— Кое-что почитываю. Честно говоря, по физике я здорово скучаю. В Берлине хотя бы время было в библиотеке посидеть. Там библиотека Общества кайзера Вильгельма отличная, все что пожелаешь. На руки, конечно, не давали, я ж иностранец, а в читальный зал пускали.

— Ты читал книги по физике?

— В основном, журналы.

Он перечислил несколько названий, немецких и английских, лицо у него при этом было, как у голодного человека, вспоминающего что-то вкусное, он даже облизнулся.

— Мне удалось разыскать номера со статьями Гана, Штрассмана, самыми первыми, когда они только догадались.

— О чем?

— Ну, что оно расщепляется. Это же с ума сойти. У Герберта Уэллса есть роман «Освобожденный мир», написан еще в четырнадцатом году, там как раз об энергии распада ядра. Буквально так: слиток металла умещается на ладони, но его достаточно, чтобы осветить и согреть огромный город. Или уничтожить. До конца тридцать восьмого это было фантастикой, то есть теоретически возможно, но лет через сто, не раньше...

Митя говорил по-немецки, быстро, возбужденно, русский акцент почти исчез, глаза сверкали. Он рассказывал то, что Карл Рихардович уже слышал дважды, о чем читал и думал постоянно все эти дни. Научные термины больше не пугали его, он стал понемногу понимать их смысл, не перебивал, думал: «Зачем выдернули мальчишку с четвертого курса? Вот его стихия, тут он как дома. Протоны, нейтроны...»

— Простите, — спохватился Митя, — я вас совсем заболтал, я, когда начинаю об этом, остановиться не могу. А вам, наверное, неинтересно.

— Очень интересно. Особенно про бомбу. Думаешь, возможно ее сделать?

Митя нахмурился, произнес по-русски вполголоса:

— Ее уже делают.

— Где?

— В Германии.

Он ответил так быстро и уверенно, что Карла Рихардовича продрал озноб.

— Понимаете, какая штука, — продолжал Митя, — я, когда читал журналы, обратил внимание: немцы после статей Гана и Штрассмана год ничего не публикуют по урановой теме. Такого быть не может. Должны идти исследования во всех институтах, конференции, симпозиумы, в общем, куча публикаций. Но ни словечка. В английских, в американских журналах только об этом и пишут.

— В Германию поступают английские журналы? — слегка удивился Карл Рихардович.

— Ну а как же? Обязательно, война не война, все равно обмен научной информацией продолжается. К нам тоже все поступает, только с опозданием.

— Значит, ты считаешь, немцы засекретили тему потому, что работы идут?

— Вот именно! Я докладную написал Фитину, отдал Журавлеву, он как-то скептически отнесся, но обещал передать лично в руки. Знаете, самое обидное, что у нас урана полно, месторождения на Урале, в Сибири, в Средней Азии. Вернадский еще до революции организовал несколько экспедиций, специально по урану. Но добывать не начали до сих пор. Вот так. Урана полно, и физики есть мирового уровня. Капица, Френкель, Иоффе. Николай Семенов цепную реакцию просчитал еще в середине двадцатых, его так и называют: мистер Цепная Реакция. Ландау... — он запнулся и добавил быстро по-русски: — Ландау весной тридцать восьмого посадили. Иваненко... — Он вздохнул, пробормотал чуть слышно: — Сидит Иваненко.

— Фамилия Мазур тебе знакома? — спросил доктор.

— Марк Семенович? — Митя вскинул голову. — Еще бы! Он преподавал у нас, я ходил к нему на семинар. Но только он тоже... — Митя запнулся.

— Сидит?

— Да. А почему вы спросили? Откуда знаете?

— Потом объясню. Он серьезный ученый?

— Странный вопрос. — Митя хмыкнул. — Марк Семенович Мазур — радиофизик мирового уровня. Погодите, вам что-нибудь о нем известно? Он жив?

— Жив, и почти на свободе. В ссылке, в Иркутске.

— Правда? — Митя облегченно вздохнул и широко, счастливо улыбнулся, впервые за этот долгий вечер. — А я уж думал... Он ведь старенький, ему за шестьдесят, и совершенно одинокий.

— А семья?

— Была да сплыла. — Митя махнул рукой. — Не важно.

— Ну-ну, расскажи, раз начал.

— Паскудная история. — Митя сморщился. — Дочка его, Женя, училась со мной на одном курсе. Красивая, способная. В общем, отреклась она от него, публично, на собрании, еще до ареста, когда его только из университета турнули. Фамилию поменяла и даже отчество. Была Евгения Марковна Мазур, а стала Евгения Евгеньевна Астапова. Фамилия материнская.

— А жена?

— Черт ее знает. Я к ним с тех пор не заходил.

— Ты что, дружил с этой Женей? — осторожно спросил доктор.

— Нравилась она мне очень. — Митя тряхнул головой. — Женька Мазур — первая моя настоящая любовь. Но ее больше нет. А кто такая Астапова Евгения Евгеньевна, я понятия не имею.

Зазвонил телефон. Митя вздрогнул, доктор пробормотал:

— Кто же это так поздно? — и быстро вышел в коридор.

Когда он взял трубку, там несколько секунд молчали. Он хотел уже повесить ее на рычаг, но вдруг услышал:

— Простите, это дежурная аптека? Мне нужно срочно что-нибудь от головной боли.

Мужской голос говорил с сильным акцентом, с трудом подбирал русские слова. Доктор ответил:

— Нет, это не аптека.

— Прошу, минуту, не вешайте трубку. Это номер А-18110?

— Вы ошиблись, сожалею, всего доброго. — Он повесил трубку, вернулся в комнату и объяснил Мите: — Не туда попали.

В папке с материалами из Разведупра сверху лежали три страницы текста, отпечатанные на бланках, с грифом «Совершенно секретно». Записка начальника 5-го Управления РККА Проскурова наркому Ворошилову.

«*Представляю перевод донесения одного из достоверных источников, передавшего замечания о Красной армии, слышанные им в высших кругах германского офицерства. Наряду с предвзятыми антисоветскими высказываниями, отмечаются и вполне здравые суждения, подчеркивающие, между прочим, недостатки нашей службы связи.*

Наиболее распространенной оценкой является: "Ничего выдающегося. Если Германии придется иметь военного противника в лице СССР, то германская армия без особых трудностей справится с Красной армией. Некоторые типы танков, участвовавших в Польской кампании, оказались совершенно непригодными". Совсем отрицательную оценку дают в верховном командовании техническому уровню службы связи. Германская армия далеко превосходит Красную армию в области службы связи, и это, как показала война в Польше, имеет чрезвычайно важное значение.

Военные специалисты, не только в Англии, Франции и Америке, но и в Германии, не видя успехов Красной армии в Финляндии, злословят по поводу военной мощи СССР.

Шведский военный атташе в Риге сообщил одному из своих военных коллег, что Германия требует от Швеции ограничения открытой помощи белофиннам и оказания ее в секретном порядке.

*Румыния: По сведениям заслуживающего внимания источ-
ника, румынский король Кароль при посещении 6 января Киши-
нева высказался в следующем духе: если Финляндия с ее 3-мил-
лионным населением одерживает победы над РККА, то Румыния, имеющая 19 миллионов населения и сильную армию, может
дойти до Москвы. Кароль считает своевременным думать об
освобождении братьев-молдаван».*

Летчик-ас Герой Советского Союза, комдив Иван Иосифович Проскуров был назначен начальником военной разведки в
апреле тридцать девятого. За два года, с тридцать седьмого по
тридцать девятый, четверо его предшественников на посту начальника Разведупра были расстреляны[1]. Вместе с каждым начальником снималось несколько слоев подчиненных. Кто-то
успевал застрелиться до ареста, кто-то сходил с ума.

Ни в Академии Фрунзе, ни в Академии Генштаба разведке
не обучали, некому было, да и незачем, Сталин все знал без всяких разведчиков, потому и назначил летчика, в буквальном
смысле ткнув пальцем в небо.

«В самом деле, словно с неба свалился, — думал Илья о Проскурове, — толковый, порядочный человек на такой должности — чудо. Наверное, в небе магия «Курса» не действует, мозги
остаются чистыми».

Проскуров заново создавал военную разведку и снабжал Хозяина подробной достоверной информацией, при помощи фак-
тов и цифр подводил к очевидным выводам: Финская кампания
приносит гигантские бессмысленные потери. Союз с Гитлером
выгоден только Гитлеру. Он готовит свой блицкриг, который
при нынешнем состоянии Красной армии станет для нас катастрофой.

Любые попытки развеять эйфорию были смертельно опасны. Возможно, Илья рисковал меньше Проскурова, поскольку занимал незаметную, практически несуществующую должность.
Рисковали в первую очередь те, на кого Хозяин мог свалить

---

[1] Урицкий Семен Петрович (1885–1938) — расстрелян; Берзин Ян Карло-
вич (1889–1938) — расстрелян; Гендин Семен Григорьевич (1902–1939) —
расстрелян; Орлов Александр Григорьевич (1898–1940) — расстрелян.

свои провалы. Военачальники, военные инженеры и, разумеется, руководство военной разведки. Безвестный говорящий карандаш не годится на роль козла отпущения.

Внося в свои сводки информацию от Проскурова, Илья думал: «Мы оба рискуем, кто больше, кто меньше, неважно. Сообщать ему правду — самоубийство. Врать сейчас, накануне войны, невозможно. "Майн кампф" нападет на "Краткий курс". Два мифа, две сказки. "Кампф", безусловно, сильней. Главные пропагандистские козыри "высшая раса" и "жизненное пространство" успешно работают, Гитлер свои обещания выполняет, шаг за шагом идет к ясной, четко обозначенной цели и уверен в победе. А "Курс" застыл, трещит по швам. Пропагандистские козыри не работают. Все держится только на страхе. "Курс" — застывшая эпитафия, "Кампф" — программа действий, мощный наркотик для немцев. Жрут с наслаждением, одурманены всерьез и надолго. А мы жуем серую бумагу "Курса" с отвращением, из последних сил. Вместо дурмана тошнота и резь в животе. Брехня "Курса" легко испаряется, стоит посмотреть по сторонам. Немцы попрут на нас в состоянии глубокого транса, начнут нас завоевывать строго по расовой теории. И вот тут их ждет сюрприз. Идеологический хлам отлетит, проснется древнее, мощное национальное чувство. Мы станем сопротивляться с открытыми глазами, в здравом уме, без всяких теорий. Вот этого ни "Кампф", ни "Курс" не учитывают. Верят в войну мифов. А это будет война мифа с реальностью, "Майн кампф" с Россией».

Илья тряхнул головой, закурил и вернулся к проскуровской справке.

«Отправка добровольцев из Швеции в Финляндию продолжается, в частности, 5 января из Стокгольма отправлено 8 вагонов с добровольцами. Проводы были обставлены очень торжественно. Значительная часть добровольцев является кадровым составом армии, во главе со шведским офицерством, лишенным, в связи с отправкой в Финляндию, своего воинского звания.

Италия: По агентурным данным, в Финляндию было отправлено из Италии 105 самолетов».

На следующей странице были данные о реорганизации германских ВВС и подробная информация о расположении войск у западной границы. Карты и схемы ясно показывали, что в ближайшее время фюрер планирует захват Дании и Норвегии.

«Ну что ж, разумно, — думал Илья, — у Германии мощный флот, а свободного выхода в Северную Атлантику нет. Британская морская блокада мешает импорту шведской железной руды. Никакие советские поставки этот дефицит не компенсируют. Англичане и французы уже готовятся к переброске войск в Финляндию. Если Норвегия и Швеция пропустят экспедиционные войска союзников, импорт руды будет окончательно перекрыт. А пропустить они в принципе могут. Войска союзников — хоть какая-то защита от немцев. Для немцев, конечно, такой поворот событий — серьезная неприятность, а для нас? Красная армия не может сломить сопротивление маленькой финской армии. Если на помощь финнам явятся англичане и французы, Сталину придется гнать дулами в спину собственную армию, расстреливать по десять человек, чтобы заставить одного пойти в атаку. Выиграть войну такими методами невозможно. Вмешается ли Гитлер и на чьей стороне? Вот уж точно не на стороне Сталина. Он подождет. Война между СССР и союзниками стала бы для фюрера огромным подарком. Если еще при этом нас атакуют японцы на Дальнем Востоке, а с юга попрут румыны... Вон как запрыгал румынский король под впечатлением нашего позора в Финляндии...»

Илья скользил глазами по строчкам, разглядывал карты и вдруг застыл. Расположение частей вермахта вдоль границы, реорганизация ВВС. За пределами рейха, из соседних стран, такие подробные данные получить невозможно. Военный атташе советского посольства в Берлине тоже не в силах все это раздобыть. Тут нужен доступ к самым секретным документам МИДа, военных ведомств, абвера.

Неужели Проскурову удалось восстановить агентурную сеть в Германии? Но без санкции Хозяина даже бесстрашный комдив на такое не решился бы. А санкции не было. Это Илья знал точно. Скорее всего, кто-то из прежних агентов стал настойчиво искать связь. На свидание к агенту отправился человек Проскурова, какой-нибудь незаметный второй заместитель военного атташе или сотрудник советского торгпредства. Для этого санкции не нужно. Зачем тревожить Хозяина по пустякам? Не случайно Проскуров дал информацию без всяких ссылок.

Единственный источник — это, конечно, не сеть, но уже кое-что. Агентов, когда-то работавших в Германии на ИНО НКВД и на Разведуправление Генштаба, Илья помнил по псевдонимам, кодовым номерам, различал по почерку, то есть по характеру информации и манере ее подачи, и сейчас пытался понять, кто это может быть. Он еще раз перечитал текст, подергал себя за ухо, почесал подбородок, пробормотал:

— Ай да комдив, ай да Герой Советского Союза!

До лета было далеко, но Эмма готовилась заранее. Очень уж угнетала берлинская зима. Снег выпадал редко, таял быстро, оставляя все мрачным, серо-коричневым. Даже в оттепель мучил промозглый холод. Из-за войны вечерами не включали фонари, в домах плотно закрывали ставни. Темные ледяные улицы продувались насквозь колючим ветром.

Перед Рождеством Эмма провела инспекцию своих запасов. Даже угроза военных лишений не могла заставить ее носить будущим летом надоевшие прошлогодние наряды. Всего два платья и одна пара босоножек пережили очередной сезон. Остальное было отдано горничной.

В кладовке стоял старинный сундук, в нем ждали своего часа аккуратно сложенные легкие яркие отрезы, моточки шелковых и хлопковых ниток, спицы, крючки, пуговки. В нижнем ящике комода хранились большая папка с выкройками, модные журналы, французские и немецкие.

Повернув створки трельяжа так, чтобы видеть себя со всех сторон, Эмма куталась, словно в римские тоги, в крепдешин, жоржет, батист, намечала линию проймы, сборки у талии, прикидывала фасон. Свободное годе или скроенная по косой отрезная юбка. Рукав фонариком или узкий, до локтя. Воротничок отложной или на планке.

Шила она вдохновенно, словно бросала вызов холоду, мраку и скверным предчувствиям. Правда, времени свободного почти не оставалось. Рабочий день начинался в девять утра и заканчивался не раньше восьми. Дома вечера пролетали мгновенно. Оглянуться не успеешь, уже полночь, пора спать, глаза закрываются.

Через месяц три чудесных новых платья были готовы. Оставалось подобрать к ним обувь, кушаки, сумочки, шляпки. В Шарлоттенбурге, неподалеку от дома Вернера, был дорогой универсальный магазин. Там вывесили объявление о тотальной распродаже. Можно купить все самое лучшее за очень приятные цены. Эмма взяла с собой Германа, его тоже следовало приодеть к лету.

Герман брел за ней по зеркальным торговым залам, всем своим видом показывая, как ему скучно, насколько он выше этой тряпичной суеты. Самостоятельно покупать себе одежду он не умел, не разбирался ни в качестве, ни в ценах, не помнил своих размеров, при этом был привередлив не меньше Эммы, но, в отличие от нее, никогда не знал, чего хочет.

В отделе дамской обуви Эмма усадила его на диван, сунула ему в руки свежий номер «Вестника Прусской академии», который прихватила с собой, как занятную игрушку для капризного ребенка.

Ей приглянулись несколько пар босоножек. Приказчица принесла нужный размер, опустилась на корточки, застегнула пряжки. Эмма, прихрамывая, прошла по ковру, остановилась напротив большого зеркала, возле дивана, взглянула на мужа. Голова низко опущена, очки съехали на кончик носа, альманах лежал на коленях. Эмма заглянула и прочитала несколько строк на открытой странице: «Существует нордическая и национал-

*социалистическая наука, которая противопоставляется ев-
рейско-либеральной науке. Для нацизма западная наука и ев-
рейско-христианская религия были заговором против эпическо-
го, магического чувства, которое живет в сердцах сильных
людей».*

«Игрушка оказалась вовсе не забавной», — подумала Эмма,
осторожно перевернула страницу и увидела заглавие: «*Обра-
щение рейхсканцлера Адольфа Гитлера к участникам съезда
германских ученых*».

Герман вздрогнул, резко поднял голову, очки упали на открытые страницы, заскользили дальше вниз. Эмма ловким движением подхватила их, подышала на стекла, протерла полой
вязаной кофточки, надела Герману на нос.

— Посмотри, какие лучше?

Одна ее нога была обута в коричневую замшевую босонож-
ку на танкетке, другая в белую, лаковую, на низком каблучке.

Герман уставился на ее ноги, проворчал:

— Хм-м, принцип неопределенности, — и, подняв вверх за-
думчивые сонные глаза, добавил: — Бери обе пары.

Эмма так и сделала. Герман взял у нее коробки.

— Для себя что-нибудь приглядел? — спросила она рассеянно.

— Мне было не до тряпок. — Он многозначительно поднял
палец. — Я размышлял о заговоре против магического чувства.

Следующие полчаса Герман примерял летние ботинки. Приказчик приносил все новые пары, присаживался на корточки,
шнуровал. Эмма присаживалась рядом с приказчиком, щупала
дырчатую замшу, проверяла, не упирается ли большой палец,
достаточно ли мягкая пятка. Герман топал, расхаживал перед
зеркалами, вздыхал, закатывал глаза к потолку, и на лице его
отчетливо читалось: «Боже, когда это кончится?»

— Как только ты что-нибудь выберешь, милый, — шептала
ему на ухо Эмма.

— Мне нравятся эти, но у них жесткая подметка, а у тех,
светлых, подметка мягкая, но отвратительные белые шнурки.

— Шнурки можно поменять.

— Для этого надо идти в другой отдел, и как же подобрать правильную длину, подходящий цвет? Это целая эпопея, — хныкал Герман.

— Милый, шнурки продаются здесь, всех цветов, любой длины, — утешила Эмма, ловя сочувственный взгляд приказчика и восхищаясь собственным терпением.

Наконец нашлась пара с мягкой подметкой и подходящими шнурками. Еще полчаса заняла примерка летних костюмов. Брюки оказывались то широки, то коротки, пиджак тяжел, велик, мал, узок в талии.

— Эмма, неужели я потолстел?

— Нет, милый, просто крой приталенный, тебе не подходит.

— Хм-м, приталенный пиджак... В этом есть нечто педерастическое.

Эмма уже потеряла надежду, а Герман — терпение, но в последнюю минуту приказчик принес идеальный костюм, светлый, но не слишком маркий, легкий, пошитый точно по фигуре Германа.

В отделе мужских сорочек можно было обойтись без примерок. Эмма, пробежав глазами полки, сразу выбрала четыре штуки.

— Зачем мне столько? — изумленно спросил Герман.

— Твои две. — Она вручила ему пакеты. — Иди, подожди меня внизу, в кафе.

Он пошел через зал к лестнице, но остановился, развернулся, двинулся назад, к Эмме. У кассы ее уже не было. Он заметался по залу, задел какого-то пожилого господина, сердито извинился, постоял, подумал, решительно направился в отдел дамских шляп и увидел Эмму. Она держала в руках что-то белое, разговаривала с приказчицей. Он подошел и, перебив тихий щебечущий диалог, хрипло спросил:

— Две другие для него?

Приказчица скользнула любопытным взглядом по их лицам.

— Простите. — Эмма с улыбкой отдала ей шляпку, взяла Германа под руку. — Пойдем, милый, ты устал.

Они пересекли зал, стали спускаться по лестнице.

— Для него? — повторил Герман уже спокойней.

— Ну, а для кого же еще? — Эмма вздохнула. — Не понимаю, что на тебя нашло? Ты отлично знаешь, я иногда покупаю Вернеру одежду. Кроме меня некому, а сам он не может.

— Эта дура, вероятно, решила, что у тебя любовник, — проворчал Герман, — любовник, которому ты покупаешь сорочки.

— Конечно, милый, — Эмма хихикнула, — и еще она подумала: либо ты меня придушишь, как Отелло, либо я кинусь под поезд, как Анна Каренина.

— По-твоему, такие куклы читают Шекспира и Толстого?

— Насчет чтения — не знаю, а в кинематограф точно ходит. Но, кажется, Толстой у нас запрещен.

На улице Герман спросил:

— Зачем ему сорочки?

— Интересный вопрос. — Эмма мягко повела плачами. — А зачем они тебе?

— Разве он вылезает когда-нибудь за калитку?

«Ага, все-таки интересуешься, — обрадовалась Эмма, — ладно, посмотрим, что будет дальше».

— Круглый год в пижаме и в этом своем дурацком колпаке, — продолжал Герман. — Ты хотя бы звезду спорола?

«Дальше все то же», — вздохнула про себя Эмма.

Дурацкий колпак, да еще старые письма от Мазура — вот все, чем интересовался Герман, когда заходила речь об отце. Колпак пугал его красной звездой, он требовал отпороть звезду, а письма сжечь, потому что Мазур еврей, да еще советский. Хранить в доме свидетельства такой дружбы опасно.

— Не нравится режим, уезжай, — говорил Герман, размахивая и шурша пакетами, пока шли к трамвайной остановке. — У нас, слава богу, не большевистский барак, границы открыты, скатертью дорога. А если уж остался, изволь держать себя в руках. Зачем устраивать эти идиотские демонстрации? Что и кому ты пытаешься доказать? Планк вытаскивал тебя всеми силами и даже перед СС за тебя поручился! Гейзенберг так же, как ты, едва не угодил в лапы гестапо. Ах ты боже мой! Какая гордая бескомпромиссность! Он бойкотирует режим, а мы все жалкие приспособленцы! Хочешь поиграть в благородство? Тогда признай, наконец, что ты давно выдохся как ученый и пытаешься прикрыть это жалким фрондерством.

— Ты правда считаешь, было бы лучше, если бы он уехал? — спросила Эмма.

— Во всяком случае, честнее.

— Разве он тебе чем-то мешает? Что ты никак не можешь успокоиться?

— Представь, не могу! Мой отец был выдающимся ученым. Распределения Брахта, приложения к квантовой механике и физике твердого тела, работы по оптике входят во все справочники и в университетские курсы. А теперь он превратился в нелепого чудака, в посмешище, обрек себя на бесславную одинокую старость. Зачем? Ради чего?

— Ну так пожалей его. Просто пожалей, и все. — Эмма вздохнула и подумала: «Бесполезно. Даже если мне когданибудь удастся их помирить, они опять поссорятся после первых нескольких фраз, которые скажут друг другу. Слишком далеко все это зашло».

— Собственных родителей не видела два года, а к нему мотаешься без конца, — мрачно заметил Герман.

— Очень они нуждаются в этом! — огрызнулась Эмма и добавила спокойней: — Главное, вовремя отправлять поздравительные открытки.

Родители Эммы жили в Мюнхене. Отец, преуспевающий адвокат, вступил в нацистскую партию задолго до ее прихода к власти. Гитлер нравился ему еще со времен мюнхенского путча. Папа был красавец, высокий, широкоплечий. Белокурые волосы давно поседели и поредели, голубые глаза выцвели, но в свои семьдесят три он все еще напоминал персонажа пропагандистского плаката. Чеканные черты, идеальный арийский череп. Маленькая пухленькая мама до старости умудрилась сохранить ямки на розовых щеках и кукольно-сладкое выражение лица. Папа и мама, забавная пара. Мужчина с агитплаката, женщина с конфетной коробки.

Эмма была четвертым, младшим ребенком, единственной девочкой. От отца ей достался высокий рост, от матери — пепельно-русые густые волосы, темные брови и ресницы. Чеканные отцовские черты лица удачно смягчили материнские пухлые губы и округлая форма больших серых глаз. Кроме внешнего сходства, детских обид и холодного чувства дочернего долга, с родителями ее ничего не связывало.

Старший брат, Эрих, стал юристом, как отец, сделал удачную карьеру в министерстве юстиции. Двое средних, близнецы Вилли и Фредди, пошли по военной линии. Все трое состояли в партии и разделяли взгляды отца. Настоящая немецкая женщина должна сидеть дома. Кухня, церковь, дети. Физика — еврейская наука. Их идеальные черепа были нашпигованы идеальной начинкой из расовой мистики, обывательских предрассудков, горячего патриотизма и ледяного прагматизма.

В юности, особенно после поступления в Берлинский университет, Эмма почти не могла с ними общаться, с трудом выдерживала папины нравоучения, мамин щебет и плоские шуточки братьев (главное орудие женщины — половник; от большой учености у дам вырастают усы). Когда вышла замуж, отношения с семейством слегка потеплели. Все были рады, что она хотя бы замужем и что избранник ее оказался чистокровным немцем, а не евреем (они почему-то считали, что в научной среде сплошные евреи).

С возрастом Эмма стала терпимей, спокойней, научилась изображать почтительную дочь и добрую сестру, но семейные встречи свела до минимума. Открытки братьям Эмма отправляла чаще, чем родителям, не забывала поздравлять с днем рожденья их жен и детей. Изредка приезжая в Мюнхен, навещала всех по очереди, мило болтала со снохами о нарядах и домашнем хозяйстве, племянникам и племянницам дарила игрушки. Жена Эриха, дородная златокудрая Гудрун, произвела на свет четырех мальчиков-погодков, и при каждой встрече не забывала спросить, внимательно заглядывая в глаза: «Милая, когда же, наконец, ты и твой профессор осчастливите нас маленьким племянником?» Эмма в ответ вежливо улыбалась, про себя посылая сноху к черту.

Родители и братья были для нее чужими, невозможно скучными людьми. Она стыдилась их. Зато с Вернером и Мартой сразу нашла общий язык, с ними она чувствовала себя легко и уютно, приходила к ним, как в родной дом. Иногда думала: «До чего же несправедливый расклад. Я была бы счастлива иметь таких родителей. Вернер, при всех его недостатках, умный и талантливый, за него не стыдно, с ним интересно. Герман совершенно этого не ценит. Вот достался бы ему мой папаша, что бы из него получилось? Самодовольный чинуша-карьерист вроде Эриха? Тупой солдафон, как Вилли и Фредди? Уж точно не ученый, не профессор экспериментальной физики. Физика — еврейская наука. При его слабом характере он бы против течения не поплыл, завяз бы намертво в мещанском болоте. Ученого из него сделал Вернер, хотя бы за это надо быть благодарным».

Эмма покосилась на мужа. Он молчал, ничего не ответил на ее реплику о поздравительных открытках. Прекрасно понимал, что такое ее семейка. Теперь ему стало неловко. Ляпнул сгоряча, и сам не рад.

— Собираешься отнести ему покупки прямо сейчас? — спросил он, когда подъехал трамвай.

Она собиралась завтра, но неожиданно для себя ответила:

— Да, милый, пожалуй, забегу ненадолго. — Она погладила Германа по щеке, заглянула в глаза: — Может, зайдем вместе?

Герман молча теребил уголок кашне. Эмма продолжила быстрым, ласковым шепотком:

— Пообедаем втроем, знаешь, эта полька чудесно готовит, лучше меня, честное слово. А в июне поедем в Баварию на озера втроем и забудем все плохое, как страшный сон, ну, подумай, разве это может продолжаться бесконечно? Сколько ему осталось, один Бог ведает, ты потом себе не простишь...

Трамвай прозвенел и уехал. От этого звона они оба как будто проснулись. Эмма замолчала, а Герман сказал:

— Нет, не могу.

Универсальный магазин находился в трех кварталах от дома старика, идти от остановки минут пять, не больше. Эмма взяла пакет с рубашками Вернера, поцеловала мужа в краешек сжатого рта.

— Пожалуйста, распакуй свой костюм и повесь пиджак на плечики, остальное разберу сама, когда вернусь.

Она шла быстро, не оборачиваясь, и думала: «Впервые он ответил «нет» не сразу, а после долгой паузы, значит, потихоньку оттаивает».

Глава девятая

В осемнадцатого был выходной, мороз ослаб. Карл Рихардович вышел из дома в половине девятого утра, доехал на трамвае до площади Белорусского вокзала и пошел по Горького к центру. Странная это была улица. Всякий раз, проходя по ней, доктор вспоминал рассказ Ильи, как принималось решение о ее реконструкции.

Улицу Горького расширяли и выпрямляли по двум прямым линиям, которые прочертил на карте города красный карандаш Хозяина. По обеим сторонам должны были стоять здания одинаковой высоты, с фасадами в едином монументальном стиле. Все, что вылезало за красные линии, сносилось или передвигалось. Под фундаментами рыли котлованы, дома ставили на рельсы. Предупреждать жильцов запрещал специальный указ Моссовета. Дома со спящими людьми передвигали ночами. Малейшая ошибка в расчетах, любое неверное движение, случайная поломка какого-нибудь механизма — и спящие могли погибнуть под развалинами. Инженеры, техники, рабочие старались изо всех сил, и пока все шло нормально. Однако степень риска была уму непостижима.

Зимой работы замирали. На месте снесенных домов зияли прорехи. Уцелевшие, передвинутые, доведенные до положенного уровня монументальности фасады, выглядели розово-серыми декорациями среди заснеженных развалин.

Здание бывшего Театра Мейерхольда на углу Горького и Большой Садовой стояло в строительных лесах, затянутых гигантским изображением Сталина в полный рост. У его ног лежала Триумфальная площадь, запорошенная снегом, продуваемая с четырех сторон ветрами. Недавно тут был сквер. Деревья выкорчевали, землю залили асфальтом. Получился Триумфальный пустырь. Еще один пустырь белел на Пушкинской, на месте Страстного монастыря. Посредине на арматурных подпорках торчал здоровенный фанерный щит с намалеванным усатым лицом и надписью: «*Слава великому вождю всех народов великому Сталину!*»

«Навязчивый синдром, — думал доктор, — упорное механическое штампование самого себя. Москву он перекраивает в плацдарм для марширующих колонн. Гитлер одержим бредовой идеей, которая не ему первому пришла в голову. У Сталина вообще никаких идей нет, он одержим только Сталиным».

В витрине бывшего гастронома Елисеева висел рекламный щит. Осетр и поросенок с блаженным выражением морд обнимали банку майонеза.

«*Наркомпищепром СССР. Главмаргарин. Соус майонез — прекрасная приправа ко всем холодным мясным и рыбным блюдам. Банки принимаются магазинами обратно*», — мимоходом прочитал доктор.

Напротив здания Моссовета, передвинутого метров на пятьдесят, торчал обелиск, воздвигнутый после октября семнадцатого. Трехгранный острый штырь высотой с шестиэтажный дом. Прислонившись спиной к штырю, запрокинув голову и непристойно выпятив бедро, стояла гигантская статуя голой женщины. Чресла прикрыты символической медной тряпицей, рука поднята в нацистском приветствии. Скульптурная композиция называлась «памятник Свободе», изображалась на гербе Москвы под серпом и молотом. Илья рассказывал, что на этом месте прежде стоял очень красивый конный памятник какому-то царскому генералу[1].

Карл Рихардович замедлил шаг, разглядывая памятник Свободе, и вдруг услышал за спиной звучный женский голос:

— Товарищ Штерн!

Он вздрогнул. Люба Вареник в белом форменном тулупчике, в надвинутой до бровей ушанке смотрела на него снизу

---

[1] До памятника Свободе на этом месте стоял памятник генералу Скобелеву. Теперь там стоит памятник Юрию Долгорукому.

ПОЛИНА ДАШКОВА

вверх и улыбалась во весь рот. Вместо одного переднего зуба торчал коричневый осколок. Это сильно портило улыбку.

«О боже!» — доктор вздохнул и спросил строгим учительским тоном:

— Курсант Вареник, вы как тут оказались?

— Наружку отрабатываем. — Люба шмыгнула покрасневшим носом. — Я за Владленом шла, потеряла его полчаса назад, нырнул в проходняк у Малой Бронной и растворился. Теперь уж ни за что не найду.

— На Горького, разумеется, не найдете. — Карл Рихардович задрал край рукавицы, взглянул на часы.

— Вы торопитесь? — Она взяла его под руку. — Можно, я с вами немного пройду?

— Нет.

— Ну чуть-чуть, пару минуток, раз уж так получилось... А вам Москва нравится?

— Очень красивый город, — механически ответил он по-немецки.

— Совершенно сказочный. — Люба тоже перешла на немецкий. — Я, как узнала, что в Москву поеду, целую программу составила: «Лебединое» в Большом посмотреть, в Третьяковку, в Пушкинский обязательно, потом на кораблике по Москве-реке поплавать, попасть в Парк культуры на настоящий карнавал, какие в кино показывают. И ничего этого не получается. В город нас вывозят только наружку отрабатывать. Что же тут увидишь?

— Фрейлейн, советую вам продолжить поиски Владлена, перейти на ту сторону и вернуться на Бронную. — Он мягко снял ее руку со своего локтя и добавил по-русски: — Люба, это не шутки. Я могу себе позволить прогулку в выходной, а для вас это прогул. Рискуете нарваться на неприятности, сами же знаете, одним «неудом» по наружному наблюдению отделаться не удастся.

— Так точно, товарищ Штерн. — Она вытянулась в струнку, козырнула и тут же уронила руку, опустила голову: — Я дура. Извините.

Доктор проводил ее взглядом, перевел дух, спустился в Столешников и пошел к Никольской.

Здание знаменитой аптеки Феррейна, серовато-кофейного цвета, с гигантскими окнами, колоннами и греческими статуями напоминало Карлу Рихардовичу старый Берлин. Внутри оказалось много народу, аптека была дежурной, работала по выходным. Старейший в Москве дворец фармацевтики. Зеркала в бронзовых рамах, мраморные колонны, готические шкафы и прилавки темного дерева, украшенные причудливой резьбой, сводчатый расписной потолок, китайские вазы, старинные кассовые аппараты. Люди в длинных очередях выглядели на этом фоне особенно убого. Серые платки, ушанки, тулупы, телогрейки, валенки.

Карл Рихардович выбрал очередь поближе к входной двери. Гонка закончилась, теперь спешить некуда.

Стартовым сигналом гонки стал ночной звонок. Номер, который назвал иностранец, расшифровывался просто: «А» — аптека, дата — восемнадцатое января, время — десять утра. Ну, а вопрос про дежурную аптеку ясно указывал на Феррейна.

Это был личный тайный канал спецреферента Крылова. Ни в ИНО НКВД, ни Разведупре Генштаба о нем не ведала ни одна живая душа. Священник итальянского посольства в Москве передавал через доктора Штерна сообщения от сотрудника пресс-центра МИДа Италии Джованни Касолли. Агентурная сеть в Германии не работала, и Джованни оставался единственным источником реальной информации изнутри рейха. Он не был завербованным агентом, не получал никакого вознаграждения.

Касолли часто бывал в Берлине, присутствовал на встречах и переговорах высшего уровня, имел свои связи в германском МИДа и доступ к секретным документам.

Между собой Илья и Карл Рихардович называли его Ося. Включая в сводки для Хозяина сведения, полученные от Оси, Илья ссылался на перехваты дипломатических отчетов и личной переписки сотрудников посольств. Он страшно рисковал, особенно сейчас, при Берия, но эти крохи реальной информации, поступающие непосредственно из рейха, придавали хотя бы какой-то смысл его работе.

Канал был надежный, но действовал редко, с перебоями. Последнее сообщение пришло в конце августа тридцать девятого. С начала войны — ни слова. Ночной звонок прозвучал долгожданной весточкой от Оси после пяти месяцев молчания.

В теплое время года доктор встречался с падре на Никитском бульваре. Зимой это было исключено. Пожилой итальянец морозов не переносил. Найти в Москве закрытое помещение, где можно встретиться, не привлекая внимания, и поговорить без посторонних ушей, да еще по-немецки, — задача сложная. Падре знал не больше десятка русских слов, ровно столько, чтобы назначить встречу по телефону и понять ответ. Ресторанов в Москве осталось мало, и каждый представлял собой ловушку, так же как и музеи. Их посещали иностранцы, залы были напичканы агентами НКВД. На свидание доктор мог прийти только в выходной день, поэтому кинотеатры тоже отпадали. В выходные большие очереди к кассам стояли на улице, неизвестно, на какие места достанутся билеты и достанутся ли вообще.

Доктор собирался передать падре послание для Оси. Над текстом он корпел до утра, переписывал раз десять. Получилось вот что:

«По нашим предположениям в рейхе развернулись масштабные работы, связанные с производством оружия на основе открытия расщепления ядра урана. Открытие было сделано в декабре 1938-го немецкими химиками Ганом и Штрассманом. Энергия распада урановых ядер в руках Гитлера может уничтожить Европу и всю планету. Из немецких научных журналов исчезли публикации на эту тему, единственное объяснение — секретность. Просим Вас при возможности проверить, верны ли наши предположения. Также просим выяснить все, что возможно, о немецком радиофизике ВЕРНЕРЕ БРАХТЕ.

Из достоверного источника нам стало известно, что непосредственное участие профессора Вернера Брахта в работах над созданием ядерного оружия может значительно ускорить процесс. Просим отнестись к этому со всей серьезностью. Пожалуйста, держите нас в курсе».

Никакой подписи доктор не поставил, Ося знал его почерк. Плотно исписанный листок был спрятан на дно небольшой плоской коробки с шоколадными конфетами фабрики «Красный Октябрь», под слой толстой мягкой бумаги. Сверху лежали конфеты в блестящих обертках.

* * *

Дверь распахнулась, влетел Поскребышев, остановился у стола так резко, что Илье почудился визг тормозов. Вытаращенные глаза светились, как фары.

— Давай! — прорычал он и шумно выдохнул: — Пф-ф.

— Александр Николаевич, еще не готово.

— Давай что есть!

Напоминать, что очередную сводку Илья должен был подготовить только к завтрашнему дню, не имело смысла. Он быстро отстукал на машинке пару последних фраз, сложил отпечатанные страницы в папку. Поскребышев матерился, поторапливал, выхватил папку у него из рук и умчался прочь.

Илья давно привык к подобным цейтнотам, так же как и к долгим затишьям, когда Хозяин не требовал сводок и не вызывал неделями. Впрочем, затишья случались все реже.

Через пять минут после ухода Поскребышева явился фельдъегерь с пакетом из НКВД. Внутри лежал очередной список немецких эмигрантов, которых отправляли назад в рейх.

Еще осенью тридцать шестого посол Шуленбург передал официальную просьбу германского правительства о возвращении в рейх граждан Германии, арестованных в СССР по подозрению в шпионаже. С тех пор переговоры на эту тему не прекращались.

В тридцать седьмом НКВД отдало гестапо десять человек. Перед подписанием пакта пришла очередная нота, в которой говорилось, что настоящие дружественные отношения между рейхом и СССР несовместимы с тем, чтобы такое количество германских подданных находилось в советских тюрьмах. Сразу начался активный обмен списками тех, кого хотело получить гестапо, и тех, кого НКВД готово отдать. Немецкие коммунисты, евреи. Им по возвращении на родину, скорее всего, светил только лагерь. Но было много и некоммунистов, и нееевреев, рабочих, инженеров, перебравшихся в СССР в годы экономического кризиса. Они прожили в СССР несколько лет, знали русский язык, после советских лагерей никаких симпатий к стране победившего социализма у них не осталось. Эти люди могли очень пригодиться гестапо и абверу отнюдь не в качестве заключенных.

Отправляя списки в Особый сектор, Берия, конечно, страховался. Пока Хозяин дружит с Гитлером, он готов с кавказской щедростью отдать фюреру все без оглядки, но дружбе скоро конец, щедрость сменится бешенством. Мало ли что взбредет ему в голову? Вдруг прицепится к спискам? Под видом обмена упустили матерых шпионов, что-нибудь в этом роде. И тогда Берия попытается использовать спецреферента по Германии в качестве бронещитка.

«Молодец Лаврентий Палыч, страховка — дело хорошее, — думал Илья, пробегая глазами немецкие фамилии, — но только не в нашем сказочном королевстве. Пожелает Хозяин вас грохнуть, он это сделает, просто потому, что таково будет его хозяйское желание. А бронещиток из меня никудышный, не я эти списки составляю, не я утверждаю, вот только расписываюсь: "Читал. Крылов". Ни вычеркнуть, ни вписать никого не могу».

— Никого, — повторил он шепотом и вдруг присвистнул.

В списке значился профессор Фридрих Хоутерманс, известный физик, член компартии Германии, еврей на четверть. Бежал из рейха сначала в Англию, потом перебрался в СССР, работал в Харьковском физико-техническом институте. В тридцать седьмом был арестован. В его защиту выступили Эйнштейн, Бор и еще кто-то из светил. Появились публикации в американской, английской и французской прессе, официальные обращения зарубежных физиков к советскому правительству с требованием освободить Хоутерманса.

Нобелевский лауреат, член Французской компартии Жолио Кюри отправил гневную телеграмму Сталину.

В тридцать седьмом имя Хоутерманса звучало в кабинете Хозяина, в присутствии Ильи. Об освобождении речи не шло. Сталина волновало лишь одно: как они узнали? Через кого просочилась на Запад информация об аресте? Ежов со слезами на глазах, чуть не целуя хозяйские сапоги, клялся разоблачить и сурово покарать виновных.

Илья расписался, положил список в папку исходящих, откинулся на спинку стула.

«Если бы нарком Берия хоть немного заинтересовался урановой темой, вряд ли физик Хоутерманс попал в список. Конечно, немцы бомбу делают. Начав войну, не попытаться создать сверхоружие? Это совсем уж не по-немецки. Тем более расщепление ядра открыли в Германии. Вот вернется профессор домой и присоединится к своим коллегам с огромным энтузиазмом. Представляю, как он теперь нас ненавидит. В рейхе его не посадят. Ради бомбы простят не только коммунистическое прошлое, но даже четвертушку еврейской крови. За него хлопотали мировые светила, стало быть, он чего-то стоит как ученый. Ладно, допустим, я ошибаюсь, Берия о бомбе уже знает, урановая тема его зацепила, Хоутерманса завербовали. Перед отправкой в рейх из каждого наверняка выбивают подписку о сотрудничестве, но этими бумажками можно стены оклеивать. Те, кого гестапо оставит на свободе, ни за что не станут работать на нас после того, что с ними тут делали. А те, кто попадет из советских лагерей в немецкие...»

Форточка хлопнула и опять открылась, стал слышен унылый вой ветра сквозь оконные щели. Илья продолжал спорить с самим собой, обдумывал, взвешивал разные варианты и понимал, что все бессмысленно. Даже если бы случилось чудо, Хоутерманс согласился бы сотрудничать за очень большие деньги, все равно агентуры НКВД в Германии нет, восстанавливать ее сейчас Хозяин не позволит. Берия без санкции Хозяина заниматься бомбой не станет, а санкцию он не получит, любой намек на то, что пора восстановить агентурную сеть в Германии, вызывает у Сталина бешенство.

Спецреферент имел право обратиться к кому угодно из руководства НКВД, но в строго определенных рамках. Что-то уточнить, потребовать дополнительные справки только по тем вопросам, которые интересуют Хозяина.

Когда-то Илья мог поговорить со Слуцким. Он продержался на должности начальника ИНО целых три года, с тридцать пятого по тридцать восьмой, с ним сложились вполне человеческие отношения. Да, напряженные, ненадежные, но все-таки. Слуцкого отравили по приказу Ежова. Сменивший его Пассов не проработал и месяца. Расстреляли по приказу Берия. Следующим стал Деканозов, его Берия привез с собой из Грузии. Он возглавлял ИНО только пять месяцев, пока Берия не пропихнул его на должность замнаркома иностранных дел, чтобы иметь своего человека в окружении Молотова. Сейчас — Фитин Павел Михайлович, бывший заместитель главного редактора издательства «Сельхозгиз».

Илья усмехнулся. «Допустим, встречусь я с Фитиным, заведу разговор о бомбе. Он вроде бы человек толковый, но ведь сразу доложит Берия, просто обязан будет доложить. Нет, тогда лучше уж идти к Лаврентию Палычу. Но этого делать нельзя, прямой контакт с Берия за спиной Хозяина — верный способ получить пулю в затылок».

* * *

Очередь двигалась медленно. Прошло десять минут. Карл Рихардович заставлял себя не нервничать, не оборачиваться на входную дверь. Прислушиваясь к разговорам, он узнал, что сегодня «выбросили» лезвия «Турист», дают не больше двух упаковок в руки, а после обеда могут «выбросить» пудру «Красный мак».

Перед глазами торчал рекламный щиток. Пухлый желтоволосый ребенок неопределенного пола, в красных трусиках, изогнувшись, мучительно скалясь, держал на плече зубную щетку размером с весло. «Наркомпищепром СССР. Главпарфюмер.

Каждый школьник знает четко эту фразу назубок: утром встал — зубная щетка, а за нею порошок».

Четыре дурацкие строчки привязались, закрутились в голове. В аптеке было жарко. Карл Рихардович расстегнул пальто, снял шапку, решился опять взглянуть на часы. Двадцать минут одиннадцатого.

«Может, я что-то напутал? Падре не удалось выбраться? Или почувствовал слежку? Утром встал — зубная щетка... О господи, нельзя так нервничать. Уже бывало, что встречи срывались. Падре семьдесят три года, он мог простудиться, приболеть, мало ли? Я спокойно дождусь своей очереди, куплю пару упаковок лезвий "Турист" и зубной порошок. Каждый школьник знает четко... Вечером позвоню из телефонной будки ему в посольство, попробуем договориться о новой встрече».

Доктор вздрогнул, услышав за спиной немецкую речь.

— Покажите этот рецепт аптекарю, написано по-латыни, они разберут.

Пожилая дама в очках, в сером вязаном платке поверх меховой шапки, говорила по-немецки без ошибок, с мягким акцентом. Ее собеседником был падре. Он стоял в десяти шагах и держал в руке бумажку. Встретившись глазами с доктором, едва заметно улыбнулся и кивнул на беломраморный бюст Ленина, торчавший в глубине зала.

Шпиономания пошла на спад, услышав иностранную речь, люди уже не шарахались, только испуганно косились и демонстративно отворачивались.

— Я не понимаю, что мне делать, в какой отдел пройти, — бормотал падре по-немецки, обращаясь к даме и поглядывая на Карла Рихардовича.

— Вон там, справа, отдел готовых форм, видите, где статуя с весами.

Падре растерянно переводил взгляд с доброй дамы на статую.

— Тут столько народу, к прилавку не пробиться.

Дама повернулась к стоявшему за ней толстячку в каракулевой шапке-пирожке:

— Товарищ, я отойду на минуту.

Товарищ молча отвел глаза и слегка попятился назад. Дама пожала плечами и сказала по-немецки:

— Хотела вас проводить, но, боюсь, меня потом не пустят в очередь, а мне обязательно нужно купить лезвия для мужа.

— Благодарю вас, фрау, вы очень любезны, попробую сам, — сказал падре, сунул рецепт в карман пальто и растворился в толпе.

Карл Рихардович дождался своей очереди, купил лезвия, коробку порошка и двинулся сквозь толпу, к бюсту Ленина, с бумажным кульком в высоко поднятой руке.

Пространство возле бюста оставалось свободным, падре пока не появился. Доктор стал открывать портфель, чтобы уложить кулек. Возиться со скользкими замочками на весу, зажав кулек под мышкой, было страшно неудобно, а поставить портфель на ленинский постамент он не решился. Коробка порошка выпала и покатилась по грязному мраморному полу. Доктор не стал ее догонять, убрал в портфель упаковки лезвий, огляделся. Среди серых платков и ушанок мелькнул черный берет. И тут же возле бюста возник молодой человек в овчинной бекеше и цигейковой шапке. Наряд был полуштатский, а физиономия совершенно казенная. Карл Рихардович испугался, не забрел ли сюда какой-нибудь курсант или преподаватель ШОН. Во время занятий по наружному наблюдению они шныряли по всему центру. Автобус ждал их на Малой Лубянке, возле огромного серого здания общежития НКВД, в двух шагах от Никольской. Доктор не каждого знал в лицо, а его могли узнать запросто.

«Ну и что? Даже если так, он просто поздоровается, а падре ни в коем случае не подойдет при нем. — Во рту пересохло, обожгла совсем уж неприятная мысль: — Люба шла за Владленом, "бекеша" мог идти за Любой, а после нашей встречи пойти за мной, кажется, они иногда так поступают во время занятий. Переключение на контакт объекта или на объект контакта, черт их знает... Да, но в таком случае он ни за что не подошел бы, вел бы меня дальше и, конечно, засек бы падре... Стоп, хватит сходить с ума!»

— Товарищ, вы уронили. — Молодой человек протянул грязную коробку зубного порошка «Гигиена».

— Спасибо, товарищ, — пробормотал доктор и, поймав за овчинным плечом испуганный взгляд падре, стрельнул глазами в сторону выхода.

К этой минуте сердце уже колотилось с такой силой, что впору покупать сердечные капли. Падре исчез, молодой человек тоже. Доктор держал двумя пальцами круглую картонную коробку и не знал, куда ее деть. Она была слишком грязная, чтобы класть в портфель, но и выбросить в урну нельзя, для советского человека поступок немыслимый. Пришлось завернуть в кулек, на это ушло еще несколько минут.

Когда он очутился на улице, падре нигде не было. Доктор почувствовал, что нижняя фуфайка промокла насквозь. Он в панике огляделся. Невысокая прямая фигура в черном берете и в черном пальто с котиковым воротником, опираясь на трость, медленно брела в сторону Красной площади.

«Куда его несет? За версту видно, что иностранец, нельзя нам соваться на Красную площадь, — думал доктор, — но и в другую сторону нельзя, там Лубянка».

Падре остановился, оглянулся, поправил свой белый шарф и помахал рукой в черной кожаной перчатке. Поравнявшись с ним, Карл Рихардович быстро прошептал:

— Идите за мной.

Впереди была арка, ведущая в Третьяковский проезд. Доктор нырнул туда, замедлил шаг. Падре догнал его и спокойно произнес:

— Простите, что заставил вас ждать, утром в посольской часовне служил мессу, потом исповедь продлилась дольше, чем я думал.

— Ничего, главное, встретились, — пробормотал доктор.

Из маленького Третьяковского проезда они вышли на большой и широкий Театральный. Падре сразу повернул направо, к Кремлю.

— Нам надо перейти на другую сторону, — сказал доктор, — там Петровка, тихие переулки.

— Да, конечно, только я хотел взглянуть на собор Василия Блаженного, — невозмутимо сообщил падре.

— Зачем? Почему именно сейчас?

— Быть в двух шагах и не попрощаться — невозможно. — Падре вздохнул и тихо добавил что-то по-итальянски.

Доктор сумел разобрать только одно: «варвары».

— Послушайте, вы можете сделать это потом, без меня, на Красной площади нам вместе появляться слишком рискованно.

— Не волнуйтесь, я понимаю.

Несколько минут шли молча, доктор впереди, падре отставал метров на десять. Наконец свернули с Петровки в переулок, пошли рядом. Доктор спросил:

— Это ваш последний визит в Москву?

— Нет. Почему вы так решили?

— Попрощаться с Василием Блаженным...

— Его скоро взорвут, — глухо объяснил падре.

— Откуда вы знаете?

— План реконструкции Москвы опубликован, вышел отдельной брошюрой, я попросил в посольстве, мне перевели. Я ведь по первому образованию архитектор. Москва меня особенно интересует. Аристотель Фиораванти, Доменико Желярди, Джакомо Кваренги тут много всего построили.

«Мы прогуливаемся как хорошие знакомые, на глазах у прохожих, — думал доктор, — конечно, мы же не профессиональные шпионы, ни на какую разведку не работаем. Мы просто два старика, нам хочется спокойно поговорить. А ведь это нарушение всех законов конспирации, полнейшее безумие, постоянно кажется, что за нами кто-то наблюдает».

Он не выдержал, оглянулся, переулок позади был пуст.

— Мне, итальянцу, больно, — продолжал падре, — а каково же русским? Если они еще что-нибудь чувствуют, кроме страха. — Он поправил очки, кашлянул. — Простите, кажется, я сказал глупость.

— Почему? Замечание справедливое, но относится оно не только к русским, а в равной мере к немцам, к итальянцам, к французам. Да и британцы особенной храбрости не проявляют. Вся Европа оцепенела от страха, прочие чувства притупились.

— Вы правы, правы, вся Европа. — Падре тяжело вздохнул. — Но есть два маленьких исключения. Финляндия и Польша.

— Польша?

— Представьте, да. Ватикан поддерживает связь с остатками польского духовенства, поэтому кое-какой информацией я владею. Там творятся чудовищные вещи, но зреет мощное сопротивление. Уже очевидно, что завоевателям покоя не будет.

— И тем и другим?

— Нет. — Падре покачал головой. — На востоке НКВД уничтожает подполье куда успешней, чем гестапо на западе. Однако то, что поляки продолжают бороться, внушает надежду, пожалуй, даже большую, чем мужество финнов. Финляндия воюет, получает помощь и поддержку всего мира. А Польша не только завоевана, она практически уничтожена, все ее предали. — Он вдруг остановился, внимательно взглянул на доктора: — Мы с вами знакомы уже два года, а я так и не знаю, кто вы по вероисповеданию.

— Католик, — растерянно пробормотал доктор, — не помню, когда в последний раз был на мессе.

— Тут все равно некуда пойти. — Падре пожал плечами. — Храм Непорочного Зачатия на Пресне разгромили, устроили общежитие, спасибо, не взорвали. А настоятель погиб. Он был советский подданный. Теперь на всю Москву остался только Людовик Французский, на Малой Лубянке.

— Филиал Большой Лубянки?

Падре не сразу понял, шевельнул седыми бровями, сморщился и вдруг тихо рассмеялся:

— Нет, хотя они очень старались. Там служит капеллан посольства США, только праздничные службы. Рождество, Пасха. Шпики толкутся постоянно, для советских католиков вход закрыт, никто близко подойти не смеет.

— Советские католики? Думаете, они еще остались?

— Ну вот вы, например.

— Я немец.

— Да, но подданство... Послушайте, а ведь вам надо исповедаться. У вас на душе непомерная тяжесть. Джованни рассказывал мне...

— Тихо! — выдохнул доктор и приложил палец к губам. Позади слышался скрип снега.

— Идите вперед спокойно, не оборачивайтесь, — прошептал падре.

Из переулка они вышли на Петровку. У доктора дрожали колени. Он не сомневался: стоит обернуться, и за спиной падре мелькнет казенная физиономия под цигейковой шапкой, овчинная бекеша. Никогда еще он не чувствовал такого липкого, потного страха. Падре нагнал его и прошептал:

— Все хорошо, это была просто старуха.

— Я зайду вон в тот двор, вы за мной, — ответил доктор.

Двор оказался проходным, несколько минут они петляли по подворотням, наконец возле полуразрушенного сарая нашли место, которое не просматривалось из окон. Доктор остановился, открыл портфель.

— То, что я вам передаю, важнее всего, что было раньше, — произнес он севшим голосом, — это очень срочно, поверьте, я не преувеличиваю.

— Верю, — кивнул падре, сунул конфетную коробку в широкий карман пальто, вручил доктору сложенные вчетверо листки и улыбнулся: — Не так важно, не так срочно, однако весьма любопытно.

— Идите назад, на Петровку, — сказал доктор, — там дальше Страстной бульвар, знакомые вам места. Не заблудитесь?

— Постараюсь. Я уезжаю послезавтра, приеду опять только в апреле, к Пасхе.

— А Джованни? — спросил доктор.

— Не знаю. — Падре перекрестил его, и они разошлись в разные стороны.

Глава десятая

Когда Машу опять вызвали в зловещую комнату возле канцелярии, она не испугалась, не удивилась. Разговоры о том, что она скоро получит «заслуженную», ходили с Нового года, такое значительное событие не могло обойтись без предварительной беседы в этой комнате.

В отличие от прошлого раза кадровик поздоровался, предложил сесть, обратился на «вы». Вид у него был потрепанный, лицо опухшее, глаза красные.

«Не высыпается, пьет много», — подумала Маша с некоторым сочувствием.

— Товарищ Крылова, тут вот поступило предложение выдвинуть вашу кандидатуру на присвоение вам звания заслуженной артистки.

Тенор звучал глухо, монотонно, без всякого выражения.

— Спасибо. — Маша улыбнулась, едва сдерживая ликование. Мысленно она уже звонила маме, встречала вечером Илью с таинственным видом: «Угадай, что случилось?»

— Благодарить меня не надо. — Кадровик вяло помотал головой. — Тут вот у нас вопросы к вам, товарищ Крылова. Работой общественной вы совсем не занимаетесь.

— Почему не занимаюсь? Я участвую в шефских концертах.

Бледное лицо кадровика стало еще бледней, опухшие глаза презрительно сощурились. Конечно, такой ответ никуда не годился. Бесплатные шефские концерты — не общественная работа, а прямая обязанность. «Еще скажи: посещаю собрания и митинги, взносы комсомольские плачу», — подумала она и заметила, как толстые пальцы кадровика крутят ленточки картонной папки.

— Нормативы не сдаете, — продолжал он с грустью, — занятия по гражданской обороне игнорируете. Вот у нас все заслуженные имеют значок ворошиловского стрелка первой степени. А вы ни одного кружка не посещаете. Кто отлынивает от занятий по гражданской обороне, противопоставляет себя линии партии, он саботажник и вредитель. Отстающие — это пассивный балласт, от которого коллектив будет избавляться беспощадно, невзирая на творческие заслуги.

— Я сдам, сдам нормативы и в кружки запишусь, — пообещала Маша.

Но кадровик загрустил еще больше, тенор его звучал глухо и напоминал тоскливый собачий вой. Маша с трудом различала слова.

— ПВХО не сдано у вас, ни одного занятия не посетили.

О том, что нормативы ПВХО (противовоздушная и химическая оборона) сдать обязан каждый, Маша знала, об этом постоянно твердили на собраниях, сдали уже практически все, а она тянула. Очень уж было неохота.

— Я сдам, честное слово.

— А что же вам, товарищ Крылова, помешало сделать это раньше?

— Я... У меня от противогаза раздражение на коже.

— Это не является уважительной причиной. Теоретическую часть вы тоже не сдали. И не сигнализируете вы.

Кадровик все не мог справиться с ленточками папки, распутать узелок. Маша не отрываясь смотрела на толстые неловкие пальцы, заметила, что они слегка дрожат и ногти обгрызены до мяса.

— Не сигнализируете, — повторил тенор чуть громче, — ни одного сигнала от вас за весь период...

Маше захотелось помочь ему справиться с этим несчастным узелком. Конечно, руки у него тряслись с перепоя. Этот тенор тоже человек, работа тяжелая, как же не пить?

В папке лежало ее личное дело. Она заерзала на стуле от любопытства. Понимала, что это глупо, заглядывать в папку вряд ли стоит, а все равно очень хотелось, хоть краешком глаза. Слова «не сигнализируете, ни одного сигнала» все не доходили до ее сознания, между тем кадровик повторил их уже несколько раз. Маша почувствовала легкий спазм в желудке и услышала собственный спокойный голос:

— Поводов не было. Ведь нельзя же просто так, для галочки.

Кадровик вдруг оставил узелок, резко подался вперед, перегнулся через стол и прогудел неожиданным басом:

— Не было, говоришь? Для галочки, говоришь? С гражданином Суздальцевым какие у тебя отношения?

На Машу повеяло смесью похмелья и одеколона «Шипр». Она невольно отпрянула, вжалась в спинку стула. Спазм в желудке стал таким сильным, что не давал сказать ни слова. В голове неслось: «Письмо... Агриппина... я никому... только Илье...»

— Молчишь? — спросил кадровик прежним тенором, тягуче, жалобно, почти со слезой. — Молчишь, — повторил он утвердительно, словно отвечая самому себе.

— Он был моим партнером, — тихо произнесла Маша, сморщилась от боли, прижала ладони к животу.

— Был партнером. Знаю. Так что же ты не сигнализировала?

— О чем?

Кадровик опять занялся узелком. Руки его тряслись еще сильней. Маша не сомневалась, как только он развяжет эти несчастные ленточки, сразу извлечет из папки то самое письмо.

Острая боль в желудке не отпускала, между лопатками щекотно побежала струйка ледяного пота. В висках стучало: «Агриппина никому не могла показать письмо, порвала, сожгла, никто не слышал нашего разговора, не видел, как я читала, никто не знает... никто, кроме Ильи...»

Кадровик откинулся назад, локтем отодвинул папку, так и не развязав узелка, устало вздохнул и произнес все тем же монотонным тенором:

— О вражеских высказываниях ты обязана была сигнализировать.

— Он не высказывался. — Маша облизнула пересохшие губы. — Он никогда вражески не высказывался. Мы танцевали...

— Все вы тут танцуете и поете. — Кадровик оскалился.

Зубы у него были стальные. Маше хотелось пить. На столе стоял графин с водой, рядом стакан. Но попросить она не решалась. В кино, когда разоблачали врага, он обязательно пил воду, тем самым выдавая себя. Жажда — верный признак скрытого волнения и нечистой совести.

— Он служит в армии, — она сглотнула, глядя на графин. — Разве могут врага взять в нашу Красную армию? Оружие разве могут доверить врагу?

Продолжая скалиться, кадровик схватил графин, налил себе воды, выпил и заговорил опять басом:

— А вот если бы ты, Крылова, вовремя сигнализировала, ему бы, суке, оружие не доверили. Нельзя терять бдительность, Крылова, нельзя! Враг умело маскируется, змеей проползает. Выродок, сволочь...

Чем крепче кадровик матерился, тем яснее понимала Маша, что дело вовсе не в письме, и чувствовала только одно: боль стихла. Можно отдохнуть от боли, нет на свете ничего приятней. Поток брани, переливающийся от баса к тенору и обратно, напоминал ей звуки далекого ручья. Немного отдохнув, она подумала: «Что же мог натворить Май, в госпитале, обмороженный, с культей вместо ноги?» И тут же услышала:

— Он стрелял в товарища Сталина.

Вот тут Маша испугалась по-настоящему. «Господи, а ведь кадровик давно спятил, он просто сумасшедший! Как же я сразу не догадалась?»

Она осторожно, незаметно сдвинулась на краешек стула, взглянула на дверь. Конечно, дверь не заперта, хватит пары секунд, чтобы выскочить в коридор. Рядом канцелярия, там много народу, можно позвать на помощь...

Кадровик вытер платком мокрое лицо, щелкнул кнопкой серебряного портсигара, зажал папиросу в зубах, подтолкнул портсигар через стол Маше и сказал спокойным, будничным голосом:

— Угощайся, Крылова.

Маша курила раза три в жизни, но папиросу взяла. Сумасшедших нельзя раздражать. Вон там у него ножницы торчат из стакана рядом с карандашами, и пистолет наверняка имеется. Кадровик тряхнул коробком, зажег спичку. От первой затяжки слегка закружилась голова. Она попробовала больше не затягиваться, просто набирала дым в рот и выдувала.

— Расстрелял в упор, мразь, — чуть слышно бормотал кадровик, — всю обойму всадил. Они тоже хороши, просрали... Военкомат, мать твою... А я-то, я-то при чем? Ко мне какие претензии? Я вообще ни носом, ни рылом, он у меня с октября не числится. Вот так всегда, лишь бы на кого перевалить.

«Бредит, — констатировала Маша, — может начать буйствовать в любую минуту, надо смываться, пока не поздно».

Кадровик, казалось, забыл о Маше, курил, бормотал себе под нос. Она потянулась к пепельнице, загасила папиросу. Он взглянул на нее сквозь дым и произнес строгим командным тоном:

— ГРОБ и ПВХО до конца месяца сдайте, чтобы никаких хвостов, товарищ Крылова. И по общественной линии подтянитесь. Можете идти, товарищ Крылова.

Ночью, в постели, Маша пересказала на ухо мужу разговор с кадровиком.

— Слава богу, ты не успела съездить в Ленинград, вот тогда было бы все куда серьезней, — прошептал Илья.

— Серьезней? Да это же бред сумасшедшего...

Илья обнял ее, прижался губами к уху.

— Мая выписали из госпиталя, он пришел в военкомат оформить демобилизацию по инвалидности, выхватил пистолет из кобуры дежурного и всадил всю обойму в портрет Сталина.

Маша отстранилась, изумленно спросила:

— Откуда знаешь?

— Сводка НКВД по Ленинграду, военкомат Кировского района.

— Невозможно... без ноги, на костылях...

— Сидел, заполнял анкету, — быстро зашептал Илья, — дежурный стоял рядом, его кобура у Мая под рукой. В сводке все подробно описано. Уже несколько похожих случаев. Двадцать первого декабря, как раз в юбилейный день, лейтенант после контузии, тоже с Финского фронта, стрелял в портрет в зале ожидания Витебского вокзала.

— Ты знал и не сказал? — перебила Маша.

— Прости, не хотел тебя ранить, не думал, что дернут тебя по этому поводу. Но, видимо, кто-то из ваших стукнул, что вы с Маем не только танцевали, но и дружили.

— Дружили... Он любил меня.

— Я тебя люблю, — зашептал Илья сквозь быстрые поцелуи, — слава богу, ты не поехала в Ленинград, о письме никто не знает, больше не тронут, кадровик заткнется, «заслуженную» дадут, все обошлось...

Она отвернулась от его губ, вывернулась из рук, соскользнула с кровати, убежала в кухню. Илья прислушался к тишине. Даже выключатель не щелкнул. Он встал, надел халат, прихватил плед и пошел к Маше.

Она сидела в темноте и беззвучно плакала. В окне висела полная ледяная луна. Илья не стал зажигать свет, накинул плед ей на плечи, сел рядом.

— Куда его теперь? В тюрьму? В лагерь? — прошептала Маша.

Илья молча помотал головой.

В лунном свете ее лицо казалось прозрачным, огромные мокрые глаза мерцали. Илья быстро увел ее в ванную, включил воду и сказал:

— Они его сразу, там, в военкомате.

— Что?!

Конечно, она уже поняла, но не хотела верить.

— Пристрелили, — сквозь зубы процедил Илья и отвернулся.

— За кусок картона? — прошептала она. — За дерьмовую картинку в раме?

Илья сильней включил воду, обхватил Машу, ее трясло и качало, она могла упасть.

— Все отняли у него, все... Родителей расстреляли... — бормотала она сквозь страшные, глухие всхлипы.

Иногда получалось слишком громко, шум воды мог не заглушить. Илья прикрывал ей рот ладонью, вытирал слезы.

— Господи, спасибо, не дожила до этого бабушка... Нельзя обижаться на партию, нельзя обижаться на партию... Танцуй, Маинька, главное, танцуй... А Маиньку погнали на бойню, на минные поля, необученного, на снег, в лютый холод, в летнем тряпье. Зачем? За что?

Илья чувствовал, как дико, страшно стучит ее сердце, дрожь не унималась, дыхание стало слишком быстрым и сбивчивым. Надо было уложить ее, в ванной холодно, стоять на кафельном полу больше невозможно, но в спальне воду не включишь, там слышно.

— Без ноги остался, не в бою, из-за их тупости, паскудства! Мало им ноги? Сволочи... Живого человека... За кусок картона... Это был просто нервный срыв...

«Это был поступок, безумный, бессмысленный, но человеческий, — подумал Илья, — надо бы валерьянки ей дать».

Но он не мог разжать рук, отойти от Маши хоть на минуту, боялся, что упадет или крикнет слишком громко.

— Май не выдержал, потому что он человек, — произнесла Маша тихо, почти спокойно.

— Пойдем спать. — Илья вытер ей слезы, но они опять полились.

— «Пламя Парижа», кабриоль, фуэте, старалась, дура, кукла заводная... «заслуженную» дадут... Кусок картона! Идолище тупое! Будь он проклят!

Илья поспешно прикрыл ей рот ладонью, почувствовал, как стучат у нее зубы, прошептал:

— Ну все, все, маленькая, любимая моя, прошу тебя, пожалуйста, не надо, мы не одни...

Она застыла, перестала не только бормотать, но, кажется, и дышать тоже. Отстранилась, подняла на него красные мокрые глаза, покорно, бессильно кивнула. Он умыл ее теплой водой, взял на руки, отнес в постель, укутал одеялом, вернулся в ванную, выключил воду, нашел в аптечке флакон валерьянки.

Маша выпила, постукивая зубами о край рюмки. Илья лег рядом, обнял и зашептал ей на ухо какую-то ерунду, пытаясь выстроить очередную конструкцию из утешительных слов.

* * *

Вернер встретил Эмму бодрым возгласом:

— Привет, дорогуша, как раз к обеду. Агнешка вчера вполне успешно сходила в лавку. Чувствуешь, как пахнет?

Эмма принюхалась, снисходительно кивнула.

— Да, неплохо.

Стол был накрыт. Вернер уселся на свое обычное место, рядом с тарелкой лежала открытая тетрадь. Он сосредоточенно читал, крутил в пальцах самописку, делал пометки.

«Все играет в свои игрушки, — с грустью подумала Эмма. — Мог бы кафедрой руководить, были бы ученики, публикации, почет и уважение».

— Извини, дорогуша, увлекся, — пробурчал он, не отрываясь от тетради, — еще три минутки, и будем обедать.

— Да уж, увлеклись, — вздохнула Эмма, — забыли обо всем на свете. А я вам кое-что принесла, — она кивнула на диван, где стоял высокий картонный пакет.

— Что это?

— Посмотрите.

— Мг-м, сейчас. — Он улыбнулся краем рта, но головы не поднял, не оторвался от своей тетради.

Эмма прикусила губу, пытаясь справиться с обидой, и быстро вышла из столовой. Заглянула на кухню. Полька стояла спиной к двери, переливала суп из кастрюльки в маленькую фарфоровую супницу. Эмма сухо поздоровалась. Вместо того чтобы ответить, полька вскрикнула и выронила половник.

«Ненавидит меня до дрожи, — подумала Эмма, — не желает смотреть в мою сторону. Разве так трудно ответить, произнести "добрый день"? Да что она себе позволяет?»

Агнешка метнулась к раковине, включила воду, подставила руку под струю и взглянула на Эмму:

— Добрый день, госпожа. Простите, вы зашли так тихо.

«О боже, обварила руку супом, — ужаснулась Эмма, — я напугала ее, она вздрогнула от неожиданности в самый неподходящий момент, опять я перед ней виновата».

Она шагнула к Агнешке, увидела багровый ожог на тыльной стороне кисти. Желудок сжался. Эмма с детства очень болезненно реагировала на такие вещи.

— Надеюсь, не будет пузыря, — произнесла она, морщась.

— Спасибо, госпожа, простите, сейчас я подам обед.

Агнешка убрала руку из-под струи, хотела повернуть кран, но Эмма остановила ее.

— Надо подержать под холодной водой подольше, я сама займусь обедом, но сначала посмотрю, что там есть у Вернера в аптечке.

Полька вряд ли могла понять такую длинную фразу, но суть до нее дошла. Она благодарно кивнула и улыбнулась сквозь гримасу боли.

— Спасибо, госпожа, вы очень добры.

— Стойте здесь, не выключайте воду, я сейчас вернусь, — строго сказала Эмма.

В маленьком шкафчике у зеркала в ванной комнате не нашлось ничего, кроме бутылки одеколона, пустой жестянки из-под талька и футляра с бритвенными лезвиями. Вернер мог держать какие-то лекарства наверху, в мансарде, но искать там без его разрешения Эмма не решилась и заглянула в столовую.

Старик сидел все так же, склонившись над своей тетрадью. Пакет с сорочками сиротливо белел на диване.

— Вернер, где у вас лекарства? Хотя бы бинт есть?

Он поднял голову, взглянул на нее испуганно.

— Что случилось?

— Ваша пани Кюри обварила руку супом.

Вернер вскочил, побежал наверх с удивительной для его возраста резвостью. Конечно, он держал все необходимое именно там, в лаборатории. Во время опытов иногда случались травмы и ожоги.

Агнешка сидела на табуретке у кухонного стола, очень бледная, на лбу выступили капельки пота, на кисти вздувался пузырь, рос прямо на глазах, смотреть было жутко. Эмма, сжав зубы, обработала ожог раствором марганцовки, забинтовала руку. Вернер стоял рядом, гладил Агнешку по голове, бормотал:

— Ничего, девочка, ничего, маленькая, потерпи, скоро все пройдет.

Эмма подумала: «Интересно, если бы я обварила руку, он бы меня так же нежно утешал? А Герман? О, если бы нечто подобное случилось со мной при Германе, он бы, бедняжка, так нервничал, что мне самой пришлось бы его утешать».

Она дала Агнешке таблетку аспирина и сказала:

— Идите к себе, вам нужно немного полежать.

— Но, госпожа, как же обед? — пролопотала полька, едва шевеля побелевшими губами.

— Сама все сделаю, идите.

— А ведь это ужасно больно, — со вздохом произнес Вернер, когда они остались одни на кухне, — ты подумай, какая мужественная девочка, ни слезинки, ни звука.

Эмма зажгла огонь под сковородкой — свиное жаркое уже успело остыть, и раздраженно бросила:

— Прибавьте ей за это жалованье.

Вернер пропустил ее реплику мимо ушей и продолжал:

— Впрочем, понятно, когда у человека обожжено сердце, обычный ожог кажется пустяком.

— Что вы имеете в виду?

Старик не ответил, вздохнул, покачал головой.

— Вернер, если вы будете крутиться на кухне, кончится тем, что я тоже обварю себе что-нибудь, — проворчала Эмма, — ступайте в столовую и загляните, наконец, в пакет, который стоит на диване.

— Ах да, я совсем забыл про твой подарок, не обратил никакого внимания, ты обиделась, ну прости, прости, дорогуша. —

Он усмехнулся и пробормотал: — Забавно, в самом деле, такая чувствительность при нынешнем скотстве.

Когда Эмма вошла в столовую с супницей, пакет валялся на ковре, обе сорочки висели на диванной спинке.

— Дорогуша, спасибо, они отличные, — сказал Вернер и чмокнул ее в щеку.

— Подарок не от меня, от Германа, — выпалила Эмма, — сам выбирал, но только это страшная тайна. Взял с меня клятву не говорить вам ни слова.

— Взрослая, умная дама, доцент, — Вернер хмыкнул, — а сочиняешь дурацкие небылицы.

— После обеда обязательно примерьте, если не подойдет размер, можно будет обменять в течение недели, — краснея, пробормотала Эмма.

Все было готово, она успела здорово проголодаться, но не смогла притронуться к супу, которым обварилась несчастная полька. А старик ел спокойно.

— Так что же все-таки означает эта ваша трагическая метафора? — она отодвинула тарелку с супом и положила себе жаркое.

— Какая метафора? — Старик удивленно поднял брови.

— Обожженное польское сердце, — произнесла Эмма с пародийно-пафосной интонацией и закатила глаза.

— А ты не понимаешь? — Он склонил голову набок и прищурился.

— Представьте, нет.

— Скажи, ты бы хотела оказаться на ее месте?

— Я?! — Эмма поперхнулась, закашлялась сильно, до слез. Вернер поднялся, обошел стол, постучал ей по спине.

— Спасибо. — Она выпила воды и промокнула салфеткой глаза.

Старик сел, придвинул к себе пепельницу, открыл портсигар.

— Вы еще не доели второе, — буркнула Эмма.

— Я сыт. — Он чиркнул спичкой. — В моем возрасте много есть вредно.

— А курить тем более. Ладно, сварю кофе. — Она вскочила и убежала на кухню.

Эмма не понимала, что на нее нашло, зачем спровоцировала старика сказать очередную гадость? «Ты бы хотела оказаться на ее месте?» До чего же мерзкий, унизительный вопрос! Эмма никогда, ни при каких обстоятельствах не могла бы оказаться на месте несчастной польки, потому что...

Как продолжить фразу, она не знала. Вроде бы все необходимые доводы под рукой: чистая арийская кровь, неполноценность славян и так далее. Но всерьез поверить, принять эти доводы как свои собственные мысли было все равно что набить голову скомканными газетами.

Пока закипал чайник, Эмма хмуро смотрела в окно, на одинокую кривую осину, и пыталась представить: если бы Марта не погибла, как бы она отнеслась к режиму, к решению Вернера уйти из института? Конечно, Марта всегда была на стороне Вернера. Вероятно, Герману пришлось бы порвать не только с отцом, но и с матерью.

Голую землю вокруг дерева припорошило снегом, ветер покачивал тонкие ветки. Эмма насыпала кофе в кофейник, залила кипятком, поставила на маленький огонь и пообещала себе больше никогда не заводить со стариком этих гадких разговоров, не поддаваться на его провокации, молчать, шутить, менять тему.

Вернувшись в столовую с подносом, она увидела все ту же картину: Вернер сидел над своей тетрадью, только теперь рядом лежал еще и справочник по оптике.

Эмма налила кофе, подвинула ближе к нему вазочку с печеньем. Вернер не глядя кинул в рот печенье, отхлебнул кофе и спросил, не поднимая глаз от тетради:

— Ну что, участие в проекте дает твоему мужу надежную бронь?

Эмма подумала: «Ага, все-таки волнуется, просто не желает показать» — и ответила со спокойной улыбкой:

— Вы же знаете, у Германа сильная близорукость и плоскостопие, с этим в армию не берут.

— Скоро начнут отправлять на фронт слепых и безногих, всех, кого не успел прикончить гуманный закон об эвтаназии, стариков, как я, женщин, как ты. Нейтрон всех пустит на пушечное мясо, близоруких и плоскостопых в первую очередь, так что вы старайтесь, делайте для него бомбу, ради бомбы он даст вам небольшую отсрочку.

Эмма не выдержала, раздраженно повторила:

— У Германа надежная бронь.

— На фронт никому не хочется. — Вернер поморщился. — Страшно, что убьют. Да и самому убивать придется, куда денешься? Стрелять в живых людей неприятно. Бомба — совсем другое дело. Защитить от фронта как можно больше ученых... пожалуй, неплохое оправдание той грязной возне, которой вы там занимаетесь.

— Разумеется, с ваших нынешних высот наша наука выглядит грязной возней. — Она презрительно хмыкнула.

Старик закрыл тетрадь, заложив самописку между страницами, внимательно взглянул на нее.

— Дорогуша, у тебя в последнее время появилась странная привычка: спросить о чем-нибудь и поскорей удрать, чтобы не слышать ответа. Рада бы не думать, не задавать вопросов, но не получается. Хочется быть хорошей, уважать себя, но что-то мешает. — Он закурил, прищурился. — Знаешь, когда мы напали на Польшу, Агнешка с мужем и трехлетним сыном жила в Варшаве.

— Мы напали? — перебила Эмма. — А как же их бесконечные наглые провокации на границе?

Вернер в ответ только усмехнулся и продолжал:

— Муж сразу ушел на фронт. Агнешка с ребенком бежала из Варшавы во Львов, там жили ее родители, но, когда добралась, родителей не нашла. Во Львов уже вошли русские, начали выселять людей из квартир и отправлять в Сибирь. Граница между советской и немецкой зонами еще оставалась проницаемой. Агнешка метнулась в Краков, там жили родители мужа. По дороге мальчик заболел. Их приютили в деревне, неподалеку от города. У Агнешки не было ни денег, ни документов. Как только сыну стало лучше, она пошла в город и сразу попала в облаву. Молодых здоровых полек загрузили в товарные вагоны и привезли сюда. Она ничего не знает о муже и об отце, ее мать с младшей сестрой где-то в Сибири, родители мужа... Впрочем, неважно. Надежда, что ребенок жив, не дает ей сойти с ума и покончить с собой.

Эмма слушала, помешивая ложечкой в чашке, не поднимая головы, спросила с нервной гримасой:

— Вернер, когда вы успели выучить польский?

— Я не знаю польского.

— Тогда на каком же языке бедняжка рассказала вам свою трогательную историю?

— На немецком.

Эмма вскинула глаза, минуту молча, изумленно смотрела на Вернера.

— Представь, дорогуша, она говорит и читает по-немецки свободно, просто ты этого не заметила. Теперь, надеюсь, ты поняла, что значит обожженное сердце.

— Вернер, зачем вы мне это рассказали?

— Сама попросила. — Он пожал плечами. — Герману легче, он уверен в своей исключительности, в своем изначальном превосходстве над другими людьми, поэтому пропаганда входит в его сознание, как нож в масло. А ты потверже, сопротивляешься, массовой психопатии не поддаешься. Рада бы стать верноподданной гражданкой арийской Атлантиды, но совесть не позволяет.

— Совесть, — пробормотала Эмма. — Зачем? Что толку? Все равно ничего не изменишь.

Глава одиннадцатая

Муссолини отправил в Финляндию очередную партию истребителей и бомбардировщиков. Самолеты летели из Милана с посадкой и дозаправкой на военном аэродроме под Берлином. Экипажи состояли из добровольцев, рвавшихся помочь мужественным финнам в борьбе с советской агрессией. Эскорт сопровождала небольшая группа журналистов.

Осе досталось место в кабине «Фиата-Чекони», среднего бомбардировщика с камуфляжным серо-зеленым окрасом. «Чекони» («аист») больше напоминал толстую пятнистую рыбу с растопыренными плавниками, чем легкую длинноногую птицу. Он дребезжал при взлете, как пустая консервная банка, запущенная чьей-то хулиганской ногой скакать по булыжнику.

В кабине воняло спиртом и бензином. Из иллюминатора открывался неплохой вид для съемки, но еще не рассвело, к тому же облачность над Германией была низкая. «Чекони» быстро набирал высоту, и скоро все потонуло в сплошном тумане.

Глаза слипались. Он провел в Берлине двое суток. Этой ночью почти не спал. Новый посол Италии Дино Альфиери, только что сменивший неугодного Риббентропу старика Аттолико, устроил прием в своей резиденции. Вечеринка закончилась часа в три, Ося не мог уйти раньше, потому что Карл Вайцзеккер появился среди гостей только в начале второго.

Осе удалось разыскать его во фланирующей толпе и довольно лихо разговорить. Он зацепил молодого надменного физика вопросом: «Что такое движение с позиций квантовой механики? Сумма неподвижных положений или сумма исчезновений и появлений?»

В ответ он услышал много интересного:

— Вселенная современной физики больше похожа на систему мыслительных процессов, чем на гигантский часовой механизм. Если я верно понял ваш вопрос, вы имеете в виду третью апорию Зенона?[1]

— Ну да, — Ося кивнул, — стрела летит и одновременно не летит, потому что в любой момент занимает определенное место, равное своей величине, то есть ее движение состоит из суммы состояний покоя, следовательно, движения нет.

Вайцзеккер снисходительно улыбнулся.

— Прошло двадцать пять веков, эту стрелу поймал Гейзенберг и кинул обратно Зенону. Придумал принцип неопределенности. Точно зафиксировать положение стрелы и определить, покоится она или движется, невозможно.

— Зенон, вероятно, имел в виду макромир, — осторожно заметил Ося.

— Да, от квантовой физики он был далек. — Вайцзеккер хмыкнул. — Разница между античной наукой и современной заключается в том, что для древних атом был чем-то сугубо материальным, основой материи, а для современных физиков он только символ.

— Все-таки невозможно представить, что вся материя состоит из символов. — Ося пожал плечами. — Нет, у меня не хватает воображения.

Вайцзеккер остановил официанта с подносом, они взяли по бокалу шампанского.

— Когда мы раскупорили атом, оказалось, что он набит дифференциальными уравнениями, — задумчиво произнес Вайцзеккер, любуясь игрой пузырьков в бокале, — идеализм доказан математически, если, конечно, математика чего-нибудь стоит. Ваше здоровье, Джованни.

К ним подошла Габриэль фон Хорвак, вежливо дождавшись паузы в монологе Вайцзеккера, спросила:

---

[1] Зенон из Элеи (495–430 до н.э.) — греческий философ и математик. Прославился своими апориями (парадоксами) об адекватности физического движения и его математической модели, известными только в пересказе Аристотеля.

— Скажите, Карл, а женщина может стать гениальным физиком?

— Такая красивая, как вы, никогда. — Вайцзеккер поцеловал ей руку. — Это было бы просто несправедливо.

Оживленная болтовня продолжалась минут сорок, мягко перетекала от космической пыли к футболу, от диалогов Платона к французским сырам, от музыки Бетховена к фантастическим романам. Габи вспомнила «Освобожденный мир» Уэллса и поинтересовалась, насколько реально с точки зрения современной науки описанное там страшное оружие.

— Чуть-чуть реальней, чем нашествие марсиан, — с серьезным видом ответил Вайцзеккер.

— А «лучи смерти»? — спросил Ося.

— Вот как раз марсиане их и запускают. — Вайцзеккер подмигнул.

— Не знал, что наш славный Гуэльмо Маркони был марсианин. — Ося хмыкнул. — Он так увлек дуче этими загадочными лучами, что получил должность президента Итальянской академии наук и неограниченное финансирование своих исследований.

— Маркони? — Тонкие губы Вайцзеккера дрогнули в презрительной улыбке. — Всегда восхищался его предприимчивостью.

— Карл, но ведь и настоящие ученые тоже занимались «лучами смерти», например этот, как его? — Габи щелкнула пальцами. — Вернер... Вернер Брахт, он еще придумал очень элегантную теорию, принцип неопределенности.

Вайцзеккер засмеялся и опять поцеловал ей руку.

— Габриэль, вижу, вы всерьез увлеклись физикой.

— Это сейчас очень модно, — ехидно заметил Ося, — недаром Габриэль когда-то работала в журнале мод.

— Джованни, перестаньте, — фыркнула Габи и растерянно взглянула на Вайцзеккера. — Карл, я что, сморозила страшную глупость?

Он склонился к ее уху и прошептал:

— Принцип неопределенности сформулировал действительно Вернер, но другой. Не Брахт, а Гейзенберг.

— И лучами он тоже занимался? — не унималась Габи.

Вайцзеккер продолжал смеяться и качать головой.

— Нет, ну правда, Карл, я же не сама это выдумала! Ведь есть такой ученый, Вернер Брахт?

— Вернер Брахт, профессор-радиофизик, — тихо, наставительно произнес Вайцзеккер, — он действительно занимался лучами, но совсем другими. На лавры Маркони уж точно не претендовал. Скажите, Габриэль, где вы набрались этой восхитительной чепухи?

Габи виновато потупилась:

— В поезде кто-то забыл книжку «Магические тайны физики», я листала от скуки и увлеклась.

— Любопытно, кто автор?

— Не помню. — Габи сморщила нос. — Ладно, Карл, я поняла, «лучей смерти» нет. Но разве уран не тот самый волшебный металл из романа Уэллса? Вот я недавно читала, будто британцы уже сделали урановое оружие чудовищной силы, только не могут найти место для испытаний.

— Читали в «Магических тайнах»?

— Нет, в «Ивнинг пост».

Вайцзеккер развел руками.

— Ну-у, это уж точно вопрос не ко мне, а скорее к военной разведке, к вашему мужу, милая Габриэль.

Муж Габи, Максимилиан фон Хорвак, стоял в нескольких шагах от них, беседовал с подвыпившим итальянским капитаном. А неподалеку мелькала седая голова Вайцзеккера-старшего.

«Удивительная тут собралась компания, — думал Ося, продолжая болтать и улыбаться, — фон Хорвак, офицер абвера, участвует в заговоре против Гитлера, так же как его шеф Канарис. Вайцзеккер, статс-секретарь МИДа, сочувствует заговорщикам. Один его сын, военный, был тяжело ранен в Польше. Другой, физик, делает урановую бомбу для Гитлера. Среди военных и дипломатов, толпящихся в этом шикарном зале, каждый третий заговорщик, каждый второй — сочувствующий. Генералы вермахта сплошь заговорщики, за редким исключением. Они постоянно строят грандиозные тайные планы: распустить СС, объявить Гитлера недееспособным и взять под стражу, призвать немецкий народ к возрождению христианской морали, осудить зверства, заключить мир с Англией и Францией на разумной основе и спасти фатерлянд. Бедняжки переживают шизофреническую раздвоенность. С одной стороны, всерьез воспринимать этого фигляра неловко, даже унизительно, а с другой — что же делать, если он все время побеждает? Им ничего не стоит прихлопнуть его, но они верят, что без него побед бы не было, хотя должны понимать, что на самом деле это их победы, а вовсе не его. Без них, военных и дипломатов, он ничто. Авторитет фюрера растет, благородные планы рушатся, но зато ордена, чины и деньги сыплются как из рога изобилия. Парадокс почище апорий Зенона».

Пока все ограничивалось только трепом с Карлом Вайцзеккером на вечеринках. Это было так же безопасно, как бессмысленно. Тибо сразу предупредил: никакой самодеятельности. Да Ося и сам понимал. Урановый проект охранял седьмой отдел РСХА, там работали лучшие люди Гейдриха. Любой шаг в сторону далемской команды мгновенно высвечивался, ничего не стоило провалиться.

Глядя на облачную муть за стеклом, Ося прокручивал в голове подробности ночной вечеринки, процеживал каждое слово Вайцзеккера, его реакции, мимику. Философ-физик с удовольствием поддерживал беседу, но стоило Габи вырулить к урану, он мгновенно ускользнул от разговора. О Вернере Брахте не сказал практически ничего. «Радиофизик, занимался лучами, но совсем другими».

Когда Ося получил от падре коробку конфет с листочком, исписанным знакомым почерком доктора Штерна, он попросил Габи разузнать что-нибудь об этом Брахте.

Габи обнаружила имя Брахта в числе известных физиков, попавших под пресс борьбы «истинно арийских ученых» против «еврейской науки». Он упоминался рядом с Гейзенбергом в эсэсовском журнале «Черный корпус» как «бациллоноситель еврейского духа». В лагерь после этого не угодил, как, впрочем, никто из жертв той яростной борьбы. Продолжал жить в Шарлоттенбурге, в собственной вилле, в двух кварталах от дома, в котором Габи когда-то снимала квартиру-студию.

Нашелся общий знакомый, двоюродный брат ее мужа, военный инженер. Он слушал лекции Вернера Брахта, когда учился в Берлинском университете, и до сих пор вспоминал о нем с большим уважением. От него Габи узнала, что у Брахта есть сын Герман, физик, и невестка Эмма. Та самая Эмма Брахт, единственная женщина-доцент, которую обнаружил Ося в списке сотрудников далемского Института физики, полученном от Тибо.

Герман Брахт тоже числился в этом списке, а вот Вернера Брахта там не было. Но это ничего не значило. Список был неполный и неточный. Пока оставалось только гадать, участвует он в работе над бомбой, или нет.

В библиотеке Римского университета Осе удалось разыскать старые номера «Нейчер» и других солидных научных журналов с публикациями Брахта. Почти везде рядом с его именем стояло имя советского радиофизика Марка Мазура. В букинистической лавке при библиотеке Ося откопал книжку Марка Мазура и Вернера Брахта «Электромагнитные волны в неравновесных средах», изданную в Кембридже в тридцать втором году, с предисловием Резерфорда.

Вопрос, от кого доктор Штерн мог узнать о Брахте, более или менее прояснился. Чем именно занимались Брахт и Мазур, почему в Москве решили, что участие радиофизика Брахта значительно ускорит работу над урановой бомбой, Ося пока не понял. Но собрать информацию о возможном участнике проекта в любом случае нелишне. К тому же поход в библиотеку помог неплохо подготовиться к содержательному трепу с Карлом Вайцзеккером.

Ося не заметил, как задремал. Ему приснилось лицо Габи, в последнюю минуту, когда прощались. Он не хотел ей говорить, куда именно улетает из Берлина ранним утром. Но подвыпивший итальянский капитан, доброволец, ляпнул при ней:

— Касолли, не забудьте панаму, на Финском фронте жарко! — и заржал над своей идиотской шуткой.

Она застыла, побелела, губы задрожали. Кругом было полно народу. Ее муж надел на нее шубку, спросил:

— Что с тобой? Тебе нехорошо?

— Голова разболелась, — прошептала она, глядя на Осю расширенными глазами, в которых было больше гнева, чем испуга.

Ося виновато улыбнулся, пожал плечами и пожелал всем спокойной ночи.

Во сне Габи уткнулась лбом ему в грудь и бормотала:

— Ненавижу тебя! Как ты мог? Зачем, зачем тебя туда понесло? Как мне жить, пока ты там?

— Успокойся, меня не убьют, — прошептал он, хотел погладить ее по голове, но провел рукой в пустоте и проснулся.

В глаза хлынула чистейшая бездонная голубизна. В небе над Балтикой не было ни облачка. Все сияло, искрилось в лучах утреннего солнца. Ося сумел разглядеть далеко внизу скользящие по радужно-снежному ландшафту крошечные темные крестики — тени самолетов.

— Снижаемся! — крикнул пилот и во всю глотку запел арию герцога из «Риголетто».

* * *

Илья приехал на Мещанскую в начале первого ночи, открыл дверь своим ключом. В квартире все спали. Карл Рихардович ждал его, старался не уснуть, но нечаянно задремал в кресле и проснулся, когда Илья уже сидел напротив, смотрел на него припухшими воспаленными глазами.

— Простите, что так поздно. Вообще не надеялся вырваться сегодня.

Голос его показался странным, каким-то сухим, глухим, как шорох бумаги. Пальцы отстукивали нервную бесшумную дробь по подлокотнику кресла.

— Чаю выпьешь?

— Не хочется.

— Что-то случилось?

Илья коротко, без всяких эмоций, рассказал о Мае Суздаль-цеве. Доктор слушал молча, только вздыхал.

— Знаете, я понял одну удивительную штуку, — сказал Илья. — Раньше просто в голову не приходило. Оказывается, ее боль мне трудней терпеть, чем свою собственную. И особенно жутко оттого, что утешить не могу. Разные бывают трагедии. Несчастный случай, или, допустим, бандиты, или неизлечимая болезнь — да, тяжело, но можно смириться, принять как данность. А в гибели этого мальчика есть нечто такое... — Он щелкнул пальцами.

— Нечто издевательское, — продолжил за него доктор, — глумление над самим понятием жизни и смерти. Принять как данность невозможно, и смириться не получается.

— Не получается. — Илья помотал головой. — Вот мы с вами битые, задубели, толстенной корой обросли, привыкли к своим личинам. А Машка слабенькая, уязвимая, ее от вранья тошнит. Я лавирую, ускользаю, отвлекаю. Пытаюсь внушить, что в абсурде есть какое-то рациональное начало.

— И какое же, интересно?

— А, все то же. — Илья махнул рукой. — Острый политический момент, отодвинуть границы, тянуть время, французы с англичанами сволочи, война, подготовка к войне. Знаете, что слышу в ответ? Хороша подготовка, заранее убить побольше людей, чтобы облегчить задачу Гитлеру. Нет, дорогой доктор. После истории с Маем мои фокусы не проходят.

— А ты попробуй сказать правду.

— Я и говорю. — Илья усмехнулся. — Наизусть цитирую.

— Хватит паясничать, — одернул его доктор. — Ты прекрасно понял, я имею в виду вовсе не газету. Настоящую правду, без кавычек.

— Настоящую? О чем? О тупом ублюдке, для которого мы все даже не скот, а просто грязь под его сапогами? — Он слегка повысил голос, глаза зло сощурились. — Зачем ей это знать? Чтобы ощутить себя комком грязи?

— Илюша, не заводись. Я хочу, чтобы ты меня услышал. Чем ловчее ты лавируешь и выкручиваешься, тем выше и прочней стена между вами. Хочешь утешить ее? Прекрати повторять околесицу в духе «Краткого курса» и передовиц «Правды». Ты не доверяешь ей? Опасаешься, ляпнет где-нибудь что-нибудь?

— Да нет же! Не в этом дело!

— А в чем? Не молчи, объясни.

Илья сидел, низко опустив голову, доктор пытался заглянуть ему в глаза и услышал быстрый шепот:

— Боюсь лишить ее последних иллюзий.

— Думаешь, они у нее остались?

— Не знаю... Ну ведь надо во что-то верить, когда тебе двадцать один год...

— И во что она должна верить? В светлое коммунистическое завтра? В мудрость и отеческую любовь товарища Сталина?

— Перестаньте. — Илья сморщился. — Верить хотя бы в какое-то завтра, видеть хотя бы бледную тень смысла.

Доктор вздохнул и отвернулся. Минуту молчали, наконец Илья произнес:

— Просто мне страшно за нее, пытаюсь защитить, спрятать.

— Ну, ты же не кенгуру, у тебя на брюхе теплой сумки нет. Да и не усидит она в сумке, взрослая уже.

— Взрослая, — кивнул Илья, — кстати, послушайте, какой сочинила вчера стишок:

> Ты хочешь говорить красиво,
> а получается вранье.
> Я знаю, тупость — это сила,
> и надо уважать ее.

Карл Рихардович повторил стишок, медленно, нараспев. Глядя на него, Илья невольно улыбнулся.

— Слабенькая, уязвимая, — произнес доктор, передразнивая унылую интонацию Ильи, — плохо ты ее знаешь, Илюша.

— Ладно, опять мы заболтались. — Илья взглянул на часы. — Времени мало, меня вызвать могут в любую минуту, я предупредил Поскребышева, если что, сюда позвонит.

— Отлично, — кивнул доктор, — значит, дергаться не будешь. Позвонит — сразу поедешь, а нет, так и слава богу. Слушай, я знаю, кто мог бы съездить в Иркутск.

Доктор принялся подробно пересказывать разговор с Митей Родионовым. Илья почти не перебивал, иногда вставлял короткие реплики.

— Отправлять нелегалом в Германию парня, который работал в торгпредстве, — маразм, белая горячка в ежовском стиле, но Берия совсем не идиот...

— А вот представь, — перебил доктор, — если бы до сих пор наркомом оставался Ежов.

— Не спился бы, мог и остаться.

— Брось, — доктор махнул рукой, — не мог. Он и без водки был абсолютно невменяем.

— Как будто остальные вменяемы! Ворошилов, Буденный, Молотов...

— Ну-ну, ты загнул. Молотов уж точно в здравом уме. С трибуны и по радио вещает вполне связно.

— Ежов тоже вещал не хуже прочих. Для этого здравого ума не нужно, голосовых связок вполне достаточно.

— То есть ты считаешь, Хозяин избавился от Ежова исключительно из-за пьянства? А на кого свалить тридцать седьмой? Ну и все-таки пора уж назначить на такую ответственную должность более компетентного человека...

— Например, Валерия Чкалова.

— Кого? — Карл Рихардович даже привстал от удивления. — Чкалова? Летчика? Погоди, он ведь погиб недавно.

— Мг-м, разбился при испытании новой модели истребителя, через несколько месяцев после того, как Хозяин предложил ему занять пост наркома. Ежов еще не был снят. Берия сучил ножками от нетерпения, ждал. И вот, нате вам, Чкалов.

— Он отказался?

— Обещал подумать. Предложение прозвучало на ужине в Кунцеве, при Ежове и при Берия.

— Слушай, а может, это был такой изощренный способ убийства? Натравить их обоих сразу, вполне в его стиле.

— Может, и так. — Илья пожал плечами. — Но вряд ли. Просто Хозяину нравятся герои-летчики. Вот, назначил Проскурова руководить военной разведкой. И, между прочим, выбор оказался очень удачный. Проскуров толковый человек, разведку поднимает из пепла. И — страшно произнести — порядочный. Представляете, честный, порядочный человек. Смертный приговор.

— Вот и попробуй поговорить с ним о Мите. Заберет его к себе, а? Даже если не получится с Иркутском, Митю надо вытащить в любом случае.

— Подумаю. — Илья нахмурился, помолчал минуту. — Карл Рихардович, а ведь вы меня заразили урановой темой. Не выходит из головы. Оказывается, наши физики уже полгода письма строчат в ЦК про энергию урана и возможность создания сверхмощного оружия.

Доктор молча кивнул.

— Есть резолюция Берия, — продолжал Илья, — все разговоры о ядерном оружии — вражеская попытка отвлечь правительство от более насущных проблем.

— Ядерный взрыв их разбудит, — пробормотал доктор.

Илья потянулся за папиросой, прикурил, наблюдая, как дым тает в воздухе, сказал:

— От взрыва никто не проснется. Не успеет. К урановой теме они отнесутся всерьез только тогда, когда бомбой займутся американцы.

— Намечается война с Америкой? — Карл Рихардович вскинул брови.

— Нет. Просто там есть агентурная сеть. Вероятно, проверенные источники сообщают, что правительство США никаких действий относительно урана не предпринимает. Не считает нужным, поскольку, по мнению самых авторитетных специалистов, производство ядерного оружия пока технически невозможно.

— Но в Германии бомбу делают? — доктор наморщил лоб, почесал лысину. — Делают или нет? Доводы Мити о том, что исчезли публикации, кажутся вполне убедительными...

— Те же доводы приводят наши физики. Но подтвердить или опровергнуть их некому. — Илья развел руками. — Сегодня на территории рейха нет ни одного нашего агента. В общем, с Америкой и Германией у нас, как в старом анекдоте. Ночью под фонарем ползает человек. Подходит милиционер, спрашивает: «Что вы делаете?» — «Бумажник ищу». — «Где вы его потеряли?» — «На соседней улице». — «Почему же ищите тут?» — «А тут светлее».

— У меня для тебя сюрприз. — Доктор подмигнул и достал из кармана теплой домашней куртки несколько сложенных вчетверо, скрепленных скрепкой листков.

— Неужели от Оси?

— Наконец вышел на связь. Тут письмо Муссолини Гитлеру, совсем свежее, и еще всякая мелочь.

— И вы молчали? — Илья развернул, начал читать, беззвучно шевеля губами:

«В МИДе Италии создан специальный отдел по делам Финляндии. Он должен координировать все наши политические, военные и экономические усилия в пользу финнов. Руководство — капитан Баки... Финский посланник по секрету рассказал Чиано, что Германия снабжает Финляндию оружием и уже передала ей часть захваченных в Польше трофеев».

— Спрячь, потом ознакомишься, — сказал доктор, — я передал ему записку, попросил добыть информацию о профессоре Брахте.

— Что? — Илья резко вскинул глаза.

— Спрятал в коробку конфет, вручил падре. — Доктор достал из кармана листок, протянул Илье. — На вот, посмотри. Специально сделал копию для тебя.

Илья прочитал, молча вернул листок, минуту сидел неподвижно, уставясь в одну точку, наконец произнес ровным, спокойным голосом:

— Вы сошли с ума.

— Почему? Что тебя не устраивает?

— Вы не должны были этого делать, не посоветовавшись со мной.

— Не было у меня на это времени! — Доктор встал и принялся расхаживать по комнате. — Между звонком и встречей прошло меньше двух суток. Попробуй поймай тебя! Я сразу позвонил, передал Машке, а ты вот, явился только через две недели!

— Значит, не надо было ничего писать и отправлять, — сквозь зубы процедил Илья.

Карл Рихардович остановился, зажмурился, сжал пальцами виски, пытаясь успокоиться. Но не получалось. Он кричал шепотом:

— Глупо и преступно упустить такую возможность! Когда Ося опять выйдет на связь? Я не открыл ничего важного, не назвал имени Мазура, не дал описания прибора.

— Вы открыли более чем достаточно. — Илья резким движением затушил окурок. — Теперь ничего не стоит вычислить Мазура и всю прочую информацию об этом чертовом резонаторе. А вдруг завтра...

— Говорящий карандаш! — гневно перебил доктор. — Испугался? Запаниковал?

— Это не паника, это здравый смысл, элементарная осторожность. Пожалуйста, сядьте и послушайте меня.

— Не трудись, — огрызнулся Карл Рихардович, — отлично знаю все, что ты скажешь. А вдруг завтра изобретение Мазура признают и оно станет государственной тайной? Что, если наш драгоценный Ося двойной агент? Или падре?

— Знаете, но все-таки отправили. — Илья покачал головой.

— Ну-ну, продолжай. — Доктор уселся в кресло. — Не забудь добавить: я давно подозревал, что вы немецкий шпион.

— Послушайте, хватит! — Илья шлепнул ладонью по столу. — Мы не в игрушки играем. Вы помните, я с самого начала отнесся к посланию Мазура скептически. С января, с нашего первого разговора, пытаюсь проверить, насколько все серьезно. Допустим, серьезно. И что же выходит? Брахт пока ни о чем не догадывается, ваше письмо попадет, ну, например, в абвер, и оттуда прямехонько в Далем.

— Все сказал? — Карл Рихардович угрюмо взглянул из-под насупленных бровей. — Что Ося и падре могут быть двойными агентами, я исключаю полностью, даже обсуждать этот бред не хочу. Были бы двойными, давно бы начали шантажировать меня. Теперь что касается «если завтра признают». Вот, смотри.

Он резко поднялся, взял с книжной полки журналы: «Большевик», «Под знаменем марксизма», «За марксистско-ленинское естествознание».

— Открывай на заложенных страницах. — Он пододвинул торшер ближе к креслу Ильи. — Пойду чай поставлю, а ты почитай.

Статья в «Большевике» называлась «Рассадник идеализма в физике». Илья пробежал глазами абзацы, которые отметил карандаш Карла Рихардовича:

«Весь диалектический ход развития современной физики и достигнутый на его основе синтез волновой механики является сплошным идеализмом, а все советские физики — раболепные подражатели Запада...»

В «Под знаменем марксизма» карандаш доктора дважды подчеркнул название статьи «За чистоту марксистско-ленинской философии в физике».

«Попавшие под влияние идеализма советские физики составляют компактную группу: Френкель, Там, Фок, Бронштейн, Иоффе, Шпильрейн, Мазур и некоторые другие. Ученый СССР, попавший под влияние буржуазной идеологии, может при упорном отстаивании своих ошибочных взглядов стать рупором враждебных СССР сил и сомкнуться с контрреволюционными элементами.

Так как волновая механика не в состоянии решить вопрос об индивидуальном поведении частицы, то налицо имеется повод впасть в научные разглагольствования о свободе воли».

Илья тихо присвистнул, заметил про себя: «Какая глубокая партийно-философская мысль. Налицо заговор, тайная контрреволюционная организация частиц-индивидуалисток, стремящихся к свободе воли».

Он открыл «За марксистско-ленинское естествознание». Там под заголовком «О врагах в советской маске» была напечатана подробная инструкция, как распознавать и разоблачать врагов.

«Признаки теоретических работ ученых-вредителей — подделка под советский стиль, т.е. использование цитат классиков марксизма-ленинизма, исключительное обилие математических исчислений и формул, которыми так и пестрят вредительские работы. На самом деле, не станут же вредители писать прямо, что они за реставрацию капитализма, должны же они искать наиболее удобную маскировку. И нет более непроницаемой завесы, чем завеса математической абстракции. Математические уравнения придают враждебным социалистическому строительству положениям якобы бесстрастный, объективный, точный, неопровержимый характер, скрывая их истинную подлую сущность».

Вернулся Карл Рихардович с двумя стаканами чаю, молча сел в кресло, подул на чай, сморщился, произнес, пародируя испуганный шепот:

— «Если завтра прибор Мазура признают у нас...» — Он отхлебнул чаю и спросил своим обычным голосом: — О каком «завтра» ты говоришь, Илюша? Ты не поленись, поинтересуйся судьбами перечисленных тут физиков-идеалистов. Мы только о Мазуре знаем, а что с остальными?

— Иоффе точно на свободе, его подпись на письме в ЦК о необходимости урановых разработок.

— Свобода понятие зыбкое. — Доктор макнул в чай кусок колотого сахару. — Вон даже индивидуальное поведение частиц их не устраивает, о людях и говорить нечего.

— Ладно. — Илья вздохнул. — Что сделано, то сделано. Но впредь, пожалуйста, ставьте меня в известность до, а не после.

— Конечно, Илюша, но только если удастся вовремя с тобой связаться. Знаешь, я ведь предвидел твою реакцию. Сам через это прошел. Пока сочинял, переписывал, прятал, отдавал падре, сомнений не было, зато потом, ночью, полезли в голову всякие ужасы. Что я наделал? Что на себя взял? А вдруг? А если? Собственными руками отправил за границу информацию, которая может стать ключом к ящику Пандоры.

— Ящик Пандоры давно открыт. — Илья отхлебнул чаю, положил в рот карамельку. — Открыт и вновь захлопнут. Знаете, что осталось на дне?

— Урановая бомба, — не задумываясь, выпалил доктор.

— М-м, — Илья отрицательно помотал головой, — надежда.

Внезапно грянул телефон. Илья вскочил и бросился в прихожую. Дверь он оставил открытой. Доктор услышал:

— Да, Александр Николаевич. Понял. Буду через пятнадцать минут.

* * *

Дурацкая привычка Вернера читать за обеденным столом выводила Эмму из себя. Рядом с его тарелкой лежала открытая тетрадь. Прихлебывая суп, он бродил глазами по строчкам да еще листал страницы толстенного справочника по минералогии, водруженного на деревянную книжную подставку возле хлебной корзинки. Конечно, ложку мимо рта не проносил, но на скатерть капал.

Полька принесла второе. На левую руку поверх бинта была натянута резиновая перчатка.

— Как вы себя чувствуете, Агнешка? — спросила Эмма.

— Благодарю, госпожа, ожог заживает, — полька подняла серебряный колпак над блюдом.

Эмма увидела слой соуса, густо усыпанный укропом и яичной крошкой.

— Судак по-польски, — объяснила Агнешка.

— Пахнет вкусно, и видно, готовится непросто, тем более когда рука забинтована.

Агнешка покраснела, быстро пробормотала что-то по-польски.

Эмма нахмурилась.

— Простите, не поняла.

— Стряпня и работа по дому хорошо отвлекают от боли, — повторила полька по-немецки.

— Разумеется, милая. Но все-таки это несправедливо. — Эмма покосилась на Вернера. — Вы стараетесь, готовите всякие вкусности, а господин Брахт даже не смотрит в свою тарелку. Ему безразлично, чем набить желудок.

Вернер закрыл тетрадь, заложив самописку между страницами.

— Клевета! Я смакую каждую ложку, каждый кусочек. Вот кончится бредовая бойня, Агнешка вернется в свободную Польшу и откроет ресторан высокой кухни.

Полька слабо улыбнулась.

— Надеюсь увидеть вас среди своих гостей, господин. И вас, конечно, тоже, госпожа. Лучший столик будет забронирован, напитки и десерт за счет заведения, — она сделала книксен и удалилась.

Впервые Эмма услышала из ее уст так много немецких слов сразу. Акцент, конечно, заметный, но ни одной ошибки.

Вернер положил в рот кусок судака, зажмурился.

— Божественно!

Эмма тоже попробовала, кивнула.

— Да, неплохо. Судак суховат, но соус удачный.

Несколько минут ели молча. Когда тарелки опустели, Вернер закурил, сквозь дым взглянул на Эмму.

— Дорогуша, ты сегодня не в духе. Что-нибудь случилось?

— Ничего, просто устала. — Эмма вздохнула и неожиданно для себя ляпнула: — Топчемся на одном месте.

— Ты бы хотела, чтобы ваша работа двигалась быстрей? — Старик прищурился. — Искренне веришь, что бомба создаст равновесие страха, остановит эту войну и предотвратит все будущие войны?

— А вы можете предложить другой способ? — огрызнулась Эмма и подумала: «Он будто слушает наши разговоры в комнате отдыха. "Равновесие страха" — любимая присказка Вайцзеккера. Они уверены, что в Британии и в Америке работы уже идут».

Агнешка быстро, молча убрала тарелки, принесла кофе. Вернер опять открыл свою тетрадь, что-то черкнул, задумался.

«Он вообще не здесь. — Эмма прикусила губу. — Вот всегда так, заводит эти разговоры, а потом ускользает, прячется в свою электромагнитную норку».

— Равновесие, — пробормотал Вернер, не отрывая глаз от тетради, и покачал головой. — Британия вряд ли потянет такой гигантский дорогостоящий проект.

— Пейте кофе, остынет, — раздраженно напомнила Эмма.

Старик закрыл тетрадь, отхлебнул из своей чашки и продолжал:

— Вот Америка — другое дело. Конечно, Энрике там сейчас скачет и суетится, бьет копытом, ради бомбы готов поставить на кон все, но даже если они преуспеют, равновесия не будет.

— Почему? — Эмма сморщилась и раздавила в пепельнице его дымящийся окурок.

— А ты не понимаешь? — старик хмыкнул.

— Нет, это вы не понимаете! Если они сделают... — Эмма стукнула пальцами по столу. — ...и мы сделаем, одновременно... — она стукнула еще раз и развела руками. — ...никто не решится бросить первым, потому что сразу получит ответный удар. По-моему, это очевидно.

— Очевидно, — кивнул Вернер, — для тебя, для всех вас, и для Рузвельта тоже. Но не для Гитлера, потому что он сумасшедший.

— О боже, опять, — прошептала Эмма, вздохнула, отхлебнула кофе, взяла печенье.

— Сумасшедший, — повторил старик и покрутил пальцем у виска.

Зазвонил телефон. Аппарат стоял тут же, на столике у дивана, но Вернер не поднял трубку, извинился, ушел в прихожую, к другому аппарату, и прикрыл за собой дверь. Эмма на цыпочках подкралась к двери, услышала, как Вернер произнес:

— Привет, Макс. Хорошо, что позвонил, я как раз думал о нашем недавнем споре... нет, я все-таки не согласен... смотри, при однородном энергетическом уровне они в любом случае должны...

«Фон Лауэ, — догадалась Эмма, — понятно. Оба помешались на Гитлере, демонстративно бойкотируют режим. С первых дней, когда ввели новую форму приветствий, оба перестали здороваться с коллегами. Вернер молча отворачивался, фон Лауэ каждому объяснял: вы говорите "хайль Гитлер", а меня зовут фон Лауэ. Кстати, он оказался единственным, кто не считал работу Вернера ересью. Вот, значит, с кем старик обсуждает свои исследования. Конечно, в наше время ученый не может работать в полном одиночестве, как средневековый алхимик».

Она давно отошла от двери, подслушивать не собиралась. Села за стол, налила себе в чашку остывший кофе, и вдруг рука сама потянулась к тетради.

Эмма увидела схемы, ряды формул и не обнаружила в них ничего еретического, антинаучного. Вернер остался верен себе. Продолжал конструировать прибор, способный собрать световые излучения в единый, строго параллельный пучок. Это противоречило классическим законам оптики. Угол падения всегда равен углу отражения, каждая волна преломляется под своим собственным углом, лучи всегда будут расходиться, поэтому стянуть их в пучок никогда не удастся. Конечно, идея заманчивая, ничего не скажешь. Мог бы получиться луч невероятной силы.

Эмма усмехнулось. Вот он, главный камень преткновения. «Лучи смерти». Модное шарлатанство, наделавшее много шума в середине двадцатых. Бульварная пресса кипела. Военные магнаты платили бешеные деньги околонаучным мошенникам. Первая статья Вернера Брахта и Марка Мазура о стимулированных излучениях вышла в журнале «Нейчур» в самый разгар лучевого безумия. Один нахальный репортеришка, уверенный, что разбирается в физике, заглянул в очередной номер авторитетного журнала, увидел магическое слово «излучения» и сочинил сенсацию. Советские и германские ученые совместно разрабатывают лучевое сверхоружие. Сенсация разошлась со скоростью света.

Вернер дал легкомысленное интервью какой-то сомнительной газетенке. Он куражился, доводил мифы о таинственных лучах до логического абсурда, в полной уверенности, что ирония — лучший способ противостоять агрессивному невежеству.

Но мифы только окрепли и разрослись. Вернер Брахт и Марк Мазур попали в шутовские ряды изобретателей «лучей смерти».

Разумеется, их исследования ни малейшего отношения к модному шарлатанству не имели, но ярлык прилепился. Они считали ниже своего достоинства опровергать бульварный бред, объяснять олухам разницу между радиофизикой и фокусами околонаучных мошенников. Вместо того чтобы оправдываться, они забавлялись. Резерфорд хохотал, когда до него дошли слухи, что Вернер Брахт и Марк Мазур работают над лучевым сверхоружием. В Кембридже, в Кавендишской лаборатории, это стало предметом шуток и розыгрышей. В Копенгагене Вернер и Марк развлекали сыновей Нильса Бора, поджигали лучами карманных фонариков бумажные кораблики, плавающие в фонтане (ловкость рук и чуть-чуть химии). Потом они повторили это на бис в Берлине, на вилле Макса Планка, для его внуков.

В тридцать пятом шутки кончились. Развернулась борьба с «еврейской наукой». Инициаторами кампании стали немецкие физики Филипп Ленард и Йоганнес Штарк. Главной своей мишенью они выбрали Гейзенберга, но и Брахту тоже досталось. Его эксперименты основывались на принципах квантовой механики, которую адепты арийской науки ненавидели еще больше, чем теорию относительности Эйнштейна.

В эсэсовском еженедельном журнале «Черный корпус» вышла статья Штарка, где Гейзенберг назывался «белым евреем, наместником еврейства в немецкой духовной жизни», а Брахт — «бациллоносителем еврейского духа».

Говорили, что Гейзенберга спасла дружба его матери с матерью Гиммлера. У Вернера Брахта таких высоких связей не было, но помогло заступничество Макса Планка и официальное послание Резерфорда правительству Германии. Его не тронули, даже не вызывали в гестапо, как Гейзенберга. Он мог спокойно жить, работать в институте. Единственное, о чем его попросили, — впредь не упоминать в публикациях, докладах и лекциях имени Марка Мазура. Он спокойно согласился, это было вполне логично, они ведь больше не работали вместе, и переписка прекратилась.

Герман утешал отца, что для Мазура так лучше, в СССР его арестуют как шпиона, если его имя будет появляться в немецких научных журналах. Да и вообще, о чем тут говорить? Еврей, да еще советский. Просто нельзя, и все.

Однако спокойствие Вернера оказалось мнимым. Он стал колючим, публиковался все реже, ссорился с коллегами по пустякам, зло язвил, умудрился испортить отношения даже с добродушным Отто Ганом. Кажется, именно Ган, от обиды, сгоряча, первым припомнил Вернеру те несчастные «лучи смерти», но уже не в шутку, а вполне серьезно.

И вот постепенно, как-то само собой сложилось мнение, что профессор Брахт в последние годы действительно занимается чем-то весьма сомнительным. Публикаций нет, результатами своих экспериментов с коллегами не делится. Считает, что мы не способны понять и оценить его великие достижения? Скорее всего, просто нет никаких достижений. Бедняга сам не заметил, как свернул с научного пути в глухие дебри шарлатанства. Ну что ж, бывает. Сам Эйнштейн после теории относительности за двадцать с лишним лет ничего нового не придумал, поглощен бессмысленной идеей «теории всего», вроде алхимического философского камня.

Эмма листала тетрадь, покусывала губу. Она так увлеклась, что выронила самописку, заложенную между страницами, и не заметила. Именно Эйнштейн первым ввел в научный оборот представление о вынужденном излучении, еще в семнадцатом году. Управление квантами света. Теоретически возможно, практически неосуществимо. Между прочим, эта фраза — верный предвестник великого открытия, как запах озона перед грозой.

Даже беглого, поверхностного взгляда оказалось достаточно, чтобы заметить, что Вернеру удалось довольно далеко продвинуться. Эмма чувствовала горячий зуд любопытства, знакомое покалывание в кончиках пальцев.

«А ведь я с самого начала не верила, что он мог пожертвовать всем ради какой-то бессмыслицы. Потрясающе увлекательно, дух захватывает. Ясно, почему не может оторваться даже во время еды. Вот что значит настоящий поиск, вдохновение, азарт».

Аппарат на журнальном столике тихо звякнул. Вернер в прихожей повесил трубку. Эмма опомнилась, закрыла тетрадь, отодвинула от себя подальше, схватила справочник, при этом опрокинув подставку на сахарницу, и принялась нервно листать.

— Интересуешься минералогией? — спросил Вернер. — Вроде бы совсем не твоя тема. — Он отхлебнул остывший кофе, отломил дольку от плитки шоколада. — Макс все никак не вылезет из простуды. Просил передать тебе привет.

— Кто? — Эмма вздрогнула, почувствовала, что задела носком тапочка упавшую самописку.

— Макс фон Лауэ. Или его ты тоже не знаешь? Эй, дорогуша, ты чего такая красная?

Эмма захлопнула справочник, не поднимая глаз, быстро произнесла:

— Вернер, я читала...

— Справочник?

— Нет, ваши записи. Простите, не смогла удержаться.

Он засмеялся.

— Ну и как?

— Потрясающе, мне раньше в голову не приходило, там у вас... — Она потянулась к тетради. — Можно?

— Конечно, дорогуша. А я все гадал, почему тебя абсолютно не интересует моя тема? Ты все-таки физик.

— Вы же меня близко не подпускали. — Эмма судорожно сглотнула.

— Я? Не подпускал? — Вернер опять рассмеялся. — Да с чего ты это взяла?

Глава двенадцатая

«Кино, опять кино», — думал Илья, предъявляя свой пропуск красноармейцу у Боровицких ворот. В морозной тишине протяжно били куранты. Четверть второго ночи. Красноармеец в тулупе, в ушанке с опущенными ушами, в подшитых кожей фетровых бурках, притопывал, выдыхал клубы пара. Пропуск даже в руки не взял, глянул мельком, небрежно козырнул, едва сдерживая зевок. Для соблюдения формальностей было слишком холодно, к тому же этот парень знал спецреферента Крылова в лицо.

Илья бегом помчался по ледяной брусчатке мимо Оружейной палаты к Теремному дворцу. В ушах отстукивал развеселый стишок Сергея Михалкова, недавно украсивший вторую страницу «Правды»:

> В миллионах разных спален
> спят все люди на земле,
> лишь один товарищ Сталин
> никогда не спит в Кремле.

Четыре строчки таили в себе чудесный набор двусмысленностей.

С тридцать второго года, после самоубийства жены, Сталин действительно никогда не спал в своей кремлевской квартире, ночевал на Ближней даче, но это было государственной тайной. Ночами в Кремле он бодрствовал часто, только вовсе не один. Кроме членов ЦК вместе с ним не спала еще куча народу, не миллионы, конечно, но сотня-другая чиновников добирались до своих спален лишь после того, как Хозяин уезжал из Кремля на Ближнюю.

«Один, как же! — усмехнулся про себя Илья, задыхаясь от бега и давясь зевотой. — Попробуй усни, когда он не спит. *"Только Сталину не спится, Сталин думает о нас..."* Господи, пожалуйста, пусть он, наконец, перестанет думать о нас». — Илья перекрестился на купола Успенского собора, темно блестевшие в лунном свете. Перекрестился быстро, украдкой, хотя ни души вокруг не было.

В коридоре у кинозала на него налетел Поскребышев и прорычал:

— Убью на хер, сколько можно ждать!

Пахнуло мятным холодком валидола. Поскребышев был весь мокрый, лысина сверкала, красные воспаленные глаза бегали, прячась от прямого взгляда.

Илья быстро посмотрел на часы. С момента вызова по телефону прошло семнадцать минут. Явиться быстрее невозможно. Поскребышев был на взводе вовсе не из-за того, что заждался спецреферента Крылова.

— Александр Николаевич, опять сердце? — спросил Илья сочувственным шепотом.

— Ноет, зараза, сил нет, — сквозь зубы простонал Поскребышев, сморщился, помотал головой и добавил громким командным голосом: — Переводить будешь с финского.

Илья застыл, колени подкосились. В голове чужой равнодушный голос отчетливо произнес: «Все, товарищ Крылов, песенка твоя спета».

— Я не знаю финского, это надо Куусинена звать, — прошептал он пересохшими губами.

— Не хочет Куусинена. — Поскребышев подтолкнул Илью к двери кинозала.

Там было темно, играла музыка, шел какой-то фильм. Илья прошмыгнул на свое место во втором ряду, кивнул Большакову. Тот сидел на краешке последнего кресла, сгорбившись, вжав голову в плечи.

На экране мерцала надпись: *«Поздно вечером возвращался Макар, не зная, что благодаря вмешательству крайкома он оставлен в рядах партии».*

Илья чуть не перевел это вслух, но вовремя прикусил язык, немного успокоился, понял, что для Хозяина крутят новый, еще не вышедший на экраны фильм по роману Шолохова «Поднятая целина».

Под радостные балалаечные переливы плыло колхозное счастье. На поляне белые скатерти-самобранки, бутафорские мужики в картузах, бабы в белых платочках живописно расположились на травке, обильно закусывали и пели хором народную песню. Покушав, пустились в пляс.

Пикник и танцы означали, что финал близок. Все враги повержены, конфликты разрешены, настала пора веселья.

Илья сжал мышцу между указательным и большим пальцами. Карл Рихардович научил его этому приему. Там какие-то важные точки, надо сдавить до боли, помогает справиться с внутренней дрожью и сосредоточиться.

«Покойный Шумяцкий английского не знал, но переводил ему голливудские фильмы, — вспомнил Илья, — да, но он готовился заранее, смотрел с переводчиком, заучивал текст. А ведь Хозяину было отлично известно, что Шумяцкий языком не владеет, и все равно требовал, чтобы переводил он. Поскребышев предупредил, что я не знаю финского, предложил Куусинена. Хозяин, вероятно, буркнул что-то в ответ, Поскребышев хвост поджал, спорить не решился».

Финальный монолог деда Щукаря звучал на фоне костра, лошадей и телег, в ночном. В четверть второго ночи дед не давал никому спать, сыпал цитатами из «Краткого курса», грубо замаскированными под народные прибаутки. Хозяин любил таких персонажей и, конечно, изволил смеяться, тыча пальцем в экран.

Щукарь высказал что положено и уснул на телеге в обнимку с коммунистом Давыдовым.

«Или он думает, если я знаю, кроме немецкого, еще английский и французский, то финский как-нибудь пойму? Да ни черта он не думает. Привык к голосу говорящего карандаша в кинозале, и все. Если Ворошилов с Мехлисом могут руководить Финской войной, то я, наверное, могу переводить с финского, во всяком случае, жертв получится значительно меньше».

Под сладкую музыку замерцала надпись:

«Прошел год, может быть, два. На знакомых полях Гремячего Лога загрохотали машины, о которых мечтал дед Щукарь».

Включился свет, в первом ряду заговорили, но слов Илья не разбирал, сердце колотилось. В голове неслось: «Попробую импровизировать, по кадрам хроники не так сложно сочинить закадр. Отлично. А потом он спросит, откуда знаю финский, когда успел выучить, и решит, что говорящий карандаш всегда переводил неправильно, с тайным вражеским умыслом, по заданию какой-нибудь разведки».

В первом ряду царило оживление. Хозяин посмеивался, подшучивал над пьяным Климом. Кино понравилось, дед Щукарь развеселил. Илья поймал взгляд Большакова, испуганный или сочувственный, во всяком случае, человеческий. Показалось, что один глаз Ивана Григорьевича дернулся.

«Вроде раньше не было у него нервного тика, — машинально отметил Илья, — значит, дело дрянь. Нет, нельзя болтать наугад, надо сразу сказать: финского не знаю, переводить не могу. Все-таки он, наверное, помнит, что я референт по Германии, а не по Финляндии... Щукарь поднял Хозяину настроение, а я испорчу, сорву просмотр. Господи, как же быть?»

Свет погас. Заиграла музыка, поплыла панорама Хельсинки. Мужской хор запел бравурную патриотическую песню, в потоке незнакомых слов то и дело повторялись два понятных: Финляндия и Маннергейм. На экране появился сам маршал, шагающий перед строем ополченцев. Песня кончилась, заговорил диктор.

Илья глубоко вдохнул, на мгновение зажмурился, приготовился произнести: «Товарищ Сталин, извините, я финского не знаю, переводить не могу».

Открыв глаза, он увидел чудо — спасительные белые строчки английских субтитров, и понял: у Большакова нет нервного тика, Иван Григорьевич подмигнул, потому что знал про субтитры, хотел подбодрить.

На экране жители Хельсинки прятались в бомбоубежища, пожарные в касках поливали из шлангов пылающие дома.

— *Тридцатого ноября, в четыре часа утра, без всякого объявления войны, советские самолеты стали бомбить Хельсинки, советские танки двинулись на нашу территорию.*

Когда Илья перевел, сразу подумал о Мае Суздальцеве и тысячах таких же мальчишек, гибнущих ежедневно, непонятно за что, зачем. Отодвинуть границу подальше, чтобы с финской стороны Ленинград не обстреливали из зениток? Но при нападении на большие города главная опасность — бомбардировки, а не зенитные обстрелы. Бомбить можно и при прежней границе, если есть авиация. У финнов с авиацией плохо. И палить по Ленинграду из зениток они вовсе не собирались, никакой опасности не было, Сталин сам ее создал, напав на Финляндию. Зачем? Затем, что хотел повторить польский триумф Гитлера, завоевать Финляндию за пару недель. Начал, разумеется, с плагиата.

Вечером 26 ноября по советскому радио было объявлено, что в 15.45 у села Майнила, у самой границы, орудийными выстрелами с финской стороны убито четыре, ранено девять красноармейцев.

НКВД организовало провокацию наподобие той, что разыграло гестапо в Посевалке, но без переодеваний. Никаких иностранных журналистов в Майнилу не приглашали, в принципе, можно было вообще не стрелять, а начать сразу с пропагандистской истерики. Советские граждане усомниться не смели, а остальной мир все равно не поверил.

Незадолго до нападения «Правда» назвала финского премьер-министра Каяндера «*разновидностью пресмыкающегося, у которого нет острых зубов, нет силы, но есть коварство и похотливость мелкого хищника*».

Сразу после нападения было объявлено, что «*в Финляндии произошла революция, народ сверг Каяндера, угнетенные финские трудящиеся провозгласили создание Финляндской демократической республики*».

Нападавшие дивизии Красной армии превосходили всю финскую армию по количеству самолетов, танков и живой силы в десятки раз и не могли продвинуться ни на шаг, несли колоссальные бессмысленные потери. Это происходило на глазах всего мира. Это убеждало Гитлера, что он справится с СССР еще легче, чем с Польшей.

На экране появилась дорога с подводами, набитыми крестьянским скарбом. Эвакуация жителей пограничных районов.

Илья переводил с английского и опять вспоминал передовицы «Правды»: «*В разных концах страны народ уже восстал и провозгласил создание демократической республики. Народные массы Финляндии с огромным энтузиазмом встречают и приветствуют доблестную непобедимую Красную армию*».

В СССР слухи о том, что на самом деле творится на Финском фронте, прорывали не только пропагандистские, но и цензурные укрепления: приказ Жданова — не сообщать родственникам о погибших; приказ Ворошилова — отправлять «обрубков» с ампутированными конечностями из госпиталей не домой, а подальше от их родных мест.

Кроме сказочного демократического правительства во главе с коммунистом Куусиненом, была сформирована еще и революционная финская армия. По всей территории СССР собирали финнов и карелов призывного возраста. Их оказалось маловато, всего несколько сотен. Решили, что за финнов сойдут светловолосые белорусы. Добавили пару тысяч белорусов. Обрядили в трофейную польскую военную форму, чтобы армия выглядела как иностранная. По Ленинграду, по Москве полетел каламбур: «*На финские мины идут минские финны*».

Финны минировали покинутые беженцами деревни, дороги, леса, озера. Миноискателей у Красной армии не было, на минах подрывались сотни, если не тысячи красноармейцев. И вот в начале января два ленинградских инженера за сутки сконструировали опытный образец миноискателя, наладили производство.

«Слава богу, остались у нас еще люди с мозгами и руками, — думал Илья, следя за субтитрами, — и появилась надежда, что Хозяин, наконец, снимет Ворошилова с должности наркома обороны, назначит Тимошенко. Он по сравнению с Климом гений военной науки».

Илья продолжал механически переводить:

— *Бомбы, которые сбрасывают советские самолеты на наши города, Молотов называет корзинами с хлебом для голодающих финских батраков. Мы называем бомбардировки корзинами Молотова. Фирма «Алко» наладила производство ответного угощения, специального коктейля для Молотова.*

Бутылка, залитая чем-то темным и густым, с эмблемой «Алко» на крышке. Солдат на лыжах, весь в белом, швырнул бутылку в танк. Танк вспыхнул. Диктор объяснил:

— *Зажигательная смесь из бензина, фосфора и смолы действует не хуже снарядов.*

Женщины в военной и санитарной форме готовили еду, бинтовали раненых, вязали свитера, разбирали автоматы, стреляли из снайперских винтовок.

— *Сто тысяч лотт, храбрых женщин-добровольцев, встали плечом к плечу с мужчинами на защиту родины от большевистских захватчиков.*

Финские солдаты, одетые тепло и удобно, в белых маскхалатах скользили на лыжах. Красноармейцы в куцых шинельках шли, шатаясь, едва переставляя ноги, поднимали трясущиеся руки, сдавались в плен. Пленные сидели в бараке, между рядами нар, за длинным столом, ели из железных мисок.

— *Голодные обмороженные красноармейцы не способны держать оружие, они вызывают жалость,* — объяснял диктор.

«Зачем оператор так крупно берет лица? — подумал Илья. — Пленку могут отправить в спецотдел, там по лицам выяснят фамилии. Каждый, кто ест за этим столом, обречен, а вместе с ним — семья, родители, жены, дети».

Под залихватский мотивчик замелькали фотографии Молотова в разных ракурсах. Из первого ряда послышались тихие смешки, Ворошилов, проснувшись, громко мяукнул:

— О! Вяча!

Вячу на экране сменил круглолицый куплетист в шапке-финке на фоне снежного леса. Он весело запел песенку о русском Иване, которого комиссары гонят в плен или в могилу. В припеве повторялось: «*Нет, Молото́в, нет Молотто́в, не будет по-твоему. Ты захотел пообедать в Хельсинки, врешь, не выйдет. Обломаешь зубы. Захотел дачу на Карельском перешейке? Не надейся, не получишь!*»

Илья переводил текст песенки с очевидным удовольствием. Развеселились все, кроме Молото́ва. Краем глаза Илья заметил улыбку Большакова, уловил сдержанный смешок Кагановича, хихиканье Клима. Хозяин тыкал Вячу кулаком в плечо, посмеивался и даже немного подпел куплетисту: «Нет, Молото́в, нет, Молотто́в». Очень уж веселый и приятный был мотив.

Песенка кончилась, зазвучала печальная музыка, на экране возникли трупы красноармейцев. Ледяные фигуры, застывшие в разных позах, на ходу, на бегу, с поднятой гранатой или скорчившись, обхватив плечи руками в последней попытке согреться. Камера скользила по растопыренным голым рукам, по лицам с открытыми ртами. Закадрового текста не было, только музыка.

Илья облизнул пересохшие губы.

«Он соображает хоть что-нибудь или нет? Какие туманы клубятся внутри этой узкой черепушки? Понятно, на человеческие жизни плевать ему. Но ведь это его армия. Разгромил ее в тридцать седьмом, без всякой войны. Мало? Зачем попер на финнов? Они соглашались на все его требования, кроме самых наглых, для них невозможных, хотели сохранить свою независимость и нападать не собирались. Они не идиоты, Маннергейм не Гитлер».

На экране финны хоронили мертвых, не только своих. Для красноармейцев рыли братские могилы, отмечали их деревянными крестами, краской писали цифры — количество захороненных.

Возле свежих могил финских солдат стоял маршал Маннергейм, высокий прямой старик.

— *Мы сражаемся за свой дом, за свою веру, за свою страну*, — прочитал Илья и подумал: «Шведский барон Маннергейм воевал в Первую мировую в русской армии в чине генерал-лейтенанта. Вырос и учился в России. Финны могли бы стать союзниками, когда нападет Гитлер. А теперь уж точно враги. Такое соседство — западня для Ленинграда, настоящая, а не мифическая западня».

Фильм закончился, зажегся свет, Илья понял, что на сегодня это все. Никаких «Чапаевых» и «Веселых ребят».

Хозяин налил себе воды, потянулся, зевнул со стоном. Илья осторожно, стараясь не скрипнуть креслом, поднялся, на цыпочках направился к двери и услышал ленивый сонный баритон:

— Товарищ Крылов!

Он мигом вернулся, подошел к столу, встал не прямо перед Хозяином, а чуть сбоку.

— Да, товарищ Сталин.

— Вы хорошо переводили с финского, — произнес Хозяин, сосредоточенно разглядывая заусенец на мизинце, — где вы учили этот язык?

— Товарищ Сталин, я не знаю финского.

Стало тихо. Илья заметил мрачное торжество в глазах Молотова. Ворошилов моргал и кривил рот в ухмылке. Каганович отвернулся. Во втором ряду белело круглое лицо Большакова. Позади его кресла, вцепившись в спинку, застыл Поскребышев, смотрел на Илью выпученными глазами.

— Не знаете? — Хозяин попытался содрать заусенец, подцепив ногтями, сморщился, тихо выругался.

— Коба, не надо, лучше щипчиками, — зашептал Молотов и тронул пальцы Хозяина.

— Отвяжись. — Хозяин оттолкнул его руку и уставился на Илью. — Как же вы переводили?

— По английским субтитрам, товарищ Сталин, — ответил Илья, с привычной преданностью глядя в глаза Хозяину.

Поскребышев отцепился от спинки кресла, перестал таращиться, расслабился и даже слегка улыбнулся. Большаков едва заметно покачал головой.

— По субтитрам, — задумчиво повторил Хозяин и опять занялся заусенцем. — А что, если англичане переврали текст? — спросил он, разглядывая свой мизинец.

— Точно, переврали, — мелко закивал Клим, — англичанам верить нельзя, я тебе всегда говорил, Коба, суки они, хотят нас с Гитлером поссорить.

— Заткнись, — лениво огрызнулся Хозяин и опять поднял глаза на Илью. — Что же получается, товарищ Крылов? Вы нам тут вместо настоящего перевода читали английскую фальшивку?

Илья не отрываясь смотрел в глаза Хозяину, отвести взгляд сейчас было опасней, чем ответить неправильно. Он позволил себе только моргнуть пару раз и, не задумываясь, ответил:

— Товарищ Сталин, так в этом кино все фальшивка, с субтитрами или без субтитров, финская пропаганда, от первого до последнего кадра.

Хозяин не сводил с него глаз, принялся крутить кончик уса, и невозможно было понять, доволен ли он ответом. Но чутье подсказывало Илье, что ответ удачный, единственный из всех возможных.

Сквозь звон в ушах он услышал:

— Ну, и на кого рассчитана эта пропаганда, как думаете, товарищ Крылов?

— Думаю, на англичан и американцев, товарищ Сталин. — Илья нахмурился и добавил чуть тише, как бы размышляя вслух: — Финны ждут высадки англо-французского десанта, больше им надеяться не на что.

Желтые глаза блеснули, пальцы продолжали нежно покручивать кончик уса.

— Как считаете, товарищ Крылов, отправят англо-французы свой десант на помощь финнам?

— Могут, товарищ Сталин, — выпалил Илья.

Высадка десанта означала бы вступление СССР в войну с Англией и Францией. Хозяин, конечно, боялся такого поворота событий, и оставалась надежда, что этот страх заставит его поскорее закончить Финскую войну.

— Ни черта они не могут. — Сталин вяло покачал головой и показал в улыбке редкие прокуренные зубы. — Кишка тонка. Норвегия и Швеция никакого десанта через свои территории не пропустят.

— Товарищ Сталин, они пропускают через свои территории отряды добровольцев, продовольствие, военную технику. Англичане готовятся бомбить Баку с турецких авиабаз, — медленно, очень спокойно произнес Илья, глубоко вздохнул и добавил: — Итальянские военные самолеты летят в Финляндию с посадкой и дозаправкой в Германии.

В голове неслось: «Я сошел с ума. Одно дело — письменные сводки, там я смягчаю, и совсем другое — вываливать смертельную крамолу устно, в неразбавленном виде».

— Откуда у вас такая информация, товарищ Крылов?

Илья ждал этого вопроса и с готовностью ответил:

— О намерениях англичан бомбить Баку открыто сообщает европейская пресса. Возможно, это только угроза, но вполне осуществимая. Ни Норвегия, ни Швеция помешать не смогут. А итальянские самолеты — факт. На финских аэродромах уже больше ста истребителей и бомбардировщиков фирмы «Фиат». Без посадки и дозаправки в Германии они бы до Финляндии никак не долетели.

Хозяин не отрываясь глядел на Илью снизу вверх. Пальцы оставили в покое кончик уса, вытащили из коробки папиросу.

«Слышит, — изумился Илья, вглядываясь в темное рябое лицо, — в глазах что-то похожее на движение мысли».

Молотов услужливо чиркнул спичкой. Хозяин закурил и бросил мрачно, уже не глядя:

— Идите, товарищ Крылов.

* * *

Жители и гости Хельсинки привыкли к бомбежкам. Во время завтрака завыла сирена. В отеле «Кемп», набитом иностранными журналистами, считалось дурным тоном вскакивать из-за стола и бежать в бомбоубежище. Гости спокойно ели, официанты-финны разносили блюда.

Когда раздался первый взрыв, Ося поперхнулся куском хлеба, глотнул воды и продолжил завтракать. Он насчитал тридцать два взрыва, а позже узнал, что всего за утренний налет упало полторы тысячи бомб.

Отельная обслуга состояла из стариков. Молодые воевали. В самом начале войны под бомбами погибло много детей. Репортеры из Америки и Европы, побывавшие в Финляндии в декабре тридцать девятого, цитировали в своих репортажах детские некрологи, печатавшиеся в финских газетах. К 1 января сорокового всех детей эвакуировали в Швецию. Подростки, начиная с четырнадцати, уезжать отказывались.

Мальчики и девочки дежурили на вышках, наблюдая за вражескими самолетами, несли караульную службу, работали санитарами, прачками, поварами, судомойками, шили масхалаты, вязали для солдат свитера, перчатки, шлемы. Они готовы были не спать сутками, мерзнуть, умирать — только не сдаваться. Они быстро овладевали оружием и рвались в бой.

Финны сражались жестоко, но к пленным были великодушны. Одевали, лечили, кормили, держали в тепле.

Уцелевшие афишные тумбы и стены домов пестрели карикатурами на Молотова. Он стал символом этой войны, но не великим и грозным, а нелепым и жалким. Его не проклинали. Над ним потешались, его имя всегда произносилось с презрительной усмешкой.

Ося бродил со своей «Аймо» по искалеченным улицам, снимал разрушенные дома, заколоченные витрины, мешки с песком, мальчика на велосипеде. Ему было не больше пятнадцати. Приподнявшись над седлом, он упруго крутил педали и что-то насвистывал. Колеса скакали по разбитому заснеженному булыжнику, за плечами прыгала винтовка.

Команда пожарных разбирала обгоревшие развалины, рядом стояла санитарная машина, раненых грузили на носилки. Две девушки в военной форме из женской организации «Лотта-Свярд», болтая и хихикая, волокли пулемет на детских санках.

И вдруг что-то белое мелькнуло прямо перед объективом.

— Привет, Джованни!

Кейт Баррон в серебристой норковой шубке, в белых пушистых варежках, с подкрашенными губами и ресницами, выглядела как инопланетный пришелец.

— Только что взяла интервью у молоденькой лотты, повезло, девочка отлично говорит по-английски. Училась в Колумбийском университете, как только узнала, что началась война, сразу вернулась на родину, к родителям, к жениху. Удивительно мужественный народ, восхищаюсь финнами.

— Кейт, а как же любовь к товарищу Сталину? — поинтересовался Ося.

— Бросьте, — она махнула рукой, — какая любовь? О чем вы? Мало того, что он патологически жесток, он, оказывается, еще и глуп. Политик обязан соотносить свои аппетиты со своими возможностями. Что у него за армия? Да они вообще не умеют воевать. Что он получит в итоге? Ну, оттяпает кусок финской территории, а дальше?

— Дальше Швеция, — пробормотал Ося, не отнимая камеры от лица.

— Вот именно, Швеция, — с жаром подхватила Кейт, — шведская железная руда нужна Гитлеру как воздух, поэтому он тут главное заинтересованное лицо, а Сталин пляшет под его дудку.

— Простите, не понял.

— Да это же очень просто. Главное требование русских — полуостров Ханко. Советская военная база на Ханко обеспечит Гитлеру свободную перевозку шведской руды по Балтике в условиях британской блокады.

Ося тихо присвистнул и покачал головой.

— Кейт, вы же говорили, что это временный союз.

— Разумеется, временный, только, судя по всему, Сталин об этом не догадывается. Ради Гитлера он готов оказаться в международной изоляции, потерять остатки престижа, опозориться на весь мир.

— Подождите, но вы же сами только что сказали про его аппетиты. Очень хорошо сказали. Политик обязан соотносить свои аппетиты со своими возможностями. Наверное, он все-таки пытается захватить чужие территории не только ради Гитлера, но и для себя?

— Скорее всего, именно так он и думает, но действует точно по плану Гитлера.

— Да-а, милая Кейт, — тихо протянул Ося, — я вижу, вы коренным образом поменяли свои прежние убеждения.

— Убеждения? Вы смеетесь? Конечно, в юности, в университете, я, как все, увлекалась левыми идеями, ну, вроде ветрянки. Обязательно надо переболеть, чтобы иметь надежный иммунитет.

— Значит, в сентябре, в Брест-Литовске, ваша ветрянка все еще продолжалась. — Ося отвернулся, направил камеру на пустырь перед разрушенным домом.

Снег был густо утыкан артиллерийскими снарядами. Это напоминало кадры голливудского фантастического фильма. Космические чудовища усеяли землю своими гигантскими железными яйцами, из которых скоро вылупятся кровожадные детеныши и уничтожат все живое.

— У вас типично тоталитарное мышление, — продолжала Кейт, — фашистская пропаганда отучила вас видеть нюансы и принимать парадоксы. Левые и красные — вовсе не одно и то же.

Ося не собирался возражать, но у него вырвалось:

— А левые и черные?

— Ой, ладно, перестаньте, после того, как вы травили газами несчастных безоружных абиссинцев, вам ли рассуждать о расизме?

— Я и не рассуждаю, — Ося пожал плечами, убрал камеру в сумку. — Прошу прощения, мне пора.

Он быстро пошел по разбитой улице в сторону гостиницы. Но не успел пройти нескольких шагов, как услышал за спиной сдавленный крик:

— О, дерьмо!

«Лихая барышня, — подумал Ося, — однако даже для нее это чересчур уж грубо».

— Джованни, стойте!

Он обернулся. Кейт сидела посреди улицы. Он поспешил к ней. Конечно, грохнулась на своих каблуках, споткнулась о вывернутый булыжник.

— Ну что, ноги целы? Идти можете? — он помог ей подняться.

— Спасибо, ерунда, косточку на лодыжке ушибла, — она сморщилась.

— У вас нет другой обуви? — спросил Ося, покосившись на элегантные светло-серые замшевые сапожки с лаковыми круглыми носами. — На таких каблуках хорошо гулять по Бродвею.

— М-м, — она помотала головой, — принципиально никогда нигде не ношу обувь без каблуков, на плоской подошве чувствую себя уткой.

— Тогда вам лучше сидеть в гостинице.

— Глупости! Я тут уже в третий раз, и ничего, как видите, ноги целы. — Кейт опиралась на его руку и прихрамывала.— Между прочим, сегодня утром, вот на этих каблуках, я поднялась на верхнюю площадку лыжного трамплина, высота двести футов, лестница качается, скрипит, ветер ледяной прямо рвет на части.

— И зачем вас туда понесло?

— Там наблюдательный пункт, моя лотта как раз дежурила. Они меняются каждые два часа. Неделю назад ее подруга погибла на посту. Когда начался налет, девочка так закоченела, что не успела быстро спуститься и попала под обстрел русских истребителей.

У отеля стоял армейский «Виллис». Ося договорился в пресс-центре министерства обороны о поездке к линии фронта. В кабине никого не было, водитель и сопровождающий офицер-переводчик пили кофе в баре. Кейт поздоровалась с офицером за руку, назвала по имени:

— Привет, Ристо, как дела?

Ося поразился ее нюху, никто не успел слова сказать, а она уже просекла ситуацию и заявила:

— Надеюсь, для меня найдется место.

— Простите, мисс Баррон, об этом не может быть речи, — сухо ответил офицер.

— Плохая идея, Кейт, вы только что ушибли ногу, — добавил Ося.

— Разве мы пойдем пешком? — Она открыла сумочку и протянула офицеру какую-то бумагу.

Ося заглянул через ее плечо, узнал личный гербовый бланк Маннергейма. Текст был напечатан по-фински, но содержание он понял без перевода. Такая бумага — мечта любого иностранного журналиста. Рекомендательное письмо от пресс-секретаря Маннергейма с просьбой оказывать всяческое содействие. Знак высшего доверия и пропуск куда угодно на территории Финляндии. Скорее всего, Кейт Баррон раздобыла эту волшебную палочку через американского военного атташе. Ничего удивительного. Дочь близкой подруги Элеоноры Рузвельт и любовница Хемингуэя имела огромные связи и пробивные способности океанского ледокола.

Офицер быстро пробежал глазами бумагу и вернул Кейт.

— Ладно, собирайтесь, но учтите, у вас ровно десять минут.

«Пока она доковыляет до своего номера и обратно, мы успеем уехать». Ося схватил ключ со стойки портье и помчался на третий этаж.

Запасная катушка, черный мешок, чтобы менять пленку, пенал с отточенными карандашами, чистый блокнот. Через пять минут он был внизу. Офицер и шофер уже сидели в «Виллисе», мотор урчал.

«Молодцы ребята, — обрадовался Ося, — все поняли без слов. Кому охота брать на себя ответственность за жизнь этой вертихвостки? Отказать невозможно, а вот удрать — запросто».

Он открыл дверцу. Кейт, удобно устроившись на заднем сиденье, пудрила нос.

«Виллис» быстро выехал из города, помчался по гладкой белой дороге. По обеим сторонам тянулся заснеженный лес. Небо оставалось ясным, солнце пронизывало насквозь пушистые белые кроны, застывшие снежинки сияли крошечными радугами всех своих граней. Кейт молча смотрела в окно. Что заставило ее молчать, красота или страх, неизвестно. Судя по тому, как суетились ее руки, снимали и надевали варежки, теребили ремешок сумки, это все-таки был страх.

За поворотом «Виллис» притормозил. Навстречу двигалась армейская колонна, только что с поля боя. Солдаты шли на лыжах и пешком. В грузовиках и санях, запряженных лохматыми северными пони, везли раненых. Грязные маскхалаты, винтовки за спиной.

«Виллис» съехал на обочину. Ося вылез, включил камеру. Солдаты не замечали съемку, шли молча, многие выглядели стариками. Лица почернели от пороха, застывшие глаза смотрели прямо перед собой. Только один, пройдя совсем близко, улыбнулся в объектив, указал рукой на понурого пони, крикнул: «Мо́лотов!» — и сипло засмеялся.

Пропустив колонну, проехали еще не больше мили. Остановились у хутора. Возле уцелевшего дома стояла пара грузовиков, сани, полевая кухня, строй лыж, прислоненных к стене сарая. Офицер попросил подождать и скрылся за дверью. Ося вылез, закурил, Кейт тоже вылезла, обошла автомобиль, встала рядом, взяла сигарету из его пачки. Ося с изумлением заметил, что она больше не хромает.

Вернувшись минут через пять, офицер сказал:

— На машине дальше нельзя, только на лыжах. Мисс Баррон, вам лучше остаться здесь.

— Почему? Я отлично катаюсь на лыжах. — Она бросила окурок в снег.

Офицер не стал возражать, повел их в дом. Там отдыхало несколько солдат, пожилая лотта стояла у гладильной доски, утюжила белье. Им выдали теплые сапоги-бурки и маскхалаты.

— А как же каблуки? — спросил Ося.

— Исключение только подтверждает правило, — проворчала Кейт, напяливая ватные штаны и маскхалат поверх норковой шубы.

Финны не использовали металлических креплений, пристегивали лыжи кожаными ремнями, чтобы в любой момент одним движением стряхнуть их с ног. Ося впервые ехал с такими креплениями, лыжи то и дело слетали, оставались позади. Он затянул ремни потуже, и стало удобней. Кейт двигалась легко, ей достались женские бурки подходящего размера, непривычные крепления не мешали, о своей хромоте она забыла напрочь.

Офицер ехал первым по свежей, кем-то проложенной лыжне. Лес редел, в тишине было слышно, как поскрипывают ветви под тяжестью снежных шапок. Опушка только казалось безлюдной. Финские солдаты прятались в дотах и блиндажах.

Впереди простиралось поле, на нем дымились темные громады сгоревших танков, косо торчали стволы разбитых орудий, лежали тела. Ося воткнул палки в снег, достал камеру. Смотреть на смерть он мог только через объектив «Аймо». Потому и не расставался с ней.

После Польши вид поля боя не вызывал ужаса, перестали мучить рвотные спазмы. Он не чувствовал ничего, кроме жалости к убитым. Чем ближе он узнавал реальную войну, тем абсурдней казались ему рассуждения на модные предвоенные темы: чего хочет Гитлер, чего хочет Сталин, кто из них опасней, кто полезней, с кем выгодней договориться. Как только война началась, под слоями идеологии, геополитики и прочего пропагандистского мусора открылась единая суть двух особей, явившихся в этот бестолковый, самонадеянный, склочный человеческий мир лишь затем, чтобы навалить побольше трупов и живое сделать мертвым.

Убитых еще не сосчитали, не убрали. Через объектив Ося видел тела нескольких сотен русских. Финнам удалось отбить первую атаку практически без потерь. Они сидели в блиндажах и ждали следующей атаки.

— Джованни, зря вы тут торчите, — сказал офицер, — идемте в блиндаж, а то мисс Баррон снимет все сливки.

— О чем вы? — рассеянно спросил Ося.

Его внимание привлек странный предмет на краю поля. На покосившейся телеге, как на постаменте, стоял непонятный плоский прямоугольник размером примерно метр на два.

«Похоже, картина, да еще и в золоченой раме, — изумленно подумал Ося. — Неужели прихватили в качестве трофея на каком-нибудь хуторе?»

— Вы же хотели взять интервью у нашего знаменитого снайпера Йорма Хуккари, — напомнил офицер, — с ним сейчас мило беседует мисс Баррон.

— Ристо, она не говорит по-фински, а вы здесь. — Ося продолжал разглядывать картину в телеге, хотелось понять, что же на ней изображено.

— Я ей не нужен. — Офицер усмехнулся. — Там, в блиндаже, сразу три молодых лейтенанта вызвались переводить для красотки Кейт. Учтите, Йорма Хуккари второго интервью не даст, при всем его уважении к итальянской прессе.

— Ну, тогда терять уже нечего. — Ося опустил камеру и указал офицеру на телегу вдали. — Ристо, как вы думаете, что это? Похоже на какую-то картину.

Офицер поднес к глазам полевой бинокль, взглянул, рассмеялся и передал бинокль Осе.

На телеге стоял портрет Сталина.

— Ристо, пожалуйста, подержите пару секунд. — Ося стянул с плеча сумку. — Мне надо подобраться чуть ближе, я хочу заснять это.

Он выдернул ноги из лыж, накинул капюшон, согнувшись, побежал по краю поля.

— Стойте! Сумасшедший! — приглушенно крикнул ему вслед офицер.

Ося не оглянулся, только махнул рукой. Вдоль кромки леса снег был неглубокий, бежалось легко, усатое лицо на портрете проступало все отчетливей. Стало видно, что телега завалена тряпьем, одна ось поломана. Еще метров тридцать, и можно снимать. В тишине он слышал только собственное частое дыхание, войлочные бурки ступали по снегу бесшумно.

Наконец он нашел идеальную точку, распрямился, поднял камеру. Металл приятно холодил разгоряченный лоб. Привычный нежный стрекот «Аймо» успокаивал. Объектив медленно скользил по обгоревшему, еще дымящемуся танку со звездами. Танкист не успел вылезти из люка, тело свесилось, застывшие пальцы намертво сжали пистолет. На черном от пороха снегу трупы вповалку, молодое лицо красноармейца, упавшего навзничь. Руки раскинуты, светлые глаза смотрят в небо. Сломанная ось телеги, покосившееся колесо. Ухмылка Сталина на портрете.

Рядом что-то хлопнуло, свистнуло. Осю качнуло, будто ударили невидимым кулаком в грудь. Удар был безболезненный, но такой сильный, что Ося упал и выронил камеру. Глаза запорошило, он хотел стряхнуть снег с лица, найти «Аймо», еще мгновение слышал, как она стрекочет где-то совсем рядом, а потом стало темно и тихо.

* * *

Во дворе, у качелей полька чистила снегом ковер.

— Добрый день, фрау Брахт. — Она сдула упавшую на лицо светлую прядь и приветливо улыбнулась.

— Здравствуйте, пани. Как ваша рука?

— Спасибо, почти зажила.

Эмма кивнула, прошла в дом, разделась, отнесла покупки на кухню и поднялась к Вернеру. Он, как обычно, стоял у большого лабораторного стола. Никаких вспышек не было. Подойдя ближе, Эмма увидела вместо прибора аккуратно разложенные детали.

— Привет. — Она поцеловала его в колючую щеку. — Что вы придумали на этот раз?

— Ничего особенного. — Вернер зевнул. — Мелкий ремонт и профилактика. Стекло треснуло, лампа перегорела.

— Помочь?

— Спасибо, дорогуша, там листки со свежими расчетами, будь добра, проверь, я мог ошибиться, корпел над ними до трех ночи.

Эмма села за маленький письменный стол у окна. Глаза привычно заскользили по формулам. Минут через десять она не глядя потянулась за карандашом. Стаканчик опрокинулся. Оторвавшись от вычислений, она стала собирать карандаши и заметила в медном лотке для бумаг несколько надорванных почтовых конвертов. Обратные адреса — Копенгаген, институт Бора; Стокгольм...

«Не удивлюсь, если внизу окажется письмо из Москвы, от Мазура, — усмехнулась про себя Эмма и вдруг зажала рот ладонью.

Письмо из Стокгольма было от профессора Мейтнер. Из разорванного края конверта торчал бумажный уголок. Судя по дате на штемпеле, оно пришло два дня назад.

Эмма вспомнила, как однажды, в сентябре тридцать седьмого, они с Германом застали Мейтнер в этом доме. Вечером гуляли в парке неподалеку, попали под дождь, зашли без предупреждения. В принципе, ничего особенного, но получилось неловко. Общий разговор не клеился, они поспешили уйти. По дороге, на вопрос: «Почему ты такой мрачный?» — Герман ответил, что ему неприятно видеть в доме отца эту женщину. Эмма не стала спрашивать почему, а про себя заметила: «Лояльность — вещь хорошая, но не до такой же степени! Многие продолжают общаться с Мейтнер, и ничего. Конечно, после нападок «Черного корпуса» принимать у себя дома еврейку неосмотрительно».

Она попыталась снять напряжение шуткой: «Не волнуйся, они староваты для нарушения закона о расовой чистоте»[1]. И услышала: «Прекрати! Не самый удачный повод для твоих дурацких острот!»

Чем закончился разговор, Эмма не помнила. Больше к этой теме не возвращались. И вот теперь, заметив письма, подумала: «А что, если у них был роман и Герман узнал?»

Считалось, что Лиза Мейтнер всю жизнь безответно и преданно любит Отто Гана, другие мужчины для нее не существуют. Пока они работали вместе, Ган успел жениться, а Лиза так и не вышла замуж. Ган постоянно, как-то слишком уж настойчиво подчеркивал, что у них с Мейтнер исключительно товарищеские отношения. Сама Мейтнер ничего не подчеркивала, да, собственно, с ней невозможно было говорить о чем-то, кроме физики. А ведь она оставалась привлекательной женщиной, даже когда ей перевалило за пятьдесят. Всегда одна, только физика, никакой личной жизни. И Вернер после смерти Марты был один.

---

[1] Нюрнбергские расовые законы были приняты 15 сентября 1935 г. Один из пунктов гласил: «Половая связь между евреями и государственными подданными немецкой или родственной крови запрещена».

— Дорогуша, как у тебя дела? Много ошибок поймала?

Голос Вернера прозвучал прямо у нее за спиной. Старик подошел бесшумно в своих мягких войлочных сапогах.

— Так быстро невозможно. — Эмма облизнула пересохшие губы. — К тому же я не нашла, где вы записывали показания.

— Да вот они, прямо перед тобой. — Он ткнул пальцем в угол стола.

Рядом с пустой чернильницей валялась мятая промокашка. Кривые колонки цифр были написаны простым карандашом, кое-как. В нескольких местах грифель порвал мягкую бумагу.

— Вернер, ну куда это годится? — Эмма вздохнула. — Надо все переписать аккуратно, так невозможно работать.

— Да, да, ты права, я хотел сегодня утром, но эта чертова лампа. — Он опять зевнул. — Подозреваю, что гальванометр барахлит.

— Конечно, когда работаешь на таком старье, все барахлит. В институте у вас были отличная лаборатория, новейшее оборудование, ассистенты, лаборанты, техники.

— Дорогуша, — Вернер подмигнул, — ты всерьез думаешь, что результаты в науке зависят от качества приборов и количества подручных лоботрясов?

Эмма пожала плечами.

— При чем здесь результаты? Просто удобней. Вы же не станете жечь керосинку, когда есть электричество, и ходить с ведром к колодцу, когда есть водопровод.

— Уговариваешь меня вернуться?

— Почему бы и нет?

— Благодарю, тронут. — Он приложил ладонь к груди и отвесил шутовской поклон.

— Перестаньте. — Эмма поморщилась.

— Ладно, не обижайся, пойдем-ка вниз, пора обедать.

— Но я еще и не начинала. — Она покосилась на конверты в лотке. — Давайте я хотя бы перепишу показания с промокашки в тетрадь.

Она почувствовала, что краснеет, в голове мелькнуло: «Читать чужие письма? Какая гадость! Только этого не хватало!»

Но конверты притягивали взгляд. Она с ума сходила от любопытства: все-таки был у них роман или нет?

— Давай сначала поедим, — сказал Вернер сквозь очередной зевок, — почему-то, когда мало спишь, аппетит волчий.

Стол был уже накрыт. Вернер уселся на свое место, закурил и пробормотал:

— Новейшее оборудование... Резерфорд собирал свои приборы сам, из спиц и склянок, и ничего, стал Резерфордом. А Генри Кавендиш вместо гальванометра пользовался собственным телом.

— То есть как? — Эмма помахала рукой, разгоняя дым.

— Ну-у, дорогуша, — Вернер укоризненно покачал головой, — доценту надо бы лучше знать историю науки. Кавендиш замыкал собой электрическую цепь и определял величину тока по силе полученного удара.

— О боже, надеюсь, вы не собираетесь повторять эти подвиги?

Вернер хмыкнул, загасил сигарету, взял бокал, принялся молча вертеть его, наблюдая за радужными бликами на скатерти, и после долгой паузы вдруг спросил:

— Как поживает наш гений Отто Ган?

— Нормально. А почему вы спрашиваете? — Эмма насторожилась.

Когда Вернер упоминал имя Гана, это не предвещало ничего хорошего.

Вошла Агнешка, перчатки на руке не было, только бинт. Наблюдая, как полька раскладывает по тарелкам филе цыпленка и стручки зеленой фасоли, Эмма думала:

«Он всегда недолюбливал Гана, может, именно из-за Мейтнер? Ничего себе, треугольник! Если честно, мне трудно представить, как она могла любить Гана тридцать лет без всякой надежды на взаимность».

Вернер с жадностью принялся за еду. Эмма не спеша прожевала кусок и сказала:

— Мне никогда не удавалось так зажарить цыплячьи грудки. Кажется, она добавила в соус гвоздику и шафран. Пожалуй, вы правы, ваша пани Кюри могла бы стать шеф-поваром ресторана высокой кухни.

— Мг-м, — промычал Вернер с набитым ртом, но как только прожевал, сразу вернулся к неприятной теме:

— Бремя славы не терзает нежную душу Отто?

Эмма смотрела в тарелку и молча ела цыпленка. А Вернер задумчиво продолжал:

— Бедняга Отто! Все-таки присваивать чужое открытие очень вредно для здоровья. Конечно, можно сочинить тысячу оправданий, но это все равно что лечить рак морфием.

— Опять метафора. — Эмма брезгливо фыркнула.

Старик положил в рот очередной кусок, прожевал и спросил, прищурившись:

— Скажи, пожалуйста, кому принадлежит открытие расщепления ядра урана?

— Ну, хватит. — Она бросила вилку. — Ядро расщепили Ган и Штрассман, это общеизвестный факт.

— Ган и Штрассман просто повторяли опыты Ирен и Жолио Кюри! — Старик повысил голос, он почти кричал. — Кюри в Париже, Ферми в Риме четыре года, как безумные гонщики, соревновались, кто первый! И ничего не поняли, потому что наука не спортивное соревнование. Только один человек, который в гонках не участвовал, догадался, что на самом деле происходит с ядром урана. Но вот досада, этот человек женщина, да не просто женщина, она, извините, еврейка, к тому же беженка без гражданства. Вместо того чтобы честно сгнить в лагере, она имела наглость удрать из великого рейха. Те, кто сейчас прячутся от фронта и делают карьеру на ее открытии, писали на нее доносы в гестапо.

— Нет, — прошептала Эмма и помотала головой.

— Успокойся, дорогуша, ни ты, ни твой муж доносов не писали, и Ган не писал, избави бог. Вы все относились к ней по-доброму, по-товарищески, особенно Ган. Она проработала с ним тридцать лет, без нее он не мог объяснить ни одного эксперимента. Но вам всем, включая Гана, было неловко, вам хотелось, чтобы эта еврейка поскорей исчезла, ее присутствие в институте всех вас, чистокровных арийцев, дискредитировало и подставляло под удар. До аншлюса с этим еще можно было мириться, она оставалась гражданкой Австрии. А потом...

— А потом руководство обратилось в министерство, чтобы ей выдали паспорт и дали уехать, — быстро пробормотала Эмма.

— И каков был ответ? — старик склонил голову набок, прищурился.

— Ответ? — Эмма пожала плечами. — Я не знаю.

— Я знаю! — Вернер внезапно схватил вилку и принялся жадно доедать остывшего цыпленка.

Эмма последовала его примеру. Она ела медленно. Аппетит пропал, но цыпленок был уж очень вкусный, жалко оставлять.

«Конечно, знает, именно эту историю он назвал последней каплей, уволился из института, демонстративно вышел из Германского физического общества. К счастью, хватило ума не отказаться от звания прусского академика и не вышвырнуть золотую медаль Планка. Все-таки был у них роман, из-за чужого человека не стал бы он так кипятиться».

— Открытие расщепления ядра урана принадлежит Лизе Мейтнер, — спокойно произнес Вернер и промокнул губы салфеткой.

— Это не совсем так, — возразила Эмма, дожевывая фасоль.

— Это именно так, дорогуша. — Старик откинулся на спинку стула и опять закурил. — А что касается ответа из министерства, я тебе скажу. Ей отказали в выдаче паспорта по политическим соображениям. Нежелательно, чтобы известные евреи покидали Германию. За границей они будут клеветать на Германию. И дальше примерно следующее: «Мы уверены, что Общество кайзера Вильгельма сумеет найти для профессора Мейтнер возможность остаться в Германии. Таково личное мнение рейхсфюрера Гиммлера».

Эмма взяла сигарету, но не закурила, сломала ее и медленно крошила табак из гильзы в пепельницу.

— Я не знала, я думала, это был просто отказ... — Она закашлялась и глотнула воды. — Но ответ слишком туманный, в нем нет гарантии безопасности профессору Мейтнер, в любой момент руководство, всех сотрудников института могли обвинить в укрывательстве, в покровительстве, это мина замедленного действия.

— И чтобы обезвредить мину, бдительные арийские ученые принялись писать доносы, мол, профессор Мейтнер собирается покинуть страну нелегально.

— Но все-таки ей удалось пересечь границу без паспорта.

— Нильс устроил ей побег, задержись она в рейхе хотя бы на неделю, ее бы отправили в лагерь, и тогда пришлось бы вам вместо уранового проекта заниматься чисто арийской физикой, теорией полой земли и космического льда на вашем отличном, новейшем оборудовании.

— Когда произошло открытие, Мейтнер уже полгода как не было в Берлине.

— И бедняжке Гану приходилось ежедневно писать ей в Стокгольм, без нее он не мог разобраться, что происходит с ядрами урана под нейтронным обстрелом. — Вернер выпустил колечки дыма и поймал одно на палец. — У Гана химические мозги, он способен только фиксировать результаты, изумляться и недоумевать. Чтобы объяснить странное поведение обстрелянных ядер, требовались мозги физика, и не вообще физика, а именно профессора Мейтнер.

— Вернер, почему вы так уверены, что Ган после отъезда Мейтнер писал ей, да еще каждый день? — тихо спросила Эмма. — Он осторожный человек, в конце концов, это просто опасно...

— Опасно! — Вернер скорчил испуганную рожицу. — Ужасно опасно! Вот он и твердит на каждом углу, что никакой переписки с Лизой у него нет и быть не может.

— Откуда вы знаете? Вы сто лет не были в институте, ни с кем не общаетесь!

— Я просто слишком хорошо знаю Отто. — Вернер замолчал, задумался, нахмурился и вдруг засмеялся.

Он хохотал так, что брызнули слезы.

— Не понимаю, что смешного? — буркнула Эмма.

— Извини, дорогуша, — пробормотал он сквозь смех, — вспомнил одно старое изобретение Отто времен Первой мировой. — Он глотнул воды, вытер салфеткой мокрые глаза. — Радиоактивная светящаяся масса для покрытия оружейных мушек. Лиза, разумеется, работала вместе с ним. Идея заключалась в том, что при помощи светящихся мушек можно стрелять в темноте. Образцы массы рассматривала оружейная комиссия прусского военного министерства. Выдержит ли сильные сотрясения, высокую температуру, не смоется ли проточной водой. Отто письменно и устно доказывал преимущества своего изобретения. И только Лизе, тихоне, скромнице Лизе, никогда не державшей в руках оружия, пришла в голову простая мысль, что при стрельбе в темноте должна светиться прежде всего цель, а потом уж мушка. Смазать массой солдат противника перед тем, как стрелять в них, вряд ли удастся.

— Господи, Вернер, да ведь вы любите ее! — выпалила Эмма. Он молча кивнул.

— Давно?

— Точной даты назвать не могу.

«Неужели началось еще при Марте? — ужаснулась Эмма. — Марта знала, и Герман знал, молчал столько лет, а потом не выдержал, сорвался!»

Она вздрогнула, поймав грустный, спокойный взгляд старика.

— Догадываюсь, о чем ты сейчас подумала, дорогуша. — Он тяжело вздохнул. — Нет, это началось позже.

— Конечно, я не сомневаюсь, — краснея, пробормотала Эмма, — только почему же вы скрывали?

— Ничего мы не скрывали, просто не особенно афишировали. Кому какое дело? — Он улыбнулся. — Лиза буквально вытащила меня с того света, без нее я бы, конечно, слетел с катушек. Не выношу одиночества.

— Почему же не уехали с ней? Почему сейчас не едете?

— Не зовет. — Вернер развел руками. — Я предлагал, чтобы мы поженились, она не захотела. Считает, что у Германа и у тебя могут возникнуть проблемы из-за этого, а она не желает стать причиной чьих-то неприятностей, это лишает душевного покоя, который необходим для работы. Спасибо, помогла мне пережить самые тяжелые времена. А вообще, ей ничего не надо, кроме физики.

— Но так не бывает.

— Бывает, дорогуша. — Старик печально улыбнулся. — Правда, очень редко. Я говорил тебе о Генри Кавендише, вот Лиза той же породы.

— А вы?

— Не знаю, наверное, нет. Слишком завишу от успехов, теряюсь перед трудностями, а главное, не выношу одиночества.

Глава тринадцатая

И лья развернул свежий номер «Правды», машинально пробежал глазами передовицу: *«Сталин — знаменосец науки».*

«В прошлом Россия давала миру гениальных ученых: Ломоносов, Лобачевский, создатель Периодической системы Менделеев. Другой гениальный русский ученый, Павлов, тоже прославил русскую науку. Но величайшим из всех корифеев был Ленин. Он не только проложил путь современной науке, но он подготовил своего ученика и наследника, непревзойденного Сталина. Ленин и Сталин — эталоны в науке. История не знала больших достижений, чем те, которые были достигнуты под руководством Ленина и Сталина».

Илья закурил, принялся мерить шагами кабинет. «Конечно, доктор прав. Какое "завтра"? Сплошное лучезарное "сегодня". То и дело забываю, что в нашем сказочном королевстве время остановилось. Открытие Мазура могут признать, только если начнутся работы над урановой бомбой. Для этого нужно решение Эталона в науке. Гитлер терпеть не может ученых, но доверяет военным, поэтому в Германии работы идут наверняка. Эталон не доверяет никому. Допустим, из Америки повалит информация, что там урановую бомбу уже делают. Но агентам он доверяет еще меньше, чем ученым и военным. Учитывая его манеру влезать во все, требовать самой толстой брони и самых длинных пушек, в урановую тему он тоже полезет, потребует самую большую бомбу, пожелает узнать, как она устроена, чем отличается от прочих бомб. Кто возьмется объяснить другу всех ученых, что такое расщепление ядра урана?»

Вернувшись за стол, он машинально пролистал газетные страницы. В новостях культуры маститый музыкальный критик делился впечатлениями о декаде немецкой симфонической музыки в Большом зале консерватории.

«В своей Второй симфонии гениальный Бетховен отражает творческий дух советской эпохи и провидчески предсказывает роль тов. Сталина в истории».

Илья сложил «Правду», бросил на подоконник и занялся посланием Муссолини.

«Англия и Франция никогда не заставят Германию капитулировать, но Германия не сможет поставить их на колени. Верить в такую возможность было бы заблуждением.

Я считаю своим долгом добавить, что любое дальнейшее развитие Ваших отношений с Москвой будет иметь катастрофические результаты в Италии, где антибольшевистские настроения всеобщи и тверды как гранит. Решение вашей проблемы жизненного пространства лежит в России, и нигде больше».

Очередное жужжание дуче чушь, ерунда, но для сводки очень даже пригодится. Хозяин надеется на затяжную войну на Западе. Вот, пусть знает, что дуче по-прежнему горячо убеждает фюрера помириться с западными державами. Да и сам фюрер постоянно предлагает англичанам мир. Он предлагает, а они отказываются. При нынешнем положении дел мирное соглашение с Гитлером для англичан — позорная капитуляция и скорое появление собственного нацистского правительства. Нет, они на самоубийство не пойдут, наоборот, наконец снимут идиота Чемберлена, назначат премьером Черчилля и начнут воевать всерьез. Помощь США станет увеличиваться. Да, в такой войне Гитлер мог бы завязнуть, именно поэтому такой войны не будет.

«Стихия фюрера — блицкриг, быстрые победы, — думал Илья, вставляя очередной лист в машинку, — “Майн кампф” учит завоевывать неполноценные народы, то есть нас, а вовсе не британцев. Не захочет он воевать с Британией, повернувшись спиной к Сталину. К тому же фюрер уверен, что нам, неполноценным, никто не поможет, наоборот, цивилизованная Европа и Америка будут безмерно счастливы, когда фюрер разгромит СССР. Между прочим, Сталин тоже так думает. Запад его ненавидит и хочет стравить с Гитлером, единственным надежным союзником. По-прежнему не приходит в голову простая мысль: если они хотят стравить СССР с Германией, тогда какого черта сами объявили Гитлеру войну?»

Илья перевел послание дуче целиком. Копию вложил в папку с расшифровками перехваченной диппочты германского посольства, подколол к стопке меморандумов, которые почти ежедневно приходили из Берлина в Москву, от статс-секретаря Вайцзеккера послу Шуленбургу.

Дешифровкой перехватов занимался седьмой отдел НКВД. Специалистов там катастрофически не хватало, они зашивались, работали сутками, так же как и оперуполномоченные немецкого подразделения ИНО, единственный фильтр, через который проходили эти бумаги. Две лишние странички ничем не отличались от десятков других, отпечатанных на такой же машинке, под такую же лиловую копирку. Правда, со стороны Вайцзеккера отправлять копию письма дуче, адресованного фюреру, в Москву своему приятелю Шуленбургу — поступок странноватый. Ну, тут уж, извините, все вопросы к Вайцзеккеру. А мы, со своей стороны, только можем ему спасибо сказать.

Илья усмехнулся. Столько усилий, риска, шпионских фокусов. Зачем? Чтобы глава государства получил вовсе не фальшивую информацию, а крохи реальной. Интересно, в какой-нибудь еще стране возможно нечто подобное?

На десерт, после текста письма Муссолини, Илья включил сведения из сводки Проскурова:

«*Итальянский посол конфиденциально сообщил сотрудникам германского МИДа о растущем беспокойстве Англии перед большевистской опасностью. Венгерский посол в Лондоне утверждал, что Англия не прочь вместе с Германией выступить против СССР, считая Германию меньшей опасностью.*

В европейских дипломатических кругах никто не сомневается, что Гитлер намерен решать русский вопрос. Гитлер не бу-

дет делить господство в Европе со Сталиным. России в Европе искать нечего».

Илья потянулся, размял шею. Проскуровский источник в германском МИДе работал исправно. Илья догадывался, кто это может быть, но пока не спешил с выводами, думал: «Источник из команды Риббентропа. Конечно, инициативщик, сейчас гонорары фиг организуешь. Человек отчаянный, но опытный. Не новичок, на связь вышел грамотно, не с НКВД, а с военной разведкой. Молодец, правильный выбор».

Никаких ссылок Проскуров не давал. Наверняка страховался, хотя как именно, Илья представить не мог. В любом случае отказаться от связи с источником для Проскурова было не меньшим риском, чем возобновить связь. Ясно, что очень скоро Хозяин прикажет реанимировать агентуру в рейхе. Никуда не денется, война на носу. На кого ляжет весь груз ответственности? На Проскурова, конечно. Именно его Хозяин обвинит в развале разведки. И попробуй тогда что-нибудь вякнуть в свое оправдание. Вполне разумно опередить события.

В папке НКВД его ждал очередной отчет советника Шнурре о завершающем этапе переговоров по торговому соглашению. *«Советские поставки должны быть сделаны в течение восемнадцати месяцев и компенсированы германскими поставками в течение двадцати семи»*, — уточнял Шнурре.

Загибая пальцы, Илья подсчитал, что срок советских поставок истекает в июле сорок первого, а ответных германских — в мае сорок второго. Гитлеру на собственные обязательства плевать, поэтому дата май сорок второго ровным счетом ничего не значила. А вот июль сорок первого зацепил. Не понравилась Илье эта дата.

Нападать на Россию возможно только весной, сразу как просохнут дороги. Учитывая географию и климат, тянуть нельзя, чем больше теплых месяцев впереди, тем лучше. Скорее всего, нападет он в мае, но не сорок второго. Два с половиной года фюрер ждать не будет. Польша, легкая закуска, здорово разожгла аппетит. Или все-таки потерпит? За пятнадцать месяцев вытянет из России все, что прописано в соглашении. Сталин свои поставки не задерживает, выполняет и перевыполняет досрочно. Нефть, фосфаты, хромовая руда, железная руда. Если бы на территории СССР добывали урановую руду, она бы сейчас тоже поставлялась в Германию.

* * *

Ося очнулся в блиндаже, под грохот и визг снарядов, почувствовал тупую, ноющую боль с левой стороны груди. Он лежал на койке, под тяжелым тулупом. Открыв глаза, увидел в желтом свете керосинки женский силуэт, разглядел белую повязку с красным крестом на рукаве. Санитарка сидела вполоборота к нему и быстро двигала спицами. Он окликнул ее. Она улыбнулась, что-то сказала по-фински, кивнула на табуретку рядом с койкой. Приподнявшись, Ося увидел свою «Аймо», а рядом — небольшую толстую тетрадь.

С первых дней войны он таскал ее во внутреннем кармане куртки. Пытался вести дневник. Твердый серый картон обложки замарался брызгами кофе, получил несколько сигаретных ожогов, а исписанных страниц было пока меньше, чем чистых. За это время он успел накропать штук двадцать репортажей, взять десяток интервью, побывать в Варшаве, Брюсселе, Париже, Лондоне, Берлине, отснять километры пленки.

На дневник совсем не оставалось времени, лишь иногда ночью в какой-нибудь гостинице он выкраивал минут двадцать, царапал пером бумагу. Получался рваный пунктир, незаконченные отрывки на четырех языках — итальянском, английском, французском, немецком. Последнюю запись он сделал по-русски. «Я умер в Москве, 20 апреля 1916 года, мне было 11 лет. С тех пор я знаю, что страх смерти — всего лишь жалость души к телу».

В детстве он действительно пережил клиническую смерть, но никогда не вспоминал об этом. И вдруг почему-то в первую ночь в Хельсинки, в маленьком номере гостиницы «Кемп», уже в полусне вывел эти две фразы.

Пуля застряла точно в центре толстой тетради. Несколько минут Ося молча вертел в руках свой простреленный дневник. Санитарка встала, разожгла спиртовку, поставила чайник. Снаружи грохотало, из блиндажа строчило несколько пулеметов.

Вошел, пригнувшись, пожилой офицер, спросил по-немецки:

— Как вы себя чувствуете?

— Спасибо, вроде жив.

Из-за пальбы приходилось говорить громко, и каждый звук отдавался в груди волной боли. Под расстегнутым тулупом офицера Ося увидел белый халат.

— Меня зовут Вяйно Парккали, я врач.

— Да, я уже понял, очень приятно. — Ося положил тетрадь, пожал крупную сухую кисть и представился.

Вяйно не отпустил его руку, стал считать пульс, потом поднес лампу к лицу, внимательно заглянул в глаза, спросил, щурясь:

— Боль за грудиной сильная?

— Не очень. Да я вообще в полном порядке. — Ося улыбнулся, опять взял свою простреленную тетрадь, поддел ногтем и вытащил застрявшую пулю. — Сохраню на память.

— Повезло, — кивнул врач, — вдвойне повезло, лейтенант Ристо Эркко успел забрать вас с поля боя за несколько минут до начала русской атаки. Вы были без сознания. У вас ушиб сердца. Довольно неприятная штука, может дать серьезные осложнения. Тахикардия, аритмия, скачки давления.

— Где Ристо? — Ося поднялся, спустил ноги с койки, и все поплыло перед глазами от боли.

— Лежите спокойно, не надо резких движений. — Врач уложил его, достал из кармана фонендоскоп.

— Где Ристо? — повторил Ося.

— Не знаю, наверное, в командном блиндаже. Пожалуйста, молчите, дышите глубоко.

Ося подчинился. Врач долго слушал его сердце, хмурился, качал головой. Наконец произнес:

— Вам придется полежать в госпитале дней десять, не меньше. Строгий постельный режим.

— Из-за такой ерунды? У меня же нет никакого ранения, я здоров.

Затрещал аппарат связи. Санитарка взяла трубку, что-то сказала, врач вскочил и быстро вышел.

Ночью, на санях, вместе с ранеными, Осю доставили в городок Тойяла, там был госпиталь. Валяться десять дней из-за паршивого синяка под левым соском он не собирался. Среди раненых и контуженных сразу почувствовал себя симулянтом, правда, после первой недолгой прогулки по коридору стал задыхаться, сердце прыгало и металось, как ночной мотылек, угодивший в стеклянное нутро керосинки.

На пятый день в госпиталь явился чиновник из пресс-центра итальянского посольства. Ося знал его в лицо, но не помнил имени. Он долго жал руку.

— Джованни, как я рад вас видеть, знаете, синьор министр ни минуты не верил, что вы погибли.

— А я погиб?

— Сообщение о вашей героической смерти на поле боя передало «Ассошиэйтед пресс».

— Еще и героической, — пробормотал Ося. — Что же они так поспешили, не проверив?

— Война, — чиновник пожал плечами, — каждую минуту что-нибудь происходит, на проверки не всегда остается время. Вы живы, это главное. Кстати, примите мои поздравления, дуче лично подписал указ о награждении вас бронзовой медалью за доблесть.

— Посмертно?

— О, я вижу, вы быстро идете на поправку. — Чиновник рассмеялся и потрепал его по плечу.

— Опровержение дали?

— Да-да, конечно, не беспокойтесь. У вас есть ко мне какие-нибудь просьбы?

— Пожалуйста, отвезите меня в Хельсинки.

— Джованни, — чиновник укоризненно покачал головой, — я говорил с вашим лечащим врачом, вам показан постельный режим.

Убедить врача оказалось проще, чем чиновника. Ося понимал, что неплохо бы отлежаться еще хотя бы пару суток, но послезавтра в Стокгольме его ждал Тибо.

* * *

Затрещал аппарат внутренней связи, в трубке Илья услышал голос Поскребышева, всего одно слово:

— Давай!

Хозяин сидел в одиночестве за маленьким столом, головы не поднял. Кисти рук лежали на синем сукне столешницы, как две белые тряпки. Поскребышев молча, на цыпочках попятился спиной к двери, выскользнул и бесшумно закрыл ее за собой.

Илья стоял посреди пустого кабинета, а Сталин сидел неподвижно, не замечая его. По лиловым ленточкам и стертому уголку Илья узнал папку со своей сводкой.

Была у Хозяина такая манера — вызвать и держать долгую паузу, мариновать человека в холодном поту мучительного ожидания. Илья привык считать это элементом игры в кошки-мышки, одним из множества издевательских приемчиков, с помощью которых Хозяин управлял своими марионетками. Но еще ни разу это не продолжалось так долго. Прошло уже минут пять, а Хозяин не шелохнулся, не перевернул страницу.

Атмосфера становилась все тягостней, даже как будто потускнел электрический свет. Нарушить мертвую тишину, окликнуть, просто кашлянуть казалось немыслимым. Илья вдруг понял, что это не игра, не приемчик. Существо за столом пребывало в абсолютной прострации. В воздухе чувствовалось присутствие чего-то постороннего, незримого, но безусловно омерзительного. Илья ловил себя на том, что инстинктивно повторяет молитву: «Да воскреснет Бог, и да расточатся врази Его». Он помнил ее с детства, вместе с «Отче наш».

Молитва помогла, во всяком случае, дышать стало легче. Илья подумал: «А может, правда, нечто постороннее-потустороннее витает вокруг этого конического черепа? Кажется, я знаю, как оно называется. Аура безумия».

Пробили куранты. Изваяние зашевелилось, ожило. Хозяин поднял на своего спецреферента мутный невидящий взгляд, вяло махнул рукой, будто отгоняя назойливый призрак, указал на кресло возле маленького стола:

— Садитесь, товарищ Крылов.

— Спасибо, товарищ Сталин.

Илья подошел, сел. Глаза вождя прояснились, заблестели.

— Товарищ Крылов, как вы считаете, почему Муссолини позволяет себе такие высказывания? — Он ткнул пальцем в открытую папку и процитировал: — *«Решение вашей проблемы жизненного пространства лежит в России, и нигде больше».* Кто он такой, чтобы указывать Гитлеру?

— Никто, товарищ Сталин. — Илья пожал плечами. — Армии у него нет, авторитета тем более. Придворный шут Гитлера.

Хозяин взял папиросу, пошарил глазами по столу в поисках спичек. Илья поспешно достал коробок из кармана, чиркнул, поднес огонек к кончику хозяйской папиросы.

Сталин выпустил клуб дыма и задумчиво произнес:

— Конечно, этот синьор очень хочет поссорить нас с Германией, из кожи вон лезет, мечтает натравить нас друг на друга, но сие не в его власти.

Илья вежливо усмехнулся. Употребление архаизмов следовало воспринимать как юмор, и в том же юмористическом духе он заметил:

— Синьор мучается ревностью.

Очередной клуб дыма закрыл лицо Хозяина, голос звучал мягко, почти лирически:

— Англо-французам наш союз с немцами не дает покоя, эти господа стараются вбить клин между нами, спровоцировать, натравить, поссорить, вот чего хотят эти господа. И вы тоже, товарищ Крылов.

Дым развеялся. Хозяин загасил папиросу и пристально уставился в глаза.

Илья знал: оправдываться и возражать равносильно самоубийству. Надо выдержать взгляд и ответить лишь тогда, когда прозвучит прямой вопрос. Ответить очень быстро, уверенно и кратко. Ни одного лишнего слова.

Пауза длилась меньше минуты, но оказалась тяжелей той, предыдущей. Не было привычного прищура, глаза распахнулись, что случалось крайне редко. Илья видел прямо перед собой, на расстоянии не более полутора метров, две бездонные черные ямы.

— Вы на кого работаете, Крылов? На англичан? Или на японцев?

— На вас, товарищ Сталин.

— На меня? — Он слегка повысил голос. — На товарища Сталина никто работать не может! Товарищ Сталин сам работает на советский народ! Зачем вы тут мне понаписали всякую чепуху? Что значит «*Гитлер не будет делить господство в Европе со Сталиным*»?

— Так говорят наши враги, товарищ Сталин, они нас ненавидят и хотят поссорить с Германией.

Эффект бумеранга сработал. Две ямы спрятались в складках припухших век. Хозяин опустил глаза, зашуршал страницами, тихо, деловито спросил:

— Где ответ Гитлера?

— Его нет, товарищ Сталин. Похоже, он еще не ответил.

— Почему так думаете?

— В дипломатических кругах обсуждается именно этот факт — что Гитлер слишком долго не отвечает. В германском МИДе опасаются, что молчание Гитлера может предоставить Муссолини свободу действий в смысле сближения с союзниками. Муссолини продолжает продавать Англии стратегическое сырье. Берлин постоянно шлет Риму официальные протесты. Отношения между Италией и Германией сейчас хуже некуда.

— Сколько прошло времени?

— Полтора месяца. Письмо Муссолини датировано пятым января. В начале марта планируется визит Риббентропа в Рим, возможно, он привезет ответ.

Хозяин погладил себя по щеке, потрогал кончик уса, помолчал секунду и наконец произнес долгожданное:

— Идите.

Александровский сад был пуст и тих, только дворники шуршали лопатами, расчищали снег. Морозы сменились метелями. Сахарные головы сугробов отбрасывали густые лиловые тени. В золотых конусах фонарного света косо неслись рябые хлопья. Снег забивался за шиворот, таял на лице, смывал потный ужас сталинского кабинета.

Илья остановился у своего любимого старого клена, тронул ствол. Ладонь ничего не почувствовала, кроме холода и шершавости, но под грубой корой шла работа, движение влаги, света, тепла, брожение живых соков, сосредоточенная подготовка к будущей весне. Он погладил ствол, надел перчатку, двинулся дальше и улыбнулся простой мысли: созданный Богом мир слишком прекрасен, чтобы исчезнуть.

Теперь, успокоившись, он стал размышлять, почему же сегодня его так сильно пришибло? Нет, дело не в очередной провокации Хозяина. К этому он давно привык, накопил богатый опыт отражения внезапных атак. Подобные проверки периодически устраивались каждому и считались хорошим знаком, потому что, собираясь кого-то сожрать, вождь вел себя нарочито любезно и приветливо, тупиковых вопросов не задавал, голоса не повышал.

Шок вызвало долгое глубокое оцепенение Хозяина. Тяжело и страшно находиться наедине с человеком, впадающим в прострацию, тем более если этот человек единовластно правит твоей страной накануне войны.

«А может, он просто устал? Все-таки седьмой десяток разменял. Спит мало, жрет много, причем ночами, что при его гипертонии крайне вредно. Ведь бывает, люди отключаются, засыпают сидя, с открытыми глазами, особенно старики. — Илья поежился, вспомнив свои ощущения лицом к лицу с темным изваянием в пустом кабинете. — Ну нет, не ври, не был он похож на спящего».

Карл Рихардович рассказывал, что Гитлер тоже иногда цепенел. Доктор называл это «абсанс» — специальный медицинский термин, в переводе с французского — «отсутствие». Потом наступало сильнейшее возбуждение. Выпученные глаза, вопли, брызги слюны, метания по комнате. Приближенным Гитлер объяснял, что в такие минуты он вступает в контакт с потусторонними силами, которые питают его высшим знанием и космической энергией для выполнения великой миссии.

Сталин из своего «абсанса» выходил спокойно, без воплей. Но что же творилось с ним во время «отсутствия»? В какие пространства он удалялся? Какие силы и чем его питали? Вот уж действительно, государственная тайна.

На Боровицкой площади порыв ветра ударил в лицо. Илья вздрогнул, вспомнил смутные слухи, будто иногда ночами Хозяин спускается в мавзолей, подолгу торчит в одиночестве возле трупа, колдует, консультируется с нечистой силой. Оказывается, все проще и страшней. Никаких магических манипуляций и черных месс. Рога не вылезают, клыки не торчат. Он сидит неподвижно, и в эти минуты его конический череп, как антенна, принимает сигналы черт знает откуда.

В отличие от болтуна Гитлера, он впечатлениями не делится, прячет, копит полученные заряды бешенства про запас, будто хочет растянуть удовольствие. Лишь глаза выдают адское внутреннее кипение. Илья впервые заглянул в них так близко, без завесы привычного прищура, и невольно вспомнил красивый афоризм Ницше: «Когда ты заглядываешь в бездну, бездна заглядывает в тебя».

«А кто сказал, что бездна способна видеть что-либо, кроме собственной черноты? — думал Илья, шагая через заснеженную Боровицкую площадь. — Мания величия играет злые шутки. Уголовник Сосо так презирает людей, что видит лишь свои высокомерные фантазии о людях, убогие химеры. Он никому не доверяет, хотя убежден, что никто, глядя ему в глаза, врать не способен. При этом все ему врут, в глаза и за глаза, просто потому, что ничего иного не остается. Врут ему, ладно. Зачем продолжают себе врать? Твердят, как попки: я верю товарищу Сталину, он знает, чего мы не знаем, у него с Гитлером договор, он это гениально придумал. Гениально. Шедевр хитрости. Гитлер не нападет, потому что обещал. Честное слово Гитлера гарантирует нам безопасность. В крайнем случае, если вдруг все-таки очень захочет напасть, то лишь когда товарищу Сталину это будет удобно и выгодно, а поскольку товарищу Сталину это никогда не будет удобно и выгодно, то Гитлер никогда и не нападет. Конечно, договор у них есть, но только какой-то совсем другой, нам неведомый».

Когда он вернулся домой, Маша давно спала. Он подошел на цыпочках, поцеловал ее. Она, не открывая глаз, обняла его, притянула к себе, забормотала что-то и принялась в темноте, на ощупь, снимать с него пиджак, расстегивать рубашку. Кровать заскрипела, Маша прошептала:

— Соскучилась невозможно.

Ее волосы щекотали его плечо. За окном зарычал мотор. Еще недавно этот звук имел над ними чудовищную власть, мгновенно отрывал друг от друга, заставлял вскакивать, одеваться, замирать у окна, вглядываться из темноты комнаты в темноту двора, ждать, молча молиться, чтобы лифт остановился на другом этаже, чтобы не позвонили в дверь.

Но теперь они только слегка вздрогнули и даже не прервали поцелуя. С каждым движением, с каждым прикосновением Илья оживал, тяжесть долгого кремлевского дня отваливалась кусками, как ледяная короста.

Отто Ган радостно сообщил, что ему удалось договориться со своим другом из компании «Ауэр» о дополнительной поставке в Далем двух тонн урановой соли для опытов по максимальному выходу нейтронов. Уран поступал из Судет и Богемии, там вовсю шла добыча, на вредных работах использовали бесплатную рабочую силу — поляков и чехов.

В Готтове, под Берлином, на полигоне Куммерсдорф, возводился гигантский реактор. Другой, поменьше, строился в Далеме, на территории Института биологии, по личному проекту Гейзенберга. Строительство велось под кодовым названием «Вирусный флигель». Именно потому и выбрана была территория Института биологии. Дополнительная гарантия. Никто не сунется, опасаясь заразы.

К секретности привыкли. Многим даже льстила роль посвященных в великую тайну на пересечении геополитики и науки. Разве не приятно считать себя сверхэлитой и получать солидные надбавки к жалованью?

Гейзенберг говорил, что чувствует геометрию реактора на кончиках пальцев, и заражал всех своим энтузиазмом. Теперь уж никто не смел усомниться в успехе. Работа кипела, срок февраль сорок первого больше никого не пугал и как-то сам собой стал казаться вполне реальным.

Соль урана радиоактивна и очень ядовита. Работать приходилось в специальных защитных костюмах. В них было жарко и неудобно. Эмма с нетерпением ждала перерыва, когда можно будет, наконец, снять с себя эту амуницию, посидеть в комнате отдыха, перекусить, выпить кофе.

Неутомимый Гейзенберг расхаживал с чашкой в одной руке, с сигаретой в другой, разглагольствовал:

— В науке всегда очевидно, что правильно, что ложно. Она имеет дело не с верой, мировоззрением или гипотезой, но в конечном счете с теми или иными определенными утверждениями, из которых одни правильны, другие нет. Вопрос о том, что правильно, что нет, решает не вера, не происхождение, а сама природа, или, если хотите, Бог, но, во всяком случае, не люди.

Эмма вспомнила, что где-то уже читала подобный пассаж. В какой-то философской работе Гейзенберга. Конечно, где же еще? Чужих мыслей он не крал, а вот самого себя цитировал с упоением.

— Да, в этом безусловно угадывается Божий промысел, — вдохновенно подхватил Вайцзеккер, — ведь не случайно именно в сердце Германии, накануне войны, произошло величайшее открытие века, именно мы первые поняли его суть и начали воплощать в жизнь.

«Именно, именно, в сердце Германии, — усмехнулась про себя Эмма, — начали воплощать, только не в жизнь, а в смерть. Ты, щенок-философ, красиво врешь. Божий промысел. Тошнит от этого лицемерного трепа. Гейзенберг привык побеждать. Нобелевский лауреат. Ни тени сомнения в своей правоте. Гений не ошибается, у гения все получится. Для Вайцзеккера настал звездный час. Щенок-философ всегда тянулся к звездам. Ган суетится, старается изо всех сил. Для него это не только азарт и престиж. Своим усердием он пытается заглушить муки совести. В отличие от Гейзенберга, он чужие мысли и открытия крадет, поэтому его позиция тут самая фальшивая. Изображает бескорыстное служение науке во благо обожаемому фатерлянду. Все они будто сговорились игнорировать главную проблему. А ведь каждый про себя отлично понимает: какие бы мощные реакторы мы ни возводили, сколько бы тонн урана ни получали, с мертвой точки не сдвинемся, упремся в стену. Гейзенберг тешится иллюзией, что стену можно обойти, разобрать по кирпичику, прорыть под ней лаз. Если, кроме Нобелевской премии и мировой славы, у тебя есть мать, которая дружит с матерью Гиммлера, конечно, ты можешь себе позволить любые иллюзии».

Свои обязанности в проекте Эмма выполняла по-прежнему аккуратно, сохраняла внешнее спокойствие, но едва сдерживала раздражение. Все это напоминало какой-то идиотский спектакль. Время летело, ранняя весна впервые не радовала Эмму. Весна пахла войной. Как только мирная передышка кончится, Управление сухопутных вооружений потребует отчитаться, на что потрачены гигантские средства. Где результат? Гейзенберга и Вайцзеккера никто не посмеет тронуть. Крайними окажутся рядовые сотрудники, вроде четы Брахт.

Гейзенберг помешался на тяжелой воде, строчил заявки в министерство: необходимо срочно построить завод по производству тяжелой воды у нас, в Германии.

Конечно, это отличный замедлитель нейтронов, но, чтобы получить одну тонну драгоценной жидкости, надо сжечь сто тысяч тонн угля. Единственным местом в мире, где производили тяжелую воду, был завод возле норвежского городка Рьюкен.

Гейзенберг уговорил представителя «ИГ Фарбен индустри» встретиться с директором компании «Норек-Гидро», которой принадлежал завод, и договориться о закупке всех имеющихся запасов. Вернувшись, представитель сообщил, что норвежцы обещали подумать и прислать ответ.

Гейзенберг то и дело повторял: «Как только мы получим ее в достаточном количестве, можно считать, бомба уже сделана». Он не сомневался, что тонны драгоценной жидкости в ближайшее время будут доставлены из Норвегии.

Через неделю от «Норек-Гидро» пришел вежливый отказ, без всяких мотивировок. Вайцзеккер мрачно заметил: «Кто-то нас опередил. Вероятно, Ферми».

Все согласились с его предположением. Энрике Ферми эмигрировал в Америку и наверняка там уже начали делать бомбу. Гейзенберг настрочил очередную заявку на строительство завода.

Недавно он точно так же был помешан на графите. Но опыты с графитом привели в тупик, и гений сразу отверг идею. В голову не пришло, что идея сама по себе богатая, просто графит оказался недостаточно чистым. Эмма сразу смекнула, в чем дело, но решила промолчать. Наверное, поняли и другие, но перечить гению никто не смел.

Эмма брала в институтской библиотеке журналы и брошюры, читала и перечитывала все, что могло бы дать подсказку, делала выписки. Вечерами, закрывшись в своем маленьком домашнем кабинете, она занималась расчетами по урану. Ей казалось, что решение уже существует, оно где-то совсем близко, и найти его суждено именно ей, только ей, никому больше.

«Господа, вас ждет сюрприз, — думала она, выводя строчки формул в тетради, — вы прячетесь от главной проблемы, а я повернулась к ней лицом. Для вас это вопрос тщеславия, для меня — выживания. Вы раздуваетесь от гордости, захлебываетесь миссионерским бредом. Я скромно делаю свое дело, и скоро всем станет ясно, кто тут у нас избранный, кто сверхэлита».

На коленях у нее лежал мешочек с вязанием — когда заходил Герман, она быстренько бралась за спицы. Посвящать мужа в свои теоретические поиски она не собиралась. Слишком долго и трудно пришлось бы объяснять. Он ведь никогда ее не слышал с первого раза, перебивал через слово. А если все-таки до него дойдет, если он загорится, еще хуже. Опять зазвучит знакомая постылая песня: «Моя тема, моя идея».

Впрочем, Германа абсолютно не интересовало, чем она занята. Он был озабочен исключительно собой, у него в последнее время побаливал правый бок, и главной его темой стали все оттенки ощущений в боку, чтение медицинских справочников, страх перед походом к врачу. Их общение сводилось к стандартным диалогам. Она настаивала, чтобы он показался терапевту, он отказывался, хныкал.

Эмма привыкла к его мнительности и не придавала особенного значения этой очередной хвори. Герман постоянно чем-нибудь болел, но все обращения к врачам заканчивались полным фиаско, в том смысле, что врачи ни разу не нашли у него ничего серьезного. Вместо того чтобы радоваться, он обижался, придумывал новую болезнь и часами обсуждал ее с Эммой.

Герману с детства не хватало родительского тепла, Вернер был слишком строг с ним, Марта во всем поддерживала Вернера и считала такое воспитание правильным. Ребенку приходилось выклянчивать крохи внимания и любви при помощи выдуманных болезней. Это вошло в привычку и осталось на всю жизнь. Его наивные фокусы всегда вызывали у Эммы жалость и умиление. Ей нравилось утешать и лелеять трогательного обиженного мальчика, который прятался внутри взрослого мужчины.

Но теперь нытье мужа стало надоедать. Герман дергал ее, мешал сосредоточиться. Она все так же терпеливо, ласково утешала, а про себя думала: «Ты отвяжешься, наконец? Сколько можно?»

Не только Герман, но и остальные, с кем приходилось ей общаться, вызывали раздражение. Она удивлялась: как раньше не замечала пафосной суетливости, снобизма и фальши своих коллег? Они слишком много возомнили о себе. Они втягивали ее в эту бессмысленную возню, нагло использовали ее время и силы, позволяли себе покровительственный, снисходительный тон, кормили подачками, глупыми комплиментами, плоскими шутками.

Эмма по-прежнему приветливо улыбалась им, в ее негромком мягком голосе звучали привычные теплые ноты, но внутри кипело: «Мерзавцы, тупые высокомерные скоты, ненавижу!»

От восхищения Гейзенбергом не осталось и следа. Вайцзеккер бесил. Она презирала их всех вместе и каждого персонально и получала особенное, мстительное удовольствие от того, что они слепы в своей самовлюбленности, даже представить не могут, какими глазами смотрит на них милая исполнительная Эмма, пчелка-труженица, главное достоинство которой в том и состоит, что она никому не создает проблем, никогда не высовывается и твердо знает свое место.

Изначальный мотив ее тайной работы — страх, что Германа призовут, отошел на второй план. Работа заворожила, превратилась из средства в цель, из увлечения в страсть. Прежние убеждения, что в наше время наукой нельзя заниматься в одиночку, надо быть как все, следовать общепринятым нормам, крошились в труху под напором страсти. Быть как все — значит оставаться жалкой посредственностью, умереть безвестным доцентом, так и не отведав вкуса настоящих озарений.

Теперь она отлично понимала, почему Вернер послал это «как все» к черту. Ее притягивала атмосфера мансарды-лаборатории. Вынужденные излучения, которыми он занимался, не имели ни малейшего отношения к разделению изотопов урана. Совершенно другая область физики. Но сам стиль его работы, без суеты, без оглядки на чьи-то мнения, был ей понятен и близок. Свобода и покой — вот главные условия успеха. В мансарде-лаборатории хорошо думалось. Институтская рутина изматывала, отвлекала, а помощь Вернеру в его опытах, наоборот, концентрировала внимание. Когда она была с ним рядом, мысли обострялись, утончались, стягивались в единый мощный пучок, наподобие того, что пытался создать Вернер.

Конечно, Эмма не открывала старику своих замыслов, но не потому, что опасалась насмешки, неверия в ее силы. Просто знала, как он относится к самой идее бомбы для Гитлера. Любой шаг в эту сторону он считал преступным. Она надеялась в будущем убедить Вернера: столь примитивная точка зрения недостойна его, умного, глубокого человека, настоящего ученого. Мысленно она спорила со стариком. Что такое бомба? Кто такой Гитлер? Суета сует. Когда будет сделана бомба, никакой Гитлер уже не понадобится и само понятие войны потеряет всякий смысл. Бомба — лишь первый, варварский шаг на пути к овладению ядерной энергией, тростинка Прометея, в которой он принес людям огонь, похищенный у Зевса.

Так, слово за слово, Эмма стала повторять доводы Германа, напрочь забыв, каким высокопарным враньем они ей казались в его исполнении. В собственной голове, по отношению к собственной своей тайной работе это звучало необыкновенно красиво, убедительно и вполне соотносилось с любимым высказыванием Эйнштейна: «*Как и Шопенгауэр, я думаю, что одно из наиболее сильных побуждений, ведущих к искусству и к науке, это желание уйти от будничной жизни, с ее мучительной жестокостью и безутешной пустотой, уйти от уз вечно меняющихся собственных прихотей. Эта причина толкает людей с тонкими душевными струнами от личного бытия вовне в мир объективного видения и понимания*».

Еще недавно Эмма вздрагивала от одного упоминания имени Эйнштейна. Идиотские табу больше не действовали. Гипноз прошел. Разве можно заниматься наукой под гипнозом?

Вернер бормотал:

— Господи, как же мне не хватает Марка. Как он поживает? Чем сейчас занят? По сравнению с ним я школяр, ремесленник. Наверняка он давно обогнал меня, может, вообще уже все придумал и сделал.

— Ну-ну, не прибедняйтесь. — Эмма улыбнулась. — Если бы он сделал прибор, мы бы знали. Такое изобретение утаить невозможно.

— Там все возможно.

Вернер гневно указал пальцем на восток, сморщился.

Он часто доставал из ящика стопку писем Мазура, листал старые журналы, в сотый раз перечитывал книжку «Электромагнитные волны в неравновесных средах» — главный совместный труд профессора Мазура и профессора Брахта, изданный в Кембридже в тридцать втором году, с предисловием Резерфорда.

— Вдвоем мы бы уже давно собрали резонатор, конечно, собрали бы и двинулись дальше. Сколько всего мы могли бы сделать, мы так удачно дополняли друг друга, а без него я вынужден топтаться на месте.

У Эммы на кончике языка вертелось: «Разве я не могу заменить вашего Мазура?» Но озвучить этот вопрос она не решалась, боялась, вдруг в ответ услышит нечто снисходительное. Раньше она легко относилась к таким вещам, а теперь стала невероятно уязвимой. Правда, только в отношении Вернера. Он оставался единственным человеком, чье мнение для нее что-то значило. Вслух она спросила:

— А как же фон Лауэ? Ведь он в курсе.

— В курсе, — грустно кивнул Вернер и усмехнулся. — По сути, мы с ним топчемся в одном пространстве.

— Да! — вспомнила Эмма. — Дифракция, интерференция. Область геометрической тени. Взаимодействие пересекающихся световых волн, гасящих или усиливающих друг друга. Метод Лауэ. Лауэграмма, дифракционное изображение кристалла.

— Вот именно. — Вернер вздохнул. — Конечно, Макс интересуется моей игрушкой, рассуждает, втягивает в дурацкие споры.

— Почему же дурацкие? Разве в спорах не рождается истина?

— Чушь! В спорах истина умирает. — Вернер помотал головой так резко, что колпак слетел. — Каждый хочет доказать свое, а собеседника не слышит.

Эмма подняла колпак, легким движением сорвала розовый лоскуток, в который превратилась красная звезда, и выбросила в корзину для бумаг. Вернер не заметил, продолжал возбужденно говорить:

— Возраст, возраст. Некогда спорить. Время ссыхается, каждый час на вес золота. Спасибо, ты есть.

— Разумеется, я есть, я с вами. — Эмма напялила колпак себе на голову и нежно чмокнула Вернера в колючую щеку.

Глава четырнадцатая

В Хельсинки Ося вернулся ранним вечером и сразу позвонил в пресс-центр министерства обороны, спросил, где лейтенант Ристо Эркко. Очень хотелось встретиться с ним, поблагодарить. Мало того, что вытащил с поля боя, рискуя жизнью, еще и камеру не забыл. Но сказали, что лейтенант в командировке.

Оказавшись в своем номере в «Кемп», он мгновенно уснул и проснулся утром, за полтора часа до отлета самолета. Завтракал уже в Стокгольме, в отеле «Реджина», где заранее был забронирован номер и где через четыре часа он должен был встретиться с Тибо.

Заказывая крепкий кофе, Ося вспомнил, что ему категорически запретили пить кофе, и прислушался к своему ушибленному сердцу. Оно не трепыхалось, не дергалось, вело себя как обычно. Боль стихла еще вчера вечером.

Надо было купить ботинки и кое-что из одежды. Он прилетел в Стокгольм в военных финских бурках, его ботинки так и остались в том доме, где пришлось переодеться и встать на лыжи. На теплой кожаной куртке слева зияла дыра. Куда-то исчез любимый белый вязаный шарф.

Отель находился в старом городе, на узкой средневековой улочке. После финских морозов три градуса выше нуля казались настоящим весенним теплом, все тонуло в дремотном сумраке, пахло горячими булочками с корицей, розовато-желтые оттенки фасадов восполняли нехватку солнечного света. В витринах антикварных лавок мерцало старинное серебро. У прохожих были спокойные приветливые лица. О войне напоминала только афишная тумба с рекламой благотворительного хоккейного матча между командами Швеции и Финляндии, все сборы от которого пойдут на помощь сражающейся Финляндии.

«Последняя их война закончилась в тысяча семьсот каком-то году победой русской армии, — вспомнил Ося, шагая в финских военных бурках по влажному булыжнику, похожему на облизанную сливочную помадку. — Петр Первый получил выход к Балтийскому морю. Каждому свое. Россия стала империей, а Швеция с тех пор соблюдает нейтралитет во всех европейских войнах. Сейчас в Финляндию отправляются сотни шведских добровольцев, но англо-французскому десанту путь закрыт. Король Густав сказал: если Швеция вмешается в финские дела, мы рискуем вступить в войну с Россией. Конечно, Сталин им малосимпатичен, но ссориться они не желают. Гитлер понятней и ближе, кормят его с ладони своей высококачественной железной рудой. Сколько людей уже убито шведским железом и сколько еще будет убито? Невмешательство...»

В магазине мужской одежды Ося увидел себя при ярком свете. Из зеркала смотрел на него хмурый измотанный незнакомец лет пятидесяти. В глазах тоска, губы скорбно сжаты. Траурный двойник обаятельного синьора Касолли выглядел так, будто вообще не умел улыбаться.

«Что же ты не радуешься? Отлично выспался, вкусно позавтракал, вот, ботинки примеряешь. А мог бы валяться сейчас среди сотен трупов на черном снегу».

Ося топал по коврику, выбирал джемпер, рубашку, шарф, подписывал чек, болтал по-немецки с приказчиком и пытался привыкнуть к странному чувству легкости, зыбкости своего физического тела, как будто чуть-чуть ослабла сила гравитации. Второй раз смерть подошла вплотную и не тронула, ангел прикрыл крылом в последнее мгновение. Сквознячок от этого крыла до сих пор щекотал душу.

Когда ему было одиннадцать, возвращение к жизни казалось абсолютно естественным, он просто не мог представить себя мертвым. А теперь, в тридцать пять, очень ясно представлял и знал, к чему обязывает такой подарок.

Он вышел из магазина в новых ботинках, в новом джемпере, с новым белым шарфом на шее. Только куртку оставил старую. Слишком он к ней привык, чтобы расставаться из-за какой-то дырки. Пройдя несколько шагов, притормозил у витрины маленькой парикмахерской, подумал секунду и открыл дверь.

Пожилой цирюльник обрадовался ему, как хорошему знакомому, усадил в кресло, артистическим широким жестом накинул хрустящую простынку.

— Алле-оп!

— Пожалуйста, покороче, — попросил Ося.

Цирюльник кивнул, быстро, мелко лязгая ножницами, произнес на ломаном немецком:

— Такой молодой человек, а уже столько седых волос.

— Молодой? Спасибо за комплимент. Мне тридцать пять. — Ося усмехнулся и уточнил про себя: «веков».

До встречи с Тибо осталось еще два часа. Ося побрел по узким желтым улочкам. Мягкое поскрипывание новеньких каучуковых подошв по булыжнику, шорох бумажного пакета в руке, запах лавандовой воды, которой побрызгал его цирюльник, бесконечная мозаика звуков, запахов, красок с каждым шагом становилась ярче, объемней.

За углом из приоткрытой двери кафе звучала скрипка. Вивальди. Ося вошел. Музыкант, худой старик с белоснежной шевелюрой до плеч, водил смычком, самозабвенно прикрыв глаза. Официант говорил шепотом, из уважения к скрипачу.

Дымился чай в тончайшем фарфоре, знаменитое шведское пирожное «шоколадный шар» нежно таяло во рту, голос скрипки сладкими волнами окатывал ушибленное сердце, а в голове упрямо звучали пушкинские строки:

> Ура, мы ломим, гнутся шведы...
> И следом конница пустилась,
> Убийством тупятся мечи,
> И падшими вся степь покрылась,
> Как роем черной саранчи.

* * *

Перед дверью приемной, в предполье, как называли этот кусок коридора военные, Илья встретил начальника Генштаба Шапошникова и заместителя начальника оперативного управления Василевского. Они шли из кабинета Хозяина. Шапошников остановился, пожал Илье руку.

— Добрый вечер, голубчик, удачно, что я вас встретил. Позавчера был с семьей в Большом, смотрели «Трех толстяков». Оказывается, балерина Крылова супруга ваша. Изумительно танцевала, выше всяких похвал.

— Спасибо, Борис Михайлович, приятно слышать.

Задерживаться и разговаривать в предполье не полагалось. По обеим сторонам, через каждые десять метров, стояли офицеры охраны. Возникало естественное желание побыстрей миновать эту зону, выйти из-под обстрела их орлиных взоров. Даже сам Хозяин в хорошем настроении шутил: вон их сколько, любой может пальнуть. На самом деле, часовые, вынужденные стоять неподвижно по два часа, просто тупо смотрели перед собой, и наверняка каждый про себя считал минуты, когда его сменят.

— Помнится, в девятьсот шестом посчастливилось мне видеть Анну Павлову в «Жизели», — неспешно продолжал Шапошников, — незабываемое зрелище. Должен вам сказать, голубчик, ваша Мария Крылова танцует не хуже. Очень сильное впечатление, передайте ей искреннюю мою признательность.

Большое лошадиное лицо морщилось в добродушной улыбке, от Шапошникова веяло чем-то уютным, старорежимным. Царский полковник, кавалер семи орденов за Первую мировую, был единственным, кого Хозяин называл по имени-отчеству. Шапошникову даже дозволялось курить в святилище, только ему и никому больше, при том, что сам Хозяин дымил постоянно.

В тридцать седьмом «на все согласный» смиренно подписывал смертные приговоры своим коллегам Тухачевскому, Уборевичу, Путне и прочим. Из подписавших военных уцелели только трое — Буденный, Ворошилов и Шапошников.

Как человек в здравом уме, Шапошников, конечно, знал, что никакого заговора в армии не было, понимал, чем грозит родному государству такое грандиозное кровопускание, но очень хотел жить. Другие тоже хотели, но им повезло меньше.

Илья помнил Шапошникова образца тридцать седьмого. Командарм семенил по этим коридорам, вжав голову в плечи, не поднимая глаз. А теперь спина распрямилась, глаза ожили.

Перед нападением на Финляндию Шапошников подготовил подробный оперативный план, как это делают профессиональные штабисты всех армий мира. Но Сталин объяснил старому командарму, что для победы над финнами никакого плана не нужно, одна дивизия Ленинградского округа разобьет финскую армию играючи и через неделю возьмет Хельсинки. «На все согласный» решился возразить. Сталин отстранил Генеральный штаб от финских дел и отправил Шапошникова в отпуск по состоянию здоровья.

Только к началу декабря, после того, как за месяц Красная армия не сдвинулась с мертвой точки у линии Маннергейма и потеряла несметное количество людей и техники, Хозяин начал потихоньку догадываться, что военными операциями должны руководить военные, а не Ворошилов с Мехлисом.

Пока Шапошников делился впечатлениями о «Трех толстяках», Василевский топтался рядом и нетерпеливо поглядывал на часы. В коренастой мужицкой фигуре, в круглом грубоватом лице чувствовалась надежность, нормальность. Такой все выдержит и не подведет. Но вот, оказывается, Василевский лет пятнадцать назад отрекся от родителей ради военной карьеры. Отец его был священник. Мехлис, начальник политуправления Красной армии, бессменная прима сталинской пропаганды, недавно в секретариате пропел сказание о том, как на обеде для высших военных Хозяин отечески пожурил Василевского, что тот бросил родителей, и велел впредь помогать им материально.

Вождь все чаще разыгрывал перед военными роль доброго божества. Уцелевших офицеров выпускали из тюрем, лечили, вставляли выбитые зубы, возвращали звания и награды. О реабилитации речи не шло. Обвинений не снимали. Каждый знал, что в любую минуту могут опять арестовать. Каждый обязан был усвоить раз и навсегда: его жизнь, свобода, карьера, отношения с близкими подвластны непостижимой божественной воле Хозяина.

Вернувшись в свой кабинет, Илья позвонил Проскурову, договорился об очередной встрече после десяти вечера на конспиративной квартире в Малом Знаменском переулке. Квартира числилась за Разведупром. В простенках дежурили люди Берия, и обслуга была завербована. Но назначить встречу в каком-то другом месте Илья не мог. Телефон прослушивался. Значит, для серьезного разговора придется вытаскивать летчика на улицу. Слава богу, морозы уже не такие страшные.

Он сунул руку в карман пиджака, вместе с пачкой папирос извлек сложенные вчетверо листочки и вздрогнул. Это было письмо Мазура, он взял его с собой, чтобы показать Проскурову. Именно сегодня он собирался поговорить о бомбе.

Спички ломались, из гильзы сыпались табачные крошки. Он наконец сумел прикурить, после пары затяжек успокоился.

Десять дней назад он сделал первый шаг, поговорил с Проскуровым о Мите Родионове. Вчера узнал, что Родионов переведен в распоряжение Разведупра. Следующий шаг — устроить Мите командировку в Иркутск, к Мазуру, но для этого придется открыть Проскурову все карты, то есть выйти на совсем другой уровень доверия.

«Умный, порядочный, — думал Илья, — но мое предложение действовать неофициально, за спиной Берия, а главное, за спиной Хозяина, вполне может принять за провокацию. Допустим, у меня есть основания доверять ему. Он работает на совесть, мыслит здраво, не заражен фальшивым фанатизмом и аппаратной страстью к интригам. А какие основания у него доверять мне? Кто я для него? Говорящий карандаш в руке Хозяина, темная лошадка. Мы симпатизируем друг другу, но что из этого? Ладно, он должен понимать, что провоцировать его мне ни к чему, в конце концов, ничего противозаконного я не предлагаю. Да, мое предложение идет вразрез с резолюцией Берия, но как только амери-

канцы займутся урановой бомбой, Берия придется свою резолюцию съесть вместе с папкой, в которой она лежит, и объяснить
Хозяину, какого лешего он ее сочинил».

Ося тщательно скрывал свой московский канал от «Сестры».
Для британских спецслужб СССР до сих пор оставался неосво-
енной территорией, создать там агентурную сеть не удавалось.
А в Британии советские агенты работали. Узнав о московском
канале, «Сестра» вцепится бульдожьей хваткой и очень скоро
угробит доктора Штерна вместе с его загадочным кремлевским
другом, которого Ося и Габи называли кодовым именем ПЧВ
(порядочный человек с возможностями). Учитывая нынешние
тесные связи НКВД и гестапо, это может стоить головы и ему
самому, и Габи, не говоря уже о падре.

Во время последней встречи с Тибо он запросил санкцию
«Сестры» на знакомство с Эммой Брахт. Не просто единственная женщина в урановом списке, но еще и невестка Вернера
Брахта. Доктор Штерн вывел это имя крупными буквами и подчеркнул. «Из достоверного источника нам стало известно, что
непосредственное участие профессора ВЕРНЕРА БРАХТА в работах над созданием ядерного оружия может значительно ускорить процесс. Просим отнестись к этому со всей серьезностью.
Пожалуйста, держите нас в курсе».

Ося уже достаточно освоил урановую тему. Ускорить процесс может только одно: метод разделения изотопов. А что, если коллеге и соавтору Брахта, советскому радиофизику Мазуру
удалось это сделать?

«Урановых месторождений на территории СССР наверняка
достаточно, бесплатной рабочей силы сколько угодно, ученые
кое-какие остались. Допустим, работы идут, — размышлял Ося, —
метод разделения изотопов найден, и доктор Штерн косвенно сообщает мне об этом. Зачем? Глупо, рискованно и абсолютно бессмысленно. И при чем здесь Брахт? На черта им немецкий радио-

физик, если через год-полтора появится своя бомба? Тогда уж ничего не нужно, кроме бомбардировщиков. Нет, стоп. Это пока только мои домыслы. Слишком мало информации».

Тибо отнесся к идее знакомства с Эммой Брахт со сдержанным энтузиазмом, хмуро заметил, что рано или поздно все равно придется пойти именно этим путем, иных вариантов просто нет. Затем он вяло пошутил насчет неотразимого мужского обаяния синьора Касолли, мол, доцент Эмма Брахт много потеряет, если «Сестра» поручит ее разработку кому-то другому.

Сегодня Ося должен был узнать, благословила его «Сестра» на знакомство с фрау доцентом или нет.

Вернувшись с прогулки, он сразу заметил в фойе знакомую грузную фигуру, удобно раскинувшуюся в кресле. На журнальном столике дымилась большая чашка, рядом на тарелке лежала надкусанная булочка. Тибо читал газету и поглядывал на часы. Ося не стал подниматься в номер, отдал пакет портье, подошел к Тибо, уселся напротив. В ответ на приветствие бельгиец минуту молча смотрел на Осю поверх очков, наконец рот его растянулся в широкой улыбке, он покачал головой и сказал:

— Я в приметы не верю, но считается, что ложное сообщение о смерти предвещает долгую жизнь. Как вы себя чувствуете, Джованни?

— Как положено новорожденному. Вижу мир вверх ногами и наслаждаюсь каждым глотком воздуха.

— «Сестра» просила вам передать, что вы напрасно так рано удрали из госпиталя.

— Не хотел опоздать на встречу с вами, Рене. Да и стыдно было там валяться, занимать койку из-за какой-то ерунды, когда вокруг столько серьезных ранений.

— Ушиб сердца не ерунда. «Сестра» настоятельно рекомендует вам отдохнуть в Швейцарии.

— Спасибо, не откажусь, кстати, мой шеф тоже настаивает, чтобы я отдохнул.

— Ну и славно. Комната в пансионе под Лозанной для вас уже заказана и оплачена. Премия от «Сестры», по случаю вашего чудесного воскрешения.

— Вот, оказывается, как выгодно погибать на поле боя. — Ося хмыкнул. — Мое министерство тоже выписало мне премию, дуче наградил медалью за отвагу. Посмертно.

Тибо засмеялся, перегнулся через столик, похлопал Осю по плечу:

— Даже мне кое-что перепало, заработал на вас десять фунтов. Догадываетесь, каким образом?

— Заключили с кем-то пари, что я жив?

— Мг-м, — Тибо весело подмигнул. — Это при том, что я принципиально никогда не спорю на деньги. Но как только узнал, кто кинул в пасть «Ассошиэйтед пресс» информацию о вашей смерти, шанс выиграть показался мне стопроцентным. Имя источника говорило само за себя, я не устоял перед соблазном, заключил пари и, конечно, выиграл.

— Источник — мисс Баррон? — Ося тихо присвистнул. — Да, кроме нее, никто не мог.

— Ночью примчалась в корпункт в невменяемом состоянии и убедила дежурных, что видела ваш труп своими глазами. Умудрилась так заморочить им головы, что они отправили печальную новость без дополнительных проверок.

— Тем более приятно, что им пришлось сразу давать опровержение, — ехидно заметил Ося, — впредь будут осторожней с сенсациями от мисс Баррон.

— Опровержение? — Тибо шевельнул бровями. — Я что-то не припомню.

— Как же, в таком случае, стало известно, что я жив? — выпалил Ося и покраснел.

Вопрос был глупый. Разумеется, сотрудники секретных служб узнают такие вещи не из газет. Тибо даже не счел нужным ответить, только пожал плечами.

— Нет-нет, опровержения что-то не припомню, — повторил он задумчиво, — но, возможно, мне просто не попалось на глаза.

Ося замер, сердце вдруг больно подпрыгнуло и затрепыхалось, как в первые часы после ушиба. Стало трудно дышать.

— Джованни, в чем дело? Вам нехорошо?

311

— Рене, не беспокойтесь, я в порядке, — опершись о подлокотники, Ося поднялся на ноги.

Сердце продолжало упорно бухать, все плыло перед глазами. Он шел через маленькое фойе к стойке целую вечность, словно преодолевал мили бушующего океана, и ухватился за эту стойку, как за край спасательной шлюпки.

— Пожалуйста, соедините меня с Берлином, — попросил он портье и назвал номер.

В трубке уныло тянулись длинные гудки. Наконец прозвучал незнакомый женский голос:

— Вилла фон Хорваков, слушаю вас.

«Горничная», — понял Ося и сказал, едва справляясь с одышкой:

— Добрый день. Попросите, пожалуйста, госпожу фон Хорвак.

— Госпожи нет дома, могу позвать господина.

— Да, будьте любезны.

— Как вас представить?

— Касолли.

Муж Габи взял трубку через пару минут и осторожно, с легким покашливанием уточнил:

— Джованни?

— Да, Максимилиан, это я. Удивлены?

— Признаться, не ожидал. Мы с Габриэль очень сожалели, когда пришло сообщение. Рад, что оно оказалось ошибкой. Как вы себя чувствуете?

— Спасибо, для покойника просто великолепно. — Ося наконец одолел свою одышку.

— Что же с вами стряслось, Джованни? Вы ранены? Контужены? — вежливо осведомился фон Хорвак.

— Ни то ни другое. Надеюсь, скоро буду в Берлине, расскажу при встрече. Очень забавная история. Кстати, передайте Габриэль мои поздравления с прошедшим днем рождения. Я не сумел позвонить из Хельсинки, поздравить вовремя.

— Спасибо, Джованни, но день рождения у нее через два месяца.

«Без тебя знаю, болван», — подумал Ося и произнес равнодушно:

— Правда? А мне почему-то казалось, что в феврале. Простите, перепутал. Ну, в любом случае, передайте ей от меня привет. — Он нервно хохотнул и добавил: — Не с того света, а всего лишь из Стокгольма.

Положив трубку, он добрел до кресла, сел, прислушался к своему сердцу. Оно вроде бы успокоилось, боль отпустила, дыхание стало ровным.

— Джованни, мне кажется, вам нужно на воздух, — сказал Тибо, — подождите, я только поднимусь в номер, возьму пальто.

Ося согласно кивнул, закрыл глаза. В голове все еще звучал ледяной, слегка удивленный голос фон Хорвака: «Мы с Габриэль очень сожалели». В памяти поплыл финал вечеринки в итальянском посольстве, кадр за кадром, будто он снял все это на свою «Аймо» и теперь просматривал отснятое. Хозяйский жест господина фон Хорвака, когда он запаковывал в шубку свою усталую жену. Лицо Габи, расширенные глаза, смех пьяненького капитана. Ося почувствовал, как шевелятся его губы: «Ты врешь, моя дорогая, все кончено, ты испугалась по старой привычке, а потом очень сожалела вместе с господином фон Хорваком».

Тибо подошел неслышно, тронул за плечо. Ося вздрогнул.

— Джованни, что, опять нехорошо? — тревожно спросил бельгиец.

— Нет, Рене, я в порядке, не беспокойтесь. — Ося встал, поправил шарф, надел шляпу. — Идемте, я готов. После моих приключений нет ничего приятней и полезней, чем спокойная прогулка по мирному городу.

— Я вижу, вы еще очень слабы, — проворчал Тибо, — в любом случае наши разговоры лучше вести на свежем воздухе.

Несколько минут шли молча, наконец бельгиец, покосившись на Осю, сказал:

— Надеюсь, с вашей подругой все в порядке. Как же я, старый осел, не догадался? Следовало сразу дать ей знать.

— Ничего, теперь она знает, — сквозь зубы процедил Ося.

Тибо промолчал, но так выразительно, что лучше бы уж сказал какую-нибудь сочувственную бестактность. Осю коробило, когда «Сестра» лезла в его личную жизнь. Конечно, сам виноват, бросился звонить при Тибо, орал на все фойе, выдал себя с головой. Зачем? Чтобы не омрачать семейное счастье четы фон Хорвак сожалениями о безвременной кончине господина Касолли?

— Ну, как вам русские? — спросил Тибо, тактично меняя тему. — Совсем неспособны воевать или это некоторое преувеличение?

— Мне трудно судить, могу только сказать, что снайпер, который подцепил меня на мушку, стреляет метко. — Ося ткнул пальцем в дыру на куртке.

— Слева, точно в сердце. Я слышал, пуля застряла в вашем журналистском блокноте?

Ося молча кивнул.

— Символично. — Тибо вздохнул и поправил шляпу. — В Первую мировую с одним моим однополчанином случилась подобная история. Его спасла фляжка с коньяком. Таскал ее в левом нагрудном кармане, как вы свой блокнот. Коньяк вытек, он принял его за кровь, решил, что ранен смертельно. Кстати, тоже был ушиб сердца. Единственная травма за всю войну. А после войны он спился. Такая вот черная неблагодарность ангелу-хранителю.

— Вы же сказали, его спасла фляжка.

Тибо остановился, достал платок. Бедняга потел даже когда не было жарко. Промокая лицо, тихо посапывал.

— Фляжка — слепой случай, конечно, его спас ангел-хранитель, но мой однополчанин был материалист, ангелов отрицал, верил во фляжку, вот и спился.

Бельгиец тихо замурлыкал себе под нос какую-то мелодию, видимо, история о спившемся однополчанине потянула за собой ряд невеселых воспоминаний.

— Война, война. — Он тяжело вздохнул. — Финны сражаются из последних сил, русские бессмысленно теряют силы, и все на пользу Гитлеру. Вот вам и слепой случай.

— А что же англо-французский десант? — спросил Ося.

— Эту операцию я бы назвал так: «Лучший подарок фюреру».

— Но ведь ее главная цель — перекрыть поставки шведской руды, — возразил Ося, — Черчилль убежден, это будет серьезный удар по вермахту.

— Схватка между Сталиным и союзниками в тысячу раз перекроет ущерб от такого удара и, кстати, обернется кошмаром для финнов, сделает их маленькую страну ареной гигантской европейской войны.

— Ну да, — кивнул Ося, — в таком случае Гитлеру останется только потерпеть немного, пока обе стороны ослабеют, и выбрать, кого добить первым, СССР или Британию.

— Надеюсь, этого безумия все же не случится. Мирные переговоры идут давно, с начала января. Для Сталина вариантов нет. Если он не подпишет мир до середины марта, ему придется воевать с Англией и Францией. К такой войне он явно не готов, как, впрочем, и к любой другой.

— Гигантская страна, многомиллионная армия, все годы своего правления он только и делал, что вооружался.

— Вооружался? — Тибо хмыкнул. — Мегатонны железа и пушечного мяса — это еще не армия. Чтобы создать боеспособную армию, ему бы пришлось отказаться от своей абсолютной власти и дать хотя бы некоторую свободу действий профессиональным военным, если, конечно, не всех расстрелял.

— При его помешательстве на военных заговорах довериться военным? — Ося помотал головой. — Собственной армии и собственного народа он боится больше, чем любого внешнего врага. Вот вам разница. В Германии заговор есть, но Гитлер его не боится, военным доверяет, потому так успешно воюет. В СССР все наоборот. Вместо заговоров паранойя Сталина, вместо войны мародерство по границам.

— Парадокс. — Тибо кивнул. — Этот так называемый красный Чингисхан панически боится войны и сделал все, чтобы способствовать ее началу. А ведь помнит, чем обернулась Первая мировая для Российской империи. Неужели действительно верит, что Гитлер — удобное средство для восстановления прежних границ?

— Конечно, верит. — Ося развел руками. — Иначе зачем полез в Финляндию?

— Да, с финнами он вляпался крепко. Ошибся в выборе жертвы. Прямого сопротивления он не выдерживает. Жертва должна быть заранее ослаблена, раздавлена кем-то другим. Вот Польша. Гитлер перегрыз ей горло, а Сталин, как шакал, доел остатки. Потом три прибалтийских государства позволили разместить на своих территориях советские военные базы, смиренно легли под Сталина. Он без всяких военных усилий захватит их в подходящий момент. Между прочим, три их армии вместе взятые значительно превосходят финскую. Но финны, в отличие от прибалтов, под Сталина не лягут. Уничтожить их он может, победить — никогда.

Ося слушал и думал: «Красный Чингисхан, великий тиран, гениальный злодей, чье коварство сопоставимо с масштабом могущества... Этот миф примирил западных правых с Гитлером. Для охраны европейской цивилизации от страшного, загадочного Сталина бешеный цепной пес Гитлер просто необходим. А западных левых миф примирил со Сталиным как с единственной силой, способной противостоять Гитлеру. Никто не ожидал, что пес Гитлер сорвется с цепи и бросится на тех, кого призван охранять, а страшный, загадочный, великий миф будет способен только угодливо подкармливать пса и вороватоподбирать за ним объедки. Тибо наконец называет вещи своими именами. Интересно, до этих сонных тупиц в европейских правительствах хотя бы теперь дошло? Тряслись от страха перед мировой революцией, вот и получили ее от Гитлера. А кто такой Сталин? Прямого сопротивления не выдерживает. Боеспособной армии не имеет. Ошибся в выборе жертвы. Где же коварная гениальность и гениальное коварство? Под кого легли три прибалтийских государства? Под кем столько лет лежит Россия?»

Для Оси Россия оставалась родиной. Не получалось оборвать пуповину. Он имел итальянское подданство, работал на британскую разведку, мотался по миру, свободно говорил на четырех языках, но думал по-русски.

— Сталин теряет остатки престижа, — продолжал рассуждать Тибо, — гробит несметное количество людей и техники, взамен получает кусок опустошенной финской земли, с которой население спешно эвакуируется, сжигая свои дома, чтобы ничего не досталось русским. Гитлер получает твердую уверенность в немощи Красной армии плюс выгодного союзника. Как только он нападет на Россию, финны с удовольствием к нему присоединятся. А могли бы сохранить нейтралитет или даже помочь русским.

— Могли бы, — согласился Ося. — Маннергейм не поднял бы руку на Петроград.

— На Ленинград поднимет. — Тибо громко чиркнул концом зонта по булыжнику. — Во всяком случае, Гитлеру мешать не станет.

— А кто станет? — пробормотал Ося.

— Ну-ну, Джованни, все-таки Британия воюет, у Франции сильная армия.

— Для французов война закончилась в восемнадцатом, они потеряли несколько миллионов, до сих пор не могут опомниться и больше воевать не желают. Играют в свою Мажино, как в детскую железную дорогу под землей, поклоняются своим героическим мумиям Гамиллену с Петеном, а мумии видят главную опасность для Франции в призраке коммунизма.

— Джованни, призрак довольно активен, агенты Коминтерна действуют на всех военных заводах Британии и Франции, ведут подрывную агитацию во французской армии, провоцируют забастовки и драки.

Осе нечего было возразить, он знал, что это правда. Сталинский Коминтерн упорно гадил где мог. Идейных коммунистов в этой международной банде оставалось все меньше, работали в основном наемники с уголовным прошлым.

— Бред! — бросил он мрачно. — Вот-вот нападет Гитлер. Вместо того чтобы взять ружье и защищаться от волков, французы шлепают комаров.

— Нападет, — кивнул Тибо, — но не сразу. Когда Советы подпишут мир с финнами, Гитлер нападет на Норвегию, чтобы надежно обезопасить транзит шведской руды через Балтику, а потом уж займется Францией.

Ося сжал зубы, прошептал:

— Надеюсь, «Сестра» понимает, что такое тяжелая вода для работы над урановой бомбой?

— Отчасти. — Тибо понизил голос. — Скажем так, сегодня она понимает это лучше, чем вчера.

— Значит, есть надежда, что завтра завод взлетит на воздух?

— Джованни, вы говорите ужасные вещи. — Тибо укоризненно покачал головой. — Только агенты Коминтерна могут устраивать диверсии на территории нейтральной страны, джентльмены на такое не способны. К тому же все запасы тяжелой воды вывезены в Париж.

— Отлично, — кивнул Ося, — но производство не остановилось. Захватив Норвегию, немцы удесятерят его. А когда захватят Бельгию, в их руках окажется дополнительный запас урана.

— Предлагаете взорвать Бельгию?

— Нет. Взорвать надо завод тяжелой воды в Норвегии, а из Бельгии заранее вывезти весь уран.

— Лично я с вами согласен. — Тибо вздохнул. — Но «Сестра» считает это преждевременным. Кстати, просила еще раз напомнить вам об осторожности. Ваш шеф больше не пользуется доверием в рейхе.

— Знаю. — Ося вздохнул. — Дуче крепко его подставил.

В конце декабря прошлого года Муссолини приказал Чиано предупредить бельгийского посла в Риме о готовящемся германском нападении на Бельгию и Голландию. Дуче считал, что для всех, кроме него, это свежая новость и страшная тайна. Чиано приказ выполнил. Посол тут же отправил шифрованные телеграммы в Брюссель и Амстердам, с прямой ссылкой на Чиано. Немецкие службы их, конечно, перехватили и расшифровали. Чиано попал под подозрение, немцы перестали ему доверять и следили за каждым шагом. Это могло в любой момент поставить под удар Джованни Касолли.

Вышли на набережную. Было так влажно, что нельзя понять, где кончается туман и начинается дождь. Тибо крутил в руках зонтик, пытался открыть его, ворчал:

— Что за погода, черт разберет.

Наконец зонт открылся и обвис на сломанных спицах. Тибо сунул его в урну, пожаловался:

— Вот, уже третий за месяц. — И добавил нервной скороговоркой: — Немцы открыто говорят, что Чиано английский шпион.

— Спасибо не советский. — Ося хохотнул. — Не огорчайтесь из-за зонта, все равно при такой влажности он бесполезен.

Тибо сердито посопел и перешел к главной теме — к немецкой урановой бомбе. Собственно, ради этого они и встретились.

— Ну, как поживает наш приятель Карл Вайцзеккер?

Ося пересказал пустой треп на вечеринке, заключив, что ничего нового выяснить не удалось и вряд ли удастся, если действовать так осторожно.

Тибо косо взглянул на него и сообщил:

— Ваше знакомство с Эммой Брахт пока откладывается. Причины — высокий уровень секретности далемской команды, а главное — пристальное внимание гестапо к сотрудникам Чиано. Операция слишком рискованная. «Сестра» считает, что риск в данном случае не оправдан.

— Рузвельт, наконец, прочитал письмо Эйнштейна?

— И доводы Бора тоже. Никаких определенных решений пока не принято. Госдеп все еще не хочет осознать, что уран имеет какое-то стратегическое значение. До последнего времени он шел на изготовление светящихся циферблатов для часов и в керамическую промышленность. Авторитетные консультанты по науке считают проект слишком затратным, перспективы слишком туманными.

Ося хмыкнул и, помолчав, раздраженно произнес:

— Авторитетные консультанты — авторитетные американские идиоты. Германия в тысячу раз беднее Америки, к тому же воюет, но производство уранового оружия не считает затратным проектом с туманными перспективами, денег на него не жалеет.

Тибо согласно кивнул и пожал плечами. Этот жест и выражение лица означали: «Согласен, но ничего не могу изменить».

Бельгиец явно устал, все чаще останавливался, доставал платок, вытирал лицо. Скамейки вдоль набережной были мокрыми. Ося предложил зайти в кафе, но Тибо отказался.

— Тут слишком вкусные пирожные. Не удержусь, закажу, а мне нельзя сладкого. Просто пойдем чуть медленней.

«Знакомство откладывается. Но это не значит — отменяется. Ладно, поживем — увидим. Спросить его о Вернере Брахте? Нет, пока не стоит...» — Ося слушал Тибо вполуха, главное было уже сказано, и вдруг услышал:

— Недавно я говорил с профессором Мейтнер.

«А вот это интересно. — Ося встрепенулся. — Она проработала в далемском институте тридцать лет, ей принадлежит открытие».

— Мейтнер допускает, что сейчас ее коллеги в Далеме могут заниматься урановым оружием, так же, как в Первую мировую занимались отравляющими газами. Правда, говорит об этом неохотно, ускользает, переходит на общие темы. Физика, философия, парадоксы природы, история науки. На мой вопрос, каковы, по ее мнению, их шансы, ответила то, что мы с вами уже знаем наизусть: разделение изотопов. Найдут способ — сделают бомбу очень быстро. Не найдут — будут возиться бесконечно. Конечно, всех далемских затворников она знает как облупленных, но обсуждать своих бывших коллег принципиально не желает. Считает это низостью. Любая моя попытка перейти к конкретным именам наталкивалась на стену.

— С кем-нибудь из них поддерживает связь?

— Спрашивал. Не ответила. Но точно известно, что пару недель назад она встречалась с Отто Ганом в Копенгагене. Собственно, поэтому я и решил встретиться с Лизой.

— Гана спокойно выпустили? — изумился Ося. — Он ведь точно занят в проекте, они все засекречены.

— Вот именно. Выводы пока делать рано, и в паранойю впадать не стоит. Сначала надо понять, что она за человек. Мне раскусить ее не удалось.

— Может, я попробую?

— Я как раз хотел вам предложить взять интервью у Мейтнер для «Таймс», но, конечно, после того, как вы хорошенько отдохнете.

— Почему же после? Разумней это сделать побыстрей, чтобы на отдыхе спокойно поработать с материалом. Где она сейчас?

— Здесь, в Стокгольме. — Тибо помолчал, посопел и добавил чуть тише: — О чем они говорили с Ганом, неизвестно, остается надеяться, что Мейтнер не давала ему консультаций по ядерной теме.

Глава пятнадцатая

Илья свернул на Волхонку, оттуда в Колымажный переулок и, наконец, в Малый Знаменский. За аркой огромного доходного дома начала века, выходившего роскошным фасадом в переулок, открывались лабиринты проходных дворов.

Арку тускло освещал фонарь из переулка, но из-за снега было довольно светло. Вдоль стен чернели глубокие овальные ниши. В одной из них что-то шевельнулось, прямо перед Ильей возник силуэт. Валенки, овчинная бекеша, ушанка. Илья, не останавливаясь, но и не ускоряя шага, сунул руки в карманы пальто. В правом лежал маленький браунинг, спецреферентам полагалось иметь при себе оружие.

Где-нибудь в Марьиной Роще или в Сокольниках такая встреча могла бы сулить захватывающее приключение, с дракой, погоней и стрельбой. На Знаменке, в двух шагах от Комиссариата обороны, она была всего лишь очередным приветом от товарища Берия. Военная контрразведка находилась в его подчинении. Он расставлял наружку в каждой подворотне.

«Привет» преградил путь, шмыгнул носом и прогнусавил с блатной растяжкой:

— Товарищ, я извиняюсь, огоньку не найдется у вас?

Илья чуть замедлил шаг. Правая рука осталась в кармане, левой он вытащил коробок и кинул «привету». Тот поймал, чиркнул. Огонек осветил юную, совершенно разбойничью физиономию с папироской в углу рта.

— Коробок отдашь Дмитрию Николаевичу[1]. — Илья быстро пошел дальше.

---

[1] Шадрин Дмитрий Николаевич, начальник 3-го спецотдела НКВД (наружное наблюдение).

Конспиративная квартира находилась в мансарде кирпичного флигеля, стоявшего в глубине двора. В подъезде топтался еще один «привет». Когда Илья вошел, он предупредительно открыл дверь и вызвал лифт.

Илья пошел пешком. Пока он поднимался на седьмой этаж, на площадке встретил еще одного. Вряд ли обилие «приветов» предвещало реальные неприятности, скорее всего, это была просто психическая атака. Не нравилось товарищу Берия, что спецреферент по Германии встречается с начальником военной разведки.

Военных вообще, и разведку в частности, Берия терпеть не мог, а Проскуров вызывал у него особенную ненависть. Начальник Разведупра пользовался правом прямого контакта с Хозяином, наравне с высшим руководством НКВД, то есть какой-то начальник отдела приравнивался к нему, Берия. Равенство было абсолютно формальным, Берия это отлично понимал, но постоянно, упорно гадил.

Открыв дверь своим ключом, Илья столкнулся в прихожей с горничной Люсей, кудрявой круглолицей блондинкой а-ля Целиковская. Она щебетала и кокетничала, как положено бериевской сексотке высшего разряда.

Проскуровского пальто на вешалке не оказалось. Илье на мгновение стало не по себе. Летчик никогда не опаздывал.

— Иван Иосифович не звонил, что задержится? — спросил он Люсю.

— Так он здесь уже, курит на балконе.

— Ну, тогда я тоже раздеваться не буду, покурю с ним. — Илья вытер ноги, прошел в комнату.

— Да что вы, в самом деле, Илья Петрович, я вот и Ивану Иосифовичу говорю, тут можно курить, зачем же на холод вылезать? — щебетала Люся, не отставая ни на шаг.

— Чаю нам принесите, пожалуйста, — попросил Илья.

Проскуров стоял на большом балконе, выходившем в темный пустой двор, дымил, перегнувшись через перила. Илья поздоровался. Летчик пожал протянутую руку, в полумраке сверкнул зубами.

— Ну что, Илья Петрович, обложили нас, как волков?

— Да, многовато их сегодня. Прогуляться не хотите?

— Я бы с радостью, но ведь провожать пойдут, ни на минуту в покое не оставят.

За стеклом маячила белокурая голова. Проскуров затушил папиросу в консервной банке, шагнул к балконной двери, открыл ее так резко, что горничная едва успела отскочить.

— Я же просил чаю, — раздраженно напомнил Илья.

— Закипает уже, я вот как раз узнать хотела, вам, может, мяты добавить в заварку? — Люся улыбнулась и кокетливо поправила желтые кудряшки.

— Не надо. — Илья закрыл балконную дверь перед ее носом.

Проскуров стукнул кулаком по перилам, пробормотал:

— Черт, надоело!

Илья закурил, огляделся, заметил рядом, в полуметре от перил, пожарную лестницу и поймал взгляд Проскурова. Летчик смотрел туда же. С минуту оба молчали, наконец Илья тихо произнес:

— Иван Иосифович, ну мы же с вами не мальчишки, смешно, в самом деле.

— Смешно, — кивнул Проскуров, — а стоять тут, прятаться от этой канарейки не смешно?

— Ну, так давайте посидим для виду минут двадцать, чаю выпьем и уйдем. Только через подъезд, конечно.

Проскуров молча пожал плечами.

Они зашли в комнату, балконную дверь оставили открытой, уселись в кресла, не снимая пальто. Мгновенно явилась Люся, прикатила сервировочный столик, запричитала:

— Да что же, товарищи, тут у вас все нараспашку, ведь холодно!

— А вы идите в кухню, не то простудитесь, — вежливо посоветовал Проскуров.

Выставить ее оказалось не просто. Она еще минут пять щебетала, пыталась закрыть балконную дверь, уговаривала снять верхнюю одежду. И только когда Илья пригрозил написать докладную на имя товарища Берия, что его сотрудники мешают проведению секретной оперативной встречи, канарейка возмущенно фыркнула и упорхнула. Илья проводил ее до двери, вытащил ключ, торчавший снаружи, запер комнату изнутри, достал из кармана письмо Мазура, развернул, протянул Проскурову и громко произнес:

— Красивая девица, но дура.

— Что дура согласен, — так же громко ответил летчик, не отрывая глаз от письма, — а вот насчет красоты не знаю. На мой вкус толстовата. Хотя такой типаж многим нравится.

— Сладкая булочка, — весело подхватил Илья, — в данном случае придурковатость вроде изюму. Но, конечно, для оперативной работы никак не подходит.

— Даже для такой элементарной, как эта. — Проскуров отвечал рассеянно, письмо явно его заинтересовало.

Продолжая болтать всякую галиматью, Илья следил за его лицом и убеждался, что принял верное решение — начать с письма и приложенных к нему комментариев Карла Рихардовича, которые он заранее перепечатал и слегка отредактировал.

Дверь несколько раз дергалась, Люся стучала, верещала что-то, в ответ Илья раздраженно бросал:

— Не мешайте работать!

Наконец Проскуров поднял на него глаза и спросил знаками, можно ли ему взять письмо себе. Илья кивнул и произнес:

— Иван Иосифович, а ведь мы с вами торчим в кабинетах часов по десять в сутки, пойдемте-ка на воздух, сейчас не холодно, и вроде метель кончилась.

— Идея неплохая, Илья Петрович, вот только чай допьем и пойдем, — он покосился в сторону балконной двери.

Илья отрицательно помотал головой, подошел и прошептал на ухо:

— Зачем их бесить? Я тут каждую подворотню знаю, оторвемся.

Летчик покачал головой и скорчил скептическую гримасу. Илья решительно направился к двери, повернул ключ. Канарейка успела отпрянуть и опять что-то заверещала. Они поблагодарили ее за чай и вышли, вежливо с ней попрощавшись.

«Привет», дежуривший в подъезде, как заправский лакей, открыл перед ними дверь и остался на своем посту. В арку они не сунулись, пошли в другую сторону, быстро обогнули флигель, нырнули в узкий проход между какими-то приземистыми строениями, похожими на огромные сугробы. Пришлось пробираться в полной темноте, по колено в снегу. Пару раз останавливались, прислушивались. Никаких признаков погони. Наконец очутились на Волхонке, огляделись.

— Вроде все в порядке, — сказал Проскуров и, опершись на плечо Ильи, принялся вытряхивать снег из ботинок.

— Маленькая экскурсия на Финский фронт, — заметил Илья с усмешкой.

— Ну нет, Илья Петрович, там снег до подмышек, и между прочим, еще и стреляют. — Проскуров зашнуровал ботинки, распрямился, пробормотал: — Разделение изотопов урана — главная проблема в производстве ядерного оружия.

— Уже знаете?

— А как же? Все-таки военной разведкой руковожу.

— Честно говоря, я сразу догадался, что вы уже в курсе, когда увидел, как внимательно читаете. Вот, хотел с вами посоветоваться. Письмо попало ко мне случайно. Я навел кое-какие справки, выяснил, что профессор Мазур действительно серьезный ученый, академик, не шарлатан, не помешанный. Конечно, прежде всего нужна компетентная экспертиза этого прибора, но организовать ее своими силами я не могу. Тема закрыта директивой товарища Берия: все разговоры о так называемом урановом оружии являются вражескими попытками отвлечь внимание советского руководства от более насущных проблем. Видите, уже вызубрил. Любой мой шаг в этом направлении чреват серьезными неприятностями не только для меня...

— Ясно, не объясняйте, — перебил Проскуров, — насущных проблем действительно хватает, вот уж в этом товарищ Берия точно прав. Где он сейчас, ваш академик?

— В Иркутске, в ссылке. Ему за шестьдесят, здоровье слабое. Два с половиной года одиночки. Боится повторного ареста.

— Вы сказали, к вам письмо попало случайно?

— Мой свекр привез из Иркутска, был там в командировке, — объяснил Илья, — когда-то учился у Мазура.

— Почему же этот профессор не обратился в Академию наук, к своим коллегам?

— Боится высовываться и напоминать о себе. Он вообще не хотел писать, отказывался ставить свое имя.

— Интересно почему? — Проскуров пожал плечами. — Казалось бы, наоборот. Шанс вернуться из ссылки, если, конечно, изобретение действительно чего-то стоит.

— Шанс, — тихо повторил Илья. — Видимо, староват он для игры в орлянку. Знаете, Иван Иосифович, мне кажется, было бы разумно для начала отправить в Иркутск надежного компетентного человека, так сказать, в неофициальном порядке.

— Согласен, — кивнул летчик, — для этого вы и сосватали мне лейтенанта Родионова?

— Ну, в общем, и для этого тоже. Родионов окончил четыре курса физфака, с Мазуром хорошо знаком, ходил к нему на семинары, бывал дома, в физике разбирается.

— Я уже заметил. — Проскуров усмехнулся. — Крестник ваш, не успел заступить на должность, докладную мне настрочил на десять страниц. Анализ научных публикаций в германской прессе показывает, что ядерная тема в рейхе полностью засекречена, из чего следует, что работа над бомбой идет, и началась она не позже апреля тридцать девятого.

С Волхонки они вышли на Гоголевский бульвар, оба то и дело оглядывались. Все было спокойно, никто не шел за ними.

— Между прочим, не он первый, — продолжал Проскуров, — у меня уже здоровенная папка материалов набралась по урану. А толку? У нас урановых разработок нет, и начинать их никто не собирается.

— Но комитет по урану при Академии наук все-таки уже создан, — заметил Илья.

— Комитет. — Проскуров с комичным пафосом поднял палец. — Комитет — это здорово, но пока они там будут заседать, немцы урановую бомбу сделают и на нас сбросят.

— Шутите? — осторожно уточнил Илья.

— Ага, шучу. С июля идет информация.

— С июля? — Илья изумленно взглянул на Проскурова. — Но ни в одной вашей сводке мне ничего не попадалось.

— Правильно, потому что информация пока косвенная, данные непроверенные. Якобы немцы пытались скупить весь уран, которым торгует Бельгия. На территории Германии и Чехословакии везде, где есть месторождения, сплошные секретные объекты. Богемия, Судеты. Секретными объектами стали около двадцати научных институтов в разных городах Германии.

Проскуров говорил спокойно, ровным, каким-то безнадежным голосом. Конечно, устал от абсурда. Информацию об урановых разработках в Германии он не мог включать в сводки потому, что она добывалась вопреки запрету Хозяина вести разведку на территории рейха. Проскуров сильно рисковал, внедряя своих людей в делегации военных специалистов, ездившие в рейх. А учитывая резолюцию Берия об уране, это был двойной риск.

— Ну, тогда тем более надо действовать на опережение, — сказал Илья. — Вы не хуже меня знаете, что руководство рано или поздно заинтересуется ураном, и тогда в этой теме мелочей не будет. Сейчас мы с вами не имеем возможности послать в Иркутск авторитетную академическую комиссию или вытащить Мазура сюда, в Москву. Но на первом этапе это и не обязательно.

— Да-да, Илья Петрович, не вопрос, Родионова я отправлю в ближайшее время. Он знает о приборе?

— Пока нет, я решил вначале заручиться вашей поддержкой.

Проскуров молча кивнул, задумался и через минуту пробормотал:

— Пожалуй, могу сунуть его переводчиком в немецкую делегацию. Военные инженеры концерна «Хенкель» отправляются в ознакомительную поездку по сибирским авиазаводам. Новосибирск, потом Иркутск. — Он покосился на Илью и тихо добавил: — Знаете, Илья Петрович, у меня такое чувство, что вы чего-то не договариваете.

— Правильное чувство, Иван Иосифович, недоговариваю главного. В начале разговора вы спросили: почему Мазур не хотел писать о своем изобретении. На самом деле вопрос в другом. Почему он все-таки решился написать? А решился он потому, что его германский коллега профессор Вернер Брахт идет тем же путем. Многие годы они занимались одной темой. Учитывая, что Брахт работает в Институте физики Общества кайзера Вильгельма в Далеме...

— Где? — Проскуров резко остановился, уставился на Илью. — Черт! Вы хоть понимаете, что это значит? Далем — наверняка главный центр исследований, именно там открыли расщепление ядра, именно там в Первую мировую работали над газовым оружием. Да, ошарашили вы меня, Илья Петрович.

— Ну, подождите, может, не стоит преувеличивать? — Илья пожал плечами. — Допустим, Мазур абсолютно прав, и его прибор способен делить изотопы, но из этого вовсе не следует, что его коллега в Германии в ближайшее время придет к тем же выводам.

Проскуров сморщился, помотал головой:

— Бросьте, Илья Петрович, ставка слишком высока, чтобы полагаться на авось. Уж поверьте мне, я изучал вопрос. Урановое оружие настолько страшно, что многие серьезные ученые, европейские, американские, да и наши, предпочитают заниматься самоутешением: фантастика, дело далекого будущего. Я не разбираюсь в физике, не возьмусь судить, насколько оправданны их доводы. Но есть факт. Немцы бомбу делают. Рассуждать, взвешивать за и против — все равно что стоять перед надвигающейся лавиной и гадать на ромашке: накроет, не накроет.

— Согласен, — кивнул Илья, — только вот, честно говоря, плохо представляю, что мы можем.

— Да ни черта мы не можем, — угрюмо пробормотал Проскуров, — шею себе сломать можем, это точно. Но раз уж свалилась на нас эта история, деться некуда, надо как-то действовать, а то потом свалится урановая бомба и мы будем виноваты.

— Когда она свалится, уже не будет ни виноватых, ни правых, отвечать придется разве что перед Господом Богом. — Илья сгреб с кустов горсть снега и принялся лепить снежок.

— Вот именно. — Летчик нервно усмехнулся, помолчал и продолжил спокойно, четко: — Значит, отправляем в Иркутск вашего Родионова, смотрим, что он нам оттуда привезет. Потом пытаемся прощупать этого Брахта.

— А что, если Родионов привезет из Иркутска письмо? — Илья подкинул снежок на ладони. — Обычное письмо, весточку профессору Брахту от его старого друга, профессора Мазура. Об изотопах, конечно, ни слова.

— Да, я тоже подумал, — кивнул Проскуров, — других способов подобраться к Брахту у нас пока нет, это хотя бы маленькая зацепка. Но ведь письмо может подтолкнуть его, если он еще не догадался.

— Может подтолкнуть, а может, наоборот, сбить, запутать. — Илья подкинул снежок высоко и ловить не стал. — Все зависит от Мазура. Он хорошо знает Брахта, ему видней, стоит писать или нет. Между прочим, сам факт их многолетней дружбы работает на нас. Мазур — еврей, значит, оголтелым нацистом Брахт точно не является.

— Ну и что? — Проскуров усмехнулся. — Чтобы делать урановую бомбу, фанатиком идеи быть не обязательно. Достаточно быть фанатиком науки, лояльным к режиму. — Он остановился. — Ладно, поздно уже, третий час ночи. Мне надо выспаться и хорошо подумать, да и вам тоже.

Илья пожал протянутую руку. Секунду они смотрели друг другу в глаза.

— Задал ты задачку, Илья Петрович. Ну, будь здоров, — пробормотал летчик, развернулся и быстро зашагал прочь.

* * *

Эмма вышла из трамвая на остановку раньше, у парка. Расстегнула шубку, с наслаждением вдохнула влажный, уже прогретый солнцем воздух. Под каблуками весело хрустел гравий аллеи.

«Пожалуй, скоро можно надеть легкое пальто. Коралловая шелковая блузка неплохо сочетается с темно-серой плиссированной юбкой... Центрифуга сыграет с ними злую шутку. Энергии сожрет больше, чем производство тяжелой воды, а нужных изотопов даст жалкие крохи. Странно, что они этого не понимают, я ведь сделала им точные расчеты. Метод Клузиуса — Диккеля перспективней и экономичней, но только на первый взгляд. Все гениальное просто, но не все, что просто, — гениально. Две трубы, одна в другой. Снаружи холодная, внутри горячая. В пространство между трубами пускается уран в виде газа. Изотопы 235 легче, они концентрируются возле горячей трубы и поднимаются вверх. Отлично! Только уран в газообразном состоянии крайне агрессивен, он вызовет коррозию труб прежде, чем начнется процесс... Да, а на блузку — вязаный жакет цвета антрацита, старенький, но по гамме идеально... Разница в весе три нейтрона, зацепка ненадежная, но есть кое-что еще, кажется, кроме меня, пока никто не догадывается. Странно почему? Это же просто, как все гениальное...»

Эмма не заметила, как подошла к калитке. Во дворе и в доме было пусто. Она сразу поднялась наверх. Вернер сидел за письменным столом у окна перед грудой бумажек и покусывал карандаш.

— Агнешка простыла, осипла, лежит с температурой, — рассеянно сообщил он, подставив щеку для поцелуя, — хотел пригласить доктора, она категорически отказалась.

— Правильно, — кивнула Эмма, — приглашать врача для польской прислуги довольно странно, это может вызвать кривотолки.

— Какие кривотолки? От денег ни один врач не откажется, просто Агнешка предпочитает лечиться сама, лимоном и чесноком. — Он сморщил нос, почесал его тупым концом карандаша. — Будь добра, посмотри свежим глазом, кажется, я что-то напутал.

Эмма придвинула второй стул, села рядом. На этот раз старик делал записи на клочках оберточной бумаги.

— Опять надо все переписывать. Я же купила вам три большие тетради.

— И пересчитывать. — Он виновато вздохнул.

Она подошла к шкафу. Пакет из канцелярского магазина, который она принесла на прошлой неделе, так и стоял нераспакованный.

— Что за страсть к обрывкам и огрызкам? — проворчала Эмма.

Старик ее не услышал. Она раскрыла новую тетрадь. Несколько минут они молча сидели рядом, каждый занимался своим делом.

— Все-таки у них психология мелких чиновников. — Вернер закурил и откинулся на спинку стула.

— О ком вы? — спросила Эмма, не поднимая головы.

— Гейзенберг смиренно собирал пожертвования в партийную кассу. Великий Гейзенберг, гений уровня Лейбница и Ньютона, бродил по Лейпцигу зимой, как нищий, с жестяной кружкой. Уму непостижимо!

— Но ведь он не член партии, — заметила Эмма, — как могли заставить?

— Он сам себя заставил. Дисциплина есть дисциплина. А потом жаловался: боже мой, какое унижение! Конечно, ему не нравится режим, но он заговаривает себе зубы, что Гитлер необходим для будущего величия Германии.

— Путь к величию Германии лежит через унижение немцев. — Эмма хмыкнула, отложила карандаш и пододвинула старику пепельницу.

Вернер затушил сигарету, закрыл лицо ладонями, с притворным испугом забормотал:

— Ой-ой, дорогуша, это мое дурное влияние, я же предупреждал, меня надо беспощадно искоренить, я опасный рассадник вражеской пропаганды. Подозреваю, что я тайный еврей.

Его хитрый глаз поблескивал сквозь щелку между пальцами, лоб морщился, лохматые рыжие брови ходили ходуном. Эмма рассмеялась.

— Слушай, дорогуша, я вот думаю, если в качестве начинки попробовать окись алюминия в сочетании с хромом. — Он отнял ладони от лица, развернулся на стуле и с таинственным видом кивнул на большой лабораторный стол.

Только сейчас Эмма заметила старинный серебряный сундучок, инкрустированный перламутром, и сразу его узнала. В сундучке хранились драгоценности Марты.

— Как тебе идея?

— Не совсем поняла. — Эмма улыбнулась, пожала плечами.

— Окись алюминия, ионы хрома, — повторил он и опять кивнул на сундучок: — Открой и найди то, что я имею в виду.

Внизу зазвонил телефон. Эмма вздрогнула.

— Вот нас и услышали, — хихикнул Вернер.

— Пожалуйста, не надо так шутить! — Она нервно сглотнула. — Полька может взять трубку?

— Нет. Лежит, к тому же совсем осипла. — Он тронул ее плечо. — Успокойся, дорогуша, это, скорее всего, Макс.

Оставшись одна, Эмма открыла сундучок, пожалуй, слишком поспешно, и без всякой робости. Конечно, ведь старик сам попросил ее это сделать. «Найдешь то, что я имею в виду».

Марта показала ей свои сокровища за месяц до пожара. Янтарная брошь в виде совы, грубоватый гарнитур — колье и серьги с мертвой бирюзой в потемневшем серебре. Сломанные золотые часики. Нитки кораллов и речного жемчуга, спутанные в безнадежный колтун вместе с порванными цепочками и швейными нитками. Тут же лежали пуговицы, игольник, наперсток. Отдельно, в бархатном кошелечке, хранились две понастоящему ценные вещицы: кольцо с бриллиантом, оставшееся от матери Вернера, и неограненный рубин, который лет сто назад привез из Бирмы прадед Марты.

Марта была равнодушна к украшениям, носила только обручальное кольцо и нательный крестик. Сундучок открыла потому, что Эмме понадобилась иголка с ниткой.

Кольцо с бриллиантом Эмме тогда так понравилось, что она до сих пор его помнила. Марта дала ей примерить. Оно едва налезло на мизинец. «Вот и мне мало, — сказала Марта, — в наше время таких пальчиков не найти». Эмма заметила: «Можно увеличить». Марта пожала плечами: «Зачем?» — и убрала кольцо назад, в кошелечек.

Что касается рубина, он не произвел на Эмму сильного впечатления, хотя стоил целое состояние. Камень был размером с грецкий орех, имел форму призмы и напоминал кусок замороженного сырого мяса. Три поколения женщин в семье Марты не решались отдать его ювелиру, чтобы огранить и превратить в украшение: слишком большой, а распиливать на части жалко. На самом деле прабабушка, бабушка и мать Марты верили, что рубин приносит несчастье.

«Несчастье. — Эмма вздохнула. — Оно действительно случилось. Марта никогда не носила на себе рубин, камень так и лежал в кошелечке. Она даже прикасалась к нему редко, и вот — погибла в огне. Рубин цвета огня и крови. Какая может быть связь? Глупые суеверия, бессмысленная мистика. Красный цвет рубина объясняется химическом составом. Окись алюминия, ионы хрома. Пожар объясняется коротким замыканием, только и всего».

Осторожно, двумя пальцами, она взяла камень, посмотрела на свет. Конечно, она почти сразу поняла: Вернер собирался использовать рубин в качестве активного вещества, пропустить через него лучи. Идея показалась Эмме интересной. Она положила камень возле прибора, в эбонитовую крышку от какой-то склянки. Ей захотелось еще раз примерить кольцо.

Герман когда-то купил для нее в Амстердаме дивный бриллиантовый комплект — серьги и кольцо. Серьги до сих пор посверкивали в ее мочках, а из кольца камень выпал и потерялся.

«Если я попрошу, Вернер, конечно, не откажет, — размышляла она, — давно хотела, но не решалась, и вот отличный повод. Тогда оно было мне мало, но можно отдать ювелиру, увеличить».

В кошелечке кольца не оказалось. Эмма перебрала побрякушки, с тревогой подумала: «Неужели полька?» — но тут же отогнала эту мысль. Агнешка не похожа на кретинку, мечтающую попасть в концлагерь.

Окончательно убедившись, что кольца нет, Эмма закрыла сундучок и отправилась вниз.

Вернер сидел на скамейке в прихожей, шнуровал ботинки.

— Дорогуша, извини, мне нужно сходить на почту.

— Зачем? Что случилось?

— Некогда, потом объясню. Почта закрывается в пять.

Эмма сдернула с вешалки свою шубку.

— Я с вами!

На улице она взяла его под руку, еще раз спросила, что случилось, он не ответил.

Почтовое отделение находилось на углу соседнего квартала. Там не было ни души, только торчала русая голова молоденькой служащей за окошком.

— Успели, — пробормотал старик сквозь одышку.

Здороваясь с девушкой, он назвал ее по имени: Гильда. В этом районе все друг друга знали.

Гильда выглянула из окошка.

— Добрый вечер, профессор Брахт, я закрываю через десять минут.

— Не волнуйтесь, Гильда, я вас не задержу.

Вернер взял бланк для международных телеграмм, стал заполнять его, нервно макал казенное перо в чернильницу, ввинченную в стойку.

«Дания, Копенгаген, Блегдамсвей, 17, Институт теоретической физики, профессору Нильсу Бору. Фриц вернулся из госпиталя, дома предписан сидячий режим. Успокойте Шарлотту. Доктор Макс сделает все, что в его силах», — прочитала Эмма, заглянув через плечо старика, и заметила, что подписался он собственным полным именем, указал свой домашний адрес.

— Профессор Брахт, у вас тут ошибка, — сказала служащая, принимая бланк, — вы, вероятно, хотели написать «постельный режим».

— Нет-нет, Гильда, режим именно сидячий, — улыбнулся Вернер, — наш больной сидит, а не лежит.

«Может, вы, наконец, объясните?» — повторяла про себя Эмма, пока шли назад, к дому. Произнести эту фразу вслух она не решалась, знала: если старик сочтет нужным, сам все объяснит, а нет — так никакими клещами из него слова не вытянешь.

Дома, скинув пальто, он сразу пошел на второй этаж. Эмма за ним. Там была спальня для гостей, с отдельной ванной и туалетом. Дверь оказалась запертой. Немудрено, в последний раз гости ночевали тут лет сто назад, еще при Марте. Вернер нервно покрутил ручку.

— Черт, где ключ? Ни за что теперь не найду.

— Я найду, — сказала Эмма.

Связка запасных ключей висела в шкафчике в кладовке. Наконец дверь открыли и застыли на пороге.

В комнате был идеальный порядок. Широкая кровать под шелковым зеленым покрывалом, кресло-качалка с вышитой подушкой и вязаным пледом. На старинном бюро в китайской фарфоровой вазе букет роз. Лепестки не осыпались, цветы просто высохли и почернели, превратились в маленькие хрупкие мумии. Пыли оказалось совсем немного. В ванной висели белые купальные халаты, в мыльнице лежал кусок мыла, две зубные щетки торчали из стаканчика.

Марта любила принимать гостей, любила эту комнату. Без нее за прошедшие годы дом обрел другой облик, стал жилищем вдовца, вопреки всем стараниям Эммы, выглядел печально и неуютно. Только одна запертая комната осталась прежней.

Вернер побледнел, опустился на стул у бюро. Эмма присела перед ним на корточки, тревожно заглянула в лицо.

— Что, сердце?

Он издал странный сухой звук «уф-ф», похожий на шорох мертвых цветов, тряхнул головой и произнес усталым будничным голосом:

— Надо вытереть пыль и поменять белье. Думаю, Физзлю тут будет удобно.

— Какому Физзлю?

— Хоутермансу. Скоро его должны выпустить из тюрьмы.

— Из какой тюрьмы?

Она, наконец, поняла, о ком речь, и удивилась еще больше. Фридрих Хоутерманс, молодой талантливый физик, помесь второй степени, то есть еврей на четверть, к тому же коммунист, эмигрировал в Англию. Ходили слухи, что оттуда он переехал в Россию.

— Русские передали его гестапо, — объяснил Вернер, — сейчас он в Берлине, в тюрьме полицейского управления на Александрплац. Неделю назад мне позвонил незнакомый человек, с приветом от Физзля. Так мы между собой называли Фрица. Человек этот оказался бывшим сокамерником, его выпустили. Физзль дал ему мой номер.

— Неужели помнил наизусть? Через столько лет? — Эмма подозрительно прищурилась.

— Ничего странного, — успокоил ее старик, — домашний номер Физзля отличается от моего всего на одну цифру. К тому же мой номер есть в городском телефонном справочнике.

— Погодите, вы сразу поверили какому-то незнакомцу? А вдруг провокация?

— Он сказал «Физзль». — Вернер улыбнулся. — Провокатор этого прозвища знать не мог. Конечно, я позвонил Максу, попросил проверить. У него связи, возможности, он все выяснил и даже добился освобождения, не знаю уж, как ему это удалось. Теперь хлопочет, чтобы Физзлю вернули собственность, виллу тут рядом, на соседней улице. Пока он поживет у меня.

— А что значит эта телеграмма? Кто такая Шарлотта? — судорожно сглотнув, спросила Эмма.

— Шарлотта — жена Физзля, она в Америке. Ее с двумя маленькими детьми чудом выпустили из России в тридцать седьмом, после того, как его арестовали. Она не знает, что с ним. Вот, я отправил телеграмму Нильсу, он ей сообщит, что все в порядке. Теперь поняла?

Эмма молча кивнула.

— Ну, а как тебе моя идея использовать в качестве активного вещества рубин?

— Гениально. — Эмма улыбнулась. — И просто, как все гениальное. Камень пролежал без пользы сто лет, вот, наконец нашлось ему применение.

Она хотела спросить про кольцо, но не решилась. Сейчас это прозвучало бы бестактно.

* * *

Ося ждал профессора Мейтнер в ресторане на Королевском острове, возле городской ратуши. По телефону он представился корреспондентом «Таймс» Джоном Касли.

В Стокгольме стало совсем тепло, сквозь молочную дымку просвечивало солнце, на площадке перед верандой чирикали воробьи, мягкий ветерок трепал кисейные занавески.

«Уехать в Альпы, спрятаться, забиться в нору, забыться хотя бы на неделю, никого и ничего не видеть, кроме неба и горных вершин, — лениво мечтал Ося, обводя черенком чайной ложки контуры бликов на скатерти, — и конечно, просмотреть свой дырявый дневник, переписать оттуда самое ценное, пока не забыл. Любопытно, сколько слов провалилось в дыру от пули?»

— Мистер Касли? — произнес рядом низкий женский голос.

Он увидел пожилую даму, довольно высокую, худую, с прямой спиной. Чистое лицо, почти без морщин, правильные, немного тяжелые черты, большие серые глаза. Седые волосы собраны в узел на затылке. Синее платье с круглым белым воротничком, как у гимназистки. На фотографиях она выглядела старше и грубей.

— Профессор Мейтнер. — Ося поднялся, протянул руку.

Рукопожатие у нее было крепкое, мужское, кисть тонкая и прохладная. На среднем пальце остро сверкнул бриллиант.

— Извините, я опоздала. — Она взглянула на часы. — На целых пятнадцать минут.

— Спасибо, что пришли. Могу представить, как вам надоели журналисты.

— Что, простите?

Ося решил, что она плохо слышит, и повторил громче:

— Журналисты вам, вероятно, надоели.

— Мистер Касли, у меня все в порядке со слухом. — Она холодно улыбнулась. — Просто ваше замечание показалось мне странным. Какие журналисты? О чем вы?

Голос ее звучал ровно, спокойно, полные бледные губы улыбались.

— Профессор Мейтнер, я наслышан о вашей скромности, но ведь не до такой же степени. — Ося покачал головой. — Вы автор главного открытия века...

— Бросьте. — Она махнула рукой. — В науке женщина — досадное недоразумение, хуже, чем негр в Америке или еврей в Германии. Даже не второй, а десятый сорт.

Ося достал чистый блокнот и карандаш, быстро записал ее слова, не поднимая головы, произнес:

— Да, знаю, свою первую публичную лекцию вы читали в Берлинском университете в двадцать втором году. Тема «Значение радиоактивности для космических процессов». Какая-то ежедневная газетенка в сообщении о лекции молодого доцента-женщины вместо «космических» напечатала «косметических».

— Вы недурно подготовились к интервью, но все-таки не понимаю, чем вас так заинтересовала моя скромная персона?

Подошел официант, Ося спохватился, передал ей открытое меню.

— Здесь отлично готовят рыбу.

— Закажите мне что-нибудь на свой вкус. — Она отложила меню в сторону, даже не заглянув в него, и достала из сумочки сигареты.

Сумочка была старая, потертая, сигареты дешевые.

Официант чиркнул спичкой. Ося заказал две порции овощного салата и жареного палтуса с чесночным соусом.

— Открытие века, — пробормотала Лиза, — разве вы не знаете, что оно принадлежит профессору Гану и доктору Штрассману? Вот их действительно должны атаковать журналисты.

— Должны, — кивнул Ося, — но не атакуют. Ни одного интервью за год. Как думаете, почему?

— Понятия не имею.

— Между прочим, отличная тема для журналистского расследования. — Ося покрутил в пальцах карандаш. — Нацистские ученые присвоили чужое открытие и распорядились им по-нацистски.

— У них нет выхода, в Германии нацизм. — Лиза прищурилась и выпустила струйку дыма.

— Эйнштейн, Ферми, Силлард и многие другие не смогли жить и работать при нацизме.

Ося попытался поймать ее взгляд, но она смотрела на воробьев за стеклом веранды и ответила чуть слышно:

— Конечно, жить при нацизме евреям невозможно.

— Ферми — итальянец, в Италии антисемитизм не так силен, как в Германии.

— Лаура, его жена, еврейка, а Италия — провинция рейха.

— Считаете, дело только в этом?

— В чем же еще? Бросить все, что создавалось десятилетиями, бежать неизвестно куда, без гроша в кармане... Мистер Касли, вы просто плохо представляете себе, что такое эмиграция.

— Совсем не представляю. — Ося кашлянул в кулак. — Но знаю, Эйнштейн уехал в тридцать втором, до прихода Гитлера к власти.

— Это Эйнштейн. — Лиза развела руками. — Любая страна почтет за честь принять его. К тому же он теоретик. Ничего, кроме собственной головы, ему не нужно. Вот я вовсе не гений, я не могу без своей лаборатории, поэтому торчала в рейхе до последнего. Не мне судить тех, кто остался. Если бы не угроза угодить в лагерь, не знаю, как бы я поступила.

— В любом случае вы бы не...

Ося замолчал на полуслове. Подошел официант с подносом. Лиза благодарно ему улыбнулась и тут же принялась за еду. Ося заметил, что ест она с жадностью очень голодного человека, и не стал отвлекать ее разговорами. Промокнув губы салфеткой, она сказала:

— Вы правы, тут готовят замечательно.

— Рад, что вам понравилось, — кивнул Ося и попросил у официанта десертное меню.

Официант предложил подойти к стеклянной вертушке у буфета. Лиза вскочила живо, как маленькая девочка, подошла к вертушке, долго, внимательно разглядывала пирожные.

— Шоколадный шар, — посоветовал Ося, — традиционное шведское лакомство.

— Да, пожалуй, и еще крепкий кофе.

Десерт она ела уже спокойно, не спеша. Ося знал, что в институте Манне Сигбана она, шестидесятилетний профессор с мировым именем, числится внештатной лаборанткой и получает жалкие гроши.

Швеция принципиально не принимала беженцев-евреев из Германии, для Мейтнер сделали исключение, но гражданства не дали. Она жила в дешевом пансионе в самом бедном районе Стокгольма.

Манне Сигбан, нобелевский лауреат, член Королевской шведской академии наук, президент Международного союза чистой и прикладной физики, славился своей нетерпимостью к женщинам-ученым. На какой-то конференции Сигбан заявил, что женщинам противопоказано заниматься физикой и химией. Во время экспериментов они рискуют поджечь свои волосы. Лиза спросила его при всех, не боится ли он поджечь свою пышную бороду? Вскоре Сигбан бороду сбрил. Эта история стала расхожим анекдотом, а нетерпимость Сигбана к женщинам-ученым сфокусировалась на Мейтнер. И, несмотря на это, она предпочла институт Сигбана в Стокгольме институту Бора в Копенгагене, исключительно потому, что у Сигбана была специальная лаборатория ядерных исследований, а у Бора такой лаборатории не было.

«Характер, — думал Ося, наблюдая, как профессор собирает последние крошки пирожного с тарелки, — фанатик своей науки. А ведь до сих пор хороша, женственна. Старая дева, монашка, синий чулок — все это совершенно не про нее. Облизывает ложечку, жмурится, как котенок».

Допив кофе, она сунула в рот очередную сигарету.

— Простите за откровенность, но ведь они вас просто обокрали, — сказал Ося, чиркнув спичкой.

— Кто — они? — Лиза нахмурилась.

— Прежде всего Отто Ган. Под собственным именем опубликовал ваше открытие, без ссылки на вас. Что это, если не воровство?

— Отто не мог на меня сослаться. В рейхе запрещено упоминать имена евреев-эмигрантов.

— Тогда ему не следовало так спешить с публикацией.

— Мистер Касли, вы слишком сурово судите людей, которых совершенно не знаете. В науке сенсация еще важней, чем в журналистике.

— Но это не его сенсация, а ваша. Ган подсуетился, договорился со знакомым редактором «Натурвиссеншафт» в Берлине, его статью мгновенно поставили в сверстанный номер, сняв другой материал. А у вас такой возможности не было, вы отправили свою статью в «Нейчур» по почте. Пока она дошла до Лондона...

— Послушайте, — резко перебила Лиза, — я проработала с профессором Ганом тридцать лет. Все друг у друга заимствуют. Ничто не берется из ниоткуда. Я нашла решение, пользуясь теорией Бора о капельном строении ядра и известной вам формулой Эйнштейна $E = mc^2$.

— А вот Нильс Бор в своих интервью и публичных выступлениях настаивает, что открытие расщепления ядра урана принадлежит именно вам. Вы первая догадались и сформулировали, а ваш племянник Отто Фриш проверил экспериментально.

Лиза покачала головой.

— Простите, мистер Касли, я забыла, как называется ваша уважаемая газета?

— «Таймс».

— Ну что ж, звучит солидно. — Она опустила глаза и принялась крутить кольцо на пальце.

По скатерти рассыпались крошечные разноцветные лучи. Кольцо было очень простое. Ничего лишнего. Единственный бриллиант, довольно крупный и чистый, высокой пробы, на тонком платиновом ободке. Ося невольно залюбовался игрой камня. «Интересно, оно досталось ей по наследству или подарил кто-то?»

— Вообще, мы ведь совсем ничего не знаем, — задумчиво произнесла Лиза, — в конце прошлого века казалось, все известно, все открыто. Вот вам, пожалуйста, совершенная система классической механики. Теория электромагнитных явлений. Кинетическая теория теплоты. Закон сохранения энергии. Термодинамика. Конечно, отдельные скептики допускали, что в физической картине мира еще остались кое-какие белые пятна, но это пустяки по сравнению с величием и законченностью целого. Филипп Жолли, маститый мюнхенский профессор, пытался убедить одного своего студента бросить теоретическою физику. — Лиза надула щеки, сдвинула брови, заговорила низким, важным голосом: — Молодой человек, зачем вы хотите погубить свою будущность? Теоретическая физика закончена. Дифференциальные уравнения сформулированы, методы их решений разработаны. Можно вычислять отдельные частные случаи, но стоит ли отдавать жизнь таким пустякам?

Она так забавно спародировала маститого профессора, что Ося рассмеялся.

— Студента звали Макс Планк, — произнесла Лиза своим обычным голосом.

— С него началась эпоха квантовой физики, с вас — эпоха ядерной физики, — заметил Ося, перевернув исписанную страницу.

— Мистер Касли, ядерная физика началась с Резерфорда, — холодно поправила Лиза.

— Да, но Резерфорд до конца своих дней не верил, что ядра тяжелых элементов могут делиться.

— Никто не верил. — Она отодвинула занавеску, щурясь, взглянула на розовые закатные облака. — Но тот же Резерфорд еще в девятьсот десятом выдвинул теорию, что источник солнечной энергии — постоянные радиоактивные реакции внутри Солнца. Природа существует по единым, универсальным законам, в ней нет ничего случайного и бессмысленного. Ничего, кроме, пожалуй, человеческой злобы и глупости. Вот Солнце, созданное Богом, дает жизнь, а Солнце, которое пытаются создать люди, несет в себе смерть.

— Ну и как вы оцениваете шансы создать это смертоносное Солнце?

— Ваш коллега уже спрашивал, я объяснила.

Понятно, она имела в виду Тибо. Он тоже представился журналистом, и она мигом его раскусила, так же как и Осю. Но ведь не отказалась встретиться.

— Да, все упирается в проблему разделения изотопов урана. — Ося достал свои сигареты. — Найдут способ — сделают бомбу очень быстро. Не найдут — будут возиться бесконечно.

— Для журналиста вы неплохо подкованы. — Она впервые взглянула на него с интересом. — Мистер Касли, где вы изучали физику?

— Нигде. Так, почитал кое-что об уране вообще и вашем открытии в частности. Вот вы упомянули Резерфорда. Наверняка помните его фразу: *Некий болван в лаборатории может взорвать вселенную*. Он сказал это в тысяча девятьсот двадцать четвертом. Тогда звучало как шутка, а сегодня уже реальность. Иными словами, существование европейского континента, а возможно, и всей планеты, зависит только от сообразительности, удачливости и упорства кучки арийских интеллектуалов, ваших коллег, профессор Майтнер. От их совести, здравого смысла, простого инстинкта самосохранения не зависит ничего, для них это химеры, точно по Гитлеру: «Совесть — еврейская выдумка».

Минуту она хмуро молчала, наконец произнесла:

— Мистер Касли, при всем уважении к вам, вы все-таки не ученый, вы плохо представляете истинные мотивации моих коллег. Почему вы не допускаете, что они просто морочат голову нацистским чиновникам? Хитрят, тянут время, выбивают финансирование. Ведь нет прямых доказательств. Только домыслы и подозрения.

— Какое доказательство, по-вашему, явилось бы прямым?

— Заключение психиатра. Бомбу для Гитлера может делать только умалишенный.

— Чтобы убедиться в безумии Гитлера, вам тоже нужно заключение психиатра?

— Честно говоря, мне легче считать сумасшедшей себя, чем всю Германию, и Австрию в придачу. Человек без происхождения, без образования стал рейхсканцлером, захватил половину Европы, развязал мировую войну. Это противоречит привычным догмам, а главное, противоречит устоявшимся веками представлениям немцев о самих себе. Но это произошло, это неопровержимый факт. — Лиза взяла бумажную салфетку, принялась рвать ее в клочья, произнесла задумчиво: — На самом деле от нас мало что зависит.

— Что вы имеете в виду?

— Лучшие физики мира четыре года расщепляли ядро урана и не видели очевидных вещей. Если бы суть процесса поняли сразу в тридцать четвертом... — Она разжала пальцы, и белые клочья упали на скатерть.

— От Европы не осталось бы мокрого места? — кашлянув, спросил Ося.

Она пожала плечами, аккуратно собрала обрывки салфетки, скомкала, бросила в пепельницу, заговорила, не поднимая глаз:

— Мысль, что нейтрон, не имеющий электрического заряда, способен расщепить ядро самого тяжелого элемента в природе, казалась слишком фантастичной. Ферми и Кюри не верили показаниям приборов, точно так же, как интеллигентные немцы не верили, что нацистская партия придет к власти. Какие тут работают законы? Что все это значит? Вселенная такая, какая она есть, потому, что вещество и частицы, отвечающие за фундаментальные взаимодействия, имеют те свойства, которые они имеют. Но почему они имеют именно такие свойства, никто пока не объяснил. Возможно, метод разделения изотопов урана уже существует, простой и доступный. Но будет ли он найден, кем, когда и где? Мы не знаем.

— Послушайте, профессор Мейтнер. — Ося отложил блокнот. — А ведь есть определенная логика в том, что расщепление ядра урана открыл все-таки не Ферми в фашистской Италии и не Ган в нацистской Германии, а именно вы — в нейтральной Швеции.

— Хотите сказать, написав об открытии Гану, я сдвинула гармонию мира? — Лиза вскинула глаза.

В них мелькнул испуг и тут же спрятался за снисходительной усмешкой.

— Нет. — Ося смутился. — Вы, конечно, не могли поступить иначе. Вы проработали с Ганом многие годы...

— К тому же опыты ставил он с доктором Штрассманом, а я только объяснила. Конечно, я не могла поступить иначе. Старая дружба, научная этика... — Она помолчала и пробормотала чуть слышно: — Зато теперь им есть чем заняться, чтобы не угодить на фронт. Энергия «вриль».

— Что? — переспросил Ося.

— Это из фантастического романа английского писателя девятнадцатого века Бульвара Литтона, — объяснила она, — роман называется «Грядущая раса». Сверхлюди владеют таинственной сверхэнергией, дарующей грандиозные победы. В Германии понятие «вриль» введено в научный оборот. Нацисты презирают науку и помешаны на мистике. Я вот думаю, как вообще удалось выбить у этих невежд деньги на ядерные исследования? Вряд ли кто-то в состоянии объяснить Гитлеру или Гиммлеру, что такое деление ядра урана. «Вриль» — совсем другое дело.

— Так или иначе, деньги получены, исследования идут, — жестко заметил Ося, — половина мирового запаса урана в руках немцев.

Лиза молчала, задумчиво разглядывая свой бриллиант.

— В урановом проекте заняты десятки научно-исследовательских институтов на территории рейха, — продолжал Ося, — сотни дипломированных ученых. По-вашему, они все убеждены, что исследуют магическую энергию «вриль»? Где же нам взять психиатра, который сделает объективное заключение об их душевном здоровье?

Она вздохнула, грустно усмехнулась.

— Когда началась Первая мировая, Эйнштейн сказал, что у Европы ампутировали головной мозг. Что, в таком случае, ампутировали сейчас, если мозга давно нет?

— Ох, профессор Мейтнер. — Ося поймал ее ускользающий взгляд. — Если ваши уважаемые коллеги, у которых мозг в полном порядке, преуспеют, ампутировать вообще будет нечего. Все состоит из атомов, и все может рассыпаться на атомы, то есть на символы, но они уже ничего не будут значить, поскольку некому будет думать о них. А ведь вы еще тогда, в Рождество тридцать восьмого, сидя в лесу на поваленном дереве, подсчитали мощь ядерного удара. И так доверчиво изложили все в письме Гану.

— На поваленном дереве, — повторила она и вздохнула, — даже это вам известно.

— Могу рассказать многие другие подробности.

— В таком случае пятнадцать доводов Бора, доказывающих невозможность создания ядерного оружия в ближайшие десятилетия, вам тоже должны быть знакомы.

— Да, я читал их. Они выглядят убедительно для госдепа США и парламента Великобритании. А вашим уважаемым коллегам на них наплевать. Завтра кто-то из далемских затворников найдет способ разделения изотопов, и все доводы Бора полетят к черту, вместе с европейской цивилизацией, у которой ампутировали мозг. Скажите честно, вы полностью исключаете такую вероятность?

— Вопрос бессмысленный. Физическая вселенная существует как набор вероятностей. — Она нервно хрустнула пальцами. — В науке вообще все случайно. Вот ваш любимый уран. Чистый уран — металл серебристо-белого цвета, был получен и описан в тысяча восемьсот сорок втором. Новый элемент не обладал никакими замечательными свойствами и не привлекал внимания еще пятьдесят четыре года.

Ося вздохнул. «Да, Тибо прав, она постоянно ускользает, уводит разговор в сторону. Ей удобней и приятней болтать на общенаучные темы, размышлять, философствовать. У нее так мозги устроены».

— В тысяча восемьсот девяносто шестом Беккерель, исследуя люминесценцию и рентгеновские лучи, совершенно случайно сунул в темный шкаф черный бумажный пакетик с урановой солью, — продолжала Лиза, — и надо же такому случиться, что пакетик оказался на фотопластинке, упакованной в черную бумагу. Через несколько дней Беккерель проявил фотопластинку и увидел на ней четкое изображение куска соли. Так была открыта радиоактивность урана. Что это — случайность или предустановленная гармония, о которой писал Лейбниц, решать не мне и не вам.

«Наука не только ее страсть, но и убежище, — догадался Ося, — чуть занервничала и сразу успокоилась, будто лекцию читает. Ладно, милая Лиза, все это очень интересно, однако вернемся к далемским затворникам».

— Профессор Мейтнер, а ведь точно так же, случайно или по закону Лейбница, завтра может быть найден способ разделения изотопов урана. Они все об этом думают, ищут, работают. Гейзенберг, Вайцзеккер, Ган, Брахт...

Ося смотрел ей в глаза и замолчал, заметив, как дрогнули ее ресницы. На бледных щеках появился легкий румянец. Пальцы занялись кольцом.

Именно в этот, самый неподходящий момент явился официант, поменял пепельницы, принялся неспешно собирать посуду, положил на стол плоскую деревянную шкатулку со счетом. Лиза побледнела, отвернулась, сняла кольцо, сжала в кулаке, потом опять надела. Едва дождавшись, когда официант удалится, Ося повторил:

— Гейзенберг, Вайцзеккер, Ган, Брахт.

Лиза прикрыла кольцо ладонью, словно хотела спрятать, защитить сверкающий камень, и произнесла, обращаясь скорее к воробьям за стеклом, чем к Осе:

— Вернер в этом не участвует.

— Вы имеете в виду Гейзенберга?

— Нет. Я имею в виду Вернера Брахта. Область его исследований далека от ядерной физики.

«Неужели кольцо от Брахта? — вдруг подумал Ося. — Покраснела, разволновалась. Тибо говорил, у нее нет никакой личной жизни, она предана одной лишь физике, а если кого и любит, то поганца Гана. Расхожий миф... Расхожая чушь, как все мифы. А ведь он, кажется, вдовец...»

— Да, знаю, Брахт — радиофизик, занимается излучениями, — спокойно кивнул Ося, — но и Гейзенберг, и Вайцзеккер изначально работали в других областях. Квантовая теория...

— Неважно! — перебила Лиза. — Главное, что Вернер Брахт уволился из института, порвал все связи, так же как Макс фон Лауэ. Эти двое отказались обслуживать режим. Нечто вроде внутренней эмиграции. По крайней мере, за них я могу поручиться. — Она передернула плечами, взглянула на часы, потом на Осю. — Простите, мне пора. Сколько я вам должна за обед?

— Нисколько. — Ося открыл шкатулку, взглянул на счет.

— Благодарю вас, мистер Касли. — Она резко поднялась, грохнув стулом, протянула ему руку. — Было приятно познакомиться.

— Подождите минуту, профессор Мейтнер. — Ося удержал ее кисть. — Пожалуйста, не уходите, сейчас расплачусь и провожу вас.

— Нет-нет, простите, очень спешу.

Осе пришлось отпустить ее руку, чтобы достать деньги. Лиза быстро пошла к выходу. Он шлепнул на стол крупную купюру, вылез из-за стола, побежал за ней.

— Профессор Мейтнер, прошу вас, я не успел взять интервью, мы не договорили!

— Как-нибудь в другой раз. Всего доброго!

Через минуту он увидел за стеклом веранды тонкую прямую фигуру в черном пальто, в стоптанных туфлях. Она шла очень быстро, легким широким шагом, на ходу придерживая старомодную шляпку, поправляя выбившиеся пряди. Воробьи прыгали вокруг и не пугались, не разлетались, словно вовсе ее не замечали.

Глава шестнадцатая

Немецкие военные инженеры фирмы «Хенкель» должны были перелетать из города в город на самолете, но пожелали ехать поездом по Транссибирской магистрали. Путь от Москвы до Иркутска с остановкой на сутки в Новосибирске занимал десять дней. Делегация состояла из семи человек, восьмым был заместитель военного атташе посольства Германии в Москве Отто Даме. Он отлично владел русским. Митя Родионов познакомился с ним еще в Берлине, и при встрече Даме приветствовал его как доброго приятеля, крепко пожал руку, сказал, что вот, наконец, сбылась мечта детства — полюбоваться бескрайними просторами матушки России.

Немцам выделили целый поезд. Вагоны дореволюционные, первого класса. Такую роскошь Митя видел разве что в музее. Темное дерево, мягчайшая кожа, бархат, ковры, бронза, старинный фарфор и хрусталь. Были вагон-кинотеатр, вагон-клуб с роялем, вагон-бильярдная, разумеется, ресторан, да еще вагон с запасами жратвы и выпивки из распределителя ЦК.

Сопровождающих оказалось значительно больше, чем немцев. Чиновники из Наркомата авиапромышленности и Наркомата иностранных дел, офицеры НКВД, киномеханик, пианист, повара, официанты, уборщики, врач с двумя медсестрами, охрана.

Вагоны для сопровождающих делились на три категории. В первом классе, таком же шикарном, как у немцев, ехали наркомовские чиновники и шишки НКВД. Среднему звену достался второй класс — тесноватые купе на двоих с умывальниками за раздвижными дверцами. Охрана ехала в плацкарте.

Соседом Мити был молодой переводчик из «Интуриста». Звали его Степан. Невысокий брюнет с круглыми щеками и широким женским тазом, он лил на себя столько одеколона и так обильно мазал волосы помадой, что в купе приторно пахло парикмахерской.

Митя взял в дорогу пару толстых советских журналов со статьями о расщеплении ядра урана и книжку «Электромагнитные волны в неравновесных средах», авторы Марк Мазур и Вернер Брахт. Книга была издана в Кембридже в тридцать втором году, с предисловием Резерфорда. Марк Семенович подарил Мите немецкое издание. На титульном листе написал по-русски: «Самому упрямому моему студенту, Мите Родионову».

Марк Семенович много лет носился с идеей усилителя электромагнитных волн. Идея противоречила общепринятым законам оптики и радиофизики, но это вовсе не означало, что она в принципе неосуществима. Когда Проскуров дал прочитать письмо с описанием прибора, Митя почти не удивился. Он предполагал, что рано или поздно Мазур найдет решение. В науке все так и происходит. То, что вчера противоречило догме и категорически отрицалось, сегодня допускается как вероятное, завтра принимается всеми как догма, послезавтра догма костенеет, и очередная идея потихоньку долбит ее изнутри острым клювиком, как птенец яичную скорлупу.

Митя надеялся, что в дороге у него будет время почитать, подумать, но сосед торчал в купе и болтал без умолку о своих донжуанских похождениях.

— Старик, строго между нами. В «Национале», киноартистка одна, как зовут, не спрашивай, все равно не скажу, очень известная. Ну и вот, значит, танцуем, слово за слово, чувствую, поплыла, буферами ко мне жмется, глаза закрыла. В общем, то да се, такси, поехали к ней на квартиру, муж, само собой, в командировке, ну, я тебе скажу, прямо зверь баба, представляешь...

Голос у Степана был глуховатый, тихий, на одной ноте. Он облизывал пухлые малиновые губы, причмокивал, подмигивал. Митя кивал, качал головой, иногда бросал что-нибудь вроде: «Ну ты даешь! Здорово! Ничего себе!» А сам думал: «Собрать в пучок электромагнитные волны... пучок очень мощный... если волны можно собрать, значит, ими можно управлять, настраивать. Да, но при чем здесь разделение изотопов?»

— Ну и вот, входит она, все прям офонарели, царь-баба, я смотрю, мордаха знакомая, вроде в кино видел. Оказалось, летчица знаменитая, портреты были и в «Правде», и в «Огоньке» на обложке, и в кинохронике, конечно, показывали ее сто раз, — бубнил Степан, поглаживая себя по зализанным волосам, — в общем, втюрилась по уши, застрелюсь, говорит, жить без тебя не могу, никогда такого мужчины у меня не было.

— Вот это да! — Митя для разнообразия тихо присвистнул и незаметно перевернул очередную страницу.

«Фотон не имеет массы покоя и существует только двигаясь со скоростью 300 000 километров в секунду... Единственная постоянная и неизменная величина в природе — скорость света. Взаимодействие излучения с веществом... Создать монохроматический луч... управлять светом...»

— А вот еще был случай, в Сочи в санатории солистка балета из Кировского, белобрысенькая, костлявая, ключицы торчат, ни кожи, ни рожи, но огонь, я тебе скажу, вообще удержу не знает.

Степана, как магнит, притягивало большое зеркало на двери купе. Он то и дело вскакивал, изучал подробности своей круглой физиономии, выдергивал пинцетом волосок из ноздри, выдавливал угорек, скалился, ковырял в зубах спичкой и продолжал бубнить одно и то же, как испорченная пластинка.

На курортах, в ресторанах, в театрах, в гостях у знакомых или просто на улице Степана подстерегали и атаковали знаменитые красавицы, артистки театра и кино, балерины, спортсменки, летчицы. Каждая прижимались к нему буферами, тащила к себе, душила в объятьях, балдела, млела, сходила с ума, втюривалась по уши, писала страстные письма с угрозами застрелиться, удавиться, отравиться.

В поезде ехали несколько молодых женщин, медсестры и официантки. Степан оценивал их по пятибалльной системе: «У той, рыженькой, фигура так себе, на троечку, а мордаха ничего, пять с минусом. У брюнетки буфера полный атас, пять с плюсом, мордаха на четыре с минусом, нос великоват, и глаза косые».

Митя хмыкал, поддакивал и думал: «Лет десять назад открыли метод разделения изотопов ртути при помощи облучения ртутной лампой. Если правильно подобрать, чем облучать уран... Теоретически возможно... У разных изотопов одного элемента разный уровень возбуждения».

— С иностранками я ни-ни, — бубнил Степан, — шарахаюсь, как от чумы. Шпионки все до одной, будь она хоть Марлен Дитрих, близко не подойду.

— Точно, — кивнул Митя, не отвлекаясь от своих размышлений.

«Мохроматический луч в принципе способен на что угодно. Может он выборочно ионизировать изотопы 235? Почему нет?»

— ...Циркачка, воздушная гимнастка, гнулась во все стороны, прям узлом завязывалась, такие кренделя выделывала — вообще очуметь...

Ответных откровений Степан не требовал, хотя бы в этом повезло. На третьи сутки от одного лишь звука глуховатого монотонного голоса Мите хотелось лезть на стену. Ссориться, затыкать Степана не стоило. Ясно, почему они оказались в одном купе. Проскуров предупредил, что сосед будет обязательно бериевский барабанщик.

Переводить приходилось в основном в ресторане, из-за этого Митя почти не успевал поесть. А Степан, хоть и знал немецкий, помалкивал, кушал в свое удовольствие, поглядывал, прислушивался, явно контролировал Митю.

Митя несколько раз просил его помочь. Степан отвечал:

— Само собой, старик, мы ж вместе работаем, — подмигивал и ободряюще хлопал по плечу.

Но за завтраком, обедом и ужином все продолжалось по-прежнему. А когда возвращались в купе, опять звучала бесконечная трескотня о бабах. Митя только одного не мог понять: когда же барабанщик успевает строчить свои отчеты?

Чиновные шишки жрали и пили как приговоренные, трапезы тянулись часами. Молочные поросята, бараньи шашлыки, цыплята-табака, осетрина, семга, горы икры — все исчезало в чиновных утробах, заливалось коньяком, шампанским, водкой, а потом еще торты, фрукты. Немцы ели спокойно, без жадности, только на икру налегали. Никогда ее раньше не видели в таких количествах. Пили умеренно, Отто Даме отказывался от мяса и не прикасался к спиртному. Даже за здоровье товарища Сталина и за здоровье фюрера позволял себе поднимать бокал с водой.

К полуночи немцы уходили в свой спальный вагон, и тогда начиналось настоящее свинство, с матом, игрой в дурачка, плевками на ковер, похабными анекдотами.

Утром к завтраку начальство являлось опухшее, вялое, таращило налитые кровью глаза. Немцы выглядели куда бодрее. Митя слышал, как они тихо обмениваются насмешливыми репликами: «Загадочная русская душа... Светлые идеалы коммунизма... Царский поезд...»

За окнами проплывали заснеженные поля, леса, деревни. На станциях поезд останавливался редко и только ночью. Если какой-нибудь немец вылезал на пустую платформу размяться, подышать и пошпионить, он видел лишь фасад вокзала, гигантскую скульптуру Сталина, смутные силуэты обходчиков, огни семафоров.

В Новосибирске немцев встретила лютая вьюга и паника городских чиновников. Дорогу от вокзала до гостиницы не успели расчистить, проехать на автомобилях было невозможно. Делегацию возили на санях. Немцам приключение нравилось.

Снег прикрыл убожество немощеных улиц и рабочих бараков заводского жилгородка. Авиазавод имени Чкалова был огромный, со множеством корпусов и цехов. Для немцев, конечно, устроили показуху, и они это сразу поняли. Директор дрожал, заикался, увиливал от прямых ответов, с механическим воодушевлением рассказывал о грандиозных достижениях и еще более грандиозных планах. Митя со злостью ловил снисходительные улыбки немцев.

Завод выпускал в основном истребители И-16, гордость советской авиации. Немцы преувеличенно восхищались маленькими тупомордыми «Ишачками», осматривали новый цех бомбардировочной авиации. Митя вдруг увидел все это их глазами, и стало страшно. Он догадывался, что наши секретные военные заводы показывают немцам по личному распоряжению Сталина. Цель — убедить их в нашей военной мощи. Смотрите, какая огромная страна, сколько мы производим оружия! Но эффект получался обратный. Невозможно было скрыть, что оборудования, грамотных рабочих, технологов, инженеров не хватает, что станки собраны кое-как. Рабочие испуганно таращились на гостей, отвечали односложно, пытались поскорей удрать, спрятаться. И еще — от них плохо пахло. Митя знал, что в рабочих бараках нет водопровода, а поблизости ни одной бани и прачечной.

В качестве главного инженера немцам представили парня лет двадцати пяти, он был белый как бумага и говорил лозунгами: «Родная партия и лично товарищ Сталин... Отеческая забота... Выполним, перевыполним... Повысим качество продукции...»

Митя услышал, как один из визитеров, склонившись к уху Даме, прошептал:

— Кажется, этот юноша от волнения обмочился.

Даме в ответ скорчил печальную рожу, подмигнул:

— Трудности технические, кадровые, психологические, гигиенические.

Митя рад был вернуться в поезд. Степан сразу залег спать. Прихватив книжку, Митя выскользнул в коридор, долго стоял у окна. Вьюга кончилась, тучи разбежались. В лунном свете мягко покачивались сизые волны заснеженной тайги. Лиловое небо отливало бирюзой, мигали редкие звезды. Он попытался читать, но не мог успокоиться, в душе кипели стыд, злость, страх. Лицо морщилось, губы едва заметно шевелились. Он бормотал про себя: «Это моя страна, нищая, грязная, средневековая, но моя. И нечего ухмыляться! Высшая раса, сверх-человеки! Еще поглядим, чья возьмет!»

— Бескрайние просторы, великая Сибирь, — произнес вкрадчивый голос по-русски, с легким акцентом.

Митя вздрогнул. Даме подошел неслышно, встал рядом, пропел приятным баритоном:

> — Широка страна моя родная,
> Много в ней лесов полей и рек.
> Я другой такой страны не знаю,
> Где так вольно дышит человек.

Митя ничего не ответил, только заставил себя растянуть губы в резиновой улыбке. Даме взял книжку из его рук, прочитал вслух название, имена авторов, покачал головой:

— Увлекаетесь физикой? Вот уж не думал.

Митя молча кивнул, хотел забрать книжку, но это было бы невежливо. Даме открыл первую страницу. Его подвижное лицо на мгновение застыло. Он пристально взглянул Мите в глаза, тихо, вкрадчиво заметил:

— Дарственная надпись, автограф автора.

— Одного из авторов, — уточнил Митя.

— Значит, физика не просто увлечение, вы учились у профессора Мазура. Как он поживает?

— Вы разве с ним знакомы?

— Лично не знаком, но имя достаточно известное. — Даме отбил пальцами дробь по стеклу. — Школа Резерфорда. Любопытно, как складываются судьбы ученых такого уровня тут, в СССР?

— Нормально складываются, все в порядке, — быстро пробормотал Митя.

— Не сомневаюсь, что ученые в Советском Союзе пользуются всеми возможными привилегиями, уважением и почетом, — с иронической важностью произнес Даме и добавил чуть тише: — Ну, а все-таки, как дела у вашего старого учителя? Какие премии успел получить? Какие открытия сделал? Руководит кафедрой или институтом?

— Не знаю, — Митя пожал плечами, — очень давно его не видел.

— И публикациями не интересовались?

— Да так как-то...

— Но книжку взяли с собой в дорогу.

— Под руку попалась, хотел подтянуть немецкий, заодно физику вспомнить.

— Понятно, — кивнул Даме, — физика сейчас на взлете. А вот своих старых учителей забывать нехорошо.

— Согласен, — Митя вздохнул, — нехорошо.

Из купе высунулась голова Степана в сеточке для волос, покрутилась, как локатор, засекла Митю и Даме и тут же спряталась.

— Внимательный у вас сосед, — заметил Даме с сочувственной усмешкой. — Книжку не одолжите почитать? Мне тоже захотелось вспомнить физику.

— Но ведь это не арийская физика, — заметил Митя все с той же резиново-любезной улыбкой.

Даме тихо рассмеялся и потрепал его по плечу.

— Бросьте, Дмитрий, мы с вами люди здравые. — Он сунул книжку в широкий карман вязаной куртки. — Обещаю вернуть на обратном пути.

— Хотите оставить меня в дороге без чтения? — Митя из последних сил старался сохранять спокойствие.

— Предлагаю обмен. — Даме подмигнул. — У меня с собой Эрнст Юнгер «В стальных грозах», самая популярная книга в Германии.

— Популярнее «Майн кампф»? — выпалил Митя и прикусил язык.

Даме пропустил неосторожную реплику мимо ушей, принялся нахваливать Юнгера:

— Мемуары о Первой мировой, увлекательней любого романа. Не оторветесь, уверяю вас. Абсолютный эффект присутствия. Поверьте бывшему фронтовику, самая честная книга из всех, что написаны о войне. Это вам не унылый пацифизм Ремарка.

«Ремарк пишет в сто раз лучше твоего Юнгера», — подумал Митя и произнес с вежливой улыбкой:

— Я читал Юнгера, когда был в Берлине.

— Да? — Он поднял брови. — Ну что ж, приятно слышать. Знаете, лично я во второй раз перечитал с еще большим удовольствием. Сначала проглатываешь страницы, а потом спокойно, не спеша, смакуешь детали. Возьмите, очень советую.

— Нет, спасибо. — Митя покраснел и отвернулся.

— Опасаетесь внимательного соседа? — Даме кивнул в сторону купе.

— С чего вы взяли?

— Мания преследования. — Даме вздохнул. — Национальная черта или временное помешательство?

— Это вы о Германии? — угрюмо, сквозь зубы, спросил Митя.

Даме хмыкнул.

— Я все думал, почему вы мне так симпатичны? Что между нами может быть общего? Оказывается, радиофизика. Вы учились у профессора Мазура, а я слушал курс лекций профессора Брахта в Берлинском университете, посещал его семинар. И тоже, как вы, забыл старого учителя. Книжка — повод вернуться к славным временам студенческой юности. — Он скорчил печальную физиономию, поднял домиком белесые брови. — Ну, Дмитрий, прошу вас!

— Ладно, берите. — Митя вздохнул.

А что оставалось делать? Книжка уже лежала у Даме в кармане. Оттуда не вытащишь.

Вернувшись в купе, он долго не мог уснуть. Степан ворочался на нижней полке, похрапывал. Стук колес не успокаивал, наоборот, звучал тревожно. Митя пилил себя: зачем вылез с книжкой в коридор? Почему Даме так в нее вцепился? Какой черт вообще принес его в чужой вагон? Не надо было отдавать. Но ведь это невежливо. А вдруг не вернет? А вдруг Брахт уже что-то почуял про изотопы урана и Даме специально послали в Иркутск?

«Конечно, Даме шпион, — размышлял Митя, — но какое им дело до Мазура? Как могли узнать, где он сейчас? Неужели

Брахт навел? Допустим, к ним просочилась информация, что Мазура посадили. Но о ссылке в Иркутск пронюхать невозможно. О его успехах с прибором — тем более. Он ведь не случайно отказался писать в официальные инстанции, передал письмо в надежные руки. Нет, конечно, ни о Мазуре, ни о приборе они знать не могут. Зато об урановых месторождениях в Восточной Сибири им известно. Вернадский составлял геологические карты еще до революции, раздобыть их легко».

Мысли путались, то казалось, что это паранойя и ничего страшного не произошло, то, наоборот, накатывала вязкая паника. Он уснул под утро, и приснился ему кошмар, в котором Даме запихивал в карман вязаной куртки крошечного профессора Мазура, немецкий бомбардировщик «Штука» летел бомбить Москву, а доктор Штерн плавал в облаках над Кремлем и пытался поймать урановую бомбу сачком для бабочек.

Весь коллектив Большого, от оперных и балетных прим до последней уборщицы, обязан был посещать кружки Гражданской обороны (ГРОБ). Маша сунулась в «автомотодело», но кружок оказался переполнен, новеньких не принимали. В пулеметный принимали, но собирать и разбирать детали пулемета, вонючие и жирные от машинного масла, было очень уж противно. Оставался гранатометный. Там учили бросать деревянные чушки. Маша надеялась, что чушки и звание заслуженной спасут ее от клейма «пассивного балласта», но она ошиблась. Кроме ГРОБ, была еще ПВХО — противовоздушная и химическая оборона.

Готовясь к экзамену по теории ПВХО, Маша заучивала наизусть: фосген тяжелее воздуха в три с половиной раза, пахнет свежим сеном, поражает легкие. Иприт пахнет горчицей, имеет кожно-нарывное действие.

Мама рассказывала, что студенткой, читая учебники с описаниями болезней, находила у себя все до одной. Маша не только находила у себя все симптомы отравления фосгеном и ипритом, она их чувствовала. Изнывала от головной боли и удушья. Видела в зеркале, как посинели у нее губы и щеки. Измерив температуру, очень удивилась, что ртутный столбик остановился на тридцати шести и шести. Ей казалось, у нее тридцать девять и сейчас она умрет от отека легких. Илья заметил, что, когда она читала учебную брошюру со страшными картинками, у нее даже нос заострился.

— Ну что поделать, если у меня так развито воображение? — оправдывалась Маша. — Все заучивают, сдают, и ничего. А я психую.

— Отстраняйся, нельзя быть такой чувствительной. Сдашь как-нибудь, они отвяжутся, — утешал Илья, — тем более ты теперь заслуженная.

— Вот именно, — вздохнула Маша, — у нас все заслуженные — ворошиловские стрелки первой степени. Ларионова и Лепешинская снайперы, Головкина пулеметчица. А я «пассивный балласт». Ты говоришь — отстраняйся, но если смотреть со стороны, то эти военные игры вообще выглядят диким бредом. Театр похож на психбольницу.

— Тогда притворись такой же сумасшедшей, как все. Ты ведь артистка. — Илья усмехнулся и добавил чуть слышно: — Вот я много лет только и делаю, что притворяюсь. Живу по системе Станиславского.

— Настоящая война будет тоже по системе Станиславского? — внезапно спросила Маша.

— Ну-ну, перестань. — Илья прижал ее к себе, погладил по голове. — Впереди лето, надеюсь, дадут, наконец, отпуск, поедем в Крым. В этом году война точно не начнется.

— Откуда знаешь?

— Не станет он воевать на два фронта, ему надо сначала с Европой разобраться, с англичанами. Пока все не так плохо. С финнами у нас наконец подписано перемирие, сейчас он попрет в Норвегию. С нами торгует и конфликтовать вроде не собирается. Ему это невыгодно.

— А война вообще никому не выгодна, — задумчиво пробормотала Маша, — там другой какой-то механизм.

— Ну, и какой же?

— Просто смерть.

Он прижал ее к себе сильней, пытаясь спрятать, прикрыть. Маша поцеловала его в шею, нашла губами ухо и зашептала:

> — Я скажу тебе на ушко:
> Угодили мы в ловушку.
> Нету воздуха для нас,
> Только ядовитый газ.
> Все нам чудится и мнится,
> Будто можно откупиться,
> Не дышать, не есть, не пить
> И за все благодарить.
> Этот глупенький расчет
> Нам навязывает черт.
> Он глядит на нас с ухмылкой
> И трясет своей копилкой.
> А в копилке у него
> Кроме смерти ничего.

Маша испуганно взглянула на Илью.

— Прости, я не хотела.

— Оно само вырвалось, — продолжил Илья, передразнивая ее виноватую интонацию. — Ну что ты? Жалко, нельзя записать, но ничего, запомню. Все твои стихи помню наизусть. Пожалуй, это лучшее. Знаешь, иногда там, в моей клетухе, или в кабинете на ковре перед ним, мелькнет в голове несколько твоих строчек, и сразу легче.

— Правда? Ты никогда не говорил.

— Ну вот, сказал. И все, хватит, мы ведь ничего не изменим. Сколько еще осталось до войны? Год? Два? Точно никто не знает, но все, что осталось, — наше. Отравим страхом это драгоценное время — потом не простим себе.

— Да, ты прав, я поняла, я постараюсь, — смиренно кивнула Маша.

* * *

На дне чемодана Митя нашел старый потрепанный путеводитель по Иркутску, дореволюционное издание. Мама положила по-тихому. Митя обрадовался, через тысячи километров отправил ей мысленное «спасибо».

Журналы со статьями о расщеплении ядра урана были прочитаны от корки до корки, книжку Мазура-Брахта утащил Даме. Степан продолжал свои охотничьи рассказы. Картинки и текст с «ятями» хоть как-то отвлекали от нудного трепа и тревожных мыслей.

Митя узнал, что Иркутск стоит на семи холмах, как Москва и Рим, что основан он в начале семнадцатого века. Казацкий отряд боярского сына Ивана Похабова плыл по Ангаре на огромных лодках — кочах. В них помещалось человек двадцать, с имуществом, провизией, боеприпасами. Для зимовья выбрали остров в слиянии рек Иркута и Ангары, сложили казарму из бревен, потом выстроили острог на правом берегу Ангары, назвали его Иркутском.

Через Иркутск по рекам из Москвы в Китай проплыл первый посол, толмач, то есть переводчик, Сибирского приказа Николай Спафарий. Он оставил записки об этом долгом путешествии. *«Острог Иркутский строением зело хорош, а жилых казацких и посадских дворов с 40 и больше, а место самое хлебородное».*

Митя так увлекся, что забормотал вслух, и Степан вдруг смолк, уставился на него выпученными глазами, спросил:

— Это что за физика такая?

— Физикой сыт по горло. — Митя провел ребром ладони по кадыку. — Надо хоть немного путеводитель почитать, знать, куда мы их везем. Вдруг историей заинтересуются?

— Брось, старик, дыра дырой, какая там, на хрен, история? — Степан криво усмехнулся, выхватил путеводитель, небрежно пролистал, швырнул на столик у окна. Брошюрка шлепнулась на пол.

Мите вдруг стало не по себе. Показалось, что Степан промахнулся нарочно. Лицо его выглядело странно. Выпученные зеленоватые глаза побелели, губы кривились и слегка дрожали.

Митя нагнулся, поднял путеводитель, не глядя на Степана, открыл, принялся спокойно объяснять:

— И вовсе не дыра. Иркутск — главный культурный и промышленный центр Восточной Сибири. Вот смотри, после смерти Петра, зимой тысяча семьсот двадцать седьмого года появился полукомандированный-полуссыльный Абрам Петров, прадед Пушкина, позднее получивший фамилию Ганнибал. Строил Селенгурскую крепость. И Радищев там был, и декабристы. В девятнадцатом веке оттуда отправлялись экспедиции на Камчатку...

Послышались странные звуки. Митя, не докончив фразу, замолчал, поднял голову, взглянул на Степана. Тот стоял над ним, красный, потный, с выпученными глазами, и шипел:

— Ты кто такой, сука? Че ты мне тут лепишь, а? Умный, в натуре? Самый умный, да? — Дальше поток матерщины, что-то про сопли, дерьмо и кровь.

— Ты рехнулся? — спросил Митя, дождавшись паузы.

— А не фига тут самого умного корчить, — прошипел Степан и сплюнул на коврик.

Митя едва успел убрать ногу, встал, прихватил пиджак с вешалки, брезгливо отстранил Степана, вышел из купе, бросив через плечо:

— Подотри.

В коридоре он закурил, подумал: «Вот тебе и барабанщик».

Митя ожидал от своего соседа чего угодно. Конечно, чувствовал с первого дня знакомства, что под личиной придурковатого врунишки, нудного, но вполне дружелюбного «полового Мюнхгаузена», как он прозвал про себя Степана, скрывается нечто мерзкое. Профессиональный стукач, этим все сказано. Однако стукач должен быть хитрым, прикидываться рубахой-парнем. До этой минуты Степан вел себя именно так. И вдруг сорвался.

В голове промелькнули строчки Лермонтова: «Не вынесла душа поэта позора мелочных обид». Митя пытался понять, что же так обидело бериевского барабанщика? На физику он не обращал внимания, только в самом начале, мельком взглянув на журналы и книгу, небрежно бросил: «На хер тебе эта нудотень?» Митя объяснил, что совершенствует свой немецкий, осваивает научную терминологию. Ответ вполне удовлетворил барабанщика, он больше не обращал внимания, что там читает Митя. Болтал свое.

«Он болтал, а я его треп игнорировал. Кивал для виду. Конечно, он почувствовал. Женщины для него больная тема, — размышлял Митя, — артистки, летчицы... Мужики, у которых нормальная личная жизнь, в сказках не нуждаются. Может, он вообще девственник? Кто на него позарится? Ну, разве шалава какая-нибудь по пьяному делу. Я своими небрежными кивками и хмыками разбередил душевные раны. Или все-таки его взбесил путеводитель по Иркутску? Почуял в этом косвенный упрек? Он числится переводчиком в «Интуристе». Наверное, они обязаны не только стучать, но знать историю городов, по которым водят иностранцев. А он ни черта не знает. Вот и сорвался».

Митя вспомнил выпученные побелевшие глаза, красную рожу, шипение и понял: не стоит копаться в причинах внезапной блатной истерики. Что бы ни делал Митя, как бы себя ни вел, стукач ни за что не признает его своим. Породы слишком разные. Просто Степан оказался слабаком. Другой бы на его месте держался до последнего, копил злобу, потом выплеснул бы все в донесениях.

«В общем, даже к лучшему, — решил Митя, — в любом случае настрочит он на меня по полной программе, от всей стукаческой души. Зато не надо больше притворяться, поддерживать фальшивый дружеский тон. Придется еще потерпеть его пакостное присутствие в Иркутске, наверняка ведь поселят в одном номере. А назад в Москву, к счастью, летим самолетом. Так что ауфидерзейн, барабанщик Степа».

Вернувшись в купе, он застал соседа спящим. В свете ночника никаких пятен на коврике заметно не было. Значит, плевок свой барабанщик подтер. Митя спокойно умылся, почистил зубы, еще немного полистал путеводитель. Там была карта города, конечно, дореволюционная, но улица, на которой жил Марк Семенович, сохранила старое название — Веселая. Митя отыскал ее на карте и уснул с путеводителем в руках.

Разбудил его настойчивый стук. Часы показывали четверть шестого. За окном непроглядная тьма.

— Ребята, подъем, через полчаса прибываем! — крикнул в дверь проводник.

Степан зевал, хлопал глазами. Митя, натягивая штаны, услышал его сонный, вполне добродушный голос:

— Ну, чего, старик, чайку выпить успеем, как думаешь?

«Неужели не помнит вчерашнее? — изумился Митя и невольно снова принялся гадать: — А может, он меня провоцировал на драку? Для бериевской конторы очень даже выгодно, чтобы я, человек Проскурова, так подставился. Черт их знает».

— Горяченького было бы неплохо, — ответил он и дружески подмигнул Степану: — Тебе как спалось, старик?

— Нормально. А что?

— Так, ничего. — Митя поманил его пальцем, прошептал: — Ты во сне разговариваешь.

— Да? — Степан равнодушно зевнул. — Вот уж не знал. И о чем же я разговаривал, интересно?

— Интересно, — кивнул Митя, — очень даже. Только не о чем, а о ком.

Митя скрылся за дверкой умывальника, умылся, почистил зубы. Когда вода перестала журчать, послышалась возня. Отодвинув дверку, он чуть не столкнулся лбом со Степаном.

— О циркачке, что ли? Или о летчице?

— Если бы! — Митя вытер лицо. — О бабах ты днем болтаешь, а ночью...

— Ну, что ночью? Слышь, старик, не темни.

Митя натянул нижнюю фуфайку, потом надел рубашку, повернулся к Степану и прошептал:

— Такое нес, у меня прямо мороз по коже.

Зеленые глаза опять выкатились из орбит, но на этот раз в них вместо злобы мерцала тревога.

— Что же такое я нес? — спросил он, кривя губы.

Митя вздохнул и помотал головой:

— Нет, старик, извини, не могу, язык не поворачивается.

— Ну, ты хотя бы это, приблизительно. Имена, что ли, какие называл?

— Только одно имя, зато много раз.

— Какое?

— Товарища Сталина, — прошептал Митя почти беззвучно и тоже выпучил глаза.

— Ну, ясно, — Степан облегченно вздохнул, — это ж святое имя. Вот в царское время в Бога верили, молились ему, а теперь каждый советский человек товарищу Сталину молится.

— Мг-м. Только молитва твоя очень уж своеобразная. Слова в ней в основном матерные.

— Это как это?

— А вот так. Материл ты товарища Сталина как бешеный, с нечеловеческой ненавистью. Убить грозился.

Митя опять отвернулся, стал застегивать рубашку и услышал сиплый приглушенный крик:

— Врешь! Не было этого!

— Да такое вообще придумать невозможно. — Митя натянул джемпер и сел шнуровать ботинки. — Вот уж точно, в кошмарном сне не приснится.

Степан молчал, сопел, наконец спросил:

— Слышь, старик, только сегодня ночью? Или раньше тоже?

— Каждую ночь. Каждую, понимаешь? Сначала я ушам своим не поверил, решил — померещилось. Вроде нормальный парень, свой в доску. А потом опять. Матом о товарище Сталине, да еще с угрозами. Жуть. Сегодня особенно громко. Между прочим, стенки тут тонкие.

Лицо Степана стало серым, пряди на лбу слиплись от пота, нижняя губа оттопырилась и мелко тряслась.

— А кто там, за стенкой? — прошептал он.

— Киномеханик и пианист. У музыкантов знаешь какой слух? По голосу любого отличат.

На платформу в Иркутске вышел совершенно другой Степан. Спина согнулась, голова вжалась, глаза бегали. В автобусе он забился на заднее сиденье, молча пялился в темное окно. А к Мите подсел Даме, стал делиться впечатлениями о книжке:

— Очень редкое и удачное сочетание. Просто о сложных вещах. Увлекательно и познавательно. Мне казалось, я все забыл, а стал читать — и сразу вспомнил.

Автобус так прыгал, что говорить было почти невозможно. Митя попытался, но едва не прикусил язык. А Даме умудрялся болтать, сначала по-немецки, потом вдруг выдал по-русски:

— «Рытвины, ямы, ухабы, все, что в России зовется шоссе». Это Вяземский, был у вас такой поэт в прошлом веке. — Он помолчал и добавил с усмешкой: — Поэта нет, а шоссе все те же.

Митя равнодушно пожал плечами. Внутри екнуло.

«Профессионал. Остальные так, мелкие сошки, а этот шпионище будь здоров. Специально Россию изучал, Вяземского знает. Что же он ко мне привязался? И даже не маскируется, будто нарочно всем своим видом показывает: я шпион-профессионал!»

Но, несмотря на тревогу и подозрения, Митя вынужден был признать, что общаться с Даме куда приятней, чем со Степаном. Как такое может быть? Ведь Степан хоть и сволочь, и стукач, но свой. А Даме безусловно враг.

Наконец автобус остановился возле здания с колоннами. На фасаде сияли электрические буквы «Гостиница "Центральная"».

Гостиница была новенькая, недавно отстроенная и совершенно пустая. Митя, разумеется, оказался в одном номере со Степаном. Сразу после завтрака, на том же автобусе, поехали на авиазавод имени Сталина.

С кадрами там было получше, чем в Новосибирске, главный инженер выглядел вполне солидно и даже владел немецким. Скоростные двухмоторные бомбардировщики, сконструированные бюро Туполева, производили сильное впечатление, не то что маленькие жалкие «Ишачки». Немцы не усмехались, не обменивались шуточками, но и особенного интереса не проявили.

Митя едва дождался вечера. Когда автобус привез группу назад, в гостиницу, он не стал подниматься в номер. Зашел в буфет, купил бутербродов с колбасой и сыром, три плитки шоколада, банку паюсной икры, запихнул все в портфель, покрутился немного в фойе и незаметно выскользнул на улицу.

* * *

Теория ПВХО была наконец сдана, но предстояло сдать еще и практическую часть. Маша тянула до последнего и попала в группу отстающих, которую гоняли беспощадно.

Занятия проходили в одном из репетиционных залов. В противогазе приходилось маршировать, ползать, бегать, передвигаться на корточках «гусиным шагом», таскать на носилках пострадавших.

Не хватало воздуха, тошнило. Сквозь исцарапанные плексигласовые окошки все выглядело зыбким, тусклым, словно карандашный набросок. Хотелось поскорей содрать с себя вонючую резину. Если бы не противогазы, для танцовщиков эта беготня стала бы просто забавой. Оперным было тяжелей. Но больше всего доставалось пожилым тетенькам из профкома, билетершам, костюмершам и работникам буфета.

Инструктор свистел в свисток. Все по очереди проползали под стульями, по лабиринту между ножками. Пожилая полная билетерша застряла. Неуклюжая фигура в синих шароварах беспомощно ворочалась под стульями. Другие фигуры с одинаковыми резиновыми головами, тусклыми кружками плексигласовых глаз и толстыми рифлеными хоботами молча ждали. Маша вдруг заметила, что стулья над билетершей ритмично подпрыгивают, белые кисти рук шлепают по паркету, как ласты тюленя. Не раздумывая, она бросилась к лабиринту.

Свисток инструктора заливался. Маша отшвырнула ногой стулья, упала на колени, стянула противогаз с головы женщины, увидела выпученные, налитые кровью глаза, распахнутый беззубый рот, нащупала дрожащими пальцами шейную артерию и закричала: «Помогите!»

Сквозь противогаз крик звучал как слабое мычание. Инструктор продолжал дуть в свой свисток. Подбежали две фигуры с хоботами. Маша переложила на чьи-то потные ладони тяжелую, прыгающую голову билетерши, содрала свой противогаз. В нос ударил острый запах. Сатиновые шаровары билетерши были мокрыми.

Наконец опомнился инструктор. Выплюнул свой свисток, подошел, глядя сверху вниз, брезгливо морщась, поинтересовался:

— Так, товарищи, что тут у вас происходит?

— Врача! Скорее, кто-нибудь вызовите врача! — крикнула Маша и зажала рот ладонью, вскочила, бросилась вон из зала.

Она едва успела добежать до туалета. Ее долго, мучительно рвало, выворачивало наизнанку. Ничего уже не выходило, а спазмы продолжались.

Когда Маша вылезла из кабинки, сквозь пелену увидела маленькое существо в репетиционном трико. На белом лице огромные любопытные глаза. Девочка лет двенадцати смотрела на нее снизу вверх.

— Рвало, что ли?

— Мг-м. — Маша, покачиваясь, подошла к умывальнику.

Пока она полоскала рот и умывалась, девочка стояла рядом, вздыхала сочувственно, по-взрослому.

— Я вот тоже недавно яблочного повидла обожралась, сладкого хотелось до жути. Ложечку, еще одну, еще, и сама не заметила, как всю банку слопала. А повидло оказалось испорченное. Но ничего, оклемалась. Потом, правда, сильно влетело от Ады Палны, зато сразу два кило сбросила.

— Ты у Пасизо в группе? — спросила Маша, едва ворочая языком.

— Мг-м. Она строгая. Меня Оля зовут. А вы Мария Крылова, вы тоже у Пасизо учились, она вас всегда в пример приводит. У вас прыжок вообще офонареть!

Маша огляделась в поисках полотенца. На крючке возле соседней раковины висела вафельная тряпица, такая замусоленная, что прикоснуться противно.

— Давай провожу до гримерки, — предложила Оля, внезапно перейдя на «ты», — вон как шатает тебя.

Маша благодарно кивнула. Пока шли по коридорам, с лица, с мокрых прядей капало. Оля поддерживала Машу под локоть, несколько раз не дала упасть. Она была маленькая, хрупкая, но удивительно сильная. Мимо прошагали двое в белых халатах с носилками. На них лежала полная билетерша. Живая. Позже Маша узнала, что у бедняги случился приступ астмы.

На площадке между этажами курила Пасизо. Оля, не отпуская Машин локоть, присела в реверансе. Пасизо загасила папиросу, настороженно взглянула на Машу:

— Что с тобой?

— Все в порядке, Ада Павловна.

Выдавить несколько слов оказалось невыносимо трудно, Маша морщилась из-за острой боли в горле.

— В чем дело? — Пасизо перевела суровый взгляд на Олю.

— Все в порядке, Ада Павловна.

— Тогда почему ты ее держишь? Почему у нее лицо мокрое?

— Из-за противогаза, — судорожно сглотнув, объяснила Маша, — эти кретины на ПВХО нас зверски гоняют, даже билетерше плохо стало, вон, «скорая» забрала.

Она сморщилась, зажала рот ладонью.

— Оля, иди в зал, — скомандовала Пасизо, подхватила Машу, быстро повела вниз, к ближайшему туалету.

Маша прошмыгнула в кабинку, но больше ничего не вышло, только горло саднило и слезы лились ручьями.

Наконец вместе с Пасизо она оказалась в гримерке, рухнула в кресло. Пасизо дала ей воды, велела сидеть смирно и ушла. Маша закрыла глаза, провалилась то ли в сон, то ли в обморок, не чувствовала ничего, кроме слабости, боли в горле и облегчения из-за того, что несчастная билетерша не умерла.

Пасизо вернулась с дымящимся стаканом в подстаканнике, подвинула стул, села напротив Маши. От сладкого горячего чая стало лучше, боль смягчилась.

— Ну, и как это понимать? — сурово спросила Пасизо.

Маша покраснела. До нее дошло, в чем заподозрила ее Пасизо. Булимия, одно из профессиональных балетных заболеваний. Чтобы не набирать вес, надо ограничивать себя в еде. Диета вовсе не жестокая, наоборот, очень даже здоровая, просто ничего лишнего. Мама говорила, если бы так разумно могли питаться все, болели бы меньше. Театр и училище снабжались отлично, проблем с правильными продуктами не возникало. Но запрет на картошку, мучное и сладкое давил психологически. Хотелось именно того, чего нельзя. Особенно часто не выдерживали девочки в переходном возрасте. За обжорным срывом следовала паника. Завтра поставят на весы, опозорят при всех. Единственное спасение — два пальца в рот.

Были страдалицы, которые постоянно так над собой издевались. Их называли булимичками, жалели и презирали. Они гробили здоровье, физическое и психическое, у них наступал паралич воли, а это с профессией несовместимо. Пойманные с поличным врали, объясняли рвоту случайным пищевым отравлением. Но педагоги всегда знали правду.

Пасизо гневно отчитывала Машу:

— Ты даже подростком не срывалась, уж от кого, а от тебя я такого не ожидала. И не смей врать, что это пищевое отравление.

— Нет, Ада Павловна, это не отравление и не булимия, — просипела Маша, — я говорю правду. На меня так подействовал противогаз, вонь резины, а тут еще билетерше стало плохо, она, бедняга, описалась, представляете запах? Вот и начались спазмы.

Пасизо минуту молча смотрела Маше в глаза, разглядывала ее лицо очень внимательно, будто увидела впервые, потом встала, прошлась по гримерке, о чем-то размышляя, бормоча себе под нос. Наконец остановилась возле Маши, склонилась к ней, спросила шепотом:

— Последние месячные когда были?

Маша подумала: «Нет, невозможно. При таких физических нагрузках задержки обычное дело».

— Когда? Господи, не помню! Кажется, в декабре или в январе.

Через час вместе с Пасизо она вошла в смотровой кабинет поликлиники на Большой Дмитровке. Пожилая приветливая докторша осмотрела, измерила давление, посчитала пульс, потом ободряюще шлепнула по коленке, бросила: «Одевайся» — и уселась за стол, заполнять страницы медицинской карты.

Пасизо ждала за ширмой. Маша трясущимися руками натягивала трико, застегивала подвязки, не понимая, почему не решается задать прямой вопрос: да или нет? Докторша оторвалась, наконец, от писанины, ушла за ширму. Маша услышала ее спокойный голос:

— Пятнадцать недель.

— Это точно? — спросила Пасизо.

— Сдаст анализы, тогда будет точно, — отчеканила докторша и добавила слегка обиженно: — Адочка, дружочек, разве я когда-нибудь ошибалась? Ты лучше скажи, в каких спектаклях она занята?

— Неважно, — отрезала Пасизо.

Маша вышла из-за ширмы, пробормотала, ни на кого не глядя:

— Что же теперь делать?

— Рожать! — рявкнула Пасизо и стукнула кулаком по столу.

— Конечно, рожать, дружочек, — подхватила докторша и потрепала Машу по щеке. — Самый возраст у тебя, здоровье в порядке, беременность развивается нормально. Отстреляешься — вернешься на сцену.

На улице Пасизо взяла Машу под руку и повела бережно, как инвалида, заставляя обходить лужи, оттесняя к краю тротуара, подальше от крыш, с которых свисали тяжелые сосульки. Маша всхлипывала, не могла произнести ни слова.

— Будешь ходить ко мне в класс, заниматься, чтобы не потерять форму, — говорила Пасизо, — станок, партерный экзерсис, растяжка. Это не противопоказано, даже наоборот, для будущих родов полезно. А вот о прыжках пока забудь.

— Как? — выдохнула Маша. — А «Три толстяка»? Меня же только сейчас в первый состав перевели, «заслуженную» дали.

— «Толстяков» к черту! Заслуженную назад никто не отнимет. О сцене пока речи быть не может. Родишь, тогда и будешь танцевать.

— Но ведь только пятнадцать недель, ничего не заметно.

— Что значит — незаметно? Ему заметно. — Пасизо кивнула на Машин живот, еще совершенно плоский. — Теперь он для тебя главный, а ты для него. Ты нервничаешь — он нервничает. Ты плачешь — он плачет. Ему нужен покой, свежий воздух, крепкий сон, витамины. Кабриоль может его убить. Пойми, наконец, он уже есть, крошечный, беззащитный, полностью от тебя зависит.

— Он? — ошалело прошептала Маша. — Думаете, мальчик?

— Понятия не имею. Какая разница? Ребенок. Вот я в твоем возрасте сделала глупость, чудовищную, непоправимую. Но это был девятнадцатый год, голод, холод, вши, Гражданская война.

— Война, — тихо повторила Маша.

Пасизо не услышала, продолжала:

— Разве можно сравнить? Ты вообще в раю живешь. Квартира отдельная, снабжение по высшей категории, муж обожает, родители живы-здоровы. Год уже не девятнадцатый, а, слава богу, сороковой. Время пробежит — оглянуться не успеешь. В сентябре родишь, к февралю сорок первого вернешься на сцену. И хватит киснуть!

Глава семнадцатая

У лица Веселая выглядела довольно уныло. Фонари не горели. Тусклый желтоватый свет сочился сквозь оконца покосившихся деревянных домишек. Разглядеть номера было невозможно, слишком темно. От улицы осталась узкая тропинка, по обеим сторонам высоченные сугробы, а тропинка такая скользкая, что Митя несколько раз едва не грохнулся. Местные жители таскали ведра от колонки на углу, воду расплескивали, она замерзала, получался идеально гладкий каток. Митя шел медленно, никак не удавалось обойти женщину, которая балансировала по наледи между сугробами с коромыслом, будто канатоходец. Поскользнувшись в очередной раз, Митя крякнул. Женщина обернулась.

— Скажите, пожалуйста, где тут дом номер двадцать семь? — спросил Митя.

— А кто вам нужен?

В темноте он не мог разглядеть лица, видел только белый овал в обрамлении толстого платка, темные пятна глаз. Голос звучал совсем молодо, но очень уж неприветливо.

— Вы что, всех тут знаете? — спросил Митя.

— Кто вам нужен в двадцать седьмом доме?

Мите вовсе не хотелось называть первому встречному человеку имя Марка Семеновича. Он шагнул к женщине, простодушно предложил:

— Давайте помогу донести ведра. Тяжело ведь, к тому же скользко. — Он поставил портфель, взялся обеими руками за коромысло, осторожно перенес его себе на плечи. — Вы, пожалуйста, портфель мой возьмите.

В темноте блеснули ее глаза и зубы. Не поймешь, то ли улыбка, то ли злой оскал. Она подняла портфель.

— Спасибо, конечно, но только до двери. В дом я вас не пущу, не надейтесь.

— Ага, значит, вы живете в двадцать седьмом? — бодро заметил Митя.

— Вам что за дело, где я живу? Кто вы вообще такой?

Улица вильнула и пошла круто под горку, к берегу Ангары. Удерживать равновесие стало совсем трудно. Ведра качались, ледяная вода окатила Митины войлочные бурки.

— Вот теперь вам точно придется меня пустить, иначе я по вашей милости отморожу ноги.

Она остановилась, развернулась всем корпусом. Луна выглянула из-за облака, огромная, наливная, в ее свете Митя ясно разглядел лицо и едва не уронил коромысло.

— Женька?!

— Привет, Родионов, я тебя почти сразу узнала по голосу.

— Узнала? Зачем же спросила, кто такой?

— Разные тут шляются, — сердито буркнула Женя, — раньше ты был студент, а кем теперь стал?

— Теперь военный. — Митя сморщился, промокшие ноги ломило, он почти не чувствовал пальцев. — Слушай, Женя, давай дойдем до дома, там поговорим.

— Пришли уж. — Она махнула варежкой в сторону реки и быстро засеменила вперед.

— Ты тут насовсем или приехала отца навестить? — спросил Митя.

— Если ты военный, почему в штатском? — спросила она в ответ.

— Как он себя чувствует?

— Откуда у тебя адрес?

Он открыл рот, чтобы задать очередной вопрос, но она исчезла. Мгновение назад семенила впереди, метрах в полутора от него, и вдруг будто растворилась в темноте. Митя поправил коромысло, огляделся, негромко позвал:

— Женя, ты где?

— Направо поверни.

От основной тропинки был протоптан коротенький аппендикс между сугробами. Он упирался прямо в крыльцо деревянного двухэтажного дома. Женя стояла на крыльце, возилась с ключом.

— Черт, руки окоченели.

Митя поставил ведра, снял варежку, взял у нее ключ. Дверь была обита войлоком и дранкой. Клочья дранки лезли в замочную скважину, ключ застревал. Наконец Митя справился. Дверь открылась с недовольным скрипом.

В сенях было темно, пахло дегтем и кислой капустой. После Берлина, Москвы, царского поезда, интуристовской гостиницы Митя очутился на другой планете. Там, в Москве, пламенная комсомолка публично отреклась от отца, поменяла отчество и фамилию и превратилась в говорящую куклу. Тут, в Иркутске, она была рядом с отцом и опять стала живым человеком. Такая вот декабристка Женька Мазур. Только декабристки ехали сюда к мужьям, а она к отцу. И еще декабристы бунтовали против царя, заговор был. А Мазур не бунтовал, в заговорах не участвовал. Тихий, безобидный профессор, занимался своей радиофизикой.

— Стой, не двигайся! — шепотом приказала Женя. — Шумнешь — хозяйка убьет. Сейчас керосинку зажгу.

Она опять исчезла. Митя остался в кромешной тьме. Ноги ломило. Откуда-то слышалась возня, шорохи. Наконец появился дрожащий огонек.

— Ведра отнеси в кухню.

Лицо ее, подсвеченное снизу, выглядело странно. Остренький подбородок, верхняя губа, кончик носа были выбелены светом, дальше — темный провал, глаз не видно, только длинные прямые стрелки, тени от ресниц. Она сунула ему в руку его портфель и прошептала:

— За мной, на цыпочках, и не дышать.

Они прошли по коридору мимо двух дверей, третью Женя открыла, и в этот момент вспыхнула электрическая лампочка. Она висела под бревенчатым потолком, слабо мигала и потрескивала. Митя увидел круглый стол, накрытый газетами, беленую русскую печь. Часть комнаты пряталась за цветастой ситцевой занавеской. В углу кривобокая этажерка, забитая книгами и толстыми журналами, изголовьем к ней — узкий топчан, аккуратно застеленный серым солдатским одеялом, над ним, прибитый гвоздиками к стене, коврик с лебедями.

У окна, на табуретке, спиной к двери, сидел сгорбленный старик в рваной телогрейке. Конструкция из двух ящиков служила ему письменным столом. Из широкого ворота торчала худая шея. Прозрачный белый пушок на круглой голове дыбился, светился, как нимб.

— Ты почему так долго? — спросил он, не оборачиваясь, и задул свечной огарок.

— Папа, — Женя размотала серый вязаный платок, — сюрприз.

Марк Семенович развернулся на табуретке. Очки съехали на кончик длинного носа. Запавшие глаза, красные веки без ресниц, запавший рот без зубов. Брови, когда-то широкие, черные, теперь торчали серыми кустиками. От прежнего Мазура остался разве что большой выпуклый лоб. Вместо щек ямы, поросшие седой щетиной.

— Простите? — Старик испуганно заморгал, поправил очки.

Митя заметил, что дужка замотана чем-то серым, а на среднем и безымянном пальцах нет ногтей.

— Папа, это Родионов. Ты что, не узнаешь? — Женя бросила платок на топчан.

— Митька! — Старик поднялся с табуретки, обнял Митю, похлопал по спине. — Вот уж правда сюрприз так сюрприз! Женя, иди, чайку нам.

— Какая радость, какая приятность. — Она фыркнула. — Еще неизвестно, откуда он взялся и зачем приперся.

— Женя, чаю! — Марк Семенович грозно сверкнул глазами на дочь. — Будь добра, там осталось в шкафчике полторы баранки с маком, если ты, конечно, не успела слопать. И пожалуйста, погаси, наконец, керосинку. Электричество уже включили.

377

Митя смотрел на старика, а на Женю почему-то взглянуть не решался.

— Да вот тут я кое-что... — Он открыл портфель, выложил на стол шоколадки, банку икры, принялся разворачивать сверток с бутербродами.

За спиной мягко хлопнула дверь. Женя вышла, стало тихо. Марк Семенович стоял у стола. Запавшие губы шевелились, беззвучно бормотали.

— Там буфет уже закрывался, — смущенно объяснил Митя, — вот, взял наспех. Вы ведь пористый шоколад любите, я помню.

— Пористый... — Старик покачал головой и засмеялся.

Смех звучал странно, напоминал безнадежные всхлипы, будто плакал маленький ребенок, из последних сил, точно зная, что утешить некому.

— Марк Семенович, можно я бурки сниму? — спросил Митя. — Они мокрые совершенно, и носки тоже.

Профессор достал из кармана телогрейки тряпочку, вытер глаза, высморкался.

«Кажется, он правда плакал, — подумал Митя, — или для него теперь смех и слезы одно и то же?»

— Да, конечно, снимай, просуши на печке, вот, валенки мои пока надень.

Старик подвинул табуретку, сел, водрузил локти на стол, уложил подбородок в гнездо из сплетенных пальцев и на мгновение стал похож на прежнего профессора Мазура. Так он сидел за кафедрой, когда кто-то из студентов выступал на его семинаре.

Митя опустился на край топчана, стянул бурки, носки, принялся растирать посиневшие ноги.

— Как это ты умудрился промокнуть? — спросил профессор.

— Воду нес, пролил немного. Повезло, встретил Женю, без нее ни за что не отыскал бы ваш дом.

— Ты надолго?

— На два дня.

— Где остановился?

— В гостинице.

Вернулась Женя, принесла маленькую вязанку хворосту и несколько толстых щепок, ни слова не говоря, занялась печкой. Митя в профессорских валенках присел с ней рядом, впервые решился взглянуть на нее.

Вместо длинной черной косы — короткие густые кудряшки, будто каракулевая шапочка. Лицо осунулось, карие глаза казались еще больше из-за темных теней под нижними веками. Губы бледные, потресканные, в уголке розовая корочка лихорадки.

— В гостинице, — повторила она с усмешкой, — в «Центральной», конечно.

— Ну да, там, — кивнул Митя, взял кочергу и поправил щепки в печи.

— Посмотри, что он принес, — сказал Марк Семенович, — и между прочим, кто-то обещал чаю.

— Мг-м. Кто-то ничего не обещал, а кто-то забыл, что Серафима наш чайник реквизировала за неуплату, — проворчала Женя, взяла с подоконника большую жестяную кружку и опять ушла.

— Не может быть. — Старик помотал головой. — Серафима Кузьминична, хозяйка наша, дама строгая, но справедливая, поповская вдова, на подлости не способна. Оставить людей без чайника... Ладно, что же мы говорим о всякой ерунде? Как ты живешь? Как мама?

Митя принялся рассказывать про мамино больное сердце, потом про погоду в Москве. Тепло, все течет. Поделился впечатлениями об Иркутске. Красивый город, только холодно и фонари не горят. Вскользь упомянул, что служит в Комиссариате обороны. Вошла Женя, молча поставила кружку с водой на печь, села на топчан. Табуретки было всего две.

— Давай пододвинем к столу, — предложил Митя.

— Нельзя, он сразу развалится, там все на соплях.

— Как же ты на нем спишь?

— Аккуратно.

— Женька, ну что ты врешь? — Профессор покачал головой. — Спишь ты на печи, а топчан у нас вместо дивана.

— Мг-м, предмет роскоши. — Женя усмехнулась и посмотрела на Митю в упор. — Ну, хватит. Выкладывай, зачем явился.

— Извини, при тебе не могу, дело у меня к Марку Семеновичу, — пробормотал Митя, отвел глаза, покраснел и добавил: — Дело секретное, государственной важности.

Марк Семенович тихо присвистнул, глаза блеснули.

— Ага, значит, письмишко мое не осталось без внимания. Честно говоря, не ожидал.

Женя ничего не сказала, резко поднялась, достала из навесного шкафчика стаканы в латунных подстаканниках.

— Ну-ну, не злись. — Старик тоже встал, принялся ей помогать, возбужденно шепча: — Митя служит в Комиссариате обороны, он человек военный, его прислали... ты должна понимать...

— И куда прикажешь мне деваться? — процедила Женя сквозь зубы. — К Серафиме в гости? Так ведь не пустит. Или может, на улицу, прогуляться по холодку?

Только сейчас Митя заметил, как поглядывает она на бутерброды и шоколад. Старается не смотреть, отворачивается, но косится постоянно и сглатывает слюну.

— Не злись, говорю, — старик взъерошил ее кудряшки, — сейчас чайку выпьем, поедим, потом ты залезешь на свою лежанку, там за шторкой вроде как другая комната. Ты будешь спать, а мы разговаривать. Ну что, Митя, такой уровень секретности тебя устраивает?

Топчан трогать не стали, пододвинули стол к нему, иначе втроем не уселись бы. Марк Семенович и Женя ели медленно, без жадности, понемножку. Каждый норовил оставить, отдать другому. Глядя на них, Митя вспомнил свинскую обжираловку в царском поезде и подумал: «Разные планеты».

Женя оттаяла, рассказала отрывисто и скупо, что окончила аспирантуру, защитилась, устроилась младшим научным сотрудником в одно НИИ, теперь это уже неважно. Замуж вышла за доцента. Тоже неважно. Узнала, что отца выпустили, решила навестить. В августе был законный отпуск, прожила тут неделю. Вернулась — вызвали в партком. «Вы порвали отношения с отцом?» — «Порвала».

— Я была кандидатом в члены ВКП(б). — Женя тронула мизинцем лихорадку в углу рта. — В декабре собирались принять, на шестидесятилетие. Сталинский призыв. Парторг в штаны наложил со страху.

— И муж-доцент тоже, — добавил Марк Семенович, — выгнал ее практически на улицу.

— Как на улицу?

— Очень просто. Я же к нему переехала. А прописана была у мамы.

— Ну, так и вернулась бы к маме. — Митя достал из кармана пачку сигарет, вопросительно взглянул на старика: — Можно?

— Кури, конечно, форточку откроем.

Женя тоже взяла сигарету, глубоко затянулась, произнесла нараспев:

— У мамы новый муж, мне там делать нечего. А тут пожалуйста, лежанка на печи, у папы под крылышком, работа по специальности.

— Она с января преподает на физфаке Иркутского университета, на кафедре экспериментальной физики, — гордо сообщил Марк Семенович. — Платят, конечно, мало и в партию точно уж не примут.

— У них тут с преподавательским составом напряженка, — объяснила Женя. — К тридцать восьмому почти всех вычистили, работать некому, вот они на такие вещи и смотрят сквозь пальцы. А платят, между прочим, прилично, просто Серафима твоя дерет втридорога за эту келью.

— Так ведь комната с печкой, поэтому, конечно, дороже, вот когда я на втором этаже обитал, дешевле выходило, но мерз ужасно. — Профессор отломил уголок шоколадки, положил в рот. — Да, печка плюс дрова хозяйские, капуста квашеная, картошка, белье постельное, посуда. На Рождество носки шерстяные подарила, своими руками связала, мебель тут вся ее. Ты, Женя, зря на Серафиму Кузьминичну наговариваешь.

— А ты посватайся к поповской вдовице. — Женя фыркнула.

— Значит, отречение было спектаклем? — тихо спросил Митя.

— Бредом папиным оно было. — Женя скривила губы, заговорила дребезжащим жалобным голосом. — «Доченька, я тебя умоляю, это пустая формальность, ритуал. Надо спасать твое будущее, они тебе ни учиться, ни жить не дадут».

Марк Семенович вдруг покраснел, шлепнул ладонью по столу, крикнул сердитым шепотом:

— Прекрати! Иди спать!

— Тьфу, до сих пор мутит, как вспомню то собрание. Зачем? Перестраховщик! В дерьме извалялась на всю жизнь!

— Прошу тебя, не надо, перестань! — Старик мелко затряс головой.

Женя поднялась с топчана, подошла к отцу, обняла, положила подбородок на его макушку.

— Ну все, все, папа, прости, не нервничай, он не стукнет, я по глазам вижу.

— Без тебя знаю, что не стукнет! Хватит талдычить, что я перестраховщик! — Старик завелся не на шутку, покраснел, кричал шепотом: — Я все правильно просчитал! Если бы ты и мама не отреклись, меня бы на допросах вами шантажировали, вот тогда я бы точно не выдержал, все подписал бы как миленький. Скольких мог угробить, не дай бог! Расстреляли бы меня, если бы я подписал! Ты это понимаешь?

Женя закрыла лицо ладонями, помотала головой, худые острые плечи задрожали.

— Жень, ты просто забудь, многие это делали. — Митя встал с ней рядом, осторожно тронул жесткие кудряшки, погладил по голове. — Время такое было.

— Было? — Женя отняла руки от лица, быстро взглянула на него исподлобья. — А сейчас другое, что ли?

— Спать, сию минуту! — сердито прикрикнул на нее профессор и добавил шепотом: — Мите надо со мной поговорить. Со стола сами уберем.

— Ладно, спокойной ночи. — Она вышла, прихватив полотенце.

Как только дверь закрылась, Митя достал из внутреннего кармана пиджака новенькую красную корочку, протянул профессору. Тот поправил очки.

— Комиссариат обороны, пятое управление Генштаба... Что такое пятое управление?

— Военная разведка, — шепотом объяснил Митя.

* * *

Тибо листал блокнот, читал черновую запись интервью с профессором Мейтнер. Кряхтел, качал головой, поправлял сползающие очки, иногда задавал вопросы. Перевернув очередную страницу, спросил:

— Почему вы назвали Брахта?

Ося легко отшутился:

— Думал о прекрасной Эмме.

— Неужели всерьез надеетесь, что удастся ее завербовать? — Тибо снял очки и принялся протирать их.

— Просто не вижу других вариантов. — Ося пожал плечами. — В любом случае, это пока единственная ниточка.

— Это пока совсем ничего. — Тибо помотал головой. — Вайцзеккер и Мейтнер — вот наши ниточки.

— В болтовне с Вайцзеккером нет никакого толку, — возразил Ося, — впрочем, как и с Мейтнер. Бесполезный треп. Слушать их философствования и лекции по истории науки интересно, не спорю, но всему свое время.

— Джованни, зачем так мрачно? Ваше интервью с Мейтнер было вовсе не бесполезным. В отличие от моего. Я к ней подхода не нашел, вы нашли. Вам удалось узнать кое-что любопытное.

— Мг-м. — Ося принялся загибать пальцы. — Предустановленная гармония Лейбница, история открытия радиоактивности урана, анекдот о студенческих годах Макса Планка.

— Не только. — Тибо опять потянулся к блокноту, открыл последнюю страницу и прочитал вслух, слегка подражая знакомым интонациям Мейтнер: — «Вернер Брахт уволился из института, порвал все связи, так же как Макс фон Лауэ. Эти двое отказались обслуживать режим. Нечто вроде внутренней эмиграции. По крайней мере, за них я могу поручиться». — Он поднял глаза. — О фон Лауэ было известно, а вот о Брахте — нет.

— Разве это так важно? — Ося ткнул пальцем в блокнот. — Область его исследований далека от ядерной физики.

— Да, верно, — кивнул Тибо, — но как вы сами справедливо заметили, Гейзенберг и Вайцзеккер тоже не ядерщики. Физика огромная наука, в ней множество разных областей, и далеко не все они связаны с производством бомбы. Радиофизика тут вообще ни при чем. Но участие Брахта дало бы проекту значительно больше, чем участие Гейзенберга, потому что для бомбы прежде всего нужны мозги экспериментатора. Брахт отличный экспериментатор. Школа Резерфорда. Чем меньше таких мозгов в проекте, тем меньше шансов на успех.

Тибо дотошно изучал научные биографии всех далемских профессоров, знал о Брахте достаточно много. Ося фальшиво зевнул, прикрыв рот ладонью, и с иронической усмешкой спросил:

— Сколько лет Брахту?

— Чуть за шестьдесят. А что?

— К такому солидному возрасту ни одного открытия, ни одного изобретения. Вряд ли Далем много потерял, лишившись профессора Брахта. Вот Мейтнер — другое дело. Тут я согласен.

Судя по выражению лица Тибо, провокация сработала. Глупость, да еще выданная таким вяло-высокомерным тоном, не оставила бельгийца равнодушным.

Тибо покачал головой, произнес с издевательским пафосом:

— Он согласен! Он прочитал десяток брошюр и газетных вырезок, поболтал с Вайцзеккером и с Мейтнер, и теперь он крупный специалист, может с ходу оценить потенциал любого ученого.

Именно этого Ося добивался: возмущенный Тибо должен осадить наглеца, объяснить зарвавшемуся невежде, кто такой Вернер Брахт.

— Простите, Рене, мне кажется, говорить о потенциале, когда человеку за шестьдесят, по меньшей мере странно. — Ося пожал плечами и добавил с ухмылкой: — Впрочем, может я ошибаюсь.

— Джованни, это не ошибка, это глупость. — Тибо хмуро взглянул на него. — При чем здесь возраст? Мейтнер свое открытие сделала в пятьдесят девять.

— Сдаюсь. — Ося вздохнул. — Конечно, глупость. Но об открытиях Брахта я ничего не знаю, понятия не имею, чем он вообще занимается.

Тибо снял очки, покрутил, опять водрузил на нос и взглянул на Осю сквозь линзы печальными, увеличенными глазами.

— Понятия не имеете, а судить беретесь, да еще так уверенно. — Он сдвинул дужку, почесал переносицу. — К вашему сведению, профессор Брахт занимается вынужденными излучениями, работает над созданием прибора, способного собрать потоки фотонов в единый пучок. Теорию вынужденных излучений сформулировал Эйнштейн, лет двадцать назад. Сначала она многих привлекала, но проверить экспериментально не удалось никому, и в конце концов тему закрыли. Эксперименты с вынужденными излучениями просто вышли из моды. Теоретически возможно, практически неосуществимо.

— Так же неосуществимо, как расщепление ядра урана до декабря тридцать восьмого? — осторожно уточнил Ося.

Тибо задумался, пожал плечами:

— Я бы не рискнул сравнивать, хотя в этом что-то есть...

— Надеюсь, вынужденные излучения не станут еще одним оружием чудовищной разрушительной силы в руках Гитлера?

— Не волнуйтесь, они вряд ли смогут конкурировать с урановой бомбой, тем более об успехах Брахта пока ничего не известно. — Бельгиец окончательно остыл, добродушно улыбнулся и потрепал Осю по плечу. — Но это вовсе не значит, что Брахт пустое место. Просто задачу себе поставил фантастически сложную и непопулярную в научных кругах.

— Неужели никто, кроме него, не пытается ее решить? — осторожно спросил Ося.

— Есть еще советский радиофизик Марк Мазур, много лет они с Брахтом работали вместе. — Тибо наморщил лоб. — Кстати, любопытно, что стало с Мазуром? Давно о нем не слышно. Последняя их совместная публикация вышла в «Нейчур», году в тридцать четвертом. — Он задумался, помолчал, потом взглянул на Осю и подмигнул: — Впрочем, в круг интересующих нас лиц Мазур, слава богу, не входит.

— Рене, как вам кажется, а русские способны начать работы с ураном? — внезапно спросил Ося.

Вопрос давно вертелся на языке. Надоело барахтаться в собственных догадках и подозрениях. Для всего мира урановая бомба Сталина стала бы не меньшим кошмаром, чем бомба Гитлера, но для Оси сталинская бомба оказалась бы еще и личной моральной катастрофой. Если в СССР работы идут, послание доктора Штерна означает, что он, Ося Кац, вообще ни черта не понимает в людях. Добрейший, милейший Штерн использует его вслепую, как пешку, в очень грязной игре. На фоне всеобщей катастрофы, разумеется, мелочь, песчинка, но не думать об этом невозможно.

Точного ответа не мог дать никто. Просто хотелось взглянуть на проблему со стороны, умными, проницательными глазами Тибо.

— Русские? — Бельгиец помолчал, посопел, почесал переносицу, наконец задумчиво произнес: — Толковых ученых там достаточно. Капица, Иоффе, Мандельштам, Семенов, да тот же Мазур. Урановые месторождения наверняка имеются в избытке. Теоретически есть все необходимое, но практически... Не знаю, мне сложно представить. Чтобы работы развернулись, кто-то должен убедить Сталина в их целесообразности.

— Гитлера убедили.

— Он просто поверил военным. — Тибо усмехнулся. — А как относится к своим военным Сталин — известно. И не забывайте, Гитлер не устраивал террора против собственных граждан. Немцам живется неплохо. Сыты, не запуганы. А в сталинской России основная масса населения влачит полуголодное существование и трясется от страха.

— Страх не мешает добывать уран и делать бомбу. — Ося достал сигарету и заметил, что пальцы слегка дрожат. — Наоборот, может стать отличным стимулом.

— Но страх мешает думать, — возразил Тибо, — а главное, он полностью подавляет инициативу и способность принимать самостоятельные решения. Запуганные люди предпочитают сидеть тихо, не высовываться. Чем грозит немецким ученым провал проекта? Ну, самое страшное — молодых и малоизвестных отправят на фронт. Светил вроде Гейзенберга никто пальцем не тронет. В СССР, если проект провалится, полетят сотни, тысячи голов. И первой упадет голова того смельчака, который проявит инициативу, убедит Сталина развернуть работы.

— А вдруг проект пойдет успешно? Смельчак получит огромные привилегии. Ради этого стоит рискнуть. К тому же советские ученые мало отличаются от всех прочих. Тщеславие, азарт, любопытство. Отставать от зарубежных коллег им вряд ли хочется, — возразил Ося.

Тибо основательно протер очки, скинул ногтем пылинку с рукава, наконец решительно помотал головой.

— Нет, Джованни, бросьте! Не полез бы Сталин в Финляндию, будь у него надежда на бомбу. Да о чем мы говорим? Вы же сами видели, как одеты, вооружены и обучены красноармейцы. Если он армию довел до такого состояния, что же там у него с наукой происходит?

— А может, именно потому он и воюет так плохо, что основные силы и средства брошены на уран?

— Зачем, в таком случае, отправлять в рейх колоссальное количество зерна и стратегического сырья? — парировал Тибо.

— Чтобы притупить бдительность Гитлера! — не задумываясь выпалил Ося.

Бельгиец рассмеялся.

— Ну, Джованни, это чересчур, даже для Сталина.

Ося поднял руки, сдаваясь. Он был рад проиграть в этом споре. Тибо почти успокоил его, но только он почувствовал некоторое облегчение, тут же услышал:

— Впрочем, полностью исключать нельзя ничего. СССР для нас абсолютно темная зона. Сталин непредсказуем.

— Непредсказуем, — повторил Ося, — пока мы крутимся вокруг немецкого проекта, он по-тихому сделает свою бомбу. На кого скинет ее? На Британию? На Германию? Или на Америку?

Тибо пристально взглянул ему в глаза.

— Вы слишком устали. Не стоит пугать себя и меня советской бомбой, нам бы с немецкой разобраться. — Он потрепал Осю по плечу. — Не все так плохо, Джованни. Вы чудом остались живы. Удачно поговорили с Мейтнер. Как вам кажется, можно верить ее ручательствам?

— Верить нельзя, надо знать точно.

— Точно? — Тибо покачал головой. — Допустим, Брахт, так же как фон Лауэ, уволился, ушел в оппозицию. Но это не мешает консультировать, участвовать косвенно. Вот Мейтнер. О чем она говорила с Ганом? Разумеется, о науке. О чем же еще? Невольно могла подсказать что-то важное, вы понимаете...

Да, это Ося понимал.

«Хотите сказать, написав об открытии Гану в нацистский рейх, я нарушила закон предустановленной гармонии?»

Он помнил, как в спокойных серых глазах Мейтнер мелькнул испуг, а потом появилась насмешка. Насмешка над профаном, который не догадывается, что наука превыше всего. Ученые, сакральная элита, небожители, братство избранных. Лиза не могла утаить свое открытие от Гана. Даже благороднейший Бор не удержался, разболтал, не доплыв до Нью-Йорка, хотя обещал молчать, чтобы не подвести Лизу. Ферми и Кюри, ненавидящие нацизм, возмутились, когда Силард призвал их засекретить урановые исследования. Члены братства избранных умеют многое, но хранить молчание не способны, наверное, поэтому среди них нет разведчиков.

«Мистер Касли, простите, но вы не ученый. Вы судите о людях, которых совсем не знаете».

— К тому же ваше интервью, в отличие от моего, хоть немного приоткрыло характер Мейтнер, — продолжал Тибо, — фраза «делать бомбу для Гитлера могут только умалишенные»...

— Всего лишь фраза, — перебил Ося и махнул рукой. — Я бы не спешил с выводами. А кстати, как же Гана выпустили в Данию? Они же все намертво засекречены.

Тибо насупился, помолчал и задумчиво произнес:

— Ну, видимо, Отто объяснил седьмому отделу, что для успешной работы над бомбой ему срочно нужна консультация профессора Мейтнер. — Он подмигнул и заговорил тонким жалобным голоском: — «Мы так долго работали вместе, она стала моим вторым научным "я", или первым, как вам будет угодно. Клянусь не заразиться от нее еврейским духом. Моя арийская лояльность нерушима. Клянусь не выдать ни одного секрета и вернуться в рейх таким же законопослушным гражданином, каким являюсь с младенчества».

Получилось смешно, но Ося только слабо улыбнулся. Тибо посопел, вернул лицу нормальное выражение и добавил со вздохом:

— Вот так рождаются мифы.

— Что вы имеете в виду? — спросил Ося.

— Аппарат Гейдриха контролирует все. Муха не пролетит, мышь не проскочит. Между тем прямо под носом у всесильного аппарата спокойно существует антиправительственный заговор, в котором участвуют генералы, дипломаты, верхушка абвера.

— Этот заговор совершенно не опасен, вот они и смотрят сквозь пальцы.

— Утечка информации тоже не опасна? — Тибо усмехнулся. — Стенограммы секретных совещаний в Ставке фюрера на следующий день становятся достоянием всех разведок, от американской до аргентинской. Нет, я не хочу сказать, что в СД служат олухи. Устраивать провокации и нагнетать страхи они умеют, надо отдать им должное. Шлепнуть или похитить кого-нибудь — тут они мастера. Но воровать чужие секреты и охранять свои — задачка посложней. — Он развел руками. — Не справляются.

— Мы тоже не особенно преуспели. — Ося вздохнул и, помолчав, добавил: — Согласен, приписывать Гейдриху и его команде сверхъестественные способности — паранойя. Но расслабляться вряд ли стоит.

— Нет, милый мой Джованни, не паранойя. Значительно хуже. Миф! Изнанка любого мифа — самооправдание. Опаснейшая штука, я вам скажу. — Тибо достал очередной платок, но ничего вытирать не стал, скрутил его жгутиком, развернул, опять скрутил, намотал на палец, пробормотал задумчиво: — Между прочим, для производства урановой бомбы самооправдание так же необходимо, как тяжелая вода, или, допустим, графит высокой очистки. Слава богу, Мейтнер оказалась за бортом. Но ее консультации могут здорово помочь им.

— Главную консультацию Гану она уже дала, — мрачно заметил Ося, — сказочный подарок к Рождеству тридцать восьмого дорогому другу и коллеге Отто, а на самом деле Гитлеру.

— Джованни, хватит. — Тибо сморщился, сунул измятый платок в карман. — Вы не там ищете виноватого. Перед нами столько реальных мерзавцев от науки, а вы обвиняете Мейтнер. Глупо и жестоко.

— Мерзавцев обвинять бессмысленно, их надо обезвреживать, а Мейтнер — человек разумный, с нее спрос другой, — угрюмо объяснил Ося.

— Ох, Джованни, слишком вы все упрощаете, — вздохнул Тибо, — среди далемских затворников слабоумных нет.

— Я имею в виду моральное слабоумие. Интеллект ни при чем. Хотя он может рухнуть. Моральное слабоумие подтачивает основу личности, начинается распад.

— Интересная мысль, но, пожалуй, чересчур оптимистичная. — Тибо хмыкнул. — Остается верить, что вы сумели заставить Мейтнер задуматься о том, о чем ей думать совсем не хочется. Может, теперь она станет осмотрительней в научных беседах с Ганом.

— Рене, вы преувеличиваете мои способности. — Ося ухмыльнулся. — Я для нее профан, да еще и наглец.

— Что наглец — это точно, — кивнул Тибо.

Утром, прощаясь у дверей гостиницы, Тибо вдруг спросил:

— Помните, кто изобрел пулемет?

— Кажется, какой-то американец по фамилии Максим. А что?

— Так, ничего. Просто в голову пришло. Первое в истории оружие массового уничтожения. Четыреста выстрелов в минуту, в идеале — четыреста трупов в минуту. Сдвиг сознания. Пулеметы, танки, бомбы, обычные, потом урановые. Стремительная инфляция человеческой жизни. Раньше я о подобных вещах не задумывался.

Подъехало такси, Тибо обнял Осю, похлопал по плечу:

— Ну, доброго пути. Постарайтесь хорошенько отдохнуть. Впереди много дел. Гуляйте и спите побольше.

* * *

Проскуров набросал для Мити инструкцию на листочке:

«1. Увидеть прибор своими глазами, проверить, работает ли он именно так, как описано в письме. 2. Уран. Деление изотопов. Доказательство, которое можно предъявить авторитетной академической комиссии. 3. Брахт. Что он за человек? Отношение к режиму. Вероятность участия в урановом проекте. Родственники. Друзья. Привычки. Увлечения. 4. Письмо должно заинтриговать, спровоцировать на ответные откровения, если возможно, как-то притормозить работу, запутать, вывести на ложный путь».

Митя заучил пункты наизусть перед тем, как уничтожить листок, на котором все выглядело ясно и логично. А потом в голове запрыгали фразы будущего разговора. Их получилось много, пожалуй, слишком много, и все — первые.

«Мне надо посмотреть на ваш прибор, удостовериться, что он действительно работает... Меня прислали... мне приказано... Нет, не так. Мне поручили познакомиться с результатами ваших экспериментов. Полная ерунда. Удостовериться, познакомиться, еще скажи — экспертизу провести. Кто ты такой? Студент-недоучка!»

Глаза у профессора были голубые и какие-то беззащитные, наверное, из-за отсутствия ресниц. Ярко-розовые сморщенные веки, лиловые мятые подглазья. Вблизи его лицо казалось полупрозрачным, будто плоть утончилась и сквозь нее просвечивало нечто не совсем материальное. «Душа, что ли?» — подумал Митя и поймал себя на том, что не может произнести ни слова.

В голове крутилась черно-белая карусель, обрывки злосчастных первых фраз. Много лет назад первокурсник Родионов сидел перед знаменитым профессором Мазуром, точно так же молчал, хлопал испуганными глазами, открывал и закрывал рот. Это был зачет по оптике. Первокурсник отлично подготовился, но у него случился экзаменационный ступор. Профессор Мазур был знаменитостью, небожителем. «Открывает щука рот, но не слышно, что поет, — сказал небожитель, — домой, отдыхать, завтра к десяти явитесь и сдадите».

Женя вернулась, повесила полотенце на гвоздь, пробормотала сквозь долгий зевок: «Спокойной ночи» — и шмыгнула за ситцевую занавеску. Молчать дальше было невозможно. Митя пригнулся и зашептал на ухо профессору:

— Марк Семенович, ваше письмо попало к начальнику военной разведки. Я должен увидеть резонатор, понять, как он работает. Нужно доказательство...

— Вещественное? — Запавшие губы дрогнули в кривой улыбке.

— Ну да, чтобы они убедились. Вам ведь удалось получить обогащенный уран?

— Девять граммов.

— Девять граммов, — повторил Митя, — то есть вы вручную набрали урановую смолку...

Профессор кивнул, поправил дужку очков.

— Главное не трогать голыми руками и не класть в карманы штанов. Серафима Кузьминична, добрая женщина, одолжила мне два берестяных лукошка, вот я в них и собирал смолку, как заправский грибник. Мы с Владимиром Ивановичем еще в девятьсот десятом нашли тут, на берегу Байкала, небольшое месторождение.

«Конечно, ведь он участвовал в тех дореволюционных экспедициях Вернадского», — вспомнил Митя и спросил:

— Почему вы решили облучать именно уран?

— Видишь ли, когда я смастерил свою игрушку, принялся облучать все подряд. Если у тебя вдруг получается то, что вчера считалось невозможным, сразу наглеешь. Вот попалась на глаза статейка о расщеплении. А кстати, не верится мне, что Ган сам додумался. Я ведь неплохо с ним знаком. Во-первых, Ган — химик. Во-вторых, слишком законопослушный для такого открытия, куража в нем нет. Насчет Штрассмана ничего сказать не могу, видел его один раз в жизни.

— Везде написано, что открыли Ган и Штрассман, — удивленно заметил Митя.

— Ну, раз написано... — Старик развел руками, помолчал, пристально взглянул Мите в глаза: — Ты вот лучше скажи, удалось нашей доблестной разведке выяснить, делают немцы урановую бомбу или нет?

— Данные пока только косвенные, но сомнений не вызывают. Во-первых, публикации прекратились на эту тему. Во-вторых, еще весной прошлого года немцы стали скупать уран в немереных количествах, засекретили два десятка научных институтов.

— Еще бы им не делать. — Старик хмыкнул. — Вот если бы ты ответил: нет, пока неизвестно, я бы подумал, что этот твой главный разведчик... — Он кашлянул в кулак. — Дрянь, а не разведчик. Извини, конечно.

— Меня бы сюда не прислали. — Митя отвел взгляд. — К вашему письму очень серьезно отнеслись.

Марк Семенович кивнул, помолчал, глотнул остывшего чаю.

— Знаешь, когда я прочитал об открытии, вспомнил строчку Гёте: «Лучше ужасный конец, чем ужас без конца». Так странно все совпало. Время — канун Второй мировой войны. Место — Германия. Далем. Там в Первую мировую Отто Ган занимался отравляющими газами. И вот теперь, когда началась следующая война, прямо в руки Гитлеру плывет ядерное оружие, из того же Далема.

— А Брахт? — спросил Митя. — В Первую мировую чем он занимался?

— Уж точно не газами. Во-первых, Вернер не химик, во-вторых, не карьерист, а главное, не такой законопослушный, как все они. Вернер независимый, умный, жестокости в нем нет ни капли. Но и Отто нельзя назвать злодеем. Наоборот, мягкий, чувствительный, даже сентиментальный. Раньше твердил, что ядовитые газы быстро покончат с войной и таким образом спасут множество жизней. Теперь, вероятно, те же надежды возлагает на урановую бомбу. Помню, он рассказывал, как летом пятнадцатого года попал на передовую, лично участвовал в газовой атаке, распылял фосген. Облако рассеялось, он увидел поле, усыпанное трупами русских солдат, и бросился оказывать помощь тем, кто еще подавал признаки жизни. Отто даже пустил слезу, когда рассказывал. Если через год-полтора бомбардировщик люфтваффе скинет урановый подарок на Лондон или на Москву, Отто наверняка разрыдается.

У Мити невольно вырвалось:

— Вот сволочь!

— Ну почему? — Профессор ухмыльнулся. — Патриот своей страны, законопослушный гражданин, интеллектуал, уважаемый ученый, почтенный отец семейства. Ладно, черт с ним, с Ганом. — Он задумался, потер лоб искалеченными пальцами. — Все-таки поразительно... Знаешь, в прежней жизни, до ареста, я бы вряд ли решился. Что? Ионизировать изотопы урана монохроматическим лучом? Вы в своем ли уме, уважаемый профессор?

Марк Семенович скорчил такую забавную рожу, что Митя не выдержал, громко прыснул. Старик нахмурился.

— Тс-с, Женьку разбудишь... Да, стоило проторчать в одиночке два с половиной года, чтобы почувствовать себя по-настоящему свободным. Что скажет наш пророк и учитель, великий академик Иоффе? Как посмотрит ученый совет? На-плевать! Взял берестяные лукошки, набрал смолки, сколько нужно, и вперед, к празднику чистой науки!

Митя покачал головой, прошептал:

— Лукошки... В таких условиях, практически из ничего, на коленке девять грамм обогащенного урана.

— Ну, милый мой, Резерфорд вообще все делал из ничего, на коленке. Тут, конечно, не Кембридж, но тоже кое-какие возможности имеются. — Он задумчиво пожевал губами. — Собрал бы я свою игрушку в Москве? Не уверен. Ну, ладно, допустим. Стал бы возиться с ураном? Ни за что! С какой стати? При чем здесь уран? И не раздобыл бы я его в Москве, даже если бы захотел.

— Да, правда, — прошептал Митя.

— Вот то-то, что правда. У нас ведь никакой добычи не ведется. — Он усмехнулся, поймав тревожный взгляд Мити. — Хочешь спросить, откуда знаю? Живу давно, вот и знаю. Или скажешь я не прав?

— Правы, — печально кивнул Митя, — вообще, не понимаю почему. Урана полно, ученые есть, не хуже немецких.

— Ну, это, милый мой, вопрос не ко мне. Может, там... — Он поднял глаза к потолку. — ...ждут, когда где-нибудь взорвется? Ужасный конец или ужас без конца... Странная все-таки история. В тюрьме у меня был шанс десять раз сдохнуть, однако выжил и оказался именно здесь, в Иркутске, с готовой идеей в голове и с месторождением в семнадцати километрах. Оставалось только взять лукошки и вперед, за смолкой. Вот результат. Девять граммов обогащенного урана.

— Думаете, это все не случайно? — прошептал Митя.

— Ты сам как думаешь? — Старик подмигнул. — У них свои совпадения, у нас свои.

— Вот именно, а то совсем как-то выходит несправедливо, хреново и безнадежно, — проборомотал Митя и добавил громче: — Я, как узнал, что вы резонатор собрали, совершенно не удивился.

— Ладно, не заливай. Небось удивился, что я вообще жив.

— Что вы живы — обрадовался очень. А насчет резонатора, честное слово, я еще тогда, на семинарах, был уверен — у вас обязательно получится.

— Раз-два, и готово. — Профессор тихо засмеялся.

— Нет, без шуток.

— И я серьезно. Теперь вот сам не понимаю, чего мы с Вернером так долго возились? Игрушка проста, как детский калейдоскоп. — Он, кряхтя, потянулся к этажерке, взял толстую тетрадь.

У Мити зарябило в глазах от формул и схем. Марк Семенович водил острием карандаша по страницам, как указкой по доске. Говорил тихо, быстро. Митя пытался следить за ходом его мысли, но не успевал.

— Смотри, электроны у нас перевозбуждены и находятся на высоких энергетических уровнях, бьем по ним новой порцией квантов. Возникает лавина. Они уже перенасыщены энергией, получают дополнительное облучение, срываются с верхних уровней и переходят лавинообразно на нижние, испускают кванты электромагнитной энергии. Направление и фаза колебаний этих квантов совпадает с направлением и фазой падающей волны. В результате имеем эффект резонансного усиления волны. Энергия выходной волны во много раз превосходит энергию волны, что была на входе.

Митя со стыдом признался себе, что физику успел здорово подзабыть. Столько всего навалилось после института. Он надеялся, что сумеет понять лучше, когда увидит прибор своими глазами, и осторожно спросил:

— А изотопы?

Профессор взглянул на него поверх очков, покачал головой. Догадался, что бывший студент смысла не улавливает, плавает, как двоечник.

Митя покраснел.

— Марк Семенович, я стараюсь понять, но не могу так сразу.

— Ладно, не оправдывайся. — Мазур махнул рукой. — А с изотопами теоретически совсем просто, практически сложновато. Суть вот в чем. Выборочная фотоионизация. Пучок надо настроить на определенную длину волны, чтобы выборочно ионизировались атомы, содержащие изотоп двести тридцать пять. Когда они возбудятся, их можно ловить электромагнитной ловушкой и сохранять на металлической пластине. Завтра пойдем в лабораторию, увидишь мою игрушку.

— Марк Семенович, почему вы называете свой резонатор игрушкой? — спросил Митя.

— Конечно, игрушка, — профессор тихо, счастливо рассмеялся, — моделька примитивная, вроде эскиза. До настоящего резонатора еще далеко. Надо совершенствовать, экспериментировать с разными начинками. Но главное я одолел — нашел недостающие звенья.

— С начинками? — Митя глухо откашлялся.

— С активными средами внутри оптического резонатора, — терпеливо объяснил профессор, — у нас три составляющих. Активная рабочая среда, система накачки и сам резонатор. Активные среды могут быть разные. Например, газ, смесь неона и гелия, аммиак, жидкие растворы, кристаллы. Именно с кристаллом у меня первый раз все и получилось. Может, не попади я в ярославскую одиночку, проколупался бы до конца своих дней без толку. В камере моей окошко было маленькое, высоко под потолком. Если с койки взобраться на столик, кусочек неба виден. Но если надзиратель такое безобразие заметит, угодишь в карцер. Правда, не каждый замечал. Главное, знать, кто дежурит. И вот однажды стою на столике, голову задрал, любуюсь закатным солнцем. Свет густой, мощный. И тут будто ударило по башке: что, если использовать в качестве активного вещества кристалл: окись алюминия, в котором часть атомов алюминия замещена атомами хрома? Чуть не свалился со столика. Вычислять ничего не мог, бумагу с карандашом не давали, иногда только по-тихому, черенком ложки стенку царапал.

Не надеялся, что удастся когда-нибудь проверить. Но повезло. Выпустили, работать позволили. Тут, в институте, хранится коллекция, еще дореволюционная, искусственно выращенных минералов по методу Вернейля. Оксид алюминия с примесью хрома, это знаешь что такое?

Митя отрицательно помотал головой.

— Рубин, — прошептал профессор, — искусственный или настоящий — без разницы, структура и химический состав одинаковые. Вот с рубиновой начинкой у меня первый раз и получилось. А потом уж я стал работать с разными другими активными средами.

Лампочка замигала и погасла. Митя чиркнул спичкой.

— Опять вырубили, хорошенького понемножку. — Профессор зевнул. — Слушай, Митька, что же мне с тобой делать? До гостиницы твоей далеко.

— Дойду как-нибудь, вроде не очень далеко, я дорогу запомнил, — неуверенно возразил Митя, — давайте я керосинку зажгу?

— Свечки довольно. — Старик опять зевнул. — Дойдет он! Холод собачий, бурки твои не просохли, да и небезопасно тут ночью шастать. Придется уложить тебя на топчан. Умывальник на кухне, сортир во дворе. Только смотри, не шуми и, главное, не вертись, а то развалишь эту роскошь, Серафима Кузьминична не простит.

Глава восемнадцатая

Конец Финской войны задержался на два с половиной месяца и совпал не с шестидесятилетием Сталина, как обещали Ворошилов и Мехлис, а с пятидесятилетием Молотова.

Юбилей Вячи отмечался чуть скромней хозяйского, но тоже очень пышно. Город Пермь был переименован в Молотов. На карте СССР появилось три Молотовска, два Молотовабада, мыс Молотова, пик Молотова и еще около тысячи колхозов, предприятий, институтов имени Молотова.

Рядом с поздравлениями юбиляру «Правда» печатала восторженные передовицы о блестящей победе Красной армии над финской белогвардейщиной. Называлось количество убитых: сорок восемь тысяч. На самом деле столько потеряли финны, а красноармейцев погибло раза в три больше.

Илья узнал от Проскурова, что по приблизительным подсчетам наши безвозвратные потери — около ста пятидесяти тысяч плюс раненых не меньше двухсот семидесяти тысяч. Финны вернули пять тысяч советских военнопленных. Каждый десятый был расстрелян сразу после пересечения границы, остальные отправлены в лагеря.

— Замерзшие и раненые, которые умерли в госпиталях, не в счет, — сказал Проскуров, — на самом деле где-то полмиллиона. И я в том числе.

«Май Суздальцев и тот безвестный лейтенант, который расстрелял портрет на вокзале, тоже, разумеется, не в счет», — подумал Илья.

Ему тяжело было смотреть летчику в глаза.

— Брось, Иван Иосифович. Сейчас военных не трогают, наоборот, выпускают. После Финляндии совершенно ясно, что профессионалы нужны как воздух.

Но летчик будто не услышал, продолжал спокойным, ровным голосом:

— Точных цифр никто никогда не узнает. Завоеванной территории вряд ли хватит, чтобы похоронить наших погибших. Бездарная, бессмысленная авантюра. Было бы смешно, если бы не стоило стольких жизней.

— Нет, все-таки урок серьезный, — возразил Илья.

— Для кого? — Проскуров криво усмехнулся.

Они встретились через пару дней после мартовского Пленума ЦК, посвященного итогам финской войны. Поговорили совсем мало, в основном молчали. Илья не хотел верить, что Проскуров обречен, хотя уже было ясно, что Хозяин решил все валить на него.

Необходимую информацию о финской армии и оборонительных сооружениях военная разведка собрала заранее. Подробные схемы линии Маннергейма, рельеф местности, болота, озера, леса, рвы, надолбы, доты, артиллерийские точки. Материалы были переданы Генштабу еще в сентябре и провалялись без толку до конца января. Хозяин с самого начала отстранил Генштаб, поскольку Шапошников посмел высказать сомнения в моментальной победе. А вот Ворошилов и Мехлис никаких сомнений не высказывали.

На пленуме Ворошилов талдычил, что во всем виновата военная разведка. Хозяин орал на Ворошилова и Мехлиса, а с Проскуровым говорил нарочито мягко, с теплой дружеской интонацией, которая звучала как смертный приговор.

В очередную сводку летчик включил фрагменты секретного доклада экспертов германского Генштаба, изучавших тактику русских в финской войне: «*Советская масса беспомощна и неспособна к полноценным военным действиям*».

Информацию передал все тот же источник из МИДа. Илья не стал вводить это в сводку для Хозяина. Жизнь Проскурова висела на волоске. Любое упоминание его имени в связи с Финляндией могло стать роковым.

Вечером Илья с Машей отправились в гости к Поскребышеву, на день рождения его дочери Наташи. Девочке исполнился год. Александр Николаевич жил в Доме Советов ЦИК и СНК на улице Серафимовича. Маша называла это гигантское мрачное сооружение замком Иф и радовалась, что они с Ильей живут не там, а на Грановского. Их дом выглядел куда симпатичней.

Про серую громадину на Серафимовича говорили, что возвели ее на месте старинного кладбища, на разоренных могилах, и будто бы использовали для облицовки фасада надгробные плиты.

Наверное, ни в одной гостинице обитатели не менялись так часто, как в этом жилом доме. За два года, с тридцать шестого по тридцать восьмой, в квартиру могли въехать по очереди несколько семей. Арест, печать на двери, через пару дней заселяются новые постояльцы, иногда даже не успевают разобрать вещи. Арест. Печать. И потом никаких надгробных плит. Братские могилы.

В огромной квартире Поскребышева все было казенное, на мебели латунные бирки с номерами, даже на полотенцах в ванной синие штампы, как в больнице.

Илья заранее купил для именинницы забавную плюшевую обезьянку. В прихожей Поскребышев взял ее в руки, повернулся к зеркалу, прижал ухо игрушки к своему, почти такому же мягкому, большому и оттопыренному, скорчил очень похожую рожу и спросил:

— Ну, что, назовем животное Александром Николаевичем?

— Слишком официально, можно просто Шурик, — давясь от смеха, выпалила Маша.

— Это уж как именинница решит, — сказал Илья.

Именинница согласилась назвать обезьянку Шуриком. В ее исполнении это прозвучало «Фуик». Она подергала Фуика за хвост, поцеловала в нос, потрепала за уши, бросила на ковер, потом с деловитым сопением забралась на руки к Маше и больше уже не слезала.

Гостей собралось немного. Из сослуживцев Александр Николаевич пригласил только Илью. За столом сидели грустные пожилые дамы, родственницы Брониславы, жены Поскребышева, арестованной в мае прошлого года, когда Наташе не было еще и трех месяцев.

По стенам висело множество фотографий молодой красивой Брониславы. Сталин, конечно, тоже присутствовал в виде бюста на письменном столе и двух больших парадных портретов, в кабинете и в столовой. Но Бронки было больше, она смотрела отовсюду и улыбалась.

Маша с именинницей на руках бродила по комнатам. Наташа показывала пальчиком на фотографии, повторяла:

— Мама, мама!

Один раз пальчик уперся в парадный портрет, детский голос важно произнес:

— Сяинь!

Илья невольно вспомнил строчку из Машиного свежего стихотворения: «Он глядит на нас с ухмылкой».

Маша отнесла ребенка подальше от «Сяиня», остановилась возле портрета Бронки и сказала:

— Мама у тебя очень красивая, ты на нее похожа. Ну-ка, давай посмотрим, где будет спать обезьянка Шурик? Найдется свободная кроватка?

У этой малышки все было. Большой кукольный уголок, заграничные игрушки, нарядные платья и даже сводная сестра Лидочка, восьмилетняя дочь Бронки от первого брака. Лидочка очень любила Поскребышева, называла его папой.

На столе стоял роскошный торт с розовым кремом и вишнями, из него торчала свечка, которую Наташа успешно задула с третьей попытки. Взрослые умильно улыбались. После обязательного тоста за Сталина чокались клюквенным морсом за здоровье именинницы.

Поскребышев увел Илью в кабинет, стал рассказывать о народных средствах лечения язвы.

— Желтки сырые натощак — это еще ничего, терпимо, а вот масло подсолнечное глотать до того тошно — сил нет.

Говорил он громко, вроде бы спокойно, но при этом посапывал, и веко дергалось. Взяв карандаш из стакана, он стал рисовать на листочке. Вглядевшись, Илья увидел самолетик. На крыле крупные буквы: «ПРОСК». Александр Николаевич поднял глаза, выразительно взглянул на Илью и перечеркнул рисунок крест-накрест, так резко, что сломал грифель.

Илья взял другой карандаш, сдерживая дрожь в руке, написал: «Точно?» — вопросительный знак получился жирным, а слово едва читалось.

Поскребышев угрюмо кивнул и продолжил рассуждать о язве:

— Но вообще, ничего этого не нужно, если жрать нормально, диету соблюдать. Жареное, жирное, острое забыть. Утром кашка овсяная или манная, но только на воде. В обед супец овощной, без чеснока и перца. Картофельное пюре...

Карандаш вывел: «Держись от него подальше!» Взгляд тяжело, выжидательно уперся в глаза Ильи, потом опять опустился. На листке появилась еще одна фраза: «На всякий случай».

Илья перевел дух. Значит, не все так плохо. Поскребышев просто страхуется «на всякий случай». Шурик — обезьянка пуганая, опытная, чует опасность за версту, но может и ошибиться. Продолжает жить по старым, ежовским правилам, а время все-таки изменилось.

«Перестань, — одернул себя Илья, — ты ведь знаешь, нет никаких правил, ни старых, ни новых, ни ежовских, ни бериевских. Ничего нет, кроме прихотей и капризов Инстанции. Правило одно: убивает кого вздумается».

Поскребышев между тем скомкал листок, положил в глубокую медную пепельницу, чиркнул спичкой.

— Смотри, Крылов, ты вот молодой, организм у тебя пока крепкий, но не забывай: профилактика — лучшее лечение.

Оба молча наблюдали пляску оранжево-синих огоньков. Бумага корчилась, чернела, наконец осталась горстка сизого пепла. Поскребышев больше не сказал ни слова, только еще раз пристально взглянул в глаза и вместе с Ильей вернулся в гостиную.

Там был полумрак, горел торшер. Маша устроила для девочек театр теней, в кругу света показывала фигуры из пальцев. Волк гонялся за зайцем, белка прыгала и махала хвостом, птица взлетала, раскинув крылья.

Часы пробили одиннадцать.

— Спать, спать, — спохватился Поскребышев, — куда это годится? Ребенок в девять должен быть в постели.

Наташа заревела. Лидочка принялась уговаривать:

— Ну, папочка, все-таки день рождения.

Гости стали прощаться. Нянька хотела уложить малышку, но та не могла оторваться от Маши, обвила ее руками и ногами.

— Я обязательно приду еще, тебе пора спать, — растерянно уговаривала Маша.

Поскребышев вмешался, попробовал взять ребенка, но поднялся такой рев, что ему пришлось отступить.

— Давайте я сама, — предложила Маша и унесла малышку в детскую.

Илья заглянул туда минут через двадцать. Маша сидела у кроватки, малышка спала, вцепившись в ее палец. Маша очень осторожно разжала детскую руку. Наташа всхлипнула во сне, забормотала:

— Мама, мама...

В машине Маша спросила:

— Как он не боится держать столько фотографий? Арестованных даже из семейных альбомов вырезают, а у него все на виду, на стенах. Ведь донесут, нянька эта и домработница...

— Давным-давно донесли. — Илья усмехнулся. — Он постоянно под рентгеном.

— Значит, ему разрешили оставить?

— Значит, разрешили. Тем более никаких официальных обвинений его Брониславе так и не предъявлено. Она просто исчезла, и все.

— Разрешили оставить. Обвинений не предъявлено. Просто исчезла, и все. Портреты жертвы и палача рядом, какое-то особое, изощренное издевательство. Наверное, палачу это нравится, — бормотала Маша, — но с другой стороны, если бы не осталось фотографий, Наташа и не знала бы, как выглядела ее мама, а старшая Лидочка постепенно забыла бы лицо.

Илья долго молчал, потом сказал нарочито бодрым голосом:

— Надо бы Александру Николаевичу жениться. Авось найдется женщина, которая заменит девочкам мать. Правда, пока будут проверять кандидатуру супруги Особого сектора, детишки успеют вырасти.

— Мачеха родную маму не заменит. — Маша глубоко вдохнула, зажмурилась и выпалила: — Илюша, я беременна!

* * *

Свинцовый контейнер формой и размером напоминал приплюснутое куриное яйцо. Марк Семенович сам отлил его. Заглянуть внутрь, увидеть кусочек обогащенного урана, Мите не удалось. Контейнер был запаян и обернут старой резиновой перчаткой.

— Не вздумай разворачивать, тем более открывать, — предупредил профессор, — отдай, кому приказано, и держись от урана подальше. Радиоактивность — вовсе не такая безобидная штука, как принято считать. Еще Пьер Кюри в своей нобелевской речи предупреждал об осторожности.

— Ну, вообще, это известно. — Митя пожал плечами. — Однако столько людей работает, и никто пока не умер.

— Ты ерунду говоришь. — Мазур нахмурился. — Мари Кюри умерла от рака, вызванного радиоактивным облучением. Возможно, она стала первой, но уж точно не последней.

— А Пьер?

— Погиб под дилижансом на парижской улице. Несчастный случай. К этому времени он был уже серьезно болен. Но Мари до последних дней продолжала верить, что радиация лечит рак, а вовсе не вызывает его. Рискну предположить, что и то, и другое — правда, пока никто ничего не знает точно. Когда открыли радиоактивность, принялись лечить радием и ураном все подряд. Радиоактивную воду добавляли в хлеб и в косметические кремы. Урановую смолку продавали в аптеках, вешали в кожаных мешочках на шею, от ревматизма. Взрослые люди хуже младенцев, хватают все, что блестит, а тем более светится.

Митя не слушал, смотрел как завороженный на резонатор. Замысловатая конструкция из стали, стекла и керамики. Цилиндры, изогнутые трубки разного диаметра, спиральные лампы, провода, зеркала, стальные диски. Прибор напоминал картинку из книги про средневековых алхимиков и одновременно кадр из фантастического фильма про ученых далекого будущего.

Полчаса назад Митя видел, как из отверстия в диске вырос луч, ослепительно алый, тонкий, абсолютно прямой. Казалось, если к нему прикоснуться, он зазвенит, словно тугая басовая струна. Митя даже протянул палец, но профессор больно шлепнул его по руке. Стальную пластину, укрепленную в метре от прибора, луч прошел насквозь, оставив крошечную, идеально округлую дырку.

— Может стену продырявить, — сказал Марк Семенович, — смотря как настроить.

— А изотопы урана? — восторженным шепотом спросил Митя. — Вы покажете, как они разделяются?

Профессор засмеялся.

— Ну-у, милый мой, ты многого хочешь. Смолки не осталось, набрать новую порцию удастся только в июне, когда сойдет снег и подсохнет весенняя грязь. Потом смолку надо дробить, вымачивать, выщелачивать, растворять в азотной кислоте. Когда кристаллизуется — прокалить. Получается трехокись урана. Она капризна, как принцесса на горошине, зла, как ведьма, похотлива, как потаскуха.

— То есть? — с дурацким смешком спросил Митя.

— Вступает в связь с любыми тугоплавкими веществами, а если растолочь эту сволочь в порошок, вообще сходит с ума, при комнатной температуре вступает в реакцию со всеми составляющими атмосферы.

— Как же вы с ней работаете?

— Нежно, как с принцессой, осторожно, как с ведьмой. — Профессор оскалил беззубые десны. — Ну, и технику безопасности соблюдаю, как с потаскухой.

— Вы ее... — Митя нервно сглотнул. — ...облучаете?

Профессор укоризненно покачал головой.

— Двойка тебе, Родионов. Разделить изотопы можно только в газообразном веществе. Трехокись я преобразую в гексафторид урана. По сравнению с ним ведьма-потаскуха — паинька. Он зверски ядовит, вызывает быструю коррозию металлов. Но зато этот монстр переходит из твердого состояния в газообразное, минуя жидкое, примерно как кристаллический йод и нафталин. Достаточно нагреть гекс до температуры пятьдесят шесть градусов по Цельсию, и мы имеем газ. Его уже можно облучать.

— Сложнейшая химия. — Митя озадаченно сдвинул брови. — И все это вы один? Никаких помощников?

— Есть помощник. — Профессор ухмыльнулся. — Электромонтер Андрей Иванович, мастер на все руки, он и стеклодув, и литейщик, и токарь, и гончар. Вот, сделал бесшовную трубу из легированной стали, герметичный сепаратор, испаритель. Электромагнит сварганил отличный. Я, видишь ли, подтягивал его сына по математике и физике, оболтусу пятнадцать лет, был уличный хулиган, стал примерный ученик. Теперь с ним Женька занимается, парень оказался способный, схватывает на лету. Вот вместо платы за уроки Андрей Иванович мастерит детали для приборов по моим чертежам. Уверен, что я изобретаю вечный двигатель.

— Тут, в институте, кто-нибудь знает, что вы изобрели на самом деле?

— Нет, конечно. Спасибо Андрею Ивановичу, у меня есть ключи от всех нужных помещений. Со сторожем мы хорошие друзья.

— Ну, а преподаватели, доценты, студенты? Неужели никто не интересуется?

— От меня стараются держаться подальше. Я ведь ссыльный, статья не снята. Они пуганые. Тут, знаешь, смерч прошел.

Несколько сезонов охоты за шпионами. Среди старой профессуры было много немцев и поляков. Шпионы, разумеется. И каждый успел завербовать еще кучу народу, русских, евреев. Когда с ними покончили, взялись за панмонголистов. Огромный разветвленный заговор, тайная организация. Цель — воссоединить Восточную Сибирь с Монголией, создать буржуазную империю и напасть на СССР.

— Но в Монголии социализм.

— Не важно. По этому делу арестовали несколько сотен человек, начали с коренного населения, бурятов и эвенков, потом стали брать всех подряд, независимо от национальности. Наконец, завершающий этап. Открытые процессы над местными энкаведешниками. За что их судят? — Он поднял вверх палец. — За перевыполнение плана!

— Теперь стало спокойней? — спросил Митя.

— Не то слово. Тишина, как на кладбище.

— А Женя вам помогает?

— Ни в коем случае. — Старик помотал головой. — Женьку я к урану близко не подпускаю. Внуков хочу. Вряд ли доживу, но все равно хочу.

Митя взглянул на часы. Половина девятого. Они с профессором пришли в институт к семи утра. К десяти надо быть в гостинице. Немцам устраивали авиаэкскурсию, полет над Байкалом. К Марку Семеновичу он мог вернуться только вечером. Завтра днем делегация улетала в Москву.

Времени осталось в обрез, пора переходить к главному, но опять не получалось придумать первую фразу. Митя боялся, что профессор откажется писать официальную заявку в Комиссариат обороны и письмо Брахту. Предстояло еще и обсудить текст письма. Проскуров сказал, что письмо должно стать поводом для продолжения переписки, способом прощупать, как далеко зашел немец в своих опытах и, главное, не давать никаких подсказок, наоборот, запутать, направить по ложному пути. Да, Проскурову легко было говорить. У Мити опять начался экзаменационный ступор. «Может, еще и диктовать возьмешься?» — в панике подумал он и выпалил:

— А у Брахта есть внуки?

— Не знаю, наверное. Сын Герман, невестка Эмма. Оба физики, работают там же, в Далеме. Может, и удосужились. — Он взглянул на часы: — Времени мало, скоро начнутся занятия. У твоего начальства есть какой-нибудь план?

— Да, но без вашей помощи не обойтись. Никто, кроме вас, не может оценить перспективы Брахта.

— Перспективы? — переспросил старик с комичной важностью и засмеялся. — О чем ты, дружок? Они там решили, что я прорицатель? Превратился в пророка после стольких мучений?

— Нет. — Митя покраснел. — Просто вы с Брахтом хорошо знакомы, много лет работали вместе.

— Работали. Дружили. Но не виделись с тридцать четвертого. Извини, читать его мысли я не научился, тем более на расстоянии в тысячи километров. Кроме пророчеств, что еще от меня нужно?

— Официальная заявка в Комиссариат обороны и письмо Брахту.

— Всего лишь. — Профессор усмехнулся. — Так, начнем с письма. Каким образом оно дойдет?

— Передадут из рук в руки. — Митя разволновался, даже стал слегка заикаться: — Н-надежный человек передаст. Б-брахт вам ответит, и тогда станет хотя бы ясно, удалось ему собрать резонатор или нет. Дальше будем действовать по обстоятельствам.

— По обстоятельствам, — медленно повторил профессор, — то есть если Вернер еще не собрал игрушку, вы его остановите.

— Попытаемся, — нерешительно пробормотал Митя.

— Каким образом?

— Ну, я пока не знаю...

— Я знаю. — Профессор стиснул пальцы. — Слишком хорошо знаю вас и ваши методы.

Мите бросились в глаза обезображенные фаланги без ногтей. Марк Семенович поймал его взгляд.

— Да, вот это они и есть. Методы.

Только сейчас до Мити дошло, что чувствует старик. Промолчать, не предупредить об опасности, которую несет в себе прибор, он не мог. Но и подставлять под удар Брахта не желал.

— Марк Семенович, — Митя справился с заиканием, заговорил спокойно и уверенно, — я должен вам кое-что объяснить. Во-первых, военная разведка — это не НКВД. Во-вторых, о ликвидации гражданина рейха на территории рейха вообще речи быть не может. У нас с немцами мир, дружба, взаимовыгодное сотрудничество. Если с головы вашего Брахта хоть волос упадет, для моего руководства это автоматически «вышка». Ну и для меня, само собой.

Митя перевел дух. Он не мог смотреть в глаза профессору, хотя говорил правду. Захотелось курить, но в лаборатории нельзя было. Он нервно мял пачку в кармане. Профессор молчал. Митя пробормотал сквозь зубы:

— Для Брахта риск равен нулю, а для того, кто письмо передаст, риск сто процентов. Брахт может позвонить в гестапо...

— Нет, — перебил Мазур, — этого он не сделает.

— Вы уверены? Вдруг испугается, подумает — провокация? Тем более, если до него дошли слухи, что вы... что вас...

— Он знает мой почерк. — Старик сухо откашлялся. — В гестапо он точно не позвонит. На письмо ответит.

— Главное, так написать, чтобы он не понял про изотопы, — стал бодро объяснять Митя, едва справляясь с заиканием, — а то п-получится, что вы... то есть мы сами п-подсказали. Надо запутать, направить по ложному пути.

— Сам придумал или инструкция начальства?

— Сам, — выдохнул Митя и покраснел.

— Запутать! — Старик хрипло хохотнул. — Передай своему начальству: не надо делать из Вернера дурака. Он догадается легко и вот тогда, скорее всего, заподозрит провокацию, потому что знает: по доброй воле я врать ему не стану.

У Мити похолодело в животе.

— Лучшая подсказка тем, кто занят бомбой, — тихо, жестко продолжал старик, — если что-то случится с Вернером. Даже несчастный случай может привлечь внимание к его работам, не говоря уж об убийстве или похищении. Ты меня хорошо понял? Вот это тоже передай своему начальству.

— Марк Семенович, ну я же объяснил, никто его пальцем не тронет...

— Митя, я объясняю, а ты слушаешь и не перебиваешь. — Профессор нахмурился. — Вернер вряд ли станет возиться с ураном. Совершенно другая область физики. Резонатор открывает множество интереснейших перспектив. Луч можно использовать в производстве чего угодно, от самолетов до микроскопов, в будущем, наверное, даже в медицине.

— Не станет возиться с ураном? То есть вы считаете, что Брахт не участвует в работе над урановой бомбой? — медленно, почти по слогам, спросил Митя и затаил дыхание.

— Проблема не в том, участвует или нет. Я уверен, что нет. Но если ему удастся собрать резонатор, он точно не спрячет его от своих коллег.

— Вы спрятали. — Митя прикусил язык, понял, какую глупость сморозил.

— Меня спрятали. — Старик хмыкнул. — В ярославскую одиночку. Вряд у Вернера был подобный опыт.

— Конечно, не было, это уж точно, — выпалил Митя и опять прикусил язык.

«Почему я уверен? Мы оба уверены. Почему? Там заслуженных профессоров не сажают. Только у нас. Так, что ли?»

Встретившись глазами с Марком Семеновичем, он вздрогнул. Показалось, профессор догадался, о чем он сейчас подумал. Грустная усмешка скривила запавший беззубый рот. Митя быстро отвел взгляд. Мазур покачал головой:

— Я молчать вынужден, под пятьдесят восьмой живу, публиковать меня все равно не будут. Думал, доведу игрушку до ума, авось что-то изменится, обвинения снимут. Вот тогда уж... В общем, я решил молчать и не рыпаться до лучших времен. К тому же весь основной путь мы с Вернером вместе прошли. Публиковать, не упоминая его имени, я не вправе. Упомяну немца-соавтора — сам знаешь, что будет, при моей-то статье. Только девять граммов обогащенного урана сумели развязать мне язык, и то лишь потому, что я уверен: Вернер не эмигрировал, живет и работает в рейхе.

— А если бы он уехал в Англию или в Америку? — спросил Митя. — Тогда вы бы не...

Он осекся. Вопрос был скользкий. Вряд ли стоило его задавать. Старик ничего не ответил, отвернулся, смотрел в окно, бормотал задумчиво:

— Делить изотопы облучением — ну, это как штангенциркулем строгать колбасу. Вернеру в голову не придет. А вот если игрушка окажется в руках тех, кто занят урановой бомбой, они догадаются и обязательно попробуют. Колбасы у них навалом, а ножа под рукой нет.

— Вы сказали, настроить луч для урана очень сложно, — напомнил Митя, — у вас не всегда получалось.

— Да, непросто. Но у них другой уровень возможностей. — Профессор выразительно развел руками.

Лаборатория выглядела убого. Небольшая комната, отгороженная фанерной перегородкой от аудитории. Облезлые шкафы, голая лампочка под высоким закопченным потолком, полукруглое окно в разбухшей облупленной раме. Правда, стекла вымыты до блеска. И в шкафах идеальный порядок.

«С далемскими институтами смешно сравнивать, земля и небо. К тому же там большая команда, сплошь мировые светила. Догадаются, попробуют, добьются своего», — подумал Митя и упрямо пробормотал:

— А все-таки не факт, что у них получится.

— С резонатором их шансы значительно увеличатся. Если Вернер уже собрал его, тогда привет от Гёте: «Лучше ужасный конец, чем ужас без конца».

— Подождите, но он бы опубликовал, просочилась бы информация...

— Они прочухали, сразу засекретили, — перебил профессор и махнул рукой, — все бесполезно, обсуждать нечего. Спокойно ждем конца света. Ну, что ты побледнел? Самый худший вариант не обязательно самый вероятный. А теперь представь: ученый десятилетиями бьется над задачей, которую большинство его коллег считают невыполнимой и даже абсурдной. И вот у него получилось. Он нашел решение. Это не просто победа, это... — профессор зажмурился, оскалил розовые десны, помотал головой, — смысл всей жизни. Первое его желание какое?

— Поскорей опубликовать? — неуверенно пробормотал Митя.

— Правильно. Пятьдесят восьмая над ним не висит, он свободный человек. Конечно, ему тоже не просто публиковать без моего имени. Но с другой стороны, если он сделал резонатор, значит, на последнем этапе обошелся без меня. Научные журналы, не только немецкие, но и английские, американские, напечатают с радостью, а уж там он спокойно назовет имя соавтора-еврея. Как же его остановить?

Митя молчал, хмурился, кусал губы.

— Нет у тебя ответа. — Профессор вздохнул. — Ладно, я скажу. Единственный способ остановить Вернера — предупредить его о возможных последствиях.

— Предупредить? — ошалело прошептал Митя.

— Да, — кивнул профессор, — и чем скорее, тем лучше. Он должен знать: публикация в Германии — урановая бомба у Гитлера. Публикация в Англии, в Америке... Вряд ли он захочет, чтобы урановая бомба упала на Берлин.

— Подождите, но если он узнает от вас... — Митя судорожно сглотнул. — У него будут основания считать, что урановую бомбу скоро сделают в Советском Союзе, он...

— Поспешит отдать резонатор в Далем? — Профессор усмехнулся. — Не волнуйся. Есть надежная страховка.

— Какая страховка?

— Правда.

— Я, п-простите, не понял вас, Марк Семенович. — Митя помотал головой.

— Что же тут непонятного? Напишу Вернеру правду, врать не буду. У нас ведь пока не чешутся. Урановых разработок не начинали. Это правда?

Митя молча кивнул.

— Мои девять граммов передадут комиссии во главе с папой Иоффе. Поскольку урана нет, провести фундаментальные эксперименты невозможно. Как у нас заседают комиссии, как относится ко мне папа Иоффе, Вернеру объяснять не нужно. — Профессор взъерошил Мите волосы. — Да успокойся ты. Ну, не понравится твоему начальству письмо — просто не отправят его, положат под сукно или сожгут, и все.

Митя на ватных ногах подошел к раковине, включил воду, стал жадно пить из-под крана, умыл лицо. Профессор протянул ему полотенце.

— В общем, договорились, сразу после занятий сяду писать. А насчет заявки — нет. Не проси.

— Формальность, ерундовая бумажка, но без нее никак! — забормотал Митя и подумал: «Такое письмо Брахту ни за что не отправят, хотя бы заявку привезу, а то вообще получается — вся поездка без толку».

— Бумажка с печатями... — Профессор шлепнул пальцами по краю лабораторного стола. — С номерами входящими-исходящими, пойдет по инстанциям, от чиновника к чиновнику. Любой из них в любой момент может прихлопнуть меня как муху.

Мите пришлось потратить еще минут пять на уговоры, мол, в заявке ничего опасного нет, ни по каким инстанциям она не пойдет, тихо ляжет в сейф к надежному человеку. Он имел в виду Проскурова. Имени, разумеется не назвал. Марк Семенович вроде бы кивнул, но как-то неопределенно. Послышался топот, гул голосов, задребезжал звонок.

— Не прощаюсь! — крикнул Митя и помчался сквозь толпу студентов к выходу.

Глава девятнадцатая

Каждый раз, попадая в Швейцарию, Ося чувствовал себя как взрослый на детском празднике или как грешник, нелегально проникший в рай. Швейцария благоухала шоколадом, марципанами и магнолиями. Маленькое нежное сердце Европы билось спокойно и ровно, будто не было никакой войны.

Задрав голову, Ося щурился на ослепительные альпийские вершины. Снег еще не сошел. По склонам скользили крошечные фигурки лыжников. Внизу, на балконах многоярусных шале, цвели фиалки. Игрушечная Арктика с ледниками, мхами, лишайниками легко и быстро, как картинки в волшебном фонаре, сменялась акварельным пейзажем европейского севера. Сосны, туман, моросящий дождик. Комфортабельный поезд Цюрих—Лозанна мчался по высокому сводчатому мосту, нырял в туннель.

Чашка вкуснейшего кофе с куском энгандинского орехового пирога, шорох газет и странное ощущение от того, что читаешь газету на немецком, а в ней нет нацистской пропаганды. Не успеваешь заполнить клетки кроссворда, а поезд уже выныривает в солнечных тропиках, среди пальм и виноградников. Тропики тоже игрушечные, без ядовитых циклопов, малярийных комаров, изнуряющей жары и затяжных ливней.

Пансион находился на берегу Женевского озера, между Лозанной и городком Веве. Небольшая вилла конца девятнадцатого века была выстроена в стиле классического альпийского шале. Первый этаж из грубого камня, второй деревянный. Под массивными скосами черепичной крыши — мансарда. Этажи повторяли ступенчатый абрис виноградных террас.

Высокий седовласый хозяин говорил по-английски без акцента, носил очки в роговой оправе, просторный твидовый пиджак поверх джемпера и походил на оксфордского профессора. Фамилия Ансерме звучала вполне типично для жителя франкоязычного кантона Во, но Ося знал, что хозяин пансиона вовсе не месье, а мистер. И такой же Ансерме, как он — Касолли. За границей агенты «Сестры» обычно пользовались псевдонимами.

Большой привет от большого Тибо вызвал большую улыбку. Ансерме оскалился и спросил, доверительно понизив голос, как поживает наш дорогой Рене.

— Как всегда, великолепно, единственная проблема — вынужден отказывать себе в сладком.

Ансерме вежливо рассмеялся и подмигнул:

— Вот почему он так давно тут не был. Боится, что не устоит перед нашими знаменитыми пирогами.

Ося не мог оторвать взгляд от элегантного телефонного аппарата на столике у зеркала. Ансерме советовал погулять по Веве. Именно в этом тихом древнем городке развивается действие «Новой Элоизы» Руссо. С конца восемнадцатого века даже появилось понятие «Руссо-туризм». Поклонники Элоизы до сих пор приезжают в Веве, чтобы насладиться романтической атмосферой. Однако мало кто знает, что в Веве русский писатель Достоевский сочинял свой мистический роман «Мертвые души», а русский писатель Гоголь — сатирическую повесть «Идиот».

«Может, он и оксфордский профессор, но точно не литературы», — усмехнулся про себя Ося и решил, что поправлять хозяина невежливо.

К русской теме Ансерме добавил ортодоксальную церковь Святой Варвары, выстроенную князем Шуфалофф в конце прошлого века, в память о почившей юной дочери. Затем пообещал великолепную погоду, раннее цветение винограда, сообщил, что его зовут Пьер, и предложил обращаться друг к другу менее официально.

Ося мысленно набирал берлинский номер. Услышав голос горничной или мужа, он бы молча положил трубку. Если бы ответила Габи, он бы сделал то же самое, но через пару минут.

Пришлось отступить от столика на безопасное расстояние, чтобы рука не дотянулась до аппарата.

«Сестра» не поскупилась. Ося получил номер в мансарде с ванной комнатой, камином и просторным балконом. На стене, в строгой раме из темного дерева, висел пейзаж неизвестного художника, зеркальная копия вида с балкона: бирюзовая гладь озера, белый Монблан. На полу лежали домотканые цветные циновки, на огромной кровати — лоскутное покрывало. Льняные шторы были отделаны грубым кружевом. На комоде поблескивал глазурованными боками кувшин со свежими фиалками. На чугунной подставке возле камина высилась горка аккуратно сложенных поленьев. В ванной комнате Ося нашел все необходимое, от зубной щетки и теплого халата до бритвенного станка с набором лезвий.

На маленьком бюро возле балконной двери стояла пишущая машинка «Ремингтон», новейшая модель, почти беззвучная. В ящике лежала стопка бумаги и пачка копирки. Текст интервью с профессором Мейтнер предстояло перепечатать, дополнить своими комментариями и отдать Ансерме. «Сестра» требовала письменного отчета о проделанной работе.

На балконе, рядом с креслом-качалкой, Осю ждал сюрприз от Ансерме. На круглом столике бутылка вина «Глаза куропатки», ваза с зелеными яблоками и ассорти местных сыров. Из каждого кусочка торчала тонкая деревянная шпажка.

«Макет идеальной Европы, — подумал Ося, усаживаясь в кресло, — теплица в центре вечной мерзлоты, оазис в пустыне или пир во время чумы».

Кресло поскрипывало, ветер холодил лицо, слабо мерцали первые звезды. В сумеречном свете силуэт Монблана напомнил профиль Карла Маркса. Пышная борода, толстый круглый нос. Заметив сходство, Ося уже никак не мог от него отделаться. Стоило взглянуть на вершину, сразу вылезал всклокоченный автор «Капитала» и портил удовольствие.

Вино «Глаза куропатки», розовое, легкое, с тонким сладковатым привкусом, напомнило поцелуй фрау фон Хорвак. Это сходство раздражало меньше, чем профиль Маркса в виде Монблана, но после каждого глотка в голове шелестела вежливая фраза: «Мы с Габриэль очень сожалели».

Ося замерз и с удовольствием залез сначала в горячую ванну, потом под перину. Казалось, он заснет мгновенно и проспит часов десять, но сон пропал. Он лежал с открытыми глазами, глядел в косой бревенчатый потолок. Тьма сгустилась, зашептала:

— Сюжет уже написан, ничего изменить нельзя.

Ося повернулся на бок, накрылся с головой, зажмурился, забормотал в подушку:

— Сюжет бездарный, строится на неправдоподобных совпадениях и фальшивых мотивациях. В двух странах случайно и почти одновременно к власти пришли два буйно помешанных. Один маньяк, другой бандит. Бандит с маниакальным упорством убивает своих подданных. Подданные восторженно аплодируют. Маньяк с бандитской наглостью захватывает и грабит соседние страны, будто только у него одного есть армия, а других армий просто не существует. Цивилизованные политики принимают самые идиотские решения из всех возможных, сочиняют уважительные причины своей тупости и трусости. Ученые делают урановую бомбу для маньяка, надеясь, что она поможет им уцелеть, и уверяя друг друга, что спасают мир от всех будущих войн.

Сгусток тьмы быстро, мелко трясся от смеха и обретал очертания, смутное подобие человеческой тени.

— Да, не Шекспир, извини. Но других сюжетов не осталось. Этот последний. Он уже написан, ничего изменить нельзя.

Ося понимал, что перед ним всего лишь призрак его собственного страха. Днем удавалось загнать гадину в самый дальний, пыльный угол души. Ночью, на границе сна и яви, тварь вылезала.

Ося резко сел на кровати, помотал головой:

— Слишком бездарно и скучно. Персонажи все на одно лицо: идиоты, мерзавцы и трусы. В жизни так не бывает.

Тень расползлась по косому потолку, полоска лунного света, сочившегося сквозь щель между шторами, рассекла ее на две половины.

— При чем здесь жизнь? Сюжет совсем о другом, на то он и последний. Действуют в нем не люди, а массы. Откуда же взяться разнообразию?

— Массы не могут действовать, у них нет разума.

— Ладно, они не действуют, они движутся, колышатся, вопят и терзают друг друга. — Тень помахала смутными руками и покрутила квадратной головой. — Разума ни капли, зато предрассудков и суеверий — океан. Зачем суетиться, рисковать жалким остатком собственной жизни, если все уже предрешено?

— Кем предрешено?

— Никем. Они сами это делают. Из века в век одно и то же. Или ты предпочитаешь верить в существование тайного заговора темных сил?

Мысль о том, что все предрешено и этот сюжет может стать последним, не давала покоя. Ося искал исторические аналогии. Первой была чума. Миллионы трупов без всяких танков и пулеметов. Таинственная «черная смерть» питалась обыкновенной грязью, банальным человеческим свинством. Средневековые европейцы не мылись годами, поскольку считали грехом созерцать свое обнаженное тело. Ели руками, плевали куда попало. Содержимое ночных горшков выплескивали из окон на головы прохожим. В сточных канавах дерьмо и помои смешивались с кровью скотобоен, и все это стекало в реки, из которых брали питьевую воду. Улицы представляли собой свалки и болота нечистот, горожане передвигались по ним на высоких деревянных ходулях, чтобы не увязнуть. Тонули в собственном дерьме, задыхались вонью, разводили крыс, блох и вшей, но, вместо того чтобы мыться, стирать одежду и чистить улицы, искали виноватых, заговорщиков, отравителей, распространителей заразы.

В Средние века «черная смерть» забрала каждого четвертого и отступила, когда европейцы освоили элементарные гигиенические правила, известные с древнейших времен. Мыться вроде бы научились, но предрассудки и суеверия выросли до масштабов массового безумия.

Следующая аналогия — охота на ведьм. Конец пятнадцатого века. Роль чумной крысы сыграло сочинение монахов-инквизиторов Генриха Инститориса и Якова Шпренгера «Молот ведьм». Наукообразный трактат о том, что женщина — несовершенное животное и орудие дьявола. Женщины привораживают мужчин с помощью магии, летают на метлах, пьют кровь, насылают болезни, град и засуху. Если их не истреблять, они окончательно поработят мужчин, завладеют миром, и наступит конец света. Каждый, кто это отрицает, — сам колдун и орудие дьявола. Далее следовала инструкция, как пытать уличенных в колдовстве и добиваться признаний.

Предисловием к трактату стала «Булла о ведьмах» папы Иннокентия VIII, официальное церковное благословение на истребление женщин. Гутенберг уже изобрел печатный станок, и книга распространилась по Европе со скоростью чумы.

«Молот ведьм» был написан на латыни, его переводили на европейские языки, изучали в университетах, неграмотным читали вслух с алтарей. Дела о колдовстве вели не церковные, а светские суды. Заодно с женщинами пытали и сжигали детей, от двух лет и старше, студентов, врачей, ученых, священников и монахов, в общем, всех подряд. Монахини сами объявляли себя ведьмами и сходили с ума дружно, целыми монастырями. Протестанты из соображений экономии древесины и хвороста привязывали к одному столбу десяток осужденных.

Сюжет такой же бездарный, как нынешний. Тоже строится на неправдоподобных совпадениях и фальшивых мотивациях. Папская булла, печатный станок, Реформация, войны, засухи и град, проказа и сифилис, открытие Америки, наводнившее Европу дешевым золотом, которое вызвало экономический кризис, — все вовремя, все на пользу безумию.

Современники Леонардо, Ньютона, Бэкона, Кеплера, Шекспира с восторгом читали скучнейший текст двух свихнувшихся монахов, верили каждому слову. В эпоху расцвета науки, искусства, Великих географических открытий главной наукой была демонология, а главным искусством — пытка.

Психическая эпидемия продолжалась триста лет. Последний европейский процесс по обвинению в колдовстве прошел тут, в Швейцарии, в 1782 году. Подсудимая Анна Гёльди, горничная, под пытками призналась в сношениях с дьяволом и была обезглавлена. Мода на доносы, пытки и публичные казни закончилась так же внезапно и необъяснимо, как началась. В отличие от чумы, охота на ведьм ничему не научила. После недолгой передышки Европа опять сошла с ума.

Может, Гитлер и Сталин — очередные воплощения двух маньяков-доминиканцев? Они не придумали ничего нового, просто вскипятили старый суп из предрассудков и суеверий. Гитлер использовал теоретическую часть «Молота ведьм», объявил орудиями дьявола не женщин, а евреев, остальной текст оставил прежним. Сталин взял из теоретической части обобщенное понятие врага и вражеского заговора, но без конкретных указаний. Просто враг, независимо от пола и национальности. Любой, на выбор. Каждый, кто сомневается в существовании заговора, враг. Практическую часть «Молота» Сталин использовал как прямое руководство к действию. Доносы и пытки. Обвиняемый должен признаться в сношениях с дьяволом, полетах на шабаш, наведении порчи и назвать максимальное число сообщников.

Триста лет европейского безумия не коснулись православной России, но, будто наверстывая упущенное, охота на ведьм вспыхнула в двадцатом веке, когда Россия стала Советским Союзом. Что это? Предопределенность? Обязательность кошмара? Почему люди так легко заражаются безумием и сливаются в массы, покорные воле маньяков и бандитов? Сегодня источник эпидемии очевиден. Чтобы отступила чума, достаточно прихлопнуть двух крыс.

Достаточно? Разве физическая смерть Генриха Инститориса и Якова Шпренгера стала финалом охоты на ведьм? Как долго они коптили небо, неизвестно, но уж точно не триста лет. В отличие от своих будущих воплощений, они не стали правителями стран. Им досталась огромная литературная слава и неограниченная возможность наслаждаться мучениями женщин.

Ося включил лампу, встал, надел халат, вышел на балкон.

Озеро слабо светилось в темноте. Профиль Маркса больше не портил красоту пейзажа. Силуэт Монблана стал смутным, его накрыло сизое облако, похожее на женщину в длинном платье. Беспокойный призрак бывшей подсудимой Анны Гёльди устал кружить над Женевским озером и прилег отдохнуть.

Покачиваясь в кресле, Ося думал: «Сюжет написан очень давно. "Молот ведьм", "Майн кампф" или "Краткий курс". Название ничего не меняет. Знакомый бред, огрызок яблока с древа глупости. Неужели урановая бомба — молот, который разобьет башку человечеству и поставит финальную точку? Во времена чумных и психических эпидемий отдельные люди решались бороться с массовым безумием. Наверняка это дело казалось им безнадежным и платить приходилось собственной жизнью, но они не отступали. Что ими двигало? Закон предустановленной гармонии или личное отвращение к бездарным сюжетам?»

* * *

Из приемной гуськом выходили военные, всего человек пятнадцать. Хозяин собрал их накануне большого мероприятия, посвященного разбору финских полетов. Они безвылазно проторчали в его кабинете с девяти вечера до часа ночи. По предполью двигались молча, рысью, обгоняя друг друга, скрывались за дверью сортира. Илья подумал: «Все не поместятся. Интересно, к писсуарам выстроятся по старшинству или в порядке живой очереди?» Он посторонился, застыл у стены, прижимая к животу папку, механически здороваясь с теми, кто его замечал.

Проскуров, поравнявшись с ним, пожал руку. Лицо его было серым, он щурился. После полумрака хозяйского кабинета яркий свет в предполье резал глаза.

— Спустись на первый, направо по коридору, дверь с буквой «М», там никого, — посоветовал Илья, подмигнул и добавил шепотом: — Освобожусь скоро, подожди в Александровском.

Проскуров кивнул. Илья посмотрел ему вслед, заметил, что держится он прямо. Может, не все так уж плохо? А лицо серое просто от усталости.

Через двадцать минут Илья вышел из Троицких ворот, свернул в пустой Александровский сад. На газонах еще лежали плоские потемневшие сугробы, но дорожки уже просохли. Ночь была удивительно теплая, небо расчистилось, от весеннего воздуха слегка кружилась голова.

На скамейке под фонарем темнела одинокая фигура в фуражке. Вспыхнул огонек папиросы. Илья сел рядом, спросил:

— Ну, как прошло?

— Легкая разминка, главное впереди. — Летчик вздохнул. — Клим гундел то же, что и на пленуме, Мехлис из штанов выпрыгивал. Один раз я с Климом крепко сцепился, Хозяин его заткнул, меня поддержал. Сам знаешь, когда он не орет, обращается вежливо, это плохой знак. Некоторые здороваться со мной перестали, глаза отводят.

— Ерунда, — бодрым голосом возразил Илья. — Вон, с Шапошниковым он всегда сама любезность. А не здороваются потому, что перед большой разборкой у всех поджилки трясутся. Будешь ждать беды — он твое напряжение почует. Смотри ему в глаза спокойно и преданно.

— Стараюсь. Не всегда получается. Знаешь, сидел я там, слушал бодрый треп об увеличении производства танков, самолетов и думал: железом Гитлера не удивишь. Железа у него самого навалом, получше нашего. Вот урановая бомба — это серьезно. Все-таки доложу я ему напрямую, не могу больше молчать, чувствую себя жалкой трусливой скотиной.

— На какие источники будешь ссылаться? — сипло спросил Илья и закашлялся.

— Письма академиков, очень конкретные, с требованием срочно начать исследования. Вернадский, Иоффе, Хлопин, Капица...

— У кого же они требуют?

— У Президиума Академии наук.

— Понятно. Читал. Отчаялись писать в ЦК. Молотов и Булганин футболили твоих академиков уже раз десять. Вернадский и Капица просились на прием к Хозяину. Бесполезно. Ну, а кроме писем?

— Я переработал все материалы, подал информацию так, что не придерешься. Сведения добыты легально. Никаких агентурных фокусов. Кстати, в этом смысле докладная Родионова самое оно. Выводы из анализа научных публикаций.

— У академиков тоже анализ публикаций. Может, сначала поговоришь с Сергеевым?[1] Вроде толковый мужик.

— Говорил уже. — Проскуров махнул рукой. — Сначала он вообще не понял, пошутил насчет научной фантастики, а когда дошло, прямо сказал: считаешь нужным — иди сам и докладывай, у тебя прямой доступ.

Илья помолчал, покосился на Проскурова.

— Слушай, Клим вот-вот слетит. Доложи Тимошенко. В любом случае, прежде чем соваться к Хозяину, ты обязан поставить в известность нового наркома.

— Тимоха пошлет меня с этим ураном к урановой матери.

— Смотря как доложишь.

— Как ни докладывай. Тимоха точно не решится, он пуганый. Что на нем висит, разве не знаешь?

Илья молча кивнул. На будущем наркоме обороны висела служебная рекомендация, которую дал ему Тухачевский. Их фамилии стояли рядом, по алфавиту, в расстрельном списке тридцать седьмого, который был уже подписан Сталиным, Молотовым и Ворошиловым. Тимошенко уцелел чудом.

— Сам пойду. — Проскуров помотал головой. — Других вариантов нет. Чертова бомба — единственный шанс шугануть Гитлера. Нельзя больше тянуть. Хватит.

— Значит, решил Берия таранить? — Илья достал папиросу. — Вань, это тебе не Испания.

---

[1] Сергеев Иван Павлович (1898–1942) — народный комиссар боеприпасов. Арестован в марте 1941-го. Расстрелян в октябре 1942-го.

Проскуров ничего не ответил, откинулся на спинку скамейки, задрал голову, придерживая фуражку, смотрел в темное звездное небо. Илья курил, думал: «Таран — это, конечно, красиво, только смысла никакого. Немецкую урановую бомбу таким тараном не остановишь, советскую не создашь. Детей бы пожалел, истребитель».

Детей у Проскурова было двое. Девочки. Лиде тринадцать, Гале шесть.

Илья затянулся, выпустил дым. Произнести это вслух он не спешил. Взглянув на летчика, спросил:

— Как думаешь, почему Берия прикрыл урановую тему? Ведь не дурак, заявки академиков читал.

— Ни хрена он не читал, — тихо отозвался Проскуров, продолжая любоваться звездами, — тема слишком сложная, неохота ему связываться, и вообще, не до урана ему сейчас.

— Пока информации из Америки, из Англии нет, ему точно неохота. Надо материалец поднакопить, дождаться подходящего момента. — Илья почувствовал, как напрягся Проскуров, и спокойно продолжал: — Берия этот кусок для себя бережет, кусок большой и жирный. Резолюция — страховка, чтобы вы, военные, не опередили его, не утащили урановую бомбу у него из-под носа, под напором академических заявок.

Проскуров резко выпрямился, поправил фуражку.

— Слушай, а ведь верно! Мне в голову не приходило. — Он присвистнул. — Хитрая мразь, это ж надо...

— А ты думал, Лаврентий Палыч хороший, честный человек?

— Нет, ну, понимаешь... Ладно, Ежов был псих, алкаш. Берия хоть и сволочь, но соображает. Все-таки, кроме шкурных интересов, должны быть еще и государственные, у человека с такими полномочиями. А если подходящий момент настанет, когда война уже начнется?

— Именно так и будет. Пока у нас с немцами дружба, информацию из Англии и США Хозяин воспримет как дезу, заподозрит, что они провоцируют нас вкладывать огромные средства в какую-то сомнительную хрень. — Илья взглянул на фосфорный циферблат. — Десять минут третьего. Пойдем, провожу тебя, по дороге договорим.

Проскуров жил в том же Доме ЦИК на Серафимовича, что и Поскребышев. Они медленно побрели по Александровскому саду, вышли к Большому Каменному мосту.

— Ладно, Берия сволочь, понятно, — пробормотал Проскуров, — но и академики тоже хороши. Письма в ЦК и в комиссариаты они, конечно, строчат. Но когда что-то конкретное появляется по этой теме, спешат поскорей запороть. Вот недавно из Харьковского УФТИ[1] пришла заявка на изобретение атомной бомбы. Авторы Маслов и Шпинель[2]. Резолюция академика Хлопина: не имеет под собой реального фундамента.

— Может, академик прав?

— Академику, конечно, видней. — Проскуров пожал плечами. — Только подозреваю, страхуется он. Пока отмашку Хозяин не даст, добыча урана не начнется. А без урана экспериментально ни черта не проверишь. Кстати, резонатор этого твоего Мазура тоже могут запороть академики. Нет урана, значит, и реального фундамента нет. Немцы, вон, скупали его за бешеные деньги, а у нас свой, пожалуйста, сколько угодно, добывай — не хочу, и в Сибири, и в Средней Азии. Бред...

Остановились на середине моста, долго молчали, смотрели на отражения фонарей в речной воде, на силуэты кремлевских башен и зубчатую крепостную стену, будто вырезанную из темной бумаги. От воды веяло холодной свежестью. Ветер ласково поглаживал щеки.

---

[1] Украинский физико-технический институт.

[2] Заявка В.А. Маслова и В.С. Шпинеля «Об использовании урана в качестве взрывчатого и отравляющего вещества» поступила в Бюро изобретений Народного комиссариата обороны в 1940 г. Первый проект советской атомной бомбы остался без внимания. В.А. Маслов ушел добровольцем на фронт в июне 1941-го и погиб. В.С. Шпинель получил авторское свидетельство в 1946-м, под грифом «Сов. секретно», без права публикации. Технологии, предложенные в работе Маслова и Шпинеля, почти полностью совпадают с теми, по которым позже была создана американская бомба. Картина и последствия атомного взрыва предсказаны авторами с фотографической точностью за пять лет до Хиросимы и Нагасаки.

«Даже я, деревянный карандаш, то и дело дергаюсь, так хочется доложить, выдать прямым текстом: товарищ Сталин, необходимо срочно заняться ураном, начать добычу. Но я отлично знаю, чем обернется этот благородный порыв. Я с тридцать четвертого в аппарате, изучил систему, иллюзий давно нет. Голова работает исправно, а душа закоченела. Привык рассчитывать каждый шаг, каждое слово. Иначе просто не выжил бы. Только один безрассудный поступок позволил себе — женился на Машке. Если бы не она и не будущий ребенок...»

Он вздрогнул, услышав тихий голос Проскурова:

— Не было бы у меня детей, я бы давно решился. — Он пристально взглянул Илье в глаза.

— Машка беременна, — пробормотал Илья и отвел взгляд.

— Ну, здорово, поздравляю. — В темноте блеснули зубы, Проскуров улыбался во весь рот. — Когда ждете?

— В сентябре. — Илья вздохнул. — Так что в этом смысле мы с тобой, Ваня, теперь почти на равных.

— Илья, ты что, совсем сбрендил? — Проскуров нахмурился. — Решил, намекаю, мол, давай иди с докладом ты вместо меня, потому что у тебя детей нет?

— Да ни на что ты не намекаешь, Ваня, просто о девчонках своих думаешь и правильно делаешь.

Они двинулись дальше по мосту.

— Знаешь, я ничего не боюсь, — тихо, сквозь зубы, процедил Проскуров, — со смертью давно на ты. А в этом кабинете что-то со мной происходит. Понять бы, что.

— Там свет тусклый и душно.

— Духота ни при чем. — Он помотал головой. — Не знаю, трудно сформулировать. Вот в полете можешь оценить опасность, определить пространство для маневра, принять решение. А там пространства нет, опасность мощная, но какая-то неконкретная.

— Очень даже конкретная, но другая, для тебя непривычная. Штурвал в чужих руках, от твоих решений ничего не зависит. Там ты уж точно не в небе.

— Ох, Илья, не трави душу, не напоминай о штурвале, о небе. Я ведь летчик. Вот это мое. Могу, умею, люблю.

— Завидую тебе, летчик. — Илья улыбнулся. — У меня вся жизнь — бумажки, грифы. Особой важности, совершенно секретно. Важность фальшивая, секреты мертвечиной воняют.

Они уже подошли к серой громадине, осталось только перейти дорогу. Проскуров поднял голову, взглянул на длинные ряды темных окон, потом на Илью.

— Давай посидим немного тут, в скверике, все равно сегодня не усну. — Он опустился на скамейку. — Тошно мне после этого кабинета. Не представляю, как ты выдерживаешь.

Илья сел рядом, закурил.

— Вань, какой полет был самым трудным?

Проскуров покачал головой, улыбнулся, ожил.

— Самый трудный оказался самым счастливым. Помнишь всенародный праздник в честь беспосадочного полета Чкалова в июле тридцать шестого? Москва — Петропавловск-Камчатский — остров Удд.

— Ты разве с ними летал? — удивился Илья.

— Не с ними. За ними. Они на этом Удде чуть не разбились при посадке. Островок узкий, как кишка, отделяет залив Счастья от Охотского моря. Спасибо, в море не свалились. Так удачно сели, что АНТ-25 сломался вдрызг. Весь советский народ с замиранием сердца ждет возвращения героев, а герои кукуют на острове. Клим вызвал меня. Поддатый, морда красная, глаза таращит, вопит: трое суток! Дальше матом. В общем, требует повторить Валеркин рекорд, доставить народным героям оборудование и ремонтную бригаду.

— Погоди, — перебил Илья, — из Хабаровска разве не могли слетать за ними? Там нет, что ли, авиации?

— Издеваешься? — Проскуров оскалился и покачал головой. — Они вернуться должны были на той же машине! Иначе это никакой не рекорд, всенародный праздник будет сорван. Клим дал трое суток, чтобы долететь и раздолбанную «антешку» привести в порядок. Характер повреждений точно неизвестен, железо пришлось брать с большим запасом. Загрузили ТБ-3 под завязку. Июль, жарища.

— Да, я помню то лето, — кивнул Илья, — пекло стояло под тридцать.

— Иногда и под сорок, особенно в Сибири. Лес горел. До Омска летели в сплошном дыму лесных пожаров. Дым кончился, пошла низкая облачность. За Красноярском грозища, ливень, штормовой ветер. ТБ — машина тяжеленная, но бросало ее, как лодочку в штормовом океане. Такая началась болтанка, что ящики с грузом стали скакать и кататься, будто слоны в цирке. Как я справился с управлением, до сих пор не понимаю.

«Может, и сейчас справишься, — подумал Илья, — главное, чтобы ты не горячился и не отчаивался».

— В Хабаровске встетил нас Блюхер, бросился обнимать. Орлы, — продолжал Проскуров. — А Валерка чуть морду мне не набил. Мы ведь перекрыли его рекорд на сорок минут, учитывая многотонный груз и погодные условия, наш рекорд оказался куда выше, чем его, вот он и взбесился. Потом, конечно, успокоился, целоваться полез, да еще сказал на банкете при Хозяине, мол, настоящий герой не я, а старший лейтенант Проскуров.

Зацокали копыта, по пустой мостовой медленно прогарцевали три конных милиционера. Небо светлело. В сером доме зажглось несколько окон.

— Хозяин предлагал Валерке возглавить НКВД, — пробормотал Проскуров, — разговор был на даче, при Ежове, при Берия. Валерка рассказывал. Хозяин так мягко, уважительно к нему обратился. Эти двое уставились в упор. Ежов был совсем развалина от водки, а Берия... Ну, что делать? Откажешься — Хозяин не простит. Согласишься — Берия в землю зароет. Валерке на такую должность идти все равно что в петлю, при его то характере. Посмотрел он на Хозяина. Вроде улыбается, глаза добрые. Глянул на Берия — холодом обдало. Поблагодарил за высокое доверие и вежливо отказался. Хозяин отнесся с пониманием. А через четыре месяца авария.

— Может, несчастный случай?

Проскуров помотал головой, прерывисто вздохнул:

— Там все шито белыми нитками. Знаешь, я ведь так не хотел на эту должность, так не хотел. Но испугался: а вдруг, если откажусь, будет как с Валеркой?

— Ну, должности, положим, совсем разные, — заметил Илья и подумал: «Может, Берия ненавидит его из-за Чкалова? Помнит, что были друзьями... Интересно, ту аварию Берия по собственной инициативе организовал? Или по приказу Хозяина? Точно никто никогда не узнает».

Проскуров поправил фуражку, шлепнул ладонью по колену:

— Ладно. Пора по домам. До заседания уже не увидимся. — Он встал, протянул руку. — Ну, будь здоров. Кулачки за меня держи.

* * *

Эмма едва дождалась конца рабочего дня, с наслаждением сняла с себя тяжелый безобразный защитный костюм. Ее тянуло в лабораторию к Вернеру. Сегодня утром ей пришла в голову любопытная идея. День прошел нервозно, подумать как следует не дали. Хотела в перерыве посидеть над своей тайной тетрадкой, но уединиться не удалось. Опять бессмысленный пафосный треп в комнате отдыха. Ничего, кроме усталости и раздражения. А у Вернера было спокойно, там всегда удавалось сосредоточиться. Там жалкая пчелка-труженица будто по волшебству превращалась в серьезного ученого.

Она наврала Герману, что старик страшно простыл, захлебывается кашлем. Срочно требуется микстура, ингаляция, компресс, растирание и так далее. Герман, конечно, стал ворчать, что кашляет он от неумеренного курения, в аптеку может сходить полька, а для процедур нормальные люди вызывают медсестру. Эмма терпеливо объяснила: в аптеках восточных рабочих не обслуживают. В прошлый раз, когда старик болел, пришла медсестра, так он ее выгнал, заявил, что она идиотка, руки у нее грубые, от компресса получился ожог.

— Дело не в медсестре, а в дурном характере, — мрачно заметил Герман, — не хватало, чтобы он превратил тебя в сиделку!

— Ну, милый, я же не собираюсь торчать там сутками, забегу на полтора часика, вернусь очень скоро, — она нежно поглаживала Германа по выбритому колючему затылку, — вот именно из-за своего дурного характера он назло не поправится, если ухаживать за ним станет чужой человек. Ты же не хочешь, чтобы бронхит перешел в воспаление легких?

— У него что, высокая температура?

В глазах Германа мелькнуло что-то похожее на тревогу. Эмме стало не по себе. «Не слишком ли ты завралась, красавица? — Но потом она подумала: — Ничего, пусть поволнуется за отца, это совсем не вредно для такого эгоиста».

— Тридцать семь и три, но у стариков редко бывает сильный жар.

Герман поймал ее руку, поцеловал кончики пальцев:

— Учти, я ужинать без тебя не сяду.

— Конечно, милый.

Она улыбнулась, чмокнула его в губы и вскочила на заднюю площадку трамвая.

Знакомый парк в Шарлоттенбурге выглядел таинственно. Влажные, по-весеннему теплые сумерки окутали Эмму уютным туманом. Деревья тихо покачивались, кивали кронами, будто хвастали набухшими почками. В подвижном рисунке веток чудились очертания сказочных существ. Маленькие нежные эльфы махали стрекозиными крыльями. Грациозные феи с прозрачными волосами до пят улыбались, протягивали волшебные палочки. Ведьмы и тролли гримасничали, таращили мутные глаза. Они выглядели забавно и вовсе не страшно.

Тихо мурлыча себе под нос «Лили Марлен», Эмма покинула парк, танцующей походкой прошла по улице, открыла калитку.

Из дома доносилась музыка, легкие стремительные аккорды фортепиано. У Вернера был патефон и набор пластинок, но после смерти Марты он музыку не слушал. Марта неплохо играла на рояле, старый инструмент фирмы «Беккер» сиротливо пылился в гостиной.

Эмма замерла, навострила уши. Определенно это не патефон. Живая музыка, кажется, Шопен. Вполне приличное исполнение. Она нечаянно задела ногой скамеечку у вешалки, музыка оборвалась. Через мгновение появилась полька. В полумраке прихожей блеснули испуганные глаза, тихий голосок залопотал:

— Добрый вечер, госпожа, господина Брахта нет дома, он в гостях у господина фон Лауэ, обещал вернуться к девяти.

— А, значит, уже скоро. Я подожду. — Эмма протянула руку, щелкнула выключателем. — Скажите, Агнешка, это вы только что играли Шопена?

— Да, госпожа.

В ярком свете лицо польки казалось белее ее белоснежной блузки.

— Господин Брахт знает, что вы играете... — Эмма кашлянула, — ...на рояле его покойной жены?

— Конечно, госпожа, без разрешения я бы не стала. — Полька покраснела, отвела взгляд и сдула упавшую на лицо прядь.

— У вас неплохо получается. — Эмма снисходительно улыбнулась. — Учитывая, что рояль совершенно расстроен.

— Инструмент в порядке, госпожа, я только чуть-чуть поправила басовые струны.

— Даже это умеете. — Эмма покачала головой. — Где вы учились музыке, Агнешка?

— Дома, в Варшаве, брала частные уроки. — Полька сняла с Эммы пальто, повесила на вешалку. — Вам приготовить чай или кофе, госпожа?

— Спасибо, ничего не нужно. — Она мягко отстранила польку, направилась к лестнице, обернулась. — Если хотите, можете еще поиграть.

Поднявшись в лабораторию, она подошла к маленькому столу у окна. В тетради ничего нового. Зато разорванная, скомканная сигаретная пачка вся покрыта мелкими строчками формул. Эмма села, осторожно разгладила бумагу. Но тут вспомнила свою утреннюю идею, достала из сумочки тайную тетрадь, принялась быстро набрасывать формулы. Через минуту перо сухо зацарапало по странице. Чернила кончились. Она взяла самописку из стакана. Разумеется, тоже пустая. Вернер писал карандашом.

Баночка с чернилами стояла на подоконнике. Взгляд скользнул по лотку с письмами, уперся в конверт с обратным стокгольмским адресом.

Снизу доносилось тихое треньканье клавиш. Полька продолжала свои музыкальные упражнения. Эмма нервно вскочила, прошлась по лаборатории, вернулась к столу, села, сжала виски, прошептала: «Нет! Нельзя, стыдно!» — и осторожно, двумя пальчиками, вытянула из надорванного конверта сложенные вчетверо листки.

Почерк у профессора Мейтнер был мелкий, но ровный и разборчивый.

Дорогой Вернер!

Прошлое мое письмо почти целиком состояло из формул, на этот раз о работе ни слова. Похвастаться нечем. Подозреваю, что воздух Сигбановского института мне противопоказан. Не знаю, от чего больше устала, от хамства Сигбана или от собственного овечьего смирения.

Представляю, как ты качаешь головой, читая эти строки и ворчишь: Лиза, Лиза, тебе давно пора послать Сигбана к черту и перебраться в Копенгаген к Нильсу! Да, милый, ты прав. Наверное, скоро так и сделаю.

Тут со мной произошла удивительная история. Я вдруг стала невероятно популярной, нет отбоя от журналистов, дважды брали интервью. Первый — бельгиец, пожилой толстяк, неплохо разбирается в физике. Пригласил меня в звукозаписывающую студию. Он постоянный ведущий какой-то научной передачи на «Радио Брюсселя». После записи мы обедали в ресторане. Сначала все шло очень мило, потом он стал задавать вопросы, которые показались мне бестактными. Ты знаешь, я терпеть не могу обсуждать своих знакомых и коллег, а толстый бельгиец хотел именно этого. У меня возникло неприятное чувство, показалось, будто ему известно о моей встрече с Отто.

Эмма вздрогнула. «Встреча с Отто? Вот куда ездил Ган в начале марта. И никому ни слова! Ну, подлец! Мало того что присвоил ее открытие, так продолжает по-тихому, как вор, тянуть из нее идеи. А Мейтнер тоже хороша. Овечье смирение!»

Она быстро взглянула на часы. Без пятнадцати девять. Вернер может вернуться раньше или позже. Главное — не прозевать.

Окно выходило в сторону калитки. Она приоткрыла его. Стук калитки и шаги по гравию будут слышны. Если бы полька прекратила играть... Сейчас особенно громко. Что это? Дебюсси? Спуститься, сказать ей? Нет, глупо...

Эмма прерывисто вздохнула и стала читать дальше.

Разговор оставил неприятный осадок. Толстяк будто вытягивал из меня информацию, не то чтобы допрашивал, нет. Но хитрил, совал нос в чужие дела.

Буквально через неделю мне позвонил коресспондент «Таймс». Отказать такой уважаемой газете у меня не хватило духу. Мы договорились встретиться в ресторане.

В отличие от «Радио Брюсселя», «Таймс» оказался молодым, стройным, обаятельным. Вопросы его тоже звучали бестактно, но в другом смысле. Он не пытался вытянуть информацию о знакомых и коллегах. Его интересовало мое личное отношение к тому, чем они сейчас занимаются. Говорил он жестко и откровенно, поэтому понравился мне больше, чем вкрадчивый толстяк. Не хочу называть в письме имена, которыми они представились. Толстый пусть будет Дефо, стройный — Крузо. Клички вполне подходят. Не исключено, что оба они — родственники Даниэля Дефо, но не по литературной, а по другой, побочной линии.

Крузо бросил мне страшное обвинение. Он сказал, что, написав об открытии в Берлин, я сдвинула земную ось, нарушила предустановленную гармонию. Примерно так: «Не случай-

но открытие сделал не Ферми в фашистской Италии, не Ган в нацистском рейхе, а вы в нейтральной Швеции. Написав Гану, вы...» В общем, мысль понятна. Если совсем уж честно, этот мальчишка озвучил то, что мучает меня в последнее время все сильней. Знаю, ни в чем не виновата, но в душе что-то постоянно свербит. Как говорила моя мама, чувства не выключишь.

Крузо вдруг упомянул твое имя. Их интерес ко мне кое-как объяснить можно. А зачем им понадобился ты?

У Эммы пересохло во рту. Англичане интересуются германским урановым проектом. Было бы странно, если бы обошли стороной профессора Мейтнер. Уж кому-кому, а разведке отлично известно, кто реальный автор открытия. Да, Мейтнер не связана с проектом, но столько лет работала с теми, кто в нем участвует, может оценить потенциал всех и каждого в отдельности. Но при чем здесь Вернер? Или имя мелькнуло случайно?

Эмма перевернула страницу.

Не такие они олухи, знают, чем ты занят. Твой резонатор ни малейшего отношения к военной теме не имеет, тем более ты его еще не собрал. Если только эти болваны не перепутали тебя с покойным Маркони. Неужели дурацкое клеймо «лучей смерти» все еще от тебя не отлипло? Право, это уже не смешно. Или они прощупывают возможность сделать тебя и Макса внештатными немецкими корреспондентами «Таймс»?

Я объяснила, что ты уволился из института, заверила, что в работах, которые их интересуют, не участвуешь. Разговор сразу прекратила. Остался неприятный, тревожный осадок.

«Таймс» вышел на этой неделе. Никаких острых моментов. Занимательная физика для младших школьников. В преамбуле Крузо процитировал слова Нильса и Альберта о том, что открытие принадлежит мне, а не Отто, и здорово вмазал Сигбану. Теперь он шевелит желваками, но разговаривать со мной стал вежливей.

435

Не знаю, вышла ли передача на «Радио Брюсселя», думаю, что вышла. Не исключено, что толстый Дефо и стройный Крузо — обычные журналисты, а у меня шпионофобия.

— Не исключено, — прошептала Эмма.

Звуки рояля неприятно отдавались в голове. Полька играла что-то громкое, быстрое, современное. «Негритянский джаз? — Эмма поморщилась. — В рейхе эта музыка запрещена... Господи, что я делаю? Гадость! Клянусь, никогда больше! Все-таки Мейтнер дура. Зачем написала Гану? Я бы на ее месте ни за что... На ее месте? Мне светит открытие подобного масштаба? Почему бы и нет? Но только на роль смиренной овцы я не согласна. Господа, вас ждет сюрприз, и не надейтесь заткнуть мне рот, это будет мое открытие, я вам не Мейтнер... Ага, размечталась, прекрасная Эмма! Разве ты способна измерять силу тока собственным телом, как Кавендиш? Кроме физики, для тебя слишком много всего существует. Размениваешься на мелочи, не можешь отказать себе в мелких житейских радостях».

Мысли путались, глаза пожирали последние абзацы.

Надеюсь, в следующем моем письме опять появятся формулы, должна же я, наконец, сдвинуться с мертвой точки! Столько сил потрачено впустую, это, в конце концов, несправедливо. А как поживает игрушка? Мне кажется, ты зациклился на выборе начинки, на расчетах инверсии населенностей. Статистика Больцмана вещь хорошая, но ты уже стер мозги до мозолей. Ты практически собрал игрушку, так накачай ее чем-нибудь. Начни экспериментировать по-настоящему, и ответы придут сами собой. Да, вы с Марком идеально дополняли друг друга, но это вовсе не значит, что по отдельности работать не можете. Уверена, Марк работает вовсю, хотя, конечно, ему тоже тебя здорово не хватает. Смелее, мой милый, прекрати рефлексировать и оглядываться назад!

Внизу стукнула калитка. В дрожащих руках запрыгали последние строчки:

Скучаю по тебе, особенно вечерами. Однако наша договоренность по-прежнему в силе. Увидимся, когда соберешь игрушку, не раньше.

Твоя Лиза.

Эмма сложила письмо, сунула в конверт, схватила самописку. Перо сухо царапало тетрадную страницу. «До чего же отвратительный звук! Ну конечно, забыла заправить, письмо отвлекло. Нет, никогда больше! Какой стыд!»

Руки вспотели. Крышка чернильницы прокручивалась во влажных пальцах. Музыка давно смолкла, снизу звучали голоса Вернера и Агнешки. Слов не разобрать. Наконец удалось отвинтить крышку, заправить самописку. Но перо все так же сухо шуршало, не оставляя следа.

Застучали шаги по лестнице. Эмма раздраженно трясла самопиской над своей тайной тетрадкой. Дверь открылась.

— Дорогуша, привет! Умница, что не ушла, дождалась меня.

— О боже! — На страницу, прямо на свежую, незаконченную запись упала огромная клякса.

* * *

Маша отнесла в администрацию все необходимые медицинские бумажки. Самуил Абрамович Самосуд, художественный руководитель и главный дирижер, вызвал ее в кабинет, начал бодро:

— Что же это вы, товарищ Крылова? Только мы вам заслуженную дали, и вот здрасти-пожалуйста!

О чем говорить дальше, он не знал. Случай был уникальный. Солистки балета детей не рожали, Маша оказалась первой если не за всю историю театра, то за последние лет десять точно.

— Извините, Самуил Абрамович, так получилось, — краснея, залопотала она и, спохватившись, добавила, как учила Пасизо: — Я могу пока поработать педагогом-репетитором.

Самосуд поднял на нее по-сталински прищуренные глаза, шевельнул усами, произнес деловитой скороговоркой:

— По закону декретный отпуск шестьдесят три дня. Тридцать пять до родов и двадцать восемь после.

«Знаю, знаю, дорогой Самуил Абрамович, только понять не могу, как у вас язык поворачивается вслух произносить эту грязную антисоветчину, — подумала Маша, едва сдерживаясь, чтобы не захихикать, — вот уж настоящая вражеская агитация с пропагандой. Тридцать пять до и двадцать восемь после. Обалдеть какая щедрость. Спасибо товарищу Сталину за наше счастливое детство и за счастливое материнство тоже. Как там в незабвенном фильме "Цирк"? Рожайте на здоровье — черненьких, желтеньких, в крапинку».

— Вы чему это улыбаетесь? — кашлянув, спросил Самосуд.

— Я? Разве?

Маша не чувствовала своей улыбки, Илья предупредил: «Осторожно, следи за лицом, ты так сияешь, что кого-то это может огорчить».

Товарищ Самосуд явно счел улыбку неуместной.

— Сколько вам лет, Мария Петровна? — осведомился он все с тем же сталинским прищуром.

— Двадцать два, — ответила Маша, продолжая сиять.

— Самый возраст балетный. В лучших спектаклях танцуете ведущие партии. Смотрите, как бы потом плакать не пришлось.

— Зачем же плакать, Самуил Абрамович? — Маша улыбнулась во весь рот. — Надо сохранять здоровый комсомольский оптимизм.

Самосуд вздохнул и покачал головой.

— Оптимизм... Вы, товарищ Крылова, даровитая балерина. А ведь у нас незаменимых нет. Мы найдем вам замену, это не проблема. Вот мне тут рекомендовали Екатерину Родимцеву на Суок.

— Да, она во втором составе! — радостно кивнула Маша, — и Зарему в «Бахчисарайском» она тоже отлично танцует. Родимцева очень, очень даровитая балерина.

— Мы найдем вам замену, — повторил Самосуд чуть громче, — но потом, когда закончится ваше интересное положение, вы пожелаете вернуться на большую сцену, а все ваши прежние партии танцуют другие исполнительницы. Куда прикажете ставить вас? В кордебалет?

— Самуил Абрамович, все будет хорошо.

Маша поймала взгляд Самосуда, на этот раз открытый, не прищуренный, и увидела там, на дне хитрых тухловатых глаз свежий отблеск чувства. Оно не имело отношения к балерине Крыловой и к ее интересному положению. Самосуд вспомнил о чем-то своем, личном, например о музыке (ведь он был не только художественным руководителем, но и главным дирижером), или о маме, или о жене, о детях. А может, вообще ни о чем не вспомнил, просто толстая чиновная личина сползла на мгновение, и выглянул из нее человечек, слабенький, запуганный, недобрый, но вполне еще живой.

— Что ж, Мария Петровна, вашему оптимизму можно только позавидовать, — он покрутил ус, вернул личину на место, — оформим пока педагогом-репетитором в пятый класс, а там поглядим.

На «пятом» он сделал ударение. Не случайно. Это был самый трудный класс, переходный возраст. В конце года предстоял отсев, накануне экзаменов дети нервничали, особенно девочки. Заниматься с ними было трудно. Пасизо называла пятый педагогической каторгой.

Маша поблагодарила и выпорхнула из директорского кабинета.

Стояла сонная мокрая весна. В сквере возле театра прыгали всклокоченные тихие воробьи. В луже плавал кораблик — продолговатый кусок коры с бумажным парусом, надетым на палочку-мачту. Карапуз лет пяти в синем, длинном не по росту пальто с оттопыренными плечами смотрел на кораблик, задумчиво ковыряя в носу. Из подвернутого рукава свисала варежка на шнурке. Полосатая вязаная шапка съехала на затылок. Две девочки-подростка, явно балетные, бежали через площадь от здания филиала, красиво перескакивая лужи, почти не касаясь земли блестящими черными ботиками.

«Как хорошо, какая я счастливая», — думала Маша.

Теперь это было ее обычное состояние, будто кто-то шепнул ей по секрету, что бояться нечего. Все плохое осталось в прошлом. Никого больше не арестуют, не убьют, войны не будет.

Токсикоз у нее был легкий и скоро совсем прошел. В последний раз немного затошнило, когда она увидела, что ее фамилия изъята из списков распределения ролей, из афиш и программок. Комок подкатил к горлу, глаза защипало, но она быстро справилась и поздравила Родимцеву.

— Ты все-таки чокнутая. — Катя покрутила пальцем у виска. — Только «заслуженную» получила, тебе бы танцевать и танцевать.

— Я же не навсегда. — Маша махнула рукой. — Отстреляюсь и вернусь. Вся жизнь впереди.

— Вся жизнь... — задумчиво повторила Катя. — Через годик-другой могла бы стать примой.

— Через годик вряд ли, через два — запросто. Форму я точно не потеряю, изголодаюсь по сцене, вернусь с новыми силами.

Катя помотала головой:

— Не обольщайся, Машка. Танцевать ты, конечно, будешь, но примой вряд ли станешь. Они же все бездетные. Или балет, или ребенок.

Маша не стала спорить. Зачем? Катя сама с собой спорила, ее одолевали противоречивые чувства.

— При таком муже, при такой жилплощади я бы тоже родила, только погодила бы лет до тридцати, поднялась бы на недосягаемую высоту и тогда уж... Ну-ка, покажи руки!

— Зачем? — удивилась Маша и вытянула вперед кисти.

— Мальчик, — уверенно заявила Катя.

— С чего ты взяла?

— Примета старинная. Если бы ты ладошками вверх показала, тогда точно девочка. Да и вообще, перед войной больше мальчиков рождаются.

Маша весело подмигнула и прошептала:

— Катюня, войны никакой не будет, все это вранье.

— Ты откуда знаешь? — также шепотом спросила Катя, и глаза ее изумленно округлились. — Илья сказал?

Маша загадочно улыбнулась, помотала головой:

— Чувствую. У беременных интуиция обостряется.

«Война! Какая чушь! — думала Маша. — Уже год в Европе воюют, ну сколько можно? Абсолютно идиотское, противоестественное занятие. А у нас с тридцать четвертого по сороковой людей погибло немерено, может, больше, чем на войне. Потом Финляндия...»

Слово «Финляндия» каждый раз прошибало током. Перед глазами возникал Май Суздальцев без ноги, на костылях. Она не видела его таким, но ясно представляла, как он сидит за столом в военкомате, костыли прислонены к спинке стула. Май выхватывает пистолет из кобуры дежурного. Выстрелы, дыры в усатом портрете. Подстреленный Май падает неуклюже, на бок, вместе со стулом и костылями. Вокруг паникуют, матерятся. Май больше ничего не чувствует, и это навсегда.

Она отгоняла кошмар, вспоминала репетиции, танцы, концертные поездки, усталость и радость, когда получались сложные прыжки и поддержки. Целый мир, каждое мгновение наполнены смыслом. Не может все это исчезнуть просто так, в никуда, навсегда.

Однажды ей приснилось, как они с Маем танцуют па-де-де из «Аистенка». Музыка звучала, но оркестровая яма была пуста и темна, в зале ни души. На очередном витке фуэте сцена превратилась в глубокий снег, они продолжали танцевать, не проваливаясь, не чувствуя холода. Снежный наст хрустел и пружинил, как батут. Май отпустил ее руки, взлетел в кабриоле, но, вместо того чтобы приземлиться, стал медленно, плавно подниматься. Сделал поворот в воздухе, тур он лэр, но какой-то необыкновенный, замысловатый, упруго вытянул ноги, конечно же, целые и невредимые. Она стояла, задрав голову, и точно знала, что он не упадет.

Глава двадцатая

Ося уснул на рассвете и проснулся от стука. Не открывая глаз, спросил:

—Кто там?

Никакого ответа. Стук продолжился, и Ося понял, что это дождь стучит по крыше. Было тепло, но так пасмурно, что пришлось включить настольную лампу. Часы показывали половину первого. Он выглянул на балкон. Качалка и круглый столик стояли у стены, под навесом. Вазу с зелеными яблоками и бутылку с остатками «Глаз куропатки» он обнаружил в комнате, на комоде. Плед лежал в кресле у камина. Он облегченно вздохнул. Совсем не помнил, как двигал мебель и убирал посуду. Наверное, сделал это машинально, в полусне. Перед рассветом дождь уже накрапывал. Если бы все осталось у перил, под открытым небом, промокло бы насквозь.

Когда он вылез из ванной, опять услышал стук, на этот раз уж точно в дверь. Ничего не стал спрашивать, затянул пояс халата и повернул ключ. На пороге стоял Ансерме.

— Джованни, с вами все в порядке? Я стучу уже полчаса.

— Доброе утро, Пьер, я был в ванной. — Ося зевнул. — Вчера вы обещали великолепную погоду.

— Извините. — Ансерме развел руками. — Не удалось договориться с атлантическим циклоном.

— Ну, тогда прошу вас, договоритесь с кухней. Умираю от голода. Горячий омлет и кофе могли бы спасти мне жизнь.

— Джованни, завтрак вы проспали, время обеденное. Озерная рыба и жареные сморчки устроят?

— Звучит соблазнительно.

— Наше сезонное меню, — скромно пояснил Ансерме. — Не возражаете, если горничная тут приберет и затопит камин, пока вы будете обедать?

В столовой из шести столиков заняты были всего два, но самые лучшие, у больших окон, с видом на озеро. За одним обедала пожилая пара, за другим никого, но на спинке стула висел вязаный синий жакет. На тарелке темнело недоеденное шоколадное пирожное, рядом — чашка с недопитым кофе. Именно за этот стол Ансерме усадил Осю.

— Пьер, тут кто-то сидит, — удивленно заметил Ося.

— Мадам сейчас вернется, поднялась в свой номер за сигаретами. — Ансерме таинственно подмигнул и удалился.

Ося налил воды из графина. Взял из корзинки теплую ржаную булочку, разломил и положил на тарелку. На краю чужой кофейной чашки розовел след от помады. От жакета повеяло духами, аромат мелькнул и потерялся в смеси запахов дождя из открытого окна, жареных грибов и рыбы из кухни. Ося уставился в окно, на озеро, покрытое прыгающей рябью. Сердце забилось наперегонки с дождем. В горле запершило. Он потянулся к стакану, выпил воду залпом, зажмурился, почувствовал прикосновение руки к плечу, губ к виску.

— Привет, соня! Пора открыть глаза, тебе уже несут еду. — Габи стянула жакет со спинки стула, накинула на плечи, села, отхлебнула кофе из своей чашки.

Подошел официант, поставил перед Осей тарелку с рыбой и сморчками.

— Месье желает немного черного перца?

— Спасибо, — просипел Ося.

— Спасибо, да или спасибо, нет?

— Спасибо, нет, — ответила Габи и любезно улыбнулась официанту.

— Мадам желает еще кофе?

— Спасибо, да.

Официант ушел. Ося наконец решился взглянуть на Габи. Она подстригла волосы, не слишком коротко, до ключиц. Раньше подкалывала их валиком или скручивала узлом на затылке. Теперь они лежали свободно, расчесанные на пробор, и, слегка подвитые, обрамляли бледным золотом лицо. С такой прической она выглядела легкомысленней и беззащитней.

Спрашивать, кто дал ей адрес пансиона, Ося не стал. «Сестра» давно вычислила берлинскую подругу агента Феличиты. Ося хорошо запомнил слова Тибо: «В мирное время "Сестра" давала вам право использовать этот источник по вашему усмотрению. А сейчас война».

Неожиданное появление Габи означало, что добрый большой Тибо решил, наконец, лично познакомиться с Габриэль фон Хорвак. Возможно, идея устроить двум бывшим любовникам романтическое свидание на берегу Женевского озера пришла в голову Тибо, когда Ося сдуру позвонил при нем в Берлин из Стокгольма, орал на все гостиничное фойе, не сумел справиться со своим голосом, дыханием, выражением лица. У Тибо был такой сочувственный теплый взгляд. «Надеюсь, с вашей подругой все в порядке. Как же я, старый осел, не догадался? Следовало сразу дать ей знать».

«Сестра» не просто вычислила «берлинскую подругу», она уже приготовилась вцепиться бульдожьей хваткой.

Он глядел на Габи, в голове неслось: «Почему ты не послала толстого бельгийца к черту? Зачем клюнула на приманку? Соскучилась, не утерпела? Мы могли бы что-нибудь придумать сами, без посредничества Тибо. Теперь они не отвяжутся. Я подключил тебя к урановой теме, но поставил условие: я сам контролирую степень риска. Ты не агент, у тебя никаких обязательств. Ты не числишься в секретных картотеках. Ты просто иногда выполняешь мои личные просьбы».

— Может, ты сначала съешь рыбу, а потом уж меня? — Габи сдвинула брови и выпучила глаза, смешно передразнивая его угрюмый взгляд.

Официант принес ей кофе, долго не отходил, ему явно хотелось поболтать и пококетничать с Габи. Почему мадам не доела пирожное? Слишком сладко? Слишком жирно? Кондитер огорчается как ребенок, если гости не доедают его шедевры.

— Слишком вкусно, — ответила Габи, — передайте вашему кондитеру мое восхищение, но я уже сыта.

Ося молча, сосредоточенно ел, не поднимая глаз. Он знал: если Габи опять начнет играть в шпионские игры, покоя ему не будет. Она единственное существо в мире, к которому он по-настоящему привязан. Пусть чужая жена. Пусть между ними все кончилось и совместного будущего для них нет. Он может не видеть ее месяцами, но должен быть уверен, что она в безопасности.

«Конечно, я понимаю, просто жить в рейхе, работать в пресс-службе Риббентропа и шепотом обсуждать с мужем, участником квазизаговора, какой бяка Гитлер, ты не желаешь, — думал Ося, — авантюристка! Мало тебе было советских приключений?»

С тридцать четвертого по тридцать седьмой Габи работала на советскую разведку. Весной тридцать седьмого агент, которого отправил НКВД в Берлин восстановить связь, провалился. В условном месте Габи ждал сотрудник гестапо. Тогда ее спасло чудо. Кремлевский инкогнито, ПЧВ (порядочный человек с возможностями), узнал о провале. Доктор Штерн предупредил Осю. Ося успел в последний момент оттащить Габи от гестаповской ловушки за шиворот. Повезло. Она обещала больше не искушать судьбу.

Он поднял глаза, встретил взгляд Габи, ласковый и хитрый.

— Успокойся, — сказала она, — с милым толстяком у меня ни любви, ни дружбы. Просто мимолетное знакомство.

Он ничего не ответил, опять уставился в тарелку. Успокоиться он не мог при всем желании. Если «Сестра» взяла Габи в оборот, обязательно станет копаться в ее прошлом.

Бывший советский резидент Флюгер, который когда-то завербовал Габи, сбежал в Англию. Из него вытягивали имена агентов, работавших в Англии и в США. Он назвал только покойников. Советскими агентами в рейхе британская контрразведка не особенно интересовалась. Никакой информации о Габи от Флюгера они не получили. Теперь уж точно не получат.

Год назад двенадцатилетняя дочь Флюгера умерла от врожденного порока сердца. У него случился инсульт, он прикован к инвалидному креслу и говорить не может. А кроме него раскрыть «Сестре» тайну Габриэль фон Хорвак (в девичестве Дильс) некому, пока, во всяком случае.

Сейчас советской агентурной сети в рейхе нет. Но очень скоро ее начнут восстанавливать. Габи числится в их картотеке.

— Ну-ну, перестань, ты же сам всегда говоришь: надо решать проблемы по мере их поступления, — произнесла Габи с улыбкой, от которой у него побежали горячие мурашки.

Габи умела угадывать его мысли и могла отключать их на несколько минут, если они ей не нравились. Когда она так улыбалась, он не мог ни о чем думать.

Пара за соседним столиком громко задвигала стульями. Посторонние звуки вернули Осю на землю. Он услышал низкий, мелодичный женский голос:

— Нет, Ваня, я не собираюсь целый день торчать в номере. Можно и под дождиком погулять, не сахарные.

Полная статная дама в строгом шерстяном платье, с короткой гривкой седых волос, в пенсне на точеном носу, говорила на чистом русском языке.

— Как скажешь, Томушка, как скажешь, — ответил глубоким басом Ваня, поджарый старик в теплом сером пуловере, лысый, но с пышными белыми усами и бровями.

Диалог напоминал оперный речитатив. Пара чинно, под руку, направилась к выходу. Томушка оглянулась, пожелала Осе и Габи приятного аппетита по-французски.

— Князь и княгиня, — прошептала Габи, — хозяин успел просветить меня, какая-то древняя аристократическая фамилия, он назвал, я забыла. Приехали из Брюсселя.

— Интересно, а им о нас он что сказал? — Ося подцепил вилкой последний сморчок.

— О нас? Разве тебя не предупредили? Ах, ну да, сюрприз... — Габи подвинула свой стул поближе, перешла на быстрый шепот: — Мы с тобой молодожены из Огасты, штат Мэн. Ты журналист Джон Касли, я дочь целлюлозно-бумажного магната, Габриэль Дильс, теперь, конечно, Габриэль Касли. Мой отец немец. Как-то нужно оправдать мой акцент, — она хмыкнула, — да, но папа совершенно не выносит нацистов.

— А, вот почему ты сразу заговорила со мной по-английски. Кстати, ты здорово продвинулась, учитывая, что начала учить язык всего год назад. — Ося резко положил вилку. — Огаста, штат Мэн, Новая Англия, на границе с Канадой.

— Да, милый, у нас там очень красиво. — Габи старательно изобразила американское произношение и шлепнула Осю по плечу. — Много лесов и озер, климат влажный, умеренный.

— Молодожены из Огасты. — Ося оскалился. — Как трогательно!

— Тебя что-то не устраивает? — Она нервным движением заправила пряди за уши.

— «Мы с Габриэль очень сожалели», — произнес Ося холодным вежливым голосом Максимилиана фон Хорвак.

— Да уж, не радовались, — огрызнулась Габи.

Официант опять явился:

— Месье желает десерт?

— Спасибо, нет. Только кофе, — ответил Ося.

Пока официант убирал тарелки и приносил кофе, они молчали, глядя в окно. Дождь то затихал, то припускал с новой силой.

— Хотел бы я посмотреть на эту сцену, — усмехнулся Ося и опять заговорил холодным голосом Максимилиана фон Хорвак: — «Да, кстати, дорогая, угадай, кто сегодня звонил? Касолли! Оказывается, он жив».

— Хватит! — Она зажмурилась, закрыла уши ладонями.

— «Что ты говоришь, милый! Надо же, как повезло!» — теперь Ося подражал голосу Габи.

Она помотала головой, волосы взлетели, упали.

— Ненавижу тебя! Как ты мог? Зачем, зачем тебя туда понесло? Ты поступил подло и жестоко!

— Успокойся, меня не убили.

Ося вздрогнул, вспомнил сон, приснившийся в самолете перед посадкой в Хельсинки. Те же слова, только наяву.

— Полетел туда, ни слова не сказал мне, еще и полез на передовую, под пули, — сипло шептала Габи, — никогда тебе этого не прощу. По твоей милости неделю прожила в сплошном кошмаре. О твоей героической смерти трепался весь пресс-центр.

— Ты не поверила, чувствовала, что я жив.

Габи отвернулась, лоб сморщился, губы скривились подковкой, как у ребенка, готового зареветь, но глаза остались сухими. Шмыгнув носом, она быстро, сердито произнесла:

— У меня болело сердце.

Ося перегнулся через стол, протянул руку, медленно, как слепой, провел кончиками пальцев по ее щеке.

— У меня тоже.

* * *

На спектакле под названием «Заседание начальственного состава по сбору опыта боевых действий против Финляндии» Илья не присутствовал, читал стенограммы и держал кулачки за Проскурова. Представление проходило в здании ЦК на Старой площади и продолжалось четыре дня.

Командармы, комдивы, полковники, комиссары, участники боевых действий выступали с длинными докладами, из которых следовало, что артиллерия стреляла отлично, пехота героически атаковала врага, большую роль играли партийные и комсомольские организации, борьба за создание ударных подразделений была одной из форм соцсоревнования.

Полковник Рослый, командир стрелкового полка, получивший за Финскую кампанию звание Героя Советского Союза, обращался лично к Хозяину. Читая диалог, Илья отчетливо представлял, как дрожит и вибрирует голос Рослого, как он рубит воздух рукой в порыве чувств.

РОСЛЫЙ. *Товарищ Сталин! Мы давали такой замечательный артиллерийский огонь, что этот огонь можно было в музыке воспевать, если бы был композитор.*

СТАЛИН. *У артиллерии есть своя музыка. Правильно, есть.*

РОСЛЫЙ. *Безусловно, товарищ Сталин, есть замечательная музыка.*

Очередной музыкальный залп выдал комиссар Семенов:

СЕМЕНОВ. *Мы чувствовали каждый день заботу нашей партии и нашего правительства. Каждый командир и красноарме-*

ец были согреты великой любовью нашего советского народа. Каждый красноармеец шел в бой, держа в устах великое имя товарища Сталина, которое было великим знаменем победы, вдохновляло на героизм, было великим примером, как надо любить и драться за нашу родину.

Зал ответил криками: «Ура товарищу Сталину!», бурными продолжительными овациями. Следующие докладчики рассказывали, как благодаря мудрому руководству товарища Сталина войска вовремя снабжались всем необходимым, от снарядов до сухарей, и в итоге финны были поставлены на колени.

Финская война в рассказах очевидцев выглядела как кино о победах доблестной Красной армии. Недоразумения и трудности счастливо разрешались, стоило только как следует помолиться великому Сталину.

Командарм Кулик произнес длиннющую речь, настолько невнятную и пылкую, что при чтении ее Илья почувствовал запах перегара. В качестве припева звучало:

КУЛИК. *Если честно сказать, здесь вмешался тов. Сталин и взялся по-настоящему нам всем вправлять умы.*

Армейский комиссар Запорожец рассказал об успешных ночных атаках, посетовал на неслаженную работу штабов, и вдруг будто патефонная игла сорвалась и царапнула пластинку:

ЗАПОРОЖЕЦ. *Я должен доложить, на фронте творились дикие вещи. Если бы здесь было время, я бы обо всем этом доложил, иногда было сплошное вранье.*

СТАЛИН. *Может быть, не так сказать, не вранье.*

ЗАПОРОЖЕЦ. *А как сказать?*

СТАЛИН. *Преувеличение.*

ЗАПОРОЖЕЦ. *Преувеличение. Никто, тов. Сталин, из командиров не докладывал без преувеличения, все докладывали в преувеличенном виде.*

Последовала перепалка между командирами — кто с преувеличениями, кто без. В ней участвовали Ворошилов, Мехлис и Кулик, Хозяин вмешивался вяло и редко.

Запорожец заговорил о дезертирах и самострелах. Хозяин оживился, принялся расспрашивать, куда бежали дезертиры и в какие части тела ранили себя самострелы.

Потом дали слово начальнику управления снабжения Хрулеву.

ХРУЛЕВ. *С особой остротой встал вопрос о довольствии армии в войну. Надо сказать, что тут опять-таки вмешательство тов. Сталина не только исправило положение, но и открыло, если хотите, новую эру в обеспечении армии продуктами. Особое внимание было обращено тов. Сталиным на сухари.*

От сухарей перешли к обмундированию, и тут раздался безымянный голос из зала:

ГОЛОС. *А вот сто шестьдесят третья дивизия пришла босая.*

Другой голос спросил: как босая? Первый объяснил, что красноармейцам выдали ботинки, которые сразу развалились.

После снабженца выступил командарм Курдюмов.

КУРДЮМОВ. *На финском театре в первый период войны было много обмороженных, люди прибывали в холодной обуви, в ботинках, причем часть ботинок была рваной. Я здесь докладываю с полной ответственностью о том, что воевать при сорокаградусном морозе в ботинках нельзя. Закон физиологии, врачи об этом могут сказать, а именно что тело человека, разумеется, без достаточного количества теплых вещей, может выдержать такую температуру четыре–пять дней, а на пятый день получается такое охлаждение, что сопротивление организма будет понижаться.*

СТАЛИН. *У товарища Курдюмова.*

Издевательская реплика была встречена смехом. Но командарм не сдался, продолжил.

КУРДЮМОВ. *Тут бывшие гвардейцы в своих выступлениях вспоминали, как они в мирное время в бескозырках ходили при пятидесяти–шестидесятиградусном морозе. Я не знаю, как же они себя чувствовали в боях в Финляндии при таком морозе.*

«Вот Курдюмов рукой не машет, докладывает спокойно, — думал Илья, — а Хозяин вникает во все, долго, подробно рассуждает о бронещитках, снарядах, пулеметах, бесконечно выспрашивает детали боевых операций, сухари тоже входят в круг его внимания, а босая дивизия на сорокоградусном морозе почему-то остается за кругом. Никакой реакции, кроме издевательской шутки. Как это объяснить?»

Две страницы заняла дискуссия о валенках. До середины января красноармейцы отмораживали ноги, валенки хранились на складах. Главный снабженец мужественно признал некоторые недочеты в работе своего ведомства.

ХРУЛЕВ. *Совершенно правильно однажды товарищ Сталин указывал, что мы не умеем распоряжаться оперативно своим имуществом, которое у нас имеется.*

Илья вспомнил Мая Суздальцева с отмороженными ногами и приказ Ворошилова об «обрубках».

На страницах, посвященных валенкам, Хозяин помалкивал.

«Опять прострация, или вышел в сортир? Во время его отсутствия, не важно, физического или психического, молитвы совсем не звучат», — заметил про себя Илья.

Очередной докладчик, командарм Ковалев, рассказывая о боевой операции, произнес фразу: «*Противник усиливался, к двадцатому января его силы возросли до восьми батальонов*».

Хозяин оказался тут как тут, живенько перебил его.

СТАЛИН. *Здорово вы знаете войска противника.*

Командарм не почувствовал сарказма, ответил: «*Надо знать, с кем воюешь*».

СТАЛИН. *Эти знания фальшивые. То, что разведка сказала, развинченная разведка, тому вы верите, а финны меняют номера своих войск. У них один полк воюет на пяти полях. Они надували наше командование, и выходило, что у них около восьмисот тысяч войск, черт знает сколько полков, а им люди верили. Они играли вами, как игрушками. Что же вы неправду говорите?*

«Кто надувал наше командование? Разведка или финны? — Илья покачал головой. — Каждая следующая фраза противоречит предыдущей, и все вместе не имеют никакой связи с докладом Ковалева».

Вряд ли комдив сумел расшифровать слова Хозяина. Он не стал отвечать на бессмысленный, ни к чему не относящийся вопрос «*Что же вы неправду говорите?*», продолжил свой доклад, вполне внятно и четко изложил ход событий.

КОВАЛЕВ. *Силы противника возросли, дивизия осталась без связи.*

Хозяин опять перебил.

СТАЛИН. *Связь у вас была.*

КОВАЛЕВ. *Нет, не было.*

Илья в очередной раз почувствовал, как трещит и разваливается сталинская сказка. Хозяин ломал комдива, а комдив не ломался.

СТАЛИН. *Тогда вы здесь уничтожены морально и в военном отношении. Вы называетесь дивизией, выходит, что это не дивизия, а хлам, навоз, не могли два задрипанных финских полка разбить. Она была мало вооружена, плохо вооружена, она была почти безоружна. На всех фронтах наши люди часто мечтали, чтобы финны показались, чтобы начать контратаку. Это только у вас контратака проигрывается, хотя вы и имеете перевес в артиллерии. Это неправильно. У вас даже станковых пулеметов не было, минометов и укреплений не было. Вы не клевещите на дивизию.*

Дивизия Ковалева не мечтала, чтобы финны показались, чтобы начать контратаку. Она пробила дорогу к двум окруженным дивизиям, по льду, под обстрелом снабжала их продовольствием, вывозила раненых и в итоге вывела дивизии из окружения, не имея ни связи, ни боеприпасов, ни надежды на помощь.

КОВАЛЕВ. *Я не клевещу, товарищ Сталин, я докладываю обстановку, какая была в действительности.*

СТАЛИН. *По радио все ваши донесения перехватывали Париж и Лондон. У вас была вся связь, и проволочная, и радиосвязь, а вы отмалчивались.*

«Париж и Лондон. — Илья усмехнулся. — А Берлин не назвал».

КОВАЛЕВ. *У меня связи не было.*

Спор занял пять страниц. Ломать Ковалева помогали Мехлис и Кулик, но дивизия держалась. Хозяин внезапно стал сбавлять обороты.

СТАЛИН. *Товарищ Ковалев, вы человек замечательный, один из редких командиров Гражданской войны, но вы не перестроились по-современному. По-моему, первый вывод и братский совет — перестроиться. Вы больше всех опоздали в этой перестройке. Это первый вывод. Вы способный человек, храбрый, дело знаете, но воюете по-старому, когда артиллерии не было, авиации не было, танков не было, тогда людей пускали, и они брали. Это старый метод. Вы человек способный, но у вас какое-то скрытое самолюбие, которое мешает вам перестроиться. Признайте свои недостатки и перестройтесь, тогда дело пойдет.*

КОВАЛЕВ. *Есть, товарищ Сталин.*

Комдив не стал повторять, что не было у него артиллерии, авиации и танков. Он уже раз десять это произнес. Хозяин все равно слышал нечто совсем другое или не слышал вообще.

Илья сжал ладонями виски. «Карл Рихардович назвал это парафренией. Движение по кругу бредовых идей, вязкость сознания. Я пытаюсь понять, что имеет в виду Хозяин, угадать, чего он хочет, каким будет следующий его шаг, кто станет очередной жертвой? Знаю, бесполезно, и все равно пытаюсь. Как же иначе? Ведь от него зависит каждая отдельная жизнь и существование страны. А он бредит или сознательно глумится над реальностью. Разбираться в его логике все равно что выискивать тайные знаки в узоре ковра или ловить шифрованные послания с Марса в мяуканье кошки. Отличный способ заразиться безумием».

Илья обратил внимание, что в стенограмме, кроме реплики Хозяина о «развинченной разведке», пока не попалось ни одной серьезной претензии к Проскурову. Командарм Мерецков, который командовал Седьмой армией на Карельском перешейке, говорил о том, что нет у нас войсковой разведки.

МЕРЕЦКОВ. *Вы мне скажите, товарищ замнаркома Проскуров, кто ведает у нас войсковой разведкой?*

ПРОСКУРОВ. *Никто не ведает.*

Это было правдой и вовсе не виной Проскурова. После разгрома армии в тридцать седьмом исчезла не только войсковая разведка, но и агентурная. Проскуров делал все что мог, пытаясь восстановить и то и другое.

Вопрос Мерецкова был обращен скорее к Ворошилову, чем к Проскурову, и следующая реплика это подтвердила.

МЕРЕЦКОВ. *Мы обвиняли агентуру в том, что она не дала самых детальных сведений. Тут надо меру знать, агентуру нельзя всегда обвинять. У нас, например, был альбом укрепрайонов противника.*

Мерецкова перебили из зала.

ГОЛОС. *Где он лежал?*

МЕРЕЦКОВ. *У меня на столе, с левой стороны.*

СТАЛИН. *В архиве.*

Мерецков возражать не стал. Илья подумал: «Убедить комдива Ковалева в том, что у него была связь, когда в реальности ее не было, Хозяин не сумел. Интересно, альбом финских укрепрайонов может перелететь из кабинета Мерецкова с левой стороны стола в архив, повинуясь магической воле Хозяина?»

Наконец председательствующий Кулик дал слово Ивану.

ПРОСКУРОВ. *Для общих расчетов сил подавления противника разведка имела необходимые отправные данные. Разведка эти данные доложила Геншабу.*

Он заранее подготовил подробный сравнительный анализ данных разведки и того, что обнаружилось во время боевых действий. Практически все совпадало. Но говорить ему не давали. Мехлис, Кулик, анонимные голоса перебивали через каждую фразу. Хозяин пока помалкивал.

Проскуров невозмутимо повторял, что все сведения о финской армии, о пограничных укреплениях, о линии Маннергейма Разведуправление предоставило к первому октября прошлого года.

Мехлис в своей обычной издевательской манере несколько раз переспросил: *«Когда? В каком месяце? В каком году?»* Летчик терпеливо повторил дату, стал объяснять, что необходима войсковая разведка, напомнил Хозяину и Ворошилову, что много раз поднимал этот вопрос, и все без толку.

ПРОСКУРОВ. *У нас нет точных статистических данных, сколько тысяч жизней мы потеряли из-за отсутствия разведки.*

«Точных цифр никто никогда не узнает. — Илья тяжело вздохнул. — Тебя постоянно это мучает, но здесь, вслух, зачем?»

Наконец заговорил Хозяин.

СТАЛИН. *Разведка начинается с того, что официозную литературу, оперативную литературу надо взять из других государств, военных кругов и дать. Это очень верная разведка. Разведка не только в том состоит, чтобы тайного агента держать, который замаскирован где-либо во Франции или в Англии, не только в этом состоит. Разведка состоит в работе с вырезками и с перепечаткой. Это очень серьезная работа.*

«Это моя работа, он говорит обо мне. Я для него разведчик? Или у него в мозгу сложилась комбинация Крылов—Проскуров? Наверняка докладывали ему о наших встречах и дружеских отношениях». — Илья налил воды из графина, выпил залпом, посидел пару секунд с закрытыми глазами и стал читать дальше.

СТАЛИН. *Смотрите, вот сейчас идет война, они будут друг друга критиковать и разоблачать, все тайны будут выносить на улицу, потому что они ненавидят друг друга. Как раз время уцепиться за это и сделать достоянием наших людей.*

Илья ничего не понял. Кто друг друга критикует? Немцы англичан или англичане французов? Каким образом можно схватиться за эту сторону? Кто будет выборки делать, если катастрофически не хватает людей, владеющих иностранными языками? Старых истребили, новые не обучены. К тому же все это имеет гриф высшей секретности. *«Довести до сведения»?* Ага, попробуй!

ПРОСКУРОВ. *Сводки выпускаются секретно.*

СТАЛИН (*показывает брошюру*). *Это легально для всех издается?*

ПРОСКУРОВ. *Нет, секретно.*

СТАЛИН. *Почему?*

ПОЛИНА ДАШКОВА

Такие вопросы мог бы задавать иностранец, впервые посетивший Советский Союз и не умеющий читать по-русски. На всех брошюрах Разведупра стоял гриф «Секретно».

ПРОСКУРОВ. *Потому что тут дислокации германских частей.*

СТАЛИН. *Можно назвать сообщение несуществующей газеты, несуществующего государства, что-либо в этом роде, или по иностранным данным, и так далее и пустите это в ход. Надо уметь это делать. Форму можно снять, а существо оставить и преподать людям открыто, ведь есть у нас журналы, газеты.*

ПРОСКУРОВ. *Я могу только доложить, если бы здесь сидящие товарищи прочли хотя бы двадцать процентов той литературы, которую рассылает Разведывательное управление…*

СТАЛИН. *Здесь напечатана дислокация германских войск?*

ПРОСКУРОВ. *Так точно.*

СТАЛИН. *Этого нельзя вообще печатать.*

ПРОСКУРОВ. *Нельзя или секретно?*

СТАЛИН. *Нельзя такие вещи излагать, вообще печатать нельзя, печатать нужно о военных знаниях, технике, тактике, стратегии, составе дивизии, батальона, чтобы люди имели представление о дивизии, чтобы люди имели понятие о частях, артиллерии, технике, какие новые части. Надо уметь преподнести блюдо, чтобы человеку приятно было есть.*

ПРОСКУРОВ. *Есть, товарищ Сталин.*

Илья еще раз перечитал реплики Хозяина. Сначала он говорит, что это надо напечатать открыто, в газетах, через две фразы вообще нельзя печатать. И тут же требует дать сведения о расположении германских частей, но назвать несуществующее государство. Интересно, какое? Атлантиду или Тридевятое царство?

Перевернув очередную страницу, Илья вздрогнул.

ПРОСКУРОВ. *Наши разведчики были заражены тем же, чем и многие командиры, считали, что там будут с букетами цветов встречать, а вышло не то.*

За фразой, вроде бы невинной, слишком ярко проступало: «Вы солгали своей армии, товарищ Сталин». Такие вещи Хозяин чуял мгновенно. Сердцевина его сказки — глобальная ложь, на ней держится вся конструкция. Первое правило выживания — не прикасаться ни словом, ни намеком.

«Твою мать... — простонал Илья. — Дурак! Что ты наделал?!»

Он оторвался от чтения, хотелось передохнуть, перекурить. Он пытался убедить себя, что преувеличивает, что слова летчика останутся незамеченными, кто-то кинет реплику, отвлечет. Но нет. Никаких посторонних спасительных реплик. Судя по ласковой, снисходительной интонации Хозяина, он отлично услышал Проскурова.

СТАЛИН. *У вас душа не разведчика, а душа очень наивного человека в хорошем смысле слова. Разведчик должен быть весь пропитан ядом, желчью, никому не должен верить. Если бы вы были разведчиком, вы бы увидели, что эти господа на Западе друг друга критикуют: у тебя тут плохо с оружием, у тебя тут плохо, вы бы видели, как они друг друга разоблачают, вам бы схватиться за эту сторону, выборки сделать и довести до сведения командования, но душа у вас слишком честная.*

Механизм заело, «*критикуют и разоблачают, вам бы схватиться*». Почти дословный повтор, знакомая галиматья, скрип шестеренок на холостых оборотах. Лишь три слова имели значение: «Слишком честная душа». Вылезло змеиное жало, шевельнулось и спряталось.

Несколько минут Илья сидел неподвижно и смотрел в глаза портрету. Любимая фотография Хозяина, увеличенная и тщательно отретушированная, украшала стену напротив стола. Царицын, восемнадцатый год. Молодой Коба в полный рост, в сверкающих высоких сапогах. Прищур, усмешка под жирными усами.

Обезьянка Шурик изредка, в состоянии крайней усталости и взвинченности, забегая к Илье в кабинет, выпускал пар, тихо, смачно материл фотографию. После этого уходил спокойный, вполне бодрый. Илья каждый раз удивлялся: неужели помогает? У него самого никогда не возникало желания выплеснуть ненависть в глянцевую ретушь. Ненависти не было, только отвращение и страх.

«Тебе нужна сильная разведка, — думал Илья, — тебе нужен Проскуров. У тебя хватило ума выпустить уцелевших военных, оставить в живых Горбатова, Рокоссовского. Значит, соображаешь, думаешь о будущей войне. Или очередная случайная прихоть? Казнишь и милуешь по логике камнепада? Если бы соображал, расстрелял бы к чертовой матери Ворошилова, Мехлиса, Кулика, снабженца Хрулева. Они угробили десятки тысяч красноармейцев. Твой финский позор тоже на их совести».

Заключительная речь Хозяина заняла десять страниц убористого машинописного текста. В своей обычной манере он задавал самому себе вопросы и сам отвечал на них.

СТАЛИН. *Правильно ли поступило правительство и партия, что объявили войну Финляндии?*

Дальше длинные рассуждения о необходимости обеспечить безопасность Ленинграда, дословный повтор передовиц «Правды» и выступлений Молотова по радио. Ответ на первый вопрос: правительство поступило правильно.

СТАЛИН. *Второй вопрос: а не поторопилось ли наше правительство, наша партия, что объявили войну именно в конце ноября — в начале декабря, нельзя ли было отложить этот вопрос, подождать месяца два-три-четыре, подготовиться и потом ударить? Нет. Партия и правительство поступили совершенно правильно.*

Дальше многословно, с бесконечными повторами Хозяин объяснял, что Финская война была абсолютно необходимой, абсолютно успешной и закончилась значительно быстрее планируемых сроков.

Военная аудитория знала, что победить финнов планировали к двадцать первому декабря тридцать девятого, то есть за двадцать один день. Вся страна знала. Радио и газеты орали, что в день рождения товарища Сталина Красная армия пройдет в победном параде по улицам Хельсинки. Хозяин спокойно, нагло врал армии и стране. Зачем? Просто так, ради самой лжи.

Конечно, Ворошилову и Мехлису ничего не угрожает, а вот «слишком честная душа» на этом празднике вранья абсолютно неуместна.

Дальше следовал пассаж об агрессивных намерениях финнов: «*Прорваться к Ленинграду, занять его и образовать там, скажем, буржуазное правительство, белогвардейское, — это значит дать довольно серьезную базу для гражданской войны внутри страны против Советской власти*».

Илья не сомневался, что через несколько страниц найдет опровержение этого тезиса. Нашел.

СТАЛИН: *Финская армия не способна к большим наступательным действиям. Она создана и воспитана не для наступления, а для обороны, причем обороны не активной, а пассивной.*

Большинство сидящих в зале не вдумывались в смысл, не замечали противоречий. Привычные повторы и заклинания туманили мозг, страх не давал сосредоточиться. Каждый лихорадочно прокручивал в голове реплики Хозяина в свой адрес, гадал о своей личной дальнейшей судьбе. Что сказал мне Хозяин, с какой интонацией, как на меня посмотрел...

СТАЛИН. *Общий вывод. К чему свелась наша победа, кого мы победили, собственно говоря? Вот мы три месяца и двенадцать дней воевали, потом финны встали на колени, мы уступили, война кончилась. Спрашивается, кого мы победили? Говорят, финнов. Ну конечно, финнов победили. Но не это самое главное в этой войне. Финнов победить — не бог весть какая задача. Конечно, мы должны были финнов победить. Мы победили не только финнов, мы победили еще их европейских учителей — немецкую оборонительную технику победили, английскую оборонительную технику победили, французскую оборонительную технику победили. Не только финнов победили, но и технику передовых государств Европы. Не только технику передовых государств Европы — мы победили их тактику, их стратегию. Вся оборона Финляндии и война велись по указке, по наущению, по совету Англии и Франции, а еще раньше немцы здорово им помогали, и наполовину оборонительная линия в Финляндии по их совету построена. Итог об этом говорит.*

Мы разбили не только финнов — эта задача не такая большая. Главное в нашей победе состоит в том, что мы разбили технику, тактику и стратегию передовых государств Европы, представители которых являлись учителями финнов. В этом основная наша победа.

Бурные аплодисменты, все встают, крики «Ура!».

Возгласы *«Ура товарищу Сталину!».* Участники совещания устраивают в честь товарища Сталина бурную овацию[1].

Илья захлопнул папку, подошел к окну, перекрестился на купола колокольни Ивана Великого. В ушах визжали истерические «ура!», громыхали овации. Перед глазами маячила кургузая узкоплечая фигура. Выступая на трибуне, Хозяин всегда покачивался из стороны в сторону, как грозящий перст гигантской невидимой руки.

[1] Фрагменты стенограммы цитируются дословно по архивным документам (РГАСПИ. Ф. 17. Оп. 165. Д. 77).

Глава двадцать первая

Первые двое суток Фриц Хоутерманс проспал. Проснувшись, умудрился заполнить собой все пространство виллы. Не вынимал сигарету изо рта, повсюду оставлял потухшие окурки. Полька собирала их в бумажный кулек, выкидывала в мусорное ведро. Эмме казалось, дом провонял насквозь, хотя окна были открыты.

Обритый наголо, длинный и тощий, Хоутерманс расхаживал по комнатам, трещал без умолку и таращил большие прозрачно-голубые глаза. Часть его рассказа о переезде из Англии в Советскую Россию, о жизни в Харькове и работе в Украинском физико-техническом институте Эмма пропустила. Вернер, встретив ее в прихожей, быстрым шепотом пересказал краткое содержание.

«Такой гость может навлечь неприятности, — размышляла Эмма, — положим, из тюрьмы он не сбежал, выпустили официально. Судя по всему, вернут собственность. Любопытно, где он станет работать? Кто решится взять помесь второй степени, да еще члена компартии, эмигранта, которого выдворили Советы? Физик он, конечно, сильный, но с такой биографией...»

— Самое страшное — ожидание ареста, — услышала она громкий голос из гостиной, — надежда остается до последней минуты. Они так специально устраивают. Особая форма издевательства.

Эмма вошла в гостиную. На госте был джемпер цвета корицы, из мягчайшей шерстяной пряжи, с косами и ромбами. Она связала этот шедевр для Вернера, на его шестидесятилетие. За два года старик его ни разу не надел. («Слишком хорош для меня, берегу к торжественному случаю».)

На Хоутермансе джемпер выглядел жалко, был ему широк и короток. Рукава не доходили до запястий. Паршивый коммунист, мерзкая помесь второй степени, напялил шедевр наизнанку.

— О боже! — воскликнула Эмма и всплеснула руками.

Хоутерманс счел это выражением радости, шагнул к ней навстречу, скаля дымный щербатый рот, не удосужившись положить зажженную сигарету в пепельницу, уронив по дороге столбик пепла на дорогой ковер.

— Прекрасная Эмма!

Она не успела моргнуть, он обнял ее, облобызал в обе щеки, потом отступил на шаг.

— Все так же обворожительна!

— Спасибо, Фриц, с возвращением. — Она кисло улыбнулась, пытаясь вспомнить, сколько раз они виделись до его эмиграции.

Заглянула Агнешка, спросила, можно ли подавать обед.

— Да, конечно, милая, — по-хозяйски ответил Хоутерманс и первым прошел в столовую, азартно потирая руки. — Жаль, мама и Шарлотта не видят, какой отличный аппетит я нагулял, путешествуя по тюрьмам. Вот бы порадовались.

Когда сели за стол, Вернер положил рядом с собой небольшую толстую тетрадь, шлепнул по ней ладонью, сверкнул глазами.

— Дорогуша, ты можешь представить, Физзль в тюрьме открыл постоянную из теории логарифмов, доказал малую теорему Ферма, теорему Дирихле и, наконец, нашел элементарное доказательство большой теоремы Ферма[1] для n в третьей степени.

Голос его звучал восторженно, будто он хвастал успехами собственного ребенка. Никогда Эмма не слышала, чтобы он так говорил о сыне. Она вздохнула про себя: «Бедный Герман», — и любезно улыбнулась Хоутермансу:

— Поздравляю.

---

[1] Пьер Ферма (1601–1665) — французский математик, свою великую теорему-головоломку сформулировал в 1637 году, и потом триста лет математики всего мира предлагали разные варианты ее доказательств.

— Надо было чем-то занять время, — небрежно пояснил Хоутерманс, — бумагу и карандаш не давали. Все расчеты пришлось вести в уме. Отличная гимнастика для мозгов.

— Дорогуша, ты как никто другой должна оценить. — Вернер закурил и поднес огонек к сигарете Хоутерманса. — Физзль все записал, взгляни-ка. — Он протянул ей открытую тетрадь.

Вошла Агнешка, поставила на стол большое блюдо. Под круглой серебряной крышкой дымились розовые сочные куски филе лосося. Эмма закрыла тетрадь, отдала польке.

— Пожалуйста, положите на журнальный столик. — Она взглянула на Хоутерманса. — Боюсь заляпать странички. После обеда посмотрю внимательно.

— Учти, дорогуша, Физзль не математик, — напомнил Вернер, отправил в рот кусок рыбы и подмигнул Хоутермансу.

— Да, такие открытия достойны Нобелевской премии по математике, — задумчиво произнесла Эмма, поддела вилкой шпинат, прожевала и добавила: — Правда, теорема Ферма для *n* в третьей степени доказана двести тридцать лет назад.

— Разве? — Вернер шевельнул рыжими бровями. — Дорогуша, ты уверена? Кто?

— Леонард Эйлер[1] в тысяча семьсот семидесятом году, — мягко объяснила Эмма, — мне очень жаль, Фриц.

— Так я и думал, — пробурчал Хоутерманс с набитым ртом.

Большие светло-серые глаза весело блестели. Было заметно, что новость не сильно его огорчила.

— Забавно, что это случилось тоже в России, — продолжала Эмма, не отрываясь от еды.

— И тоже в тюрьме? — усмехнулся Вернер.

— Вряд ли. — Эмма собрала соус хлебным мякишем. — Кажется, в те времена Россия еще была цивилизованной страной.

— Была, — кивнул Хоутерманс, — но теперь в это поверить трудно. Если бы не теорема Ферма, я бы в большевистской

---

[1] Леонард Эйлер (1707–1783) — швейцарский, немецкий и российский математик, большую часть жизни прожил в Санкт-Петербурге.

тюрьме свихнулся, так что мои математические упражнения все-таки имели смысл.

— На Александерплац тебе больше понравилось? — ехидно поинтересовался Вернер.

— Любая тюрьма мерзость. — Хоутерманс сморщился. — Впрочем, нацистские камеры не так забиты и баланда не такая вонючая.

— Ба-ланда? — Эмма с трудом повторила незнакомое слово.

— Тюремный суп, — объяснил Фриц, — каков он у большевиков, рассказывать за столом не стоит, да и дело не в супе. Из нацистской тюрьмы меня выпустили, хотя я многие годы был реальным врагом режима, состоял в компартии. — Он закусил губу, нахмурился, помолчал секунду. — Ну, а в большевистскую посадили без всякой вины, как, впрочем, всех, кто там сидит.

— Ну-ну, так не бывает, — заметил Вернер, — чтобы абсолютно всех без вины. Есть же уголовные преступники, воры, убийцы.

— Уголовники есть, конечно, — кивнул Хоутерманс, — но в тюрьмах я их встречал редко. В основном сидят политические.

— Несогласные с режимом? — уточнила Эмма.

— Там таких нет. Мне, во всяком случае, не попадались. Все только и делают, что прославляют партию, правительство и лично Сталина. Может, в душе кто-то и не согласен, даже наверняка, но вслух — ни звука. — Хоутерманс тяжело вздохнул. — В том-то и ужас, что никаких определенных правил не существует. Просто берут, и все. Когда начались аресты в институте, это было вроде эпидемии. Сначала мы еще пытались понять логику: почему, за что? Если бы только немцев, или, допустим, евреев, или тех, кто критиковал режим. Ничего подобного. Брали всех подряд, как траву косили.

— Но ведь какие-то обвинения тебе предъявили? — спросил Вернер.

Хоутерманс хрипло рассмеялся.

— На это у них не хватает фантазии, арестованные должны сами себя обвинять. Самообслуживание. Выбор невелик. Шпионаж. Подготовка покушения на Сталина.

— Погоди, Фриц, я не понимаю. — Эмма помотала головой. — Ведь можно отказаться, настаивать на своей невиновности, нанять адвоката. Самообслуживание... Бред какой-то.

— Вот именно, бред, — кивнул Фриц. — Те, кто тебя арестовывает и допрашивает, прекрасно знают, что ты ни в чем не виноват. Им надо, чтобы ты признался и назвал максимальное число соучастников. Всех арестуют, каждый назовет еще имена. Вот вам цепная реакция.

— Многих ты назвал? — сглотнув, глухо спросил Вернер.

— Не помню. Меня допрашивали десять дней, круглосуточно, три следователя по очереди. Каждый работал часов по восемь. Сначала разрешили сидеть на стуле. Потом только на краешке стула, потом заставили стоять. Когда я терял сознание и падал, обливали холодной водой, поднимали, ставили. Ноги так распухли, что не влезали в ботинки, и брюки лопнули на икрах. Задавали только два вопроса: «Кто вовлек вас в контрреволюционную организацию?» и «Кого вы сами вовлекли?».

— Контрреволюционная организация? — Эмма вскинула брови. — То есть у них до сих пор продолжается революция и существуют тайные организации, которые пытаются ее остановить?

— Это просто фигура речи. — Фриц усмехнулся. — Нет ни революции, ни организаций, только параноидальный страх Сталина перед тем и другим.

— Десять суток ты держался, — задумчиво произнес Вернер, — что же стало последней каплей?

— Следователь показал мне два ордера: на арест Шарлотты и на помещение наших детей в сиротский приют под чужими фамилиями, чтобы я потом никогда не смог их разыскать. — Он зажмурился, залпом выпил остатки белого вина из своего бокала, закурил очередную сигарету. — Я ведь только здесь узнал, что Шарлотте с детьми удалось удрать и благополучно добраться до Америки. Спасибо Нильсу.

«Наверняка привирает, это слишком даже для большевиков, но все равно вынести ему пришлось немало, — думала Эмма, наблюдая, как Хоутерманс расправляется с третьим куском рыбы. — Вернеру полезно послушать, пусть знает: есть кое-что пострашней нашего нынешнего режима. Настоящий чумной барак, и такой гигантский — вообразить невозможно. Да, пусть послушает, подумает. Вон как побледнел».

— Физзль, я боялся тебя спросить, вдруг плохие новости? Но больше тянуть не могу. — Старик закурил, рука заметно дрожала.

Хоутерманс отложил вилку, промокнул губы салфеткой.

— Ну, Вернер, что же ты замолчал? Спрашивай!

— Скажи, ты что-нибудь знаешь о Марке? — пробормотал старик и побледнел еще больше.

Фриц опустил глаза, откашлялся, покрутил в пальцах незажженную сигарету. Повисла тишина. Вошла Агнешка, спросила, можно ли убирать со стола. Эмма кивнула и попросила ее сварить кофе. Хоутерманс вдруг резко поднялся, отодвинул стул, заявил с фальшивой веселостью:

— Нет-нет, сварю сам, лучше меня никто в мире не умеет.

— Простите, господа, — пролепетала полька, растерянно переводя взгляд с Эммы на Фрица, — кофе закончился.

— Как? — изумилась Эмма.

В воскресенье она принесла фунт дорогого «арабики». Как мог исчезнуть за три дня запас, рассчитанный минимум на две недели?

— Это я все выпил, — признался Хоутерманс и взглянул на часы. — Лавка еще открыта. Я быстро. — Он метнулся к двери.

— Физзль, стой! — крикнул Вернер. — Во-первых, у тебя нет денег, во-вторых, ты не ответил, что с Марком.

— Я слышал, он стал академиком. — Хоутерманс улыбнулся, но так фальшиво, что смотреть на него было неприятно.

— Отлично, — кивнул старик, — давно пора. Но ведь это не все, верно?

— Арестован весной тридцать шестого, — выпалил Хоутерманс и добавил спокойней: — Больше ничего не знаю.

— Боже мой... — Вернер закрыл лицо ладонями.

— Кофе купит Агнешка, — громко сказала Эмма и взглянула на польку. — Есть у вас деньги?

— Конечно, госпожа.

— Пожалуйста, купите два фунта «арабики» и попросите
помолоть помельче.

Хоутерманс неохотно вернулся к столу. Полька вышла, опять
воцарилось молчание. Вернер сидел, низко опустив голову. Сигарета дымилась в пепельнице. Эмма протянула руку, погасила.

— А я гадал, почему он не отвечал на мои письма? — Старик достал из кармана платок, шумно высморкался. — В тридцать шестом, говоришь? Он перестал отвечать раньше, в тридцать пятом.

— Видимо, чувствовал, что над ним сгущаются тучи. —
Фриц передёрнул плечами. — Это очень страшно. Неопреде-
лённость, надежда. Когда меня уволили из института, мы с
Шарлоттой решили вернуться домой, хотя знали, что здесь ничего хорошего нас не ждёт. Наши немецкие паспорта были про-
срочены, мы отправились в Москву, в германском консульстве
над нами, конечно, поиздевались, но паспорта продлили. Меня
арестовали за день до отъезда, на таможне, когда я отправлял
книги.

Хоутерманс говорил быстро, взахлёб. Вроде бы пытался отвлечь Вернера, на самом деле выплёскивал собственные пере-
живания. А старика сейчас волновала только судьба Мазура.

— Если его там обрабатывали так же, как тебя, он вряд ли
уцелел. Десять суток на ногах, без сна, холодная вода, угрозы.
Марк всегда был очень хрупкий, нервный. Да и возраст... Конечно, они его угробили.

«Хрупкий? Вот уж про кого этого не скажешь, — подумала
Эмма. — Мазур высокий, широкоплечий, энергичный. Вернер
по сравнению с ним стебелёк».

— Подожди, Вернер, зачем ты его хоронишь? — ожив-
лённо заговорил Хоутерманс. — Я тоже никогда не мог по-
хвастать крепкими нервами, а там понял, что главное условие выживания — интеллект, способность мыслить. Я видел,

как здоровяки-крепыши, не прочитавшие за жизнь ничего, кроме букваря, «Краткого курса» и передовиц газеты «Правда», ломались удивительно быстро, слабели физически, превращались в доходяг, полуживотных, а хлипкие интеллектуалы держались, сохраняли человеческий облик. Мне даже хватило духу отказаться от своих показаний, написать заявление, что дал их под пытками и угрозами моим близким и все названные мной невиновны.

— Что такое «Краткий курс»? — спросила Эмма.

— То же, что «Майн кампф», только в сто раз нуднее. — Фриц махнул рукой. — Программное сочинение Сталина.

— О твоем аресте сообщила Шарлотта. — Старик сосредоточенно сморщил лоб. — И сразу Нильс, Ирен с Пьером, Альберт отправили официальные телеграммы советскому правительству с требованием освободить тебя.

— Да, знаю, очень тронут и благодарен, только это бесполезно, — быстро проговорил Хоутерманс.

— Как же бесполезно, если тебя освободили?

— В защиту Конрада они тоже послали. — Хоутерманс сморщился.

— Конрад — это кто? — спросила Эмма.

— Вайсберг. Он работал со мной в Харькове. Его расстреляли. И меня никто там освобождать не собирался, переправили под конвоем, отдали гестапо вместе с такими же эмигрантами. Я был уверен, что мне тут в лучшем случае светит лагерь, а скорее всего, казнят. Но вот освободили без всяких официальных писем от мировых светил. Хватило поручительства одного Макса.

Эмма покосилась на Вернера. Старик сидел, низко опустив голову, сжав пальцами виски, и, кажется, уже не слушал Хоутерманса, бормотал:

— В последний раз мы с Марком виделись весной тридцать четвертого, на международной конференции в Ленинграде. Перед моим отъездом поссорились. Марк заявил, что Гитлер мог прийти к власти только в стране, где каждый второй антисемит. Я спросил: кто же, по-твоему, антисемит? Я или Макс?

Ты ведь сказал: каждый второй. Потом я брякнул, что только в стране, где каждый второй — идиот, мог прийти к власти Сталин. Он в ответ: ты называешь мою родину страной идиотов? Обычно мы после перепалок на политические темы быстро мирились, смеялись, но в тот раз почему-то страшно завелись, не могли остановиться и даже не попрощались. А ведь это была наша последняя встреча.

— Вернер, не вините себя. — Эмма погладила его плечо. — Кто же мог предвидеть?

Старик не услышал ее, продолжал глухим, безнадежным голосом:

— Я долго дулся, ждал от него письма, а он, наверное, от меня. Наконец я не выдержал, написал. Он ответил не скоро и как-то холодно, потом прислал открытку на день рождения. Потом замолчал.

В прихожей стукнула входная дверь.

— Вот и Агнешка, сейчас будем пить кофе, — сказала Эмма.

— С начала тридцать пятого переписываться с иностранцами стало опасно, — объяснил Хоутерманс.

— Я позвоню Максу, отправлю телеграмму Нильсу, — решительно заявил старик, — надо связаться с Кюри. Нильс напишет Альберту. Мы закидаем их гневными посланиями от мировых светил с требованием освободить Марка.

«Только этого не хватало!» — испугалась Эмма и ласково сказала:

— Вернер, мне кажется, не стоит спешить. Подумайте, если опасно переписываться с иностранцами, значит, заступничество Бора и фон Лауэ могут, наоборот, навредить. Вот Фриц говорит, там всех обвиняют в шпионаже. — Она многозначительно взглянула на Хоутерманса.

— Я слышал, сейчас, при новом главе НКВД, многих выпускают. Не знаю, не возьмусь советовать, там все непредсказуемо. — Фриц встал, улыбнулся опять фальшиво. — Ладно, иду варить кофе.

— Непредсказуемо, — повторил Вернер.

— Представьте, если Марка уже выпустили — и вдруг приходят гневные послания от иностранных ученых. — Эмма накрыла ладонью его дрожащую руку.

— Выпустили? — Старик поднял на нее покрасневшие влажные глаза, взглянул с такой детской надеждой, что ей стало не по себе. — Думаешь, могли выпустить?

— Ну конечно! Я просто уверена. Он давно на свободе и продолжает работать. Кстати, вы показали Фрицу резонатор?

— Ему пока не до этого, слишком устал, возбужден, без конца рассказывает о большевистских ужасах, скучает по жене и детям. — Вернер потянулся за очередной сигаретой.

— С ним вы стали слишком много курить, — заметила Эмма и отодвинула портсигар. — О, как дивно пахнет из кухни!

— Физзль правда здорово варит кофе. Обычный кофейник его не устраивает, отыскал в кладовке медный, турецкий. — Голос Вернера зазвучал спокойней, лицо ожило. — Когда-то Марта купила его в Венеции в антикварной лавке, и до сих пор никто ни разу им не пользовался.

— Да, удивительно, как вдруг оживают старинные вещицы, — задумчиво произнесла Эмма, — кстати, вы уже начали экспериментировать с рубином?

Он не ответил, опять закрыл лицо ладонями, пробормотал чуть слышно:

— Марк, Марк...

* * *

Проскуров позвонил Илье домой в шесть утра, сказал нарочито вялым голосом:

— Дрыхнешь? Вроде договаривались мяч погонять.

— А что, там уже просохло? — зевнув, спросил Илья.

— Мг-м, и даже травка выросла.

Илья вскочил, быстро умылся, почистил зубы, натянул спортивные шаровары, майку, старый джемпер. Сверху надел легкую куртку, прихватил из вазы на буфете два больших яблока.

До Знаменки он добежал трусцой минут за десять. Проскуров ждал его на спортивной площадке во дворе, неподалеку от главного здания Комиссариата обороны. Одет был так же, как Илья. Шаровары, джемпер, куртка. Сунув руки в карманы, лениво подкидывал носком ботинка мятый футбольный мяч.

Моросил дождь, мелкий, как пыль, земля была влажной и скользкой, никакой травки. Фраза «травка выросла» означала, что Митя Родионов вернулся из Иркутска.

Илья достал из карманов яблоки, одно кинул Проскурову, другое надкусил. Минуту оба молча жевали.

— Как наши изотопы? — спросил Илья.

— Пока не знаю. Родионов от резонатора в полном восторге, твердит, что Мазур гений. — Проскуров пнул мяч. — Я видел только запаянный свинцовый контейнер, размером с куриное яйцо. Отправлю с курьером в Ленинград, академику Иоффе, вместе с копией официальной заявки и описанием прибора.

— Официальная заявка от кого кому?

— Ну, не курица же снесла это свинцовое яичко с урановой начинкой прямо ко мне на стол. Думаешь, я бы сунулся к Иоффе без бумажки?

— Да, правда, не сунулся бы, — кивнул Илья, — но ведь Мазур боялся писать.

— Осмелился. Родионов уговорил его составить заявку в научно-техническое подразделение, все оформили как положено.

Мяч лениво покатился за ограду и поплыл в глубокой луже.

— Ладно, черт с ним, все равно дырявый, — Проскуров махнул рукой. — Мальчишки подберут, дыру залатают, будут играть в свое удовольствие. Давай пройдемся.

Они ушли с площадки, отправились, как всегда, к Гоголевскому бульвару. Дождь кончился, сплошное облачное марево таяло на глазах, становилось прозрачным и легким. Сквозь него просвечивала утренняя весенняя голубизна.

— Сдается мне, товарищи физики Мазура твоего не любят, — сказал Проскуров, прожевав яблоко вместе с огрызком.

— Почему?

— Тему выбрал непопулярную, упрямо продолжал над ней работать, игнорировал мнение коллег. Одиночка. Таких нигде не любят, особенно в дружных творческих коллективах.

— Но ведь в академики приняли.

— Лучше бы не принимали, сразу доносы полетели. Там, знаешь, тот еще гадюшник. Спасибо, Вернадский вступился, написал Молотову и Сталину. Наверное, поэтому из тюрьмы отправили не в лагерь, а в ссылку.

— Может, стоило обратиться к Вернадскому, а не к Иоффе? — спросил Илья.

Проскуров помотал головой:

— Мазур просил не трогать его. Вернадский и так рисковал, когда вступился.

— Мало ли о чем просил Мазур? Твое решение.

— Мое, — кивнул летчик, — но Мазур прав. Это только кажется, что академик Вернадский фигура неприкасаемая. Сам знаешь, у нас незаменимых нет. Да и все равно, без Иоффе не обойтись. В ядерных вопросах он главный. Физики считают Иоффе чуть ли не святым. У него сплоченная команда. Ученики, сподвижники. Есть такое выражение: «Детский сад папы Иоффе».

— Трогательно. — Илья хмыкнул. — Мазур давно вырос из детских штанишек, в ученики не годится и, вероятно, в сподвижники тоже. Может, они с Иоффе конкуренты?

— Вряд ли. Слишком разные области. К тому же по моей информации Мазур на звание «папы» никогда не претендовал.

— Если прибор окажется перспективным, и Мазура вернут в Москву, папа Иоффе охотно его усыновит. — Илья покрутил в пальцах яблочный хвостик.

— Ну, ты оптимист, Илья Петрович. — Проскуров покачал головой. — Вопрос о перспективности будет решать сам Иоффе. Ему придется брать на себя ответственность, пробивать, хлопотать, рисковать. К тому же ученых выпускают неохотно, сидят тысячи, а выпустили всего-то человек пять, да и те в ссылке, то есть на волосок от следующего ареста. Разрешили жить и работать в Москве только одному Ландау. Слышал о таком?

— Нет.

— Говорят, гений. — Проскуров усмехнулся. — Ландау Лев Давидович, молодой физик-теоретик. Взяли в апреле тридцать восьмого, отсидел ровно год. За него просили мировые светила, вплоть до Эйнштейна. Жолио-Кюри прислал телеграмму лично Сталину.

Илья сразу вспомнил Хоутерманса. Гений он или нет, но за него тоже просили мировые светила. Не выпустили. Сдали гестапо.

— Ландау освободили, когда за него поручился лично Капица. О нем, надеюсь, слышал? — продолжал Проскуров.

— Тоже гений? — Илья хохотнул. — Гений на гении сидит...

Иван ничего не ответил, не улыбнулся, сдвинул брови, поджал губы. Минуту шли молча. Иван мрачнел все больше, наконец, покосившись на Илью, быстро произнес:

— Ландау посадили за дело.

Из уст Проскурова это прозвучало так странно и неожиданно, что Илья поежился, спросил серьезно, без всякой иронии:

— Неужели шпионил по-настоящему?

— Листовку написал антисоветскую, с призывами к свержению государственного строя, — процедил Проскуров сквозь зубы.

— А, понятно.

Летчик вдруг остановился, крикнул хриплым шепотом:

— Ни черта тебе не понятно! Реальная листовка, сочиненная и написанная лично гражданином Ландау Львом Давидовичем в апреле тридцать восьмого!

— В камере?

Проскуров тяжело уставился на Илью из-под насупленных бровей. Скулы побелели.

— Вы за кого меня принимаете, товарищ Крылов?

— Тихо-тихо, Иван, не заводись. — Илья тронул его плечо. — Ты же сам сказал — взяли в апреле.

— Через четыре дня после того, как появилась листовка, — угрюмо пояснил Проскуров. — Своей выходкой Ландау подставил многих в Институте физических проблем, включая самого Капицу. Листовка — факт. Я знаю.

«Конечно, знаешь, — подумал Илья, — почти год занимаешься ядерной темой, при твоей дотошности наверняка изучил всех ведущих физиков».

— К счастью, Ландау не успел размножить свой пасквиль и разбросать на первомайской демонстрации, как собирался. — Проскуров спрятал руки в рукава куртки, резко вздернул плечи. — Может, он и гений, но человек дрянь. Настоящий провокатор.

Никогда еще Илья не видел летчика в таком взвинченном состоянии. Он завелся не на шутку, черты заострились, голос звучал отрывисто и глухо.

«Дался ему этот Ландау с листовкой», — удивился про себя Илья.

Листовок, написанных гениальными физиками, Илье читать не доводилось еще ни разу. Ученые, литераторы, артисты, композиторы, режиссеры строчили доносы друг на друга вдохновенно, в огромном количестве. Рабочие, колхозники, школьники тоже строчили, но не только доносы. Иногда в областных сводках НКВД попадались антисоветские листовки, украшенные звездой или свастикой. Под звездой Сталина величали фашистом, предателем социализма. А под свастикой обещали: *«Скоро придет Гитлер, освободит русский народ от кровавой власти Сталина»*. Анонимные авторы, независимо от эмблем и убеждений, с одинаковым отчаянием жаловались на невыносимую жизнь.

Такие бумажки ставили под удар сразу множество людей. Из-за них в колхозе, на заводе, в школе брали всех подряд, без разбора. Но если бы миллионы поголовно молились на Сталина и в едином порыве строчили только доносы, тогда была бы уж полная безнадега.

Илья вспомнил сочинение школьника Алеши Соколова из Рязанской области, которое потихоньку изъял и сжег. Не донос, не листовка. Никаких звезд и свастик. Просто детское сочинение на невинную тему: «Как я провел зимние каникулы». А ведь тоже могло вызвать эпидемию арестов.

— Дрянь. Провокатор, — повторил Проскуров, — вот успел бы он разбросать на первомайской демонстрации, в толпе, сколько людей безвинно пострадало бы.

— Да, как бомбу кинуть, — пробормотал Илья и попытался сменить тему: — Странно, согласись. Мы привыкли думать: если гений, то непременно честный, порядочный, а главное, умный. Не хочется верить, что гений может оказаться дрянью и провокатором.

— А Гейзенберг? Урановая бомба для Гитлера посерьезней бомбы-листовки. Странно другое. Вот смотри: Бронштейн Матвей Петрович, физик-теоретик высокого класса. Совсем молодой. Знаешь, как его называют? Моцарт квантовой гравитации! Некоторые физики считают настоящим гением Бронштейна, а вовсе не Ландау. За него тоже просили, ручались...

— Ну, знаешь, с такой фамилией[1] никаких листовок писать не нужно, — перебил Илья.

— Брось. — Проскуров махнул рукой. — Евреев Бронштейнов — как русских Кузнецовых. Да и при чем здесь фамилия? Витта и Шубина тоже взяли[2]. У них с фамилиями все в порядке. А военные инженеры? Королев, Лангемак, Клейменов, создатели реактивных снарядов на твердом топливе. Им цены нет. Туполев, Петляков, Бартини. Авиаконструкторы, уникальные мозги. Никаких дурацких листовок никто из них не писал, работали на оборону страны. И как работали!

«Кого взяли, кого выпустили и почему, — вздохнул про себя Илья, — ни о чем другом думать не может. Честная душа. Пытается нащупать, поймать ниточку логики. А ниточка ускользает. Нет никакой логики. Только случайные дикие завихрения сталинского сознания».

Вслух он быстро, твердо произнес:

— Инженеров и авиаконструкторов скоро должны выпустить.

---

[1] Бронштейн — настоящая фамилия Л.Д. Троцкого.
[2] Физики-теоретики Бронштейн Матвей Петрович (1906–1938), Шубин Семен Петрович (1908–1938) — расстреляны. Витт Александр Адольфович (1902–1938) — умер в лагере.

— Ага, Лангемака и Клейменова уже выпустили. — Иван зло усмехнулся. — На тот свет[1].

— Это было при Ежове, — отчеканил Илья чужим, механическим голосом.

— Ах, да, конечно, извини, я и забыл. — Он сморщился. — Курить есть у тебя?

Илья пошарил по карманам, нашел мятую пачку с двумя полувыпотрошенными папиросами, но спичек не оказалось. Проскуров огляделся, догнал какого-то парня, прикурил. Сели на скамейку. Проскуров дымил жадно, нервно. В голове у Ильи мелькнуло: «Будто в последний раз».

Перед глазами опять замаячил самолетик, перечеркнутый крест-накрест, с буквами на крыле «ПРОСК» и надписью сверху: «Держись от него подальше». Поскребышев был тот еще художник, самолетик получился кривобокий, падал носом вниз, разваливался на лету.

Илья прервал долгую, тяжелую паузу:

— Ладно, времени мало. Официальную заявку Мазур написал. А как насчет дружеского послания профессору Брахту?

Проскуров метко запульнул свой окурок в урну.

— Есть послание. Но только отправлять его нельзя.

— То есть как? — удивился Илья и подумал: «Вот что на него, оказывается, давит. Тянул до последнего, сам о письме не заговорил. Значит, проблема действительно серьезная».

— Этот изобретатель хренов просто взял и все выложил Брахту. — Проскуров сморщился. — Бред какой-то, не понимаю...

— Подожди, Иван, что — все? Написал инструкцию, как собрать прибор и делить изотопы? — Илья присвистнул. — Всерьез верит, что мы отправим это в Берлин? Слушай, может, он псих? С гениями бывает.

---

[1] Лангемак Георгий Эрихович (1898–1938) — создатель реактивного миномета «Катюша», расстрелян. Клейменов Иван Терентьевич (1898–1938) — директор Реактивного института, расстрелян. Изобретение «Катюши» присвоил инженер Костиков А.Г., по доносу которого были арестованы Лангемак, Клейменов, Королев.

— Нет, это не инструкция, формул и технических подробностей там нет, — пробормотал Проскуров так тихо, что Илья едва расслышал.

— Ты специалистам показывал?

— Нет.

— Почему?

— Прочитаешь — поймешь, — шепотом рявкнул летчик, достал из кармана серые тетрадные листки, плотно, мелко исписанные лиловыми чернилами с обеих сторон, сунул Илье. — На вот, ознакомься.

— Подожди, но тут по-русски написано, — изумленно заметил Илья.

— Это не Брахту, это мне. — Проскуров ткнул себя пальцем в грудь и нервно оскалился.

Илья развернул, стал читать.

Уважаемый начальник военной разведки! Простите, не знаю Вашего имени-отчества, Родионов отказался назвать, вероятно, военная тайна. Считаю необходимым высказать Вам некоторые соображения.

1. Если я правильно понял, Вы проинструктировали Родионова, что мое письмо профессору Брахту должно стать поводом для продолжения переписки и одновременно притормозить его работу над прибором, запутать, направить по ложному пути. Таким образом, Вы ставите две диаметрально противоположные и взаимоисключающие задачи. Ложь и попытка запутать не могут служить поводом для продолжения переписки между людьми, которых связывают многие годы дружбы и совместной работы и которые никогда друг другу не лгали. Профессор Брахт легко распознает ложь и сразу заподозрит провокацию, решит, что писать меня вынудили. Человека, который передаст письмо, он примет за провокатора и откажется от дальнейших контактов с ним.

2. Любые попытки насильственно воздействовать на профессора Брахта, как то: убийство, похищение, шантаж (шантажировать его нечем), бессмысленны и крайне опасны. Они привлекут усиленное внимание к его работе, что может привести к самым нежелательным последствиям.

3. Тема его и моих исследований далека от ядерной физики, экспериментировать с ураном Вернер не станет. Ему это не нужно, резонатор открывает сотни других интереснейших возможностей. Разделение изотопов — просто случайный, побочный эффект. Но как только прибор будет готов, Вернер обязательно познакомит с ним научную общественность. Пока большинство ученых к самой идее создания резонатора вынужденных излучений относятся скептически, никому не придет в голову, что можно использовать лучевой метод разделения изотопов урана. Однако имея готовый прибор, они обязательно начнут экспериментировать и получат реальный шанс решить проблему сравнительно легко и быстро, без участия и <u>вопреки желанию профессора Брахта</u>.

4. Я знаю Вернера Брахта много лет и могу гарантировать, что по доброй воле он <u>никогда</u> не согласится участвовать в создании урановой бомбы для Гитлера. Использование резонатора в этих целях станет для него тяжелым ударом и трагедией. Он ненавидит нацизм не меньше, чем мы с Вами, и считает Гитлера буйнопомешанным.

Таким образом, единственный способ заставить Вернера Брахта скрыть резонатор от ученых, занятых бомбой, — предупредить его о катастрофических последствиях. Уверен, если он будет предупрежден, сделает все возможное, чтобы прибор не попал к ним в руки. Оставаясь в неведении, он рискует в любой момент стать слепым орудием. С каждым днем этот риск увеличивается. Не исключаю, что уже поздно. Вот почему я принял решение написать ему правду.

5. Любой специалист Вам подтвердит, что в своем письме я не открыл никаких технических подробностей. В Вашей воле не отправлять письмо, а меня отправить назад в тюрьму, в лагерь или расстрелять. Я старый человек, пожил достаточно, главный свой замысел осуществил. Отдаю себе отчет в том, что если примете решение меня уничтожить, бесполезно просить Вас пощадить мою дочь, и все-таки прошу. О том,

что с помощью резонатора можно обогащать уран, ей ничего не известно.

Прежде чем примете решение, прошу Вас хорошо подумать. На чаше весов гибель европейского континента, а возможно, всей нашей планеты. Ложью, предательством, насилием такой груз не перевесить, все это упадет на ту же чашу и сработает в пользу гибели. Ситуация слишком серьезная, чтобы врать. Только правда дает шанс. Будьте честны перед собой, помните о масштабе ответственности, слушайте свою совесть и здравый смысл.

С уважением и надеждой,
профессор Мазур.

Илья поднял глаза на Проскурова. Мгновение они молча смотрели друг на друга. Летчик достал из кармана плотный конверт.

— А вот это Брахту. Копия, на немецком, специально для тебя. Родионов перепечатал, для меня сделал русский перевод. Спрячь, дома ознакомишься.

Илья убрал конверт в карман.

— Ну, что скажешь? — спросил Иван.

— Пока не знаю, — пробормотал Илья, качая головой, — надо почитать, что он написал Брахту.

— По смыслу примерно то же. — Проскуров поежился. — Только рассказал, как собирал урановую смолку, заверил, что у нас никаких работ по урану не ведется, ну и еще кое-что личное.

— У тебя есть возможность выяснить, занят ли Брахт в урановом проекте? — Илья поймал затравленный, растерянный взгляд Проскурова.

Сам он чувствовал себя не лучше. После тяжелого молчания услышал:

— Прочитаешь письмо — поговорим.

Глава двадцать вторая

Г ородок Веве оказался таким маленьким, что Ося и Габи обошли его пешком за пару часов. День был пасмурный, ветреный, но без дождя. Габи в мягких спортивных туфлях неслась по булыжнику узких горбатых улочек легко, как горная коза. Ося едва поспевал за ней, ушибленное сердце возмущенно бухало.

Габи забежала вперед, остановилась.

— Прости, все время забываю, тебе пока нельзя так быстро. — Она взяла его под руку. — Сейчас, только найдем дом, где Достоевский писал «Идиота», и сразу выйдем на набережную, отдохнем в каком-нибудь кафе.

— Ну, и зачем тебе понадобился этот дом? — Ося вздохнул. — Музея-квартиры там точно нет.

— Не ворчи, я должна их навестить.

— Кого?

— Мышкина и Рогожина. Недавно в букинистической лавке в Париже случайно нашла «Идиота», девятьсот десятого года издания, будто нарочно меня ждал. Прочитала по-русски. Знаешь, мне пришло в голову, что Мышкин и Рогожин — две стороны одной личности, светлая и темная. Ну, как доктор Джекил и мистер Хайд у Стивенсона. О, вот! — она указала пальцем на табличку с названием улицы. — Рю дю Симплон! Тут совсем близко, на углу.

«Твое помешательство на России никак не проходит, — думал Ося, — выучила русский, начиталась Чехова, Толстого, Достоевского, упорно считаешь Россию единственной силой, способной покончить с нацизмом. НКВД тебя чуть не угробил, СССР и рейх союзники. Если бы сейчас на территории рейха работала советская агентурная сеть, ты бы обязательно в нее полезла. Из любви к Достоевскому».

Повернув за угол рю дю Симплон, они увидели соседей по пансиону, симпатичную княжескую пару, и поймали кусок разговора.

— ...потому что у них кончались деньги, а тут дешевле.

— Нет, Ваня, дело не в деньгах, в Женеве у них умерла новорожденная дочь, после такого потрясения оставаться там было невозможно.

— Пойдем, пока они нас не заметили, — прошептал Ося.

Но Габи уже махала и улыбалась старикам как родным. Поздоровалась по-французски и с невинным видом спросила, что интересного они нашли в этом обычном доме.

Томушка охотно объяснила.

— О, Достоевский! — восторженно защебетала Габи. — Конечно, я слышала, загадочная русская душа! Это он написал романтическую историю, в духе «Мадам Бовари»?

Старики переглянулись, Томушка дернула краем рта и чуть слышно прошептала по-русски:

— Какая прелесть!

Ваня укоризненно зыркнул на жену и мягко заметил:

— Вы, вероятно, имеете в виду «Анну Каренину»? Это роман Толстого.

— О, Толстой! — Габи закатила глаза. — Он тоже жил в Веве?

— Габриэль обожает литературу, но это любовь без взаимности, глотает книги и ничего не помнит. — Ося незаметно ткнул Габи локтем в бок и любезно улыбнулся старикам. — Надеюсь, городские власти догадаются повесить на дом мемориальную доску, Достоевский действительно великий писатель.

— Да уж, получше зануды Руссо, — выпалила Габи.

Они медленно двинулись вчетвером через площадь к набережной.

— Вы читали сегодняшние газеты? — спросила Томушка.

— Нет еще. — Ося пожал плечами.

— В газетах сейчас все так мрачно. — Габи скорчила кислую гримасу. — Не хочется начинать день с плохих новостей.

— Да, новости скверные. — Ваня тяжело вздохнул. — Конечно, вас, американцев, это пока не очень касается...

— Это всех касается, — нервно перебила Томушка, — если так будет продолжаться, он скоро и до Соединенных Штатов доберется.

— Ну-ну, Томушка, не преувеличивай, океан ему не переплыть, — Ваня погладил жену по локтю. — Другое дело, что Америке придется вмешаться рано или поздно.

— А все-таки что произошло? — спросила Габи.

— Гитлер занял Данию, — сурово произнесла Томушка, — и эти викинги совершенно не сопротивлялись. Сдались без боя. Военно-морской флот не произвел ни единого выстрела по немецким транспортам с войсками ни с кораблей, ни с береговых батарей.

— Гвардия для ритуала чуть-чуть постреляла возле королевского дворца в Копенгагене, и король сразу подписал капитуляцию, — продолжил Ваня. — Норвегия пока сопротивляется, но исход уже очевиден.

— Ну, что ж. — Ося развел руками. — Датское королевство благоразумно бережет себя, не хочет, чтобы прекрасный Копенгаген превратился в такие же руины, как Варшава.

— В Первую мировую все рвались воевать, непонятно зачем. — Томушка вскинула подбородок, поправила шляпку. — А теперь, когда воевать необходимо, сдаются без боя.

— Поляки воевали отчаянно, — заметил Ваня с грустной усмешкой, — и что толку?

— Финны тоже воевали, — Томушка сурово взглянула на мужа, — и отстояли свою независимость.

— Разве финны воевали с Гитлером? — удивленно спросила Габи. — Я читала, что на них напал Сталин.

— Вот именно, Сталин, а не Россия. — Ваня остановился, достал из кармана пачку папирос, протянул Осе: — Угощайтесь.

Закурили, помолчали.

— Британия сдаваться не собирается, — заметил Ося.

— С таким премьером их сопротивление не стоит ни гроша. — Томушка презрительно фыркнула. — Просто удивительно, почему Гитлер до сих пор не догадался наградить Чемберлена железным крестом как лучшего друга Германии.

— Скорее, этого почетного звания заслуживает Сталин, — возразил Ваня. — Надеюсь, Дания и Норвегия переполнят чашу терпения британских львов и Чемберлен слетит, наконец, со своего поста.

— Интересно, что могло бы переполнить чашу русского терпения? — чуть слышно пробормотала Томушка.

— Впрочем, если премьером станет лорд Галифакс, он сразу подпишет с Гитлером перемирие, — продолжал рассуждать Ваня.

— А если Черчилль, Британия будет держаться до конца, — заявила Габи.

Ваня и Томушка взглянули на нее с легким изумлением. Не ожидали от американской «прелести» таких глубоких политических познаний.

— Насколько мне известно, шансов у мистера Черчилля немного. — Ваня пошевелил пышными серебристыми усами. — Армия и флот его, конечно, уважают, а вот в правительственных кругах ему не доверяют, считают авантюристом. Но все-таки главная надежда на Францию, об этом нельзя забывать.

— У них очень сильная армия, — подхватила Томушка. — Петен хотя и стар, но это дух Франции, легенда Первой мировой. Да еще неприступная Мажино!

Ваня затушил окурок о край урны и снисходительно взглянул на Габи.

— Ваш любимый Черчилль еще в тридцать третьем, когда Гитлер пришел к власти, сказал: благодарю Бога за французскую армию!

— Конечно, конечно. — Габи кивнула с серьезной миной. — Пусть Гитлер только попробует сунуться, французы разобьют его в пух и прах.

Томушка вдруг посмотрела на часы, охнула.

— Простите, нам пора, мы заказали лодочную экскурсию по озеру, к трем должны быть на пристани.

Старики торопливо засеменили к набережной. Габи и Ося побрели назад, к площади, к газетному киоску.

— Дания без боя, Норвегия не сегодня завтра. — Ося покачал головой. — Повезло фюреру с их нейтралитетом.

— Ему всегда везет, — сквозь зубы процедила Габи. — Знаешь, как переводится слово «нейтралитет» с политического на человеческий? Трусость и тупость! Вот с чем ему повезло на самом деле. Как-то даже чересчур.

Ося обнял ее за талию, поцеловал в ухо:

— Ну и замечательно!

Габи отстранилась, сверкнула на него синим глазом.

— С ума сошел? Что тут замечательного?

— Шальная удача кружит голову. — Ося ухмыльнулся. — Кажется, так будет вечно. А ведь это мышеловка.

— Завод тяжелой воды в Норвегии — вот мышеловка не для него, а для всех нас! — Габи сморщилась. — О чем вообще твоя драгоценная «Сестра» думает?

Они подошли к киоску, Габи открыла сумочку, чтобы достать мелочь. Ося сжал ее запястье.

— Не нужно.

— Что?

— Газет не нужно. Давай потерпим хотя бы до завтра. Ну зачем портить себе медовый месяц?

Габи помолчала, вздохнула.

— Какой месяц? Осталось четыре с половиной дня. — Она чмокнула его в кончик носа. — Давай-ка мы тоже закажем лодочную прогулку по озеру.

* * *

Солнце ударило в свежевымытое окно. Из открытой форточки доносился возбужденный птичий щебет. Карл Рихардович оглядел класс. Немецкая группа писала последнее, экзаменационное сочинение. Владлен Романов макнул перо в чернильницу-непроливайку, наморщил выпуклый упрямый лоб. Правое ухо ярко розовело, пронизанное насквозь солнечными лучами. Владлен аккуратно стряхнул чернильную каплю с кончика пера и продолжил писать.

Толик Наседкин нетерпеливо ерзал, косился на Любу Вареник. Она строчила что-то карандашом, но не на тетрадных листках с печатями, а на голубенькой промокашке. Понятно, «шпору» для Наседкина готовила, добрая душа.

Карл Рихардович тактично отвернулся. Для Толика списать сочинение с Любиной «шпоры» и сделать меньше двадцати ошибок — интеллектуальный подвиг.

Краем глаза он уловил быстрое движение, промокашка под партами перекочевала к адресату. Наседкин насупился, сгорбился, почитал с коленки, наконец макнул перо в чернильницу, принялся корябать на листке, то и дело подглядывая в «шпору». Белобрысая голова дергалась вверх-вниз, как на шарнире.

— Курсант Наседкин, положите на стол, не мучайтесь, — тихо произнес доктор, продолжая смотреть в окно, — все равно больше троечки вам не светит.

Наседкин вскочил, промокашка мягко спланировала в проход между рядами.

— Виноват, товарищ Штерн!

— Да уж ладно, товарищ курсант, поднимите, что уронили, и сядьте на место.

— Есть, товарищ Штерн!

«Рявкает он здорово, — усмехнулся про себя доктор, — ему бы на плацу командовать: рравняйсь-смиррно, напрра-нале!»

Он поймал испуганный взгляд Любы. Она тут же потупилась, длинная белокурая прядь упала, закрыла покрасневшее лицо. С отросшими, вытравленными до желтизны волосами и выщипанными в ниточку бровями Люба выглядела старше лет на десять. Другой человек. На испорченный передний зуб в спецполиклинике поставили коронку, да не стальную, а фарфоровую, точно по цвету подобрали. Теперь у курсанта Вареник идеальная улыбка.

«Выгнать бы тебя вон, снять с экзамена, устроить скандал, потребовать пересдачи, заявить, что ты как злостная нарушительница дисциплины на роль фольксдойче не годишь-ся, — подумал доктор, — страшно мне за тебя, курсант Вареник. За всех вас мне страшно и больно, привык я к вам, привязался».

До сочинения был устный экзамен, его принимали начальник немецкого подразделения ИНО Журавлев, восстановленный в партии и в органах красавец Хирург, еще какое-то начальство. Доктору Штерну объявили благодарность с занесением в личное дело за успешную подготовку группы.

В Прибалтику перебрасывали всех, даже Наседкина, в качестве радиста. Особую ставку делали на Владлена и на Любу. Понятно, они лучшие.

Задребезжал звонок.

— Сидите, не дергайтесь, дописывайте спокойно, кто не успел, — сказал доктор по-немецки и медленно пошел вдоль рядов.

Заглянув в каракули Наседкина, он покачал головой. С первого взгляда поймал три ошибки, взял промокашку, пробежал глазами. Там, разумеется, ошибок не оказалось.

— Курсант Наседкин, пожалуйста, внимательней. — Он положил «шпору» на место.

Владлен сдал сочинение первым, за ним потянулись остальные. Люба уже явно закончила, но сдавать не спешила.

Наконец никого, кроме нее и Наседкина, в классе не осталось. Из коридора слышались голоса, топот. Доктор выглянул и увидел, что на подоконнике сидит Митя Родионов. Сердце стукнуло. «О господи! Вернулся!»

Он помахал Мите, показал растопыренные пять пальцев, мол, освобожусь минут через пять, плотней прикрыл дверь, посмотрел на часы, громко, строго произнес:

— Все, заканчивайте.

Толик суетливо завозился, сунул промокашку в карман, положил на учительский стол листки и вышел. Люба не шевельнулась.

— Курсант Вареник, в чем дело?

Она вскочила, вытянулась в струнку, выпалила своим глубоким контральто:

— Товарищ Штерн, разрешите обратиться!

— Сочинение сдайте и обращайтесь, курсант Вареник. — Доктор опять посмотрел на часы.

Люба собрала листки, широким, решительным шагом подошла к учительскому столу, покосилась на дверь и зашептала так тихо, что Карл Рихардович не понял ни слова.

— Люба, пожалуйста, погромче и побыстрей.

— Только одну минутку, я... понимаете, мне, кроме вас, некого спросить... это очень важно...

— Ну что, что? — мягко поторопил доктор, глядя в круглые блестящие карие глаза.

— Скажите, может, вы знаете, слышали, нас домой отпустят, хотя бы на сутки? Попрощаться отпустят? Я маму сто лет не видела. — Она сморщилась, с трудом сдерживая слезы.

— Деточка, я не знаю. — Он пожал плечами. — Думаю, должны отпустить.

Он врал. Операция с фольксдойче проходила под грифом самой высокой секретности, наверняка все приказы уже подписаны, разъехаться по домам им теперь вряд ли позволят. Но ничего этого сказать Любе он не мог, во-первых, просто не имел права обсуждать с ней такие вещи, во-вторых, не хотел лишать ее надежды на свидание с мамой.

— Конечно, должны! Я тоже так думаю. — Люба вытянула из рукава гимнастерки платок, промокнула глаза, высморкалась. — Но если вдруг... Если все-таки нет... Можно вас попросить? Я в любом случае хотела попросить... Сколько еще времени осталось — неизвестно, я маме написала заранее, сразу много писем, вы не могли бы примерно раз в месяц по одному бросать в почтовый ящик? В них ничего такого, совсем коротенькие, просто: жива-здорова, твоя дочь Люба. Да вы сами прочитаете, увидите, совершенно ничего такого.

— На конвертах будет чужой почерк, — отрывисто произнес доктор по-немецки, — и потом, обратный адрес. Ты же понимаешь, свой я написать не могу.

— Не надо обратного адреса, — Люба помотала головой, — почерк на конверте — вообще не важно, главное, чтобы хоть иногда приходило маме письмишко.

— Ладно, — кивнул доктор, — приноси свои письмишки.

— Да они с собой у меня! В тумбочке оставлять боюсь, из-за шмонов, там ничего такого, но чужие глаза... Только вы, пожалуйста, отвернитесь!

Через пару минут она протянула Карлу Рихардовичу общую тетрадь. Оказывается, прятала ее под гимнастеркой, за ремнем.

— Вы просто вырывайте листы. Адрес на обложке. Спасибо вам, Карл Рихардович. — Люба чмокнула его в щеку и, не оглядываясь, выбежала из класса.

Прежде чем спрятать тетрадь в портфель, доктор быстрым движением пролистал ее. Замелькало «Дорогая мамочка!» на каждой странице.

Митя по-прежнему сидел на подоконнике в коридоре. Вместе они вышли на улицу. Яркий апрельский день, птичий щебет, звон капели — все это показалось доктору чужим и ненужным. Голова кружилась, будто он вылез на свет Божий после долгой болезни или заточения. Он пытался убедить себя: не факт, что фольксдойчи обречены, кто-то должен выжить. Но тяжесть не отпускала.

— Представляете, Кирпетпо выпустили, — радостно сообщил Митя, — про Хирурга вы знаете. Ну, ведь правда, что-то все-таки меняется.

— Да, конечно.

Они отошли подальше от ворот. В лесу было мокро, в низинах еще лежал снег. Грунтовая дорога вдоль опушки подсохла, но суглинок оставался скользким. Митя подхватил доктора под руку, принялся рассказывать.

Карл Рихардович старался слушать очень внимательно, но понимал с трудом. Такая подступила тоска, что все стало безразлично. Волны птичьего щебета били в уши, свет резал глаза, в солнечной желтой ряби мелькали тетрадные страницы в клетку. «Дорогая мамочка!»

Кроме Любы, никто из курсантов не решился спросить, отпустят ли домой, попросить даже о такой малости — отправлять письмишки. Разве в этом есть что-то противозаконное? Курсантов так выдрессировали, что они всего боятся, шарахаются от собственной тени. Когда их перебросят, им придется действовать самостоятельно, решения принимать.

Доктор сморщился. «Старый сентиментальный дурак. Ты все потерял, твой болевой барьер перейден. Эльза, Отто, Макс погибли. Что тебе за дело до чужих детей? По большому счету, тебе и до бомбы не должно быть дела. Твоя жизнь давно кончилась».

Митя шел рядом, держал Карла Рихардовича под руку.

— Сначала я, конечно, обалдел. Ну, после разговора в лаборатории. Когда пришел вечером к Марку Семеновичу, он сказал: читай при мне. У меня все кипело внутри, я прочитал и говорю: да вы что? Нельзя Брахту отправлять такое, это же прямая подсказка! Конечно, тут ни формул, ни технических подробностей, но все равно подсказка! Он в ответ: хорошо, предлагай свои варианты. Я молчу, сказать совершенно нечего. Нет у меня вариантов и доводов нет. Только эмоции.

Ветер ударил в лицо, сухо зашуршали голые ветки. Карл Рихардович тряхнул головой, будто просыпаясь.

— Погоди, не тараторь. Я не понял, Мазур что, написал Брахту правду о резонаторе?

— Ну да, — кивнул Митя, — и еще отдельно Проскурову написал, подробно объяснил свое решение. Во-первых, Брахт не дурак, сразу раскусит вранье, во-вторых...

Теперь доктор слушал очень внимательно.

— На чаше весов гибель европейского континента, — продолжал Митя, — или вообще всей нашей планеты. Ложью, предательством, насилием такой груз не перевесишь, оно все сработает в пользу гибели. Ситуация слишком серьезная, чтобы врать. Только правда дает шанс.

— Что Проскуров?

— Нельзя отправлять, категорически. — Митя вздохнул. — Контейнер с девятью граммами послали с курьером в Ленинград академику Иоффе.

— Это понятно. — Доктор остановился, достал из кармана папиросы.

— Жуткий риск — даем подсказку. — Митя нервно затянулся, выпустил дым. — Разве можно доверять ручательствам Мазура и порядочности Брахта? Других-то гарантий нет. Чтобы такое отправить, надо быть сумасшедшим. Нельзя, и все.

Минуту молча стояли, курили, щурясь на солнце. Наконец Митя заговорил, не глядя на доктора:

— Я, знаете, совершенно запутался, немцы тут у нас шпионят как хотят. В делегации был заместитель военного атташе по фамилии Даме. По-русски болтает почти без акцента. Я книжку с собой взял Мазура и Брахта, о вынужденных излучениях. Мне Марк Семенович когда-то подарил. Вот сдуру вышел я с ней в коридор, Даме тут как тут. Стал клянчить почитать, сказал, что учился у Брахта в Берлинском университете. Спрашивал о Мазуре. Книжку потом вернул. А когда им устроили авиаэкскурсию, этот Даме фотографировал с самолета.

— Сопровождающие позволили?

— Да. — Митя махнул рукой. — Немцам тут вообще все позволено. Кроме военных специалистов, теперь вот историки какие-то понаехали, ищут могилы немецких солдат, погибших в Первую мировую. Весь СССР напичкан немецкими шпионами, шныряют повсюду, и ни фига их не ловят, на задних лапках перед ними прыгают, а они тут у нас чувствуют себя как дома, территорию нашу осваивают.

— Ну, мы с тобой им запретить не можем.

Докурив, они побрели по скользкому суглинку назад, к воротам школы.

— Мы-то, конечно, нет, а кто может, почему не запрещает? — сквозь зубы пробормотал Митя. — Гитлеру доверять — это разве не сумасшествие?

— Перестань. — Карл Рихардович сердито помотал головой. — Тут как раз никакого доверия нет. Только расчет.

— Ага, расчет! Чтобы им удобней завоевывать нас.

— Ты Проскурову доложил об этом Даме?

— Подробно все написал в докладной. Он говорит: будем

разбираться, передам куда следует, ты пока сиди тихо, на тебя такие телеги накатали, что Берлин теперь под большим вопросом. Ну, это мы еще посмотрим! Марк Семенович правильно сказал: у них свои совпадения, у нас свои. Мне бы только убедить Проскурова насчет письма.

Доктор остановился так резко, что едва не упал.

— Погоди, ты что, считаешь, надо передать письмо Брахту?

— Да, — Митя быстро взглянул на доктора и отвел глаза. — Знаете, я много думал об этом. Помните, я вам рассказывал про его дочь Женю?

— Ну, помню, — кивнул доктор, — ты говорил, она отреклась от отца, поменяла отчество и фамилию. Только при чем здесь письмо?

— Подождите, послушайте. Женя к нему приехала, они живут вместе. Отречение оказалось спектаклем. Марк Семенович сам так решил, накануне ареста. Женька до сих пор простить ему не может, ну правда, дикость какая-то: сам убедил дочь и жену отречься от него.

— Да, странное решение, — пробормотал Карл Рихардович.

— Абсолютно парадоксальное решение! Но оно оказалось верным! — возбужденно продолжал Митя. — Если бы они не отреклись, их бы выслали в лучшем случае, а его шантажировали бы ими на допросах. Работали над ним крепко, в развалину превратили, зубов нет и ногтей на двух пальцах. Выдержал. А вот страх за Женьку мог сломать его, он бы все подписал. Тогда бы его расстреляли. Он это заранее сумел просчитать и не ошибся. Между прочим, не только себя и семью спас. Ему шили шпионскую организацию, выбивали показания на десять человек, в том числе на Иоффе и Вернадского. Понимаете?

— Интересная аналогия. — Карл Рихардович покачал головой. — Заранее просчитал и не ошибся. Думаешь, с письмом Брахту тоже не ошибется?

— Других вариантов просто нет! — уверенно выпалил Митя. — Главное — не опоздать.

* * *

Известие о захвате Дании было встречено в институте всеобщим ликованием. Осталось только дождаться капитуляции Норвегии. Уже была сформирована специальная команда физиков, химиков и инженеров, готовых отправиться на завод тяжелой воды. Больше не придется пресмыкаться перед норвежцами. Завод скоро станет собственностью рейха.

Правда, тяжелой воды там пока производилось слишком мало, всего сто двадцать килограммов в год. А требовалось сто двадцать тонн. Гейзенберг считал, что это дело нескольких месяцев. Главное, поскорей завоевать Норвегию.

В комнате отдыха оживленно болтали и чокались кофейными чашками. Эмма не удержалась, тихо заметила, ни на кого не глядя:

— А ведь у Бора мать еврейка.

Герман испуганно покосился на нее, сморщился. Гейзенберг снисходительно улыбнулся:

— Милая Эмма, не надо бояться за нашего Нильса, — и, шутовски шаркнув, поцеловал ей руку.

Вайцзеккер выдал тираду о том, что некоторые черты режима поначалу настораживали, но теперь совершенно ясно: цель благая. Спасение европейской цивилизации. Что может быть благородней и выше этой цели? Ну, а средства... Ничего не поделаешь, кому-то приходится брать на себя грязную работу. Тревога фрау Брахт — простительная дамская слабость. Профессор Бор, великий Бор — неотъемлемая часть великой европейской цивилизации. В данном случае национальность его матери не имеет ровным счетом никакого значения.

«Захват Дании — спасение цивилизации в лице Бора, помеси первой степени», — съязвила про себя Эмма, но, конечно, вслух этого не произнесла.

На самом деле она вовсе не волновалась за профессора Бора. Уж его точно никто пальцем не тронет. И еще подумала, что Лиза Мейтнер поступила благоразумно, выбрав не Копенгаген, а Стокгольм. Сейчас ей опять пришлось бы удирать. Мейтнер не Бор.

В честь радостного события рабочий день закончился необычно рано, после болтавни в комнате отдыха Гейзенберг отпустил всех по домам. Гений вел себя так, будто первые контейнеры с тяжелой водой прибудут уже завтра.

Герман надулся, не мог простить Эмме неуместного замечания о национальности Бора. Когда вышли за ворота, он принялся ее отчитывать:

— Ты хотя бы немного, хотя бы иногда шевельни мозгами прежде, чем открывать рот.

— Я бы рада, милый, но ведь ты знаешь, мозги у меня куриные, шевели, не шевели, что толку? — Эмма вздохнула и тут же рассмеялась.

— Хватит паясничать! — рявкнул Герман. — Счастье, что рядом не было никого из военного руководства.

— При них я бы, наверное, промолчала. — Эмма взяла его под руку, заглянула в глаза. — Слушай, почему у тебя такой мрачный вид?

Он сморщился и прошептал:

— Весна, черт ее подери.

Эмма тихо присвистнула.

— В чем же весна виновата? У нее вроде бы все в порядке с национальностью. Или она тоже... по маме?

— Перестань, прошу тебя. — Голос его слегка задребезжал. — Время летит, после Дании и Норвегии начнется настоящая война, а мы так и будем топтаться на месте.

Он остановился и прижал ладонь к левому боку.

«Милый, ты перепутал, — заметила про себя Эмма, — вчера болел правый».

— Знаешь, давай все-таки сходим к доктору Блуму, он отличный терапевт, — ласково произнесла она вслух.

— Брось, эти твои доктора только и делают, что трясутся от страха. Вдруг кто-то заподозрит, что они по знакомству или за деньги ставят диагнозы для брони?

Несколько минут шли молча. Герман морщился и страдал так нарочито, что она едва сдерживала приступ смеха, даже стала икать от напряжения. Наконец, справившись с икотой, сказала:

— Ну-ну, хватит киснуть. Как только получим тяжелую воду, с мертвой точки сдвинемся.

Он мгновенно забыл о боли в боку, распрямился, ускорил шаг, заговорил бодро, как музыкальная шкатулка, в которой починили пружину:

— Да, конечно, тяжелая вода великолепный замедлитель, но в любом случае это займет слишком много времени, гигантский объем работы. И еще одна пустяковая деталь. Чтобы замедлять нейтроны, надо сначала обогатить уран. А ему кажется... нет, он уверен... Он ведет себя так, будто метод уже найден.

Герман замолчал, горестно вздохнул. Эмма погладила его по щеке.

— Рано или поздно метод обязательно найдется. Конечно, поиск требует колоссальных усилий. Даже глупые солдафоны из министерства понимают, что научные задачи такого масштаба не решаются за неделю. Милый, ты явно недоговариваешь, что тебя тревожит и мучает.

— Эйфория, — произнес Герман чуть слышно, — солдафоны понимают, а он нет. Поразительно...

— Что взять с гения? — Эмма пожала плечами. — Ему кажется, будто никто на свете не разбирается в ядерной физике лучше него.

— Да, он первый, Вайцзеккер второй, геометрия реактора на кончиках пальцев. — Герман зло и точно спародировал интонацию Гейзенберга. — Теоретикам вообще свойственно переоценивать свои практические возможности.

— Увы. — Эмма вздохнула. — Знаешь, мне на днях пришла в голову забавная мысль. Распределение интеллектуальной энергии. Кривая Гаусса[1]. Резкий подъем, пик, потом неизбежный спад. Дважды никто не взлетает. Редчайшие исключения только подтверждают правило. Боюсь, наш гений не из их числа. Гейзенберг уже свое соло отыграл, все, что было ему отпущено, использовал. Вряд ли его ждут новые взлеты.

---

[1] Иоганн Карл Фридрих Гаусс (1777–1855) — немецкий математик, механик, физик, астроном.

На самом деле мысль эта пришла в голову вовсе не Эмме, а старику Вернеру, но так была хороша, что Эмма нечаянно ее присвоила.

— Да, любопытно, — оживился Герман, — никогда не задумывался... Правда, вот Эйнштейн после теории относительности занялся какой-то возвышенной ерундой. Общая теория поля. Что это вообще такое? Философский камень. Чушь, в духе арийской физики. Да и Бор давным-давно... Смотри-ка, малышка, ты молодец.

Раньше Эмме нравилось, когда он называл ее «малышкой», а теперь она только холодно усмехнулась. Опять этот снисходительный тон.

Они подошли к трамвайной остановке. Она поправила ему шляпу.

— Ну, как твой бок?

— Вроде бы немного отпустило, но все равно тянет. Постоянно чувствую. — Он насупился, прислушиваясь к себе, держась за бок, на этот раз за правый, и громко чихнул.

Эмма достала из сумочки платок.

— Еще и простудился. Все, иди домой, я вернусь к ужину.

Он вдруг схватил ее за руку, выше локтя, довольно крепко.

— Послушай, тебе не кажется, что ты просто переселилась туда, к нему?

— Что за ерунда? Я бываю у него дважды в неделю, не чаще. Ну ведь невозможно бросить старого больного отца, я освободила тебя от тяжелых сыновних обязанностей, ты должен быть благодарен. Или ревнуешь?

Пальцы Германа крепче сжали ее плечо.

— Раньше ты ходила к нему только по воскресеньям.

— Подозреваешь, что по средам я хожу к кому-то еще, помоложе? — Эмма рассмеялась. — Я польщена, честное слово. Ты наконец, через столько лет, заметил, что твоя жена привлекательная женщина и может нравиться кому-то.

Герман не услышал ее, помотал головой:

— Достаточно того, что он лишил меня матери.

— О боже, сколько можно? Пожалуйста, отпусти. Мне больно.

— Извини. — Он разжал пальцы. — Просто я вдруг поймал себя на том, что скучаю по тебе. Согласись, ведь это ненормально. Ты моя жена, мы вместе работаем, живем под одной крышей, но в последнее время почти не разговариваем. — Он опять чихнул, причем трижды.

— А ведь я предупреждала, тебе рано ходить без шарфа, ты так легко простужаешься, — строго сказала Эмма.

Он высморкался. Вид у него был совсем несчастный. Эмма подняла воротник его плаща, застегнула верхнюю пуговицу.

— Надеюсь, ты не помогаешь ему в этих его бредовых экспериментах? — мрачно спросил Герман.

«Вот оно что! — усмехнулась про себя Эмма. — Конечно, ты меня ревнуешь, но не к Вернеру и даже не к воображаемому любовнику. Что любовника нет, тебе отлично известно. Просто в глубине души ты понимаешь, что твой отец большой ученый, и занят он вовсе не ерундой, как принято думать. Боишься: а вдруг он преуспеет с моей помощью? Почему ты так этого боишься? Потому, что всю жизнь втайне соперничаешь с отцом, но упорно не желаешь себе в этом признаться. Как называется такой комплекс? Эдипов, что ли?»

Она пожала плечами, произнесла задумчиво:

— Я, конечно, жалею его, но в разумных пределах. При моих нагрузках в институте мне еще не хватало помогать ему в его детских забавах. Вот принести еду и обед приготовить — это совсем другое дело.

— Да, но ведь новая горничная... — Герман замолчал, скомкал в кулаке грязный платок.

Из-за поворота появился трамвай.

— Полька. — Эмма скривилась. — Грубая примитивная работа по дому, на большее они не способны.

— Ты говорила, она хорошо готовит, — внезапно выпалил Герман.

«Надо же, помнит, что я говорила, — изумилась Эмма, — ревность обостряет внимание и улучшает память».

— Иногда у нее неплохо получаются блюда польской кухни.

Но кулинарная тема Германа больше не интересовала.

— Учти, то, чем он занимается, не только глупо, но и опасно, сама не заметишь, как он втянет тебя.

— Милый, я пока еще не спятила, не волнуйся. — Эмма чмокнула его в колючую щеку. — Пожалуйста, как придешь, сразу надень шерстяные носки, обмотай горло шарфом и не забудь выпить зверобой. Чайничек на буфете. Я сделала крепкий отвар, разбавь кипятком на треть.

Она вскочила в трамвай в последнюю минуту, помахала Герману рукой. Он опять сморкался. Трамвай зазвенел и отчалил, сутулая фигура на опустевшей остановке, в шляпе, съехавшей на затылок, с платком, прижатым к лицу, скрылась из виду.

Глава двадцать третья

Карл Рихардович не мог уснуть. Из открытого окна веяло свежестью и прелью, воздух был сладкий, прохладный. В тишине тикал будильник. Фосфорные стрелки показывали двадцать минут первого. Он ворочался на скрипучей кровати. Глаза слипались, но сон пропал, губы шевелились, бормотали:

— На одной чаше весов гибель европейского континента. А на другой — что?

Наконец он резко сел, спустил ноги, нащупал тапочки. В доме напротив светилось несколько окон. Над крышей висел тонкий бледно-желтый месяц, похожий на обгрызенную лимонную корочку. Покачивалась крона невысокой липы. В шорохе голых веток почудился вздох и детский шепот: «Папа, тебе не спится».

— Да, сынок, — беззвучно ответил доктор, поеживаясь в тонкой пижаме у открытого окна.

«Вот с кем больше всего на свете мне хочется сейчас поговорить. С Максом. Поговорить или помолчать. Уткнуться носом в детскую макушку».

От Макса всегда пахло печеными яблоками и теплым молоком. Доктор зажмурился. Под стиснутыми веками возникло лицо младшего сына. Ясные карие глаза, белый выпуклый шрамик поперек левой брови. В пять лет Макс полез под скамейку в Тиргартене, достать закатившийся мяч, не рассчитал, врезался, рассек бровь. Рана получилась глубокая, пришлось зашивать. Волоски на этом месте так и не выросли.

После аварии от лиц Эльзы и Отто ничего не осталось, а лицо Макса почти не пострадало. Последняя вспышка перед инфарктом — этот шрамик, когда на опознании подняли простыню...

— Папа, не нужно.

В мягком порыве ветра доктор почувствовал едва уловимый запах печеных яблок и теплого молока.

— О чем ты, Макс?

— Не вспоминай плохое.

— Сынок, я стараюсь, но оно само вспоминается.

— Боль вцепилась и тянет из тебя силы. Нельзя ей позволять. Ты должен исправить ошибку, на это нужны силы.

Что-то скрипнуло. Доктор вздрогнул, включил торшер, увидел, что дверь в коридор приоткрыта и покачивается от сквозняка. Лицо Макса исчезло, шепот опять стал шорохом веток, но запах остался. Накинув халат, Карл Рихардович вышел в кухню, поставил чайник на огонь. Все равно уснуть уже не удастся.

На своем столике он увидел миску, в ней три сморщенных золотистых яблока с вырезанной кружком сердцевиной. Вера Игнатьевна вечером пекла антоновку в духовке, оставила ему угощение к завтраку. На плите, рядом с чайником, стоял ковшик с кипяченым молоком, еще теплый. Вот откуда взялся запах. Никаких галлюцинаций, шепот Макса просто озвучил его собственные мысли, а лицо всегда хранилось в памяти.

— Исправить ошибку, — пробормотал доктор, — вы спасете Германию, Адольф... Магическое заклинание превратило червяка в дракона. Да, но у меня под рукой не было волшебной палочки. Можно подумать, если бы я не произнес этих слов, он не стал бы тем, чем стал.

Доктор Штерн опять вернулся в ноябрь восемнадцатого, в прифронтовой лазарет в Посевалке. Увидел кафельные стены, стеклянные шкафы, прошел по коридору из ординаторской в палату, услышал истошные рыдания. Больной Гитлер изводил соседей своими воплями: «Я ничего не вижу, я ослеп!» Истерическая слепота. Глаза ефрейтора были в полном порядке. Увидев доктора, он скрючился, накрылся с головой одеялом и громко завыл.

Доктор не стал присаживаться на койку и беседовать с больным, а распорядился вколоть ему сульфонал. Адольф не подпускал сестру, фельдшер пришел на помощь, но не справился.

Больной продолжал буянить, пришлось звать санитаров. Дело кончилось смирительной рубашкой.

При более внимательном обследовании доктор обнаружил симптомы Dementia paranoides. Медицинская комиссия подтвердила диагноз. Картина болезни была очевидна. Из лазарета Адольфа отправили в дом умалишенных.

Если больной Dementia paranoides находится вне стен лечебницы, он представляет опасность. Может убить кого-нибудь, а может вызвать индуцированное помешательство. Параноидальный бред заразен, вполне здоровые люди легко поддаются внушению. Чем примитивней бредовые идеи, тем быстрей распространяется психическая эпидемия. Безобидные обыватели, зараженные бредом тайного заговора, преследования и величия, превращаются в хладнокровных убийц.

Возможно, его бы выпустили через некоторое время. Больные Dementia paranoides способны сохранять внешнюю адекватность, умеют приспосабливаться, хитрить и скрывать свое состояние. Но такой анамнез все-таки не дал бы ему стать тем, чем он стал. Случай Гитлера не годился даже для научной статьи. Подобная симптоматика и содержание бреда давно описаны в учебниках психиатрии.

«Ошибку не исправишь. — Доктор налил чаю, вернулся со стаканом в комнату. — Но, может, все-таки остался маленький шанс не допустить худшего?»

В кресле, обложкой вверх, валялся открытый журнал «Успехи физических наук», номер за июль тридцать четвертого.

«УФН», по утверждению Васи, был самым авторитетным журналом. Вася подписался на него, каждый месяц получал свежий номер, а старые просматривал в библиотеке дома пионеров. Если попадалось что-то особенно интересное, отправлялся в магазин «Научно-техническая книга» на Самотеке, рылся в букинистическом отделе. Толстыми бумажными корешками «УФН» были уставлены две книжные полки в его комнате. Доктор в последнее время часто болтал с Васей о физике, листал журналы. Недавно наткнулся на подборку материалов международной конференции, проходившей в Ленинграде в мае тридцать четвертого, и одолжил у Васи номер.

Групповой снимок размером в полстраницы, пятнадцать ученых в день открытия. Физики выстроились перед объективом плотным полукругом. В перечне имен — М. Мазур и В. Брахт, второй и третий справа. Они стояли рядом, между И. Таммом и Н. Бором. Снимок был нечеткий. Нильс Бор выделялся своим огромным лбом. Мазур довольно высокий, широкоплечий, в пиджаке и в галстуке. Густые седые волосы подстрижены аккуратным бобриком, видны широкие полоски темных бровей. Очки съехали на кончик длинного тонкого носа. Брахт пониже, худой, лысый, лопоухий, в светлой рубашке с расстегнутой верхней пуговкой.

Доктор достал из ящика лупу, долго вглядывался в лицо Брахта. Что можно понять о человеке по расплывчатой зернистой фотографии? Ну, приятная физиономия, интеллигентная, какая и должна быть у профессора-радиофизика. Крупная умная голова на тонкой шее. Лоб большой, почти как у Бора. Глаза вроде бы светлые.

«Берлинец, — размышлял Карл Рихардович, — прусский интеллектуал, воспитанный так же, как и я, на кантовских императивах. Закон, живущий внутри нас, называется совестью. Звездное небо надо мной и нравственный закон во мне. Но разве это имеет значение в нынешней Германии? Допустим, Гитлер ему не нравится. Но спрятать от коллег открытие, которому отдано столько лет... Перед вами, профессор Брахт, встанет выбор посерьезней моего. Мне следовало всего лишь изменить метод лечения. Вместо психотерапии назначить банальную инъекцию. Но психотерапия была моим коньком, я верил в свой дар, гордился им, не упускал случая блеснуть. Я не мог знать о последствиях, никто не предупредил меня...»

* * *

Габи стерла пятку до крови, шелковый чулок прилип к ранке. До аптеки скакала на одной ноге, опираясь на Осино плечо. Аптекарша увела ее в служебное помещение, через десять минут она вышла с пластырем на пятке, схватила Осю за руку и помчалась по площади.

— Куда мы бежим? Ты только что хромала, — проворчал он, задыхаясь.

— Там, в аптеке, видела свежий номер. Ладно, стой, жди. — Габи отпустила его руку.

Он остался стоять посреди Гранд-Плас, возле старинного винного пресса, украшенного готической латинской надписью «Ora et labora» («Молись и трудись»). Габи подбежала к газетному киоску.

«Ну что это такое! — возмутился про себя Ося. — Мы же договорились не покупать газет!»

Возвращалась она уже медленно, разворачивая на ходу газету. Ося двинулся к ней навстречу и разглядел, что в руках у нее номер «Ле Гебдо», главного печатного органа франкоязычной Швейцарии.

— Читай!

Он решил, что сейчас увидит статью о капитуляции Дании и захвате Норвегии, но увидел совсем другое. В разделе «Новости науки» бросился в глаза крупный жирный заголовок:

«СЕНСАЦИЯ! ВОЗМОЖНОСТЬ КОНТАКТОВ С ПОТУСТОРОННИМ МИРОМ ДОКАЗАНА НАУЧНО!»

Внизу мельче, но тоже жирным шрифтом:

«Знаменитый итальянский изобретатель Лука Валетти создал новый вид радиоволн, при помощи которых сумел войти в контакт со своим великим Учителем, лауреатом Нобелевской премии Гуэльмо Маркони. Предлагаем эксклюзивное интервью синьора Валетти нашему корреспонденту».

Ветер трепал страницы, вырывал газету из рук. Столбцы текста окружали широкой рамой фотографию хмурого взлохмаченного бородача в пенсне, в белом халате, на фоне лаборатории.

«Общеизвестный факт, что профессор Маркони изобрел лучи огромной силы, способные выводить из строя двигатели танков и самолетов противника. Абсолютная точность и непревзойденная мощь лучевого оружия Маркони доказана и подтверждена экспериментально.

Безвременная кончина Маркони летом тридцать седьмого не позволила ему осуществить главную свою мечту — довести до конца работу над специальным излучателем, открывающим дорогу в иные, недоступные нам миры. Он завещал мне, своему любимому ученику, продолжить его дело. По оставшимся чертежам и записям я собрал устройство, которое не только посылает, но и принимает волновые сигналы от внеземных источников. Из множества пойманных сигналов пока удалось расшифровать только один, идущий постоянно и сильно. Не вызывает сомнений, что эти послания приходят непосредственно от профессора Маркони.

Во время одного из сеансов связи профессор рассказал, что, настроив излучатель определенным образом, можно воздействовать на радиоактивные элементы, изменяя процентное соотношение различных изотопов. Он подчеркнул, что прежде всего это касается урана. Таким образом, лучи Маркони могут быть использованы не только как самостоятельный вид оружия, но и оказать существенное влияние на производство уранового оружия.

Смею напомнить уважаемым читателям, что великий Маркони ушел от нас за полтора года до открытия расщепления ядра урана. Его рекомендации по урану служат неопровержимым доказательством того, что гениальный ум продолжает жить и функционировать вне телесной оболочки».

Габи читала вместе с Осей, придерживала страницы, не позволяя ветру трепать их. Последнюю фразу Ося пробормотал вслух и покачал головой. Габи рассмеялась.

— Быстро сработали, твой Тибо молодец. Телесная оболочка у него толстая, но гениальный ум подхватил мою идею на лету, и Луку он нашел подходящего. Кто такой, пока не знаю. На фотографии выглядит убедительно.

— Да, забавно. Очередная наживка, вроде тех публикаций о британской бомбе немыслимой силы. — Ося скрутил газету в трубку, сунул в карман пиджака.

Вышли на набережную Пердоне. Он обнял Габи за талию. Из озера торчала вилка, обычная столовая вилка, но только гигантская, высотой с пятиэтажный дом, прибор для питания великана, рекламный знак фирмы «Нестле». На ее фоне фотографировалось семейство с маленькими детьми.

— В ближайшую неделю эта шикарная галиматья появится в десятке европейских газет. — Габи подняла руку и звонко щелкнула пальцами. — Потом Лука даст еще пару-тройку интервью, очень скоро станет знаменитостью.

— Ну да, конечно. — Ося кисло улыбнулся. — Кто-то из далемской команды не устоит, явится к знаменитому Луке за советом, как делить эти проклятые изотопы при помощи лучей Маркони. Вот тут мы его сцапаем и хорошенько завербуем.

— Мимо! — Габи помотала головой. — Ничего ты не понял. Помнишь выражение лица Вайцзеккера, когда мы заговорили о Маркони?

— Помню. — Ося скорчил брезгливую гримасу. — Будто что-то тухлое съел.

— Они все жуткие снобы. Для них имя Маркони дурно пахнет.

— Да, я заметил. Но все-таки этот покойный марсианин — нобелевский лауреат, изобрел радио. — Ося на ходу прижал Габи к себе и поцеловал. — Слушай, давай отдохнем и перекусим.

Сели за столик на открытой веранде кафе, заказали горячий сыр, салат и вино. Габи налила воды, отхлебнула.

— Нобелевский лауреат в последние годы жизни свихнулся. Изобретение «лучей смерти» можно считать сознательным блефом и мошенничеством, но устройство для общения с душами покойников и марсианами — это уже не блеф, а бред.

Официант поставил на стол корзинку с ломтями теплого хлеба, разлил вино по бокалам.

— Он что, действительно контачил с покойниками? — спросил Ося, разглядывая вино на свет.

— В том-то и дело! — Габи отломила хлебную корочку, прожевала. — Любая идея, поданная под соусом Маркони, для уважаемых ученых абсолютно несъедобна!

504

— Погоди. — Ося нервно усмехнулся. — Ты пытаешься таким образом убедить их вообще отказаться от попыток разделить изотопы? Ну, извини, это как-то совсем уж по-детски.

Габи закурила и, щурясь от дыма, спросила:

— Чем занимается твой Брахт?

Ося пожал плечами:

— Вынужденными излучениями. Но это не имеет никакого отношения ни к изотопам, ни к лучам Маркони. Вайцзеккер сказал...

— ...что Вернер Брахт серьезный ученый! — перебила Габи. — Тоже занимается лучами, но другими. Доктор Штерн написал: участие Вернера Брахта значительно ускорит работу. Что он имел в виду? Ты сам сто раз повторял про изотопы. А потом я услышала то же самое от Тибо. Ну, будем здоровы.

Они сдвинули бокалы. Ося поперхнулся, закашлялся, вино попало не в то горло. Габи протянула ему стакан с водой. Он запил, справился с кашлем и прошептал:

— Ты что, говорила с ним о Вернере Брахте?!

— Дурак! — Габи презрительно фыркнула. — С Тибо я говорила о Вайцзеккере, Маркони и о разделении изотопов урана. Подкинула ему идею гнать побольше галиматьи на эту тему. Лучи прицепила к Маркони, вполне логично. Брахта вообще ни разу не помянула.

— То есть ты использовала Тибо вслепую для своих целей? — Ося покачал головой. — Лихо, молодец!

— Для наших целей! Кстати, про изотопы он объяснил мне куда проще и доходчивей, чем ты.

— Ну, ясно, он физик по образованию. — Ося хмыкнул. — Изотопы... Если бы мне год назад сказали, что ты влезешь по уши в ядерную физику, я бы не поверил.

— Сам втянул меня и сам влез по уши. — Габи нахмурилась. — Слушай, ты когда-нибудь перестанешь перебивать?

— Все, прости. Так с кем ты говорила о Брахте?

— С Вилли, кузеном Максимилиана. Он не только слушал лекции Брахта, но и учился на одном курсе с фрейлейн Рон.

— Это еще кто такая?

— Угадай с трех раз. Даю одну подсказку. Рон — девичья фамилия.

— В замужестве Брахт? Зовут Эмма? — Ося тихо присвистнул. — Ну, тебе везет.

— Это тебе везет, а мне не очень. Вилли обожает показывать альбомы со старыми фотографиями и вспоминать студенческие годы. Твоя фрау доцент — красотка. Ну, во всяком случае, лет двенадцать назад была очень даже. Если тебе поручат ее разрабатывать, я буду ревновать.

— Пожалуй, стоит приударить за Эммой хотя бы ради этого, а то все время только я тебя ревную.

— Приударить придется. — Габи вздохнула. — Она и ее муж Герман работают все там же, в Далеме. Вилли наверняка знает о проекте. Когда я спросила, чем сейчас занимается Эмма Брахт, у него глаза забегали, сразу увел разговор в сторону студенческой юности.

Официант принес сыр и салат. Габи немного пожевала и продолжила:

— Вопросы о Брахте-старшем такой нервной реакции не вызвали. Вилли спокойно рассказал, что из института Брахт-старший уволился, продолжает работать в домашней лаборатории над резонатором вынужденных излучений.

— Скажи, а твой повышенный интерес к физике не насторожил этого Вилли?

— Да я вообще физики не касалась, просто спросила, много ли он знает женщин-ученых, есть ли среди них красивые или только старые девы, синие чулки. Ухватилась за Эмму Брахт, от нее вырулила к Вернеру Брахту.

— Вилли с ним общается?

— Звонит два раза в год, поздравляет с Рождеством и с днем рождения. Видимо, расспрашивает, как идет работа. Мне он объяснил, что лучевой резонатор — страшно непопулярная тема.

— Ну вот, а говоришь, не касалась физики.

— Я — нет. Вилли как начинает, не может остановиться, ему нравится объяснять, а слушателей не хватает. Он служит в министерстве авиации, занимает какую-то скучнейшую бюрократическую должность. Для него студенческие годы, Берлинский университет — самое чудесное, что было в жизни. Несостоявшийся ученый, вроде твоего Тибо, но у Тибо служба поинтересней.

— Вот это уж точно, Тибо скучать не приходится.

— Хватит! — Она нахмурилась, шлепнула ладонью по скатерти. — Я пытаюсь тебе объяснить смысл интервью Луки, а ты постоянно меня сбиваешь.

— Извини, больше не буду, обещаю.

— Вот то-то. — Габи завернула последний кусочек сыра в салатный лист, положила в рот.

— В общем, я все сопоставила, взвесила и поняла: дело может быть не в самом Вернере Брахте, а в резонаторе, который он собирает. Допустим, Мазур в Москве его уже собрал и обнаружил нечто важное про изотопы урана. Ткнулся с этим в официальные инстанции, получил нулевой результат. Или просто побоялся инстанций. Ты не хуже меня знаешь, что такое СССР. Доктор Штерн и ПЧВ действуют сами по себе, это частный канал. Они познакомились с Мазуром или Мазур с ними...

— Подожди! — перебил Ося. — Если Мазур в Москве экспериментировал с ураном, значит, в СССР тоже занимаются бомбой.

— Нет!

— Почему ты так уверена? Урана у них полно, бесплатной рабочей силы навалом, ученые имеются, между прочим, мирового уровня. Капица, Иоффе...

Габи решительно помотала головой:

— Какая-то информация просочилась бы обязательно, наши военные делегации катаются туда без конца. — Она нечаянно повысила голос, шлепнула себя по губам, заговорила тише: — Смотри, англичане только начали просыпаться, создавать всякие комиссии и комитеты. В Америке примерно та же ситуация. В Германии уже год делают. Об этом известно. А что в СССР могут делать, никому даже в голову не приходит.

— Ну... — Ося развел руками. — Это еще не доказательство.

— Записка доктора Штерна — вот доказательство. — Габи усмехнулась. — Если бы работы шли, он бы не отправил такую записку. Во-первых, ученый, разделивший изотопы, имел бы дело с официальными инстанциями, а не с дилетантами-добровольцами вроде доктора Штерна. Во-вторых, на черта, в таком случае, им понадобился Брахт?

— Чтобы вырубить конкурента, — нервно выпалил Ося, помолчал и добавил задумчиво: — Но, в принципе, ты права, когда найден метод, полно урана и бесплатной рабочей силы, ничего, кроме секретности и бомбардировщиков, уже не нужно.

— Вот именно, — кивнула Габи, — записка доктора Штерна доказывает, что нет никакой секретности, а значит, нет и уранового проекта.

— Как же тогда Мазуру удалось узнать о возможностях резонатора? Допустим, он его собрал. Но где взял уран?

— Ты же сам сказал, в СССР урана полно.

— Да, но это только месторождения, в Москве он на улицах не валяется...

— Не мучайся, все равно не угадаем. — Габи потянулась за сигаретой. — Разве что удастся выбраться в Москву, встретиться с докторм Штерном. Он объяснит.

— Почему не объяснил в записке? — Ося чиркнул спичкой.

— Потому что разбирается в физике не лучше нас с тобой. Записка — предупреждение, сигнал тревоги. Неужели ты не понял?

— Понял. — Ося тяжело вздохнул. — Но что мы можем сделать?

— Для начала хотя бы вот это. — Габи кивнула на газету, торчащую из его кармана. — Я поболтала с Вилли, с Тибо, вспомнила брезгливую физиономию Вайцзеккера и решила просто слегка подстраховаться, заранее дискредитировать саму идею разделения изотопов лучами, подать ее под соусом Маркони. Подсластила марсианами, поперчила общением с усопшими. Будем надеяться, к этому блюду далемские снобы не прикоснутся. Даже если я не права, такая страховка в любом случае не помешает. Осталось только придумать, как подобраться к Брахту.

* * *

На выходной Маша с Ильей отправились на дачу в «Заветы Ильича». Дача была казенная. Раньше большой деревянный дом стоял заброшенный, приезжали редко. Теперь там обитала приемная мать Ильи, Настасья Федоровна, вместе со своим мужем Евгешей. Старики вышли на пенсию, поженились и переехали из пресненской коммуналки в «Заветы».

Бездетная одинокая Настасья Федоровна усыновила Илью в девятнадцатом в Петрограде, после того, как его родная мать умерла от тифа. Отец погиб раньше, в Первую мировую. Настасья когда-то работала кухаркой в их доме. Все, что осталось у Ильи от прошлой жизни, — отчество Петрович и акварельный портрет матери. Он висел в спальне на Грановского. Написал его отец в августе четырнадцатого, за несколько дней до ухода на фронт.

Настасья спасла жизнь барскому дитяте и подарила кристальное пролетарское происхождение. Кухаркин сын Илья Крылов легко поступил в МГУ на отделение внешних сношений факультета общественных наук, потом в Институт красной профессуры, оттуда его взяли на работу в Институт марксизма-ленинизма. Дальше по сверкающей карьерной лестнице кухаркин сын поднялся до немыслимых высот. Никто, кроме них троих — Настасьи, Ильи и Маши, не знал этой тайны.

За городом давно сошел снег, бледное весеннее солнце мелькало сквозь верхушки елок, мимо плыли темные поля, ивы тянули голые длинные ветки к спокойной речке Серебрянке. Вода мягко бликовала, будто улыбалась, проснувшись после долгой зимней спячки. Лицо обдувал свежий влажный ветерок из открытого окна. На повороте, в кроне древнего дуба, Маша заметила несколько птичьих гнезд. Перед самыми воротами дорогу перебежала белка, молнией взлетела по сосновому стволу и скрылась в колючей кроне.

Настасья вышла за калитку на звук мотора в оренбургской шали поверх фланелевого платья, стояла посреди дороги, выпятив пузо, скрестив на груди руки.

— Может, не будем пока говорить ей? — спросила Маша.

Она не то чтобы побаивалась Настасьи, просто не могла с ней долго общаться. У Настасьи был заскок: Машуня слишком тощая, ничего не ест и с этим надо что-то делать. Каждая семейная встреча превращалась для Маши в сражение за право оставаться собой. Настасья накладывала ей в тарелку горы картошки, пихала в рот свои пышные пироги. Доводы, что у Маши профессия, при которой нельзя полнеть, Настасья встречала презрительным фырканьем. Илья вмешивался только в крайних случаях, когда мамаша повышала голос, а Маша выходила из-за стола.

— Если она узнает, сведет меня с ума. — Маша покосилась на Илью. — Заставит жрать как на убой.

— Ну-ну, перестань, — добродушно пробурчал Илья, — просто ей обидно, когда ты пренебрегаешь ее шедеврами. Для мамаши стряпня — профессия и творчество, как для тебя танец. Каждый ее очередной пирог вроде твоего фуэте или кабриоля. От маленького кусочка ничего с тобой не случится. Главное, попробовать и восхититься.

Они подъехали совсем близко. Рядом с мощной Настасьей возник Евгеша в телогрейке, новоиспеченный муж, бывший сосед по пресненской коммуналке. Он был ниже нее на голову, притопывал огромными кирзовыми сапогами, указывал маленькой ручкой на приближающийся автомобиль.

— Кот в сапогах. — Маша хмыкнула. — И где только раздобыл такую красоту?

— Настасья купила, видно, на вырост. — Илья остановил машину.

— Не будем говорить! — твердо повторила Маша.

Илья в ответ молча пожал плечами.

Дальше все шло как по-писаному. Медвежьи объятия мамаши, басовитые восклицания:

— Сынок, вот уж не чаяли мы такой радости! Машуня, батюшки мои, ну совсем исхудала! — Мамаша втянула щеки, вытаращила глаза и произнесла свое коронное: — Скелетина!

Евгеша светски побеседовал о погоде, чинно пожал гостям руки. Илья открыл багажник. При виде пакетов с гастрономическими роскошествами мамаша заохала:

— Сынок, ну ты прям весь свой распределитель приволок!

В доме Настасья притихла, деловито возилась на кухне, коротко покрикивала на Евгешу, бегавшего мелкой рысцой туда-обратно то с банкой маринованных маслят, то с горшком квашеной капусты.

Илья надел телогрейку, отправился к сараю рубить дрова. Маша пошла с ним, присела на пень, запрокинув голову, смотрела в небо. Она чувствовала внутри нежные, упругие движение крошечных ручек и ножек и мысленно обращалась к ребенку: «Ты видишь облака? Большое, пухлое, белое, на нем, как на подушке, длинные серые пряди. Вон те два маленьких круглых похожи на детей в толстых шубках, чинно гуляют, за руки держатся. А там, над сосновыми верхушками, маленькая фигурка, похожа на ласточку, то есть на тень ласточки. Но это вовсе не тень и не птица. Это мальчик Май, мой хороший друг и партнер, мы с ним танцевали...»

Она перевела взгляд на Илью и продолжила мысленный разговор с ребенком: «Ладно, о Мае расскажу тебе когда-нибудь потом, когда подрастешь. Смотри, как папа твой дровишки колет легко, ловко, будто всю жизнь только этим и занимался. У тебя две бабки и три деда. Мой папа главный дед. Карл Рихардович нам как родной, тоже годится тебе в деды, и Евгеша чем не дед? Будет с тобой в ладушки играть, потихоньку ябедничать на деспота Настасью. Дядя у тебя умный, талантливый. Дядя Вася...» — Она тихо рассмеялась, вообразив своего четырнадцатилетнего брата дядей.

Илья крякнул, расколол очередное полено, взглянул на Машу.

— Ты чего смеешься?

— Просто так, потому что все хорошо. — Она встала, обняла его, уткнулась лицом в плечо.

От телогрейки пахло свежей стружкой и дымом. Запах, совсем не свойственный Илье, непривычный, показался знакомым и уютным.

— До того хорошо, что возвращаться в Москву совсем не хочется. — Илья вздохнул. — Так бы и жить, дровишки колоть, печку топить, по лесу гулять. Ну, может, все-таки скажем ей сегодня?

Маша, не отрывая лица от его плеча, помотала головой:

— Скоро уже будет очень заметно, вот тогда и скажем.

— Тогда она обидится, что не сразу сказали. Это ведь главная ее мечта, могла бы радоваться прямо с сегодняшнего дня. Вязала бы шапочки, кофточки.

— Ты что? — Маша отпрянула, нахмурилась. — Нельзя заранее, считается, плохая примета.

Послышались торопливые шаги. К ним приближался запыхавшийся Евгеша:

— Настасья, гм-м, Федоровна зовет всех к столу.

На этот раз ни котлет, ни пирогов с ливером на столе не оказалось. И спиртного тоже. Гречневая каша с грибами, домашние соленья.

— Повезло тебе, скелетина, — шепнул на ухо Илья. — Великий пост, как раз Страстная неделя.

Настасья услышала последние слова, покосилась на Илью.

— Ох, сынок, вот в Москве я в церкву-то ходить не могла, опасалась, стукнет кто. Ну, думаю, в «Ильичах» потихоньку буду. Храм тут старинный, совсем недалеко, Благовещенья Пресвятой Богородицы.

— Мамаша, ты прости, но тут тем более стукнут, — осторожно заметил Илья.

— Я тоже говорю, — возбужденно зашептал Евгеша, — соседи — сплошное начальство. Ладно сами начальники, они-то на службе небось устают, ни до чего дела нет. А вот жены ихние и прочие родственники бездельем маются, проявляют особую бдительность, друг за дружкой так и зыркают.

— Ой, ладно, — Настасья сморщилась. — Сходить-то успела три раза, утречком, пока твои бдительные дрыхнут.

— Попы тоже бдительные бывают, — пробормотал Илья, глядя в тарелку.

Маша под столом наступила ему на ногу. Настасья взвивалась до потолка, стоило вякнуть что-то плохое о священниках. Так случилось и на этот раз.

— Не смей! — крикнула мамаша, гневно сверкнув глазами. — Никогда ни один батюшка стукачом не станет, на мучение, на казнь пойдет, а грех такой на душу не примет! Это ж иудин грех, самый из всех мерзкий!

— Настя, так ведь обязаны они, — робко возразил Евгеша, — попробуй не сообщи.

— Нынче все обязаны, но не все сообщают! — рявкнула мамаша, — а из батюшек так вообще никто. Потому упырь усатый и громит храмы, что жжет его нестерпимо свет нашей веры православной.

Евгеша так втянул голову, что закрыл уши плечами. Он пугался, когда Настасья произносила слово «упырь», тем более с уточнением «усатый».

Илья тихо присвистнул.

— Да-а, мамаша, здорово афоризмами говоришь.

— Никакими не «измами», правду я говорю, и ты со мной не спорь, сынок.

— Не спорю. — Илья поднял руки, сдаваясь. — Но ты, мамаша, все-таки осторожней там исповедуйся.

— Где — там?

— Ну, куда ты к заутрене бегаешь?

— Некуда больше бегать, — проворчала мамаша, остывая, — в Благовещенье Пресвятой Богородицы теперь склад вторсырья.

— Давно закрыли? — сочувственно спросила Маша.

— Сразу после Рождества комиссия исполкомовская нагрянула. Привязались к батюшке, мол, антисанитарные условия. С одной ложки всех подряд кормите, инфекцию распространяете. Это они про Святое Причастие. Младенцев в сырую воду кунаете. Это они про Крещение. Велели хлорку сыпать в купель. Батюшка ихние бумажки подписал: будет вам хлорка, только храм не трогайте. Нагрянули опять. Воду проверили, конечно, никакой хлорки. Вот и закрыли последний храм, а батюшку... Ну скажи, сынок, кончится это когда-нибудь? Батюшке восемьдесят. За что?

— Настасья, перестань, — зашептал Евгеша, — хватит изводить Илью этими разговорами! Будто от него зависит!

Илья резко отложил вилку. Вопрос «за что?» действовал на него убийственно. Раньше он вскипал, мог накричать: «Никогда не задавай этого вопроса! Не смей, слышишь? Вопрос-ловушка! Нет на него ответа!» Теперь молча застыл и побледнел так, что проступила щетина на гладко выбритых щеках.

— Прости, прости, сынок, нечаянно вырвалось, — испуганно залопотала Настасья.

Илья не шевельнулся. Евгеша сгорбился, скрючился, будто собирался нырнуть под стол. Стало тихо, только дрова в печи потрескивали. Маша заметила на стене леонардовскую «Мону Лизу» в резной рамке и бодро произнесла:

— Какая хорошая репродукция. Кажется, раньше не было ее. Вы недавно повесили?

— Так это моя, — живо ответил Евгеша и распрямился. — У меня в комнате на Пресне висела. Не репродукция, а копия уменьшенная. С детства ее храню. Кстати, Илюша, давно хотел тебя спросить, что означает эта ее знаменитая улыбка, как думаешь?

— Да, сынок, — подхватила Настасья, — вот объясни, улыбается она совсем чуточку, и вроде не ахти какая красавица, а говорят, будто самая великая картина в мире. Почему?

Илья наконец поднял глаза, взглянул на Джоконду.

— Ну, наверное, потому и великая, что есть в ней тайна. Столько уж веков гадают, каждый приписывает этой улыбке какой-то особый смысл, а точно никто не знает.

— Я знаю! — выпалила Маша. — Она просто беременная, и у нее кончился токсикоз.

Евгеша вытянул шею, открыл рот. Илья хмыкнул. Настасья молча уставилась на Машу и вдруг вскочила, обняла ее, стала целовать, громко шмыгая носом.

— Машуня, скелетина ты моя, когда ждать?

— В сентябре, — ответил Илья и принялся доедать остывшую гречку.

Настасья отпустила Машу, легонько шлепнула по лысине своего Евгешу.

— Вот, значит, сон-то мой был вещий! — Она полезла в буфет, поставила на стол графинчик с домашней наливкой, две рюмки.

— Мамаша, Страстная неделя, — напомнил Илья.

— Капельку, в честь такого события, сынок, давай, ну, символически.

— Ладно, что с тобой делать?

Илья капнул Настасье в рюмку на донышко, себе и того меньше. Как только чокнулись и выпили, сразу убрал графинчик назад, в буфет. Наливка была приторная, липкая, Илья ее терпеть не мог, но старался не обижать мамашу. Евгеша от питья наливки был освобожден по праву хронического язвенника.

— А сон такой. — Настасья обвела всех таинственным взглядом. — Будто иду я по полю, босая, простоволосая, в рубахе ночной. Народу вокруг толпища, ни зги не видать. Только слышно, плачут, кричат: война, война! Куда иду, не знаю, все идут, и я тоже. Вижу, огонечек вдали. Ну, думаю, туда нужно. Шаг, другой, и вдруг падаю в яму, лечу в тар-тарары. Чувствую под руками коряги, корешки, хочу ухватиться, а руки скользят. В самую последнюю минутку вижу опять мой огонечек, да так близко. Будто свечка горит, а я уж и не падаю вовсе, сижу спокойно в комнате, вот в этом кресле, и на руках держу младенчика. Смотрит он на меня и гукает по-своему, вдруг хвать меня ручонкой за нос. Я как чихну и сразу проснулась. Утром Евгеше говорю: если до конца этого года Машуня нам внука родит, войны точно не будет. А он, старый дуралей, раскудахтался: да она еще совсем и не беременная! Они пока и не планируют! Куда ей рожать, при ее-то профессии? Ну? Кто прав оказался?

— Мальчик или девочка? — шепотом спросила Маша.

— А вот этого не скажу. — Настасья сделала строгое лицо. — Уж кого Бог даст. Да и не разглядела я.

* * *

Из директорского кабинета раздавались громкие голоса. Дверь была приоткрыта. Эмма услышала крик Дибнера:

— Мне надоело! Решайте сами!

Через минуту дверь распахнулась, в коридор вылетел маленький худой мужчина. Темные напомаженные волосы стояли дыбом и дрыгались в ритме стремительных шагов. Круглое лицо пылало. Эмма узнала профессора Пауля Хартека, он руководил ядерными исследованиями в Институте физической химии в Гамбурге.

Следом за ним не спеша выплыл Гейзенберг, спокойный и гордый. Заметив Эмму, улыбнулся, кивнул в сторону удаляющейся маленькой фигуры, поднял вверх два растопыренных пальца. Буква «V», знак победы. Эмма кокетливо подмигнула и развела руками, мол, никто и не сомневался в победе, а про себя подумала: «Ну и болван же ты, уважаемый гений!»

Гейзенберг и Хартек терпеть не могли друг друга. Конечно, их авторитет, известность и заслуги перед наукой невозможно сравнивать. Нобелевский лауреат, мировая величина — и рядовой профессор физической химии. Слишком разные весовые категории. Но урановый проект дал Хартеку шанс обойти Гейзенберга. Шанс вполне реальный, потому что Хартек, в отличие от теоретика Гейзенберга, был экспериментатором, практиком, причем весьма толковым.

Конкуренция между берлинской и гамбургской группами обострялась с каждым днем. Хартек вынужден был по всем вопросам обращаться к военному руководству, то есть к Дибнеру. А Дибнер сидел в Берлине, и все вопросы решались в пользу Гейзенберга. Так случилось и на этот раз. У Хартека родилась идея использовать в качестве замедлителя нейтронов сухой лед. Хартек подал заявку, Дибнер не нашел ничего лучшего, как обсудить ее на совещании берлинской группы.

Гейзенберг идею одобрил. Еще бы! Она была действительно блестящей. Сухой лед куда дешевле тяжелой воды и графита высокой очистки, тем более ни того, ни другого пока нет. Окрыленный Хартек договорился с компанией «И.Г. Фарбен», Управление вооружений оплатило доставку в Гамбург пятнадцати тонн сухого льда. К этому времени компания «Ауэр» уже наладила производство на фабрике в Ораниенбурге высококачественного оксида урана. Дибнер должен был распределить первые пятьсот килограммов между институтами. Гейзенберг потребовал четыреста килограммов и милостиво уступил Хартеку оставшиеся сто. А для успешного эксперимента с сухим льдом требовалось не меньше трехсот.

Дни стояли теплые. Лед быстро испарялся. Хартек метался между Гамбургом и Берлином. Гейзенберг снисходительно объяснял, что ста килограммов для первых экспериментов более чем достаточно. Последний ответ Дибнера «Мне надоело, решайте сами» означал, что Хартек проиграл. Решать будет Гейзенберг и не уступит ни грамма. Если эксперимент Хартека провалится, а с таким количеством оксида урана он наверняка провалится, повторить вряд ли удастся. Скоро лето, сухой лед нужен для поставок продовольствия в армию.

Эмма болела за свою команду, радовалась, что Гейзенберг победил Хартека, и усмешку прятала глубоко внутри. «Ну и болван же ты, уважаемый гений! Тебе бы добиться перевозки сухого льда из Гамбурга в Берлин, пока еще не поздно, поставить эксперимент Хартека тут, у нас. Неужели не понимаешь, как хороша идея? Нет, не понимаешь, потому что это чужая идея!»

Во дворе возле дорожки полька небольшой лопаткой копала землю. Увидев Эмму, распрямилась, сдула упавшую на лицо прядь.

— Добрый вечер, госпожа. Господина Брахта и господина Хоутерманса нет дома, ушли гулять, когда вернутся, не сказали.

— Давно ушли?

— Около шести, сразу после обеда.

Эмма отогнула рукав плаща, прищурившись, взглянула на часики. Двадцать минут девятого.

— Ну, значит, скоро явятся ужинать, я подожду. Что вы делаете, Агнешка?

— Хочу посадить розы. — Полька посторонилась, пропуская ее к крыльцу.

— Где же вы возьмете саженцы?

— Господин Хоутерманс заказал в цветочном магазине. Завтра утром должны доставить.

Эмма вошла в дом, сняла плащ, поднялась в лабораторию, осмотрела прибор. Судя по всему, Вернер пока не начинал экспериментировать с рубином. Камень так и остался лежать рядом с прибором, в эбонитовой крышке. Она достала из сумочки новенькую самописку, очень изящную, с серебряным корпусом и золотым пером, открыла тетрадь, бегло просмотрела последние записи Вернера. Строчками формул были исписаны даже страницы отрывного календаря. Она сняла колпачок самописки и тут же опять надела. В лотке лежал конверт со стокгольмским адресом. На штемпеле сегодняшнее число.

«Пришло утром, он еще не читал, конверт не вскрыт», — подумала Эмма, заметила надорванный край и осторожно, двумя пальчиками, вытащила сложенные листки.

Дорогой Вернер!

Только что достала из ящика твое письмо. Сочувствую Физзлю, рада, что его советско-германские мытарства закончились, передай ему от меня большой привет. Я совершенно уверена: Марк жив. В тюрьму попал по какому-нибудь дурацкому недоразумению, скорее всего, он уже на свободе, и ты напрасно так переживаешь. Про Россию говорят и пишут разное, допускаю, что режим там жестокий, но Марк всегда был лояльным советским гражданином, в политику не лез. А за то, что человек еврей, там уж точно не сажают.

Не вини себя из-за вашей глупой ссоры, все это мелочи. Марк наверняка давно забыл и скучает по тебе не меньше, чем ты по нему.

Можешь меня поздравить. Оказывается, я живучая, как бродячая кошка. Ладно, попробую изложить все по порядку.

Ты знаешь, Нильс давно звал меня к себе. В середине марта Отто[1] отправился в Кембридж, написал, что его студия в пансионе будет пустовать, и поскольку она оплачена до октября, с моей стороны очень глупо не приехать в Копенгаген хотя бы на неделю: «Дорогая тетя, тебе пора отдохнуть, сменить обстановку. Кислый Монстр (так он называет Сигбана) совершенно истрепал твои нервы».

Я планировала поехать в двадцатых числах, когда закончу работу, о которой тебе писала. Но очередная хамская выходка Сигбана стала последней каплей. Я высказала Кислому Монстру все, что о нем думаю, хлопнула дверью, собрала пожитки и отправилась в Копенгаген, твердо решив никогда не возвращаться в Стокгольм. Несмотря на отличное лабораторное оборудование, год в институте Сигбана оказался самым унизительным и бездарным в моей жизни.

В Копенгаген я приехала ранним вечером восьмого апреля и еще раз убедилась в том, что приняла правильное решение. Знаю, ты сейчас думаешь: ну вот, я в каждом письме уговаривал тебя послать Сигбана к черту и перебраться под теплое крылышко Нильса. Конечно, ты был прав, но только теоретически. Ты не учел такую мелочь, как война.

Помнишь тихий район возле института, парк, белые домики под красной черепицей? По сравнению с моей стокгольмской конурой студия Отто — настоящий дворец, с отдельной ванной комнатой и маленькой кухней. В голове сложился чудесный план. Немного передохну и возьмусь за работу. До возвращения Отто поживу в его дворце, никого не стесняя, за это время успею подобрать себе жилье, в идеале — такую же студию. Мысленно я уже обустраивала новую лабораторию.

Усталость, накопившаяся за этот ужасный год, разом навалилась, все звонки и встречи я отложила на завтра и уснула в девять вечера, совершенно спокойная и счастливая.

---

[1] Мейтнер имеет в виду своего племянника Отто Фриша.

Разбудил меня тяжелый гул самолетов, голоса в коридоре. Ты уже догадался, что произошло. На рассвете девятого апреля немцы вошли в Копенгаген.

Эмма покачала головой. Все-таки Лиза Мейтнер уникальное существо. Сделать открытие мирового масштаба и подарить его Гану. Явиться в Копенгаген за несколько часов до того, как в него войдут германские войска, и спокойно заснуть в мечтах о лучшем будущем.

— Надо же быть такой невезучей растяпой, — пробормотала Эмма и перевернула страницу.

Глупая старая Лиза едва унесла ноги. Опять Нильсу пришлось устраивать мне побег. Я вернулась в Стокгольм, в свою отвратительную конуру, к отвратительному Сигбану. Надо отдать ему должное, он не слишком злорадствовал. Я еще раз убедилась, что каждая моя попытка хоть немного изменить свою жизнь к лучшему дает нулевой результат. Впрочем, хныкать не стоит. Спасибо, уцелела. Валяюсь простуженная, горло болит, нос заложен. Ночью не могла уснуть, теперь глаза слипаются. После копенгагенских приключений чувствую себя неприкаянной сиротой. Раньше оставалось утешение: если станет совсем скверно, в любой момент могу перебраться к Нильсу. Теперь путь закрыт.

Милый мой, ты пишешь, что запланировал поездку на конец мая. Раньше ты спрашивал разрешения и не обижался, когда я отвечала, что приезжать пока не нужно. Ты слишком хорошо меня знаешь, можешь правильно расшифровать мое «нет». Оно вовсе не означает, что я не хочу тебя видеть. За ним скрывается лишь одно: мне заранее грустно, что придется опять расставаться.

На этот раз ты просто поставил меня перед фактом. Так сильно соскучился, что забыл о нашем уговоре? Или игрушка уже готова? Но тогда ты бы не удержался, сразу написал мне.

Эмма тихо присвистнула. Вот это новость! Старик собрался в Стокгольм и ничего не сказал. Он, конечно, не обязан, но все-таки обидно. Или не был уверен? Ждал, что она ответит?

Если ты способен оторваться от работы на несколько дней, приезжай.

Напоследок хочу немного повеселить тебя.

Когда я проснулась и узнала, что наци заняли Копенгаген, первым делом схватилась за твое кольцо, вспомнила, как на прощанье ты надел его мне на палец и сказал, что оно сбережет меня от несчастья. В то ужасное утро я посмотрела на сверкающий камень и, как ребенок, как дикарь-язычник, поверила: пока кольцо со мной, я в безопасности. А ведь так и вышло.

Обнимаю и жду, мой дорогой.

Твоя Лиза.

Эмма аккуратно сложила письмо, убрала в конверт. Значит, вот кому досталось кольцо. Надел на палец на прощанье.

«Как ребенок, как дикарь-язычник, — повторила она про себя, — может, все эти суеверия не так уж глупы? Когда-то Вернер хотел надеть кольцо на палец Марты. Не налезло, а нести ювелиру ей было неохота. Но если бы Марта иначе относилась к драгоценностям, не отказалась от кольца, увеличила бы его и носила? Уберегло бы оно Марту от несчастья? И как, в таком случае, повернулась бы судьба Мейтнер?»

Эмма взглянула на свою руку, представила, как красиво мог бы сверкать старинный бриллиант на ее среднем пальце, вздохнула, убрала письмо в конверт и занялась формулами.

Глава двадцать четвертая

В Москву из «Заветов» вернулись в десять вечера, Маша нагулялась, надышалась и теперь едва ворочала языком, глаза у нее слипались. Забравшись под одеяло, мгновенно уснула.

Илья вытащил из кармана куртки сложенные вчетверо страницы с немецким машинописным текстом, отпечатанным через один интервал, ушел в ванную, прихватив большую медную пепельницу и спички. Запер дверь на задвижку, открыл форточку, включил воду, сел на бортик, пепельницу поставил на табуретку, скомкал бумагу, чиркнул спичкой и замер, глядя на огонек.

Вторую неделю он таскал с собой копию письма Мазура, перекладывал из кармана в карман, из пиджака в куртку и обратно. С Проскуровым они не виделись, оба будто нарочно оттягивали разговор. Иван наверняка тоже не расставался с листочками, исписанными лиловыми чернилами с двух сторон мелким почерком Мазура. Дома не оставишь, даже в самом укромном тайнике. Вот уж действительно бомба, пострашней любой антисталинской листовки.

Спичка догорела, обожгла пальцы. Илья подержал руку под холодной водой, умыл лицо.

В последнюю их встречу Проскуров ни словом не напомнил о своем намерении пойти к Хозяину с бомбовым докладом. Нервничал не только из-за письма. После четырех дней заседания еще острее чувствовал угрозу ареста и абсолютную, глухую безнадежность. Финская война для него больная тема. Трижды выезжал на фронт, видел заледеневшие трупы красноармейцев в летней форме, в драных ботинках. Хвастливый фарс, в который превратилось подведение итогов, здорово подкосил летчика. Он переживал так сильно, что даже говорить об этом не мог, не спросил, читал ли Илья стенограмму.

«Может, он вообще отказался от уранового тарана? — Илья тряхнул коробком, вытащил новую спичку. — Или решил дождаться результатов академической экспертизы? Долго придется ждать. Допустим, папа Иоффе снизойдет, отправит в Иркутск компетентную комиссию. Как они там проведут испытания? Полезут в тайгу за урановой смолкой? Но это можно сделать только в июне, когда сойдет снег и высохнет весенняя слякать».

Спички ломалась, крошились серные головки. Огонек вспыхнул после десятой попытки.

«Сколько осталось Ивану? Если Хозяин решил ликвидировать «слишком честную душу», будет действовать постепенно, медленно, в своей обычной манере, сначала снимет с должности, назначит на какую-нибудь другую, поиграет, как кошка с мышью».

Слабенькое пламя дрожало и металось от ветра из форточки, Илья прикрыл его ладонью. В глаза бросилась строчка: «Дорогой Вернер! Меня выпустили из тю...» Он вздрогнул от тихого стука.

— Илюша, ты скоро? — сонно произнесла Маша за дверью. — Карл Рихардович звонит, что ему сказать?

— Да, сейчас подойду! — Илья задул спичку, схватил листки, сунул в карман, выключил воду, щелкнул задвижкой.

Маша, босая, в длинной белой ночнушке, стояла в темном коридоре. Когда дверь открылась, она сморщилась от яркого света, потерла глаза.

— У него такой тревожный голос, может, что-то случилось?

— Все хорошо, ложись.

— Ага. — Она зевнула, побрела назад, в спальню.

Илья быстро прошел в гостиную, взял трубку.

Голос доктора звучал вовсе не тревожно, а сухо, официально, как всегда по телефону:

— Добрый вечер, Илья Петрович, простите, что беспокою, вы говорили, справка нужна срочно. Она уже готова.

«Справка» — обычная их отмазка для телефонных слухачей. На слове «срочно» доктор сделал ударение.

— Да, спасибо, сейчас заеду, — так же сухо ответил Илья и, повесив трубку, подумал:

«Понятно, Родионов уже примчался к нему в Балашиху, выложил подробности. Доктору не терпится обсудить. Догадывается, конечно, что у меня должна быть копия злосчастного письма. Ладно, пусть прочитает, его право, он все это затеял».

Илья на цыпочках подошел к Маше, поцеловал, прошептал:

— Я на Мещанскую, ненадолго.

Она вздохнула, не открывая глаз, обняла его, притянула к себе, ткнулась губами в губы, что-то пробормотала, уронила руки и перевернулась на другой бок.

За рулем Илья успокоился. Все-таки перетрусил он сегодня крепко. Давно с ним такого не случалось. Стоило немного расслабиться, провести безмятежный день на даче, сразу полезли в голову всякие ужасы. Мерещилось, что Машу и мамашу допрашивают на Любянке. Давила сердце вина перед ребенком: какой ты отец, если не способен свое дитя защитить? Себя самого он видел мертвым, с пулей в затылке. И постоянно чувствовал во внутреннем кармане куртки твердые уголки сложенных вчетверо листков. Письмо стало эпицентром страха, будто кто-то нашептывал: избавься от него, сожги! Проскуров пусть поступает, как велит ему его честная душа, ты о себе подумай. Стукнет кто — сразу «вышка». Что будет с Машей, с ребенком, если он вообще родится?..

Илья на миллиметр не донес спичку до скомканных листков, ветерок мог дунуть, и бумага вспыхнула бы. Теперь он был рад, что не успел. Может, правда стоит избавиться от письма, твердо сказать Ивану: нечего тут обсуждать. Может, и так. Но решение надо принять в здравом уме, а не под давлением паники.

Свернув с Горького на Садовую, он вспомнил Машин стишок:

Подлый страх все время врет,
Лезет в уши, лезет в рот,
Чтобы нам не нюхать вонь,
Мы его прогоним вон...

Он заехал во двор у дома на Мещанской. Вылез из машины, расправил плечи, глубоко вдохнул прохладный ночной воздух, нырнул в подъезд, легко взбежал по лестнице на четвертый этаж, открыл дверь своим ключом.

Доктор сидел в кресле, в пижамных штанах и теплой домашней куртке, листал какой-то толстый журнал. Взглянув на Илью поверх очков, виновато улыбнулся:

— Прости, выдернул тебя, но после разговора с Митей совершенно не могу спать. Чаю хочешь?

— Спасибо, чуть позже. — Илья достал из кармана измятые листки, расправил, объяснил: — Копия, Родионов перепечатал.

Карл Рихардович взял письмо. Илья присел на подлокотник его кресла. Захотелось прочитать еще раз, вместе с доктором, его глазами, потому что собственные здорово замылились.

Дорогой Вернер!
Меня выпустили из тюрьмы, я в ссылке, в Сибири. Со мной Женя. Позже напишу подробней. Сейчас главное. Мне удалось собрать нашу игрушку. Идея о недостающих звеньях пришла в голову, когда я сидел в тюрьме. А тут, в ссылке, в моем распоряжении оказалась вполне приличная лаборатория. Больше всего на свете мне хочется поделиться с тобой, рассказать, обсудить, узнать, как у тебя продвигается работа. Но не могу, во всяком случае, пока, в этом письме. Ты поймешь почему.

Незадолго до того, как игрушка была готова, я прочитал об открытии Отто и сразу догадался, чем сейчас заняты твои коллеги в Далеме. В Первую мировую они вдохновенно закачивали в баллоны отравляющие газы. Теперь колдуют над ураном. Работа сложнее в миллион раз. Среди множества задач четко выделяется одна, которая, как мы оба знаем, сегодня технически неразрешима.

Собрав игрушку, я принялся обрабатывать световой лавиной все подряд. Тут неподалеку есть заброшенная штольня. В прошлом веке добывали серебро. Ну, а где серебро, там и обманка. В июне я трижды отправлялся туда, первый раз пешком, потом на телеге, запряженной мерином. Обманку собирал в корзины из березовой коры. В лаборатории обработал, получил гекс и попытался при помощи игрушки решить ту самую неразрешимую далемскую задачу. Это оказалось непросто, но заняло меньше времени, чем походы за обманкой и переработка ее в гекс. В жалких условиях моей лаборатории, вручную, в одиночку, мне удалось получить девять граммов обогащенного урана.

Все-таки колоссальную штуку мы с тобой придумали! Удача с гексом лишь побочный эффект, но сегодня игнорировать это нельзя.

Уверен, ты тоже скоро соберешь игрушку, если уже не собрал. С ураном возиться не станешь, у тебя под рукой его нет, одалживать у далемских друзей в голову не придет. Опубликуешь. Полное твое право, собрал ведь сам, без меня. Будет сенсация. Почти никто не верил, и вот! Любуйтесь, изучайте. Изучат, начнут экспериментировать и наверняка придут к тем же результатам, что и я. Последствия легко предсказуемы.

Мои девять граммов передали на экспертизу папе И. Как он отнесется, можешь представить. Обвинений с меня не сняли, поэтому публиковать все равно не будут. Если бы не побочный эффект, я бы вообще не высовывался, тихо экспериментировал, совершенствовал игрушку, ждал лучших времен. Но девять граммов развязали мне язык. Я стал искать способ предупредить тебя.

Отправить письмо по почте — полнейшее безумие. Перехватят, увидят берлинский адрес и упекут меня опять, а скорее всего, расстреляют. Но даже если случится чудо и конверт пересечет границу в почтовом вагоне, тогда еще хуже. У вас наверняка вскрывают письма из СССР. Зашифровать текст так, чтобы, кроме тебя, никто вообще ничего не понял, я могу.

Пишу иносказательно и не очень внятно. Мне поставили условие: не должно быть формул и технических деталей. Главное, чтобы ты знал: игрушка дает возможность сделать Б. очень быстро. Несколько месяцев, максимум — год.

Не сомневаюсь, Альберт и ко. уже подняли тревогу, в США работы начались. У нас не только добычу, но даже и разведку месторождений не начинали. Почему — понять слишком сложно или слишком просто. Но это факт.

Если ты письмо читаешь, значит, человек, передавший его, заслуживает доверия. Он не из той конторы, которая меня посадила. Он и его коллеги действуют неофициально, по собственной инициативе, и рискуют головой.

Жду твоего ответа. Пожалуйста, напиши и отдай тому, от кого получишь мое письмо.

Как Герман и Эмма? Ты уже дед? Я еще нет. Как Лиза? До сих пор работает с Отто или пришлось удрать? Прочитав об открытии, я подумал о Лизе. Зная Отто, сомневаюсь, что он сумел обойтись без ее мозгов.

Надеюсь, мое предупреждение не опоздало, у тебя еще осталось время принять решение, а у наших внуков — шанс вырасти.

Твой Марк.

Дочитав, Илья встретил взгляд Карла Рихардовича. Серые глаза, увеличенные линзами очков, смотрели спокойно, задумчиво. Илья тихой скороговоркой пояснил:

— Обманка — старое название урановой смолки. Гекс — гексафторид урана. Герман — сын Брахта, Эмма — невестка. Альберт — вероятно, Эйнштейн. Кто такая Лиза, неизвестно. Остальное вы поняли. — Он прерывисто выдохнул и спросил: — Ну, что думаете?

— Какая разница, что я думаю? — Доктор пожал плечами. — Митя сказал, Проскуров считает — письмо отправлять нельзя, категорически.

— А вы считаете — можно?

— Нужно. Чем быстрее, тем лучше.

— Это сразу «вышка», для меня, для Проскурова, — сквозь зубы процедил Илья, — причем «вышка» за дело. Это вам не троцкистский заговор, не толченое стекло в сливочном масле. Измена родине, самая настоящая.

— Подставить родину под урановую бомбу — не измена? — Доктор снял очки, потер переносицу.

— Вот как раз письмом и подставим. — Илья пересел с подлокотника в кресло напротив. — Брахт не знает про изотопы, мы даем подсказку.

— По-твоему, Мазур немецкий шпион? Нарочно это делает?

— Не передергивайте! Конечно, никакой он не шпион, просто живет иллюзиями, слепо верит в порядочность этого немца.

— А ты, Илюша, во что веришь? — Доктор прищурился.

— В осторожность и в здравый смысл!

Карл Рихардович покачал головой, пробормотал:

— Интересно... Значит, осторожность велит тебе сидеть тихо, не рыпаться, а здравый смысл подсказывает, что Мазур наивный дурак, а Брахт безмозглый мерзавец?

Илья помолчал, подумал, потом быстро произнес:

— Не знаю. Не могу судить о людях, которых никогда не видел.

— На, смотри, — доктор подвинул к нему журнал, открыл страницы, заложенные большой лупой. — Мазур второй справа, Брахт третий.

Илья скользнул взглядом по фотографии, усмехнулся:

— Я плохой физиономист.

— Не ври, ты отлично умеешь читать по лицам. Другое дело — снимок мутный. Но по буквам ты умеешь читать еще лучше. Письмо Проскурову Митька пересказал мне почти дословно, так же как и письмо Брахту. Мазур вовсе не наивный дурак, и ты это понимаешь не хуже меня. Он хорошо подумал, прежде чем принять решение.

— Слишком хорошо, заранее все решил за нас.

— Естественно. — Доктор развел руками. — Потому что мы вообще ничего не знаем. Сплошные неизвестные. Собрал ли

Брахт резонатор? А вдруг он эмигрировал в Америку? Или умер? Мазур тоже знает мало, но все-таки больше, чем мы. Главное, он знает Брахта и уверен, что в работе над бомбой Брахт участвовать не станет.

— Откуда ему это известно? — шепотом выкрикнул Илья. — Где доказательства? Он уверен! Может, он и в Гане, и в Гейзенберге тоже уверен?

— Что они участвуют — абсолютно уверен, — доктор усмехнулся, — вот им он бы такое письмо писать не стал ни за что! Да пойми, наконец, Мазур решил это уравнение, никто, кроме него, решить не может, и других вариантов не существует!

— На фига нам его уравнение? Нашел почтальонов!

— А-а, — протянул доктор, — вот в чем дело. Разжалованный академик, ссыльный, вчерашний зэк, не проявил уважения к вашим высоким должностям. Спецреферент и начальник Разведупра в роли почтальонов, безобразие...

— Перестаньте! — Илья скривился. — Не до шуток, честное слово! Риск огромный!

— Не отправить письмо — вот это действительно риск. Если Брахта не предупредить, он опубликует! Порядочный, не порядочный, опубликует, и все! А они воспользуются! — Доктор опустил голову, помолчал и вдруг вскинул глаза. — Слушай, а может, вы с Проскуровым придумали и решили свое собственное уравнение? Спланировали хитрую беспроигрышную операцию? Проскуров угонит бомбардировщик, долетит до Берлина и разбомбит Далем к чертовой матери.

— Очень смешно!

— Ничего смешного. — Доктор помотал головой. — Шансов, правда, маловато, собьют над границей. Лучше уж напрямую доложить Хозяину. Он мгновенно прикажет развернуть работу над советской бомбой, а в Берлин отправит Хирурга. Хирург мастер своего дела, грамотно шлепнет Брахта, и проблема будет решена кардинально, по-сталински. Молчишь? Ну скажи, почему до сих пор ни ты, ни Проскуров не обратились напрямую к Хозяину?

— Будто не знаете. — Илья передернул плечами. — Бесполезно и смертельно опасно.

Доктор поднялся.

— Ладно, чайку заварю, а ты пока подумай в тишине.

Оставшись один, Илья откинулся на спинку кресла, закрыл
глаза. В голове крутились немецкие слова: «...игрушка дает возможность сделать Б. очень быстро. Несколько месяцев, максимум — год... Надеюсь, мое предупреждение не опоздало...»

Он поднес лупу к групповому снимку. Мазур и Брахт приветливо улыбнулись ему.

«Привет, господа-товарищи. — Илья внимательно разглядывал лица. — Какие вы все приятные, интеллигентные люди. Вот
у Бора на огромном лбу написано: гений. Гении тоже бывают
мерзавцами... Ну, положим, о Боре известно только хорошее.
А что известно о Брахте? Ничегошеньки! Лопоухий, лысый. Шея
тонкая, как у цыпленка, башка здоровенная, умная. Вряд ли мерзавец, но может оказаться просто слабаком. Не устоит перед соблазном... Кто делает бомбу Гитлеру? Эсэсовцы? Свинорылые
садисты из гестапо? Ублюдочные чиновники-пропагандисты?
Разумеется, нет. Интеллектуалы, профессора с умнейшими, оду-
хотворенными лицами! Ужас в том, что мы абсолютно ничего не
знаем, вот и остается снимки разглядывать».

Вернулся Карл Рихардович с двумя дымящимися стаканами
в подстаканниках, сел. Илья отложил лупу и спросил:

— А если этот резонатор — пустышка? Рисковать жизнью
ради пустышки? Заметьте, не только своей жизнью. — Он потянулся за папиросой, смял трубочку фильтра, прикурил и добавил чуть слышно: — Машка беременна.

Карл Рихардович открыл рот, шумно выдохнул, глаза заблестели.

— Господи, Илюша, и ты молчал! Когда ждем?

— В сентябре. — Он глубоко затянулся, выпустил дым. —
Дожить бы.

Доктор улыбался, качал головой, переваривал новость, потом встал, прошелся по комнате. Илья продолжил свои раз-
мышления вслух:

— Мало того что мы полностью зависим от Брахта, мы еще и от вашего Родионова зависим. Вы в нем абсолютно уверены, в Родионове вашем?

— А в Проскурове своем ты уверен? А во мне? А в самом себе уверен? — Доктор остановился, произнес медленно, почти по слогам: — Илюша, хватит сходить с ума. Это называется панические атаки. Пограничное состояние может привести к серьезной психической болезни. Не распускайся, как врач тебе говорю. Думаешь, твой психоз Машке не передается?

— При ней не психую. — Илья затушил папиросу, глотнул чаю. — Стараюсь держать себя в руках.

— Надолго ли тебя хватит? — Доктор тяжело опустился в кресло. — А если твой психоз почует Хозяин? Говорящему карандашу нужны деревянные нервы. Ладно, принял бы ты твердое, окончательное решение, я бы не спорил, хотя абсолютно уверен: отправить письмо необходимо. Но ты мечешься, выдумываешь все новые оправдания, вот уже целый букет фобий. И Проскуров твой наверняка тем же болен.

— У Ивана двое детей, — мрачно буркнул Илья.

— Знаю, ты говорил. — Доктор вздохнул. — Господи, ну что я бьюсь, как рыба об лед? Вы оба в своем праве. Давайте, товарищи, поступайте как положено. Он сожжет письмо, ты — копию. Поступок настоящих сталинцев, идеальных советских чиновников, правильный поступок, смелый.

— Хватит ёрничать, — тихо огрызнулся Илья.

Но доктор не обратил внимания, продолжал, передразнивая усталую, раздраженную интонацию Ильи:

— Кому нужна моя работа? Что я могу? — Он скорчил жалобную гримасу, потом нахмурился: — Это только кажется, что от одного человека ничего не зависит. Очень удобная иллюзия и очень лукавая. Вот если бы в Посевалке в восемнадцатом году вместо моей блестящей психотерапии Гитлер получил хорошую дозу сульфонала, неизвестно, как бы все повернулось.

— Ой, ладно, не преувеличивайте! Вы же не думаете, что такая мелочь способна изменить ход истории?

— Насчет истории не знаю, а моя жизнь точно сложилась бы иначе.

— Что, собственно, вы тогда сделали? — Илья пожал плечами. — Просто помогли больному, выполнили свою профессиональную обязанность.

— Назначить ему сульфонал, написать в медицинской карте: параноидная деменция! Вот была моя профессиональная обязанность! Любая комиссия подтвердила бы, потому что это реальный его диагноз. Но я тешил свое тщеславие, хотел блеснуть перед коллегами и больными. У меня, видите ли, дар, талант, усмиряю словом и взглядом самых буйных и безнадежных! — Доктор хрустнул сплетенными пальцами. — Чем расплачиваться пришлось, тебе известно.

— Считаете, гибель вашей семьи — расплата? — Илья покачал головой. — Вы же не знали...

— Не знал! А ты знаешь! Перед тобой открытый выбор, между прочим, самый главный выбор в твоей жизни. Ничего главней и важней просто быть не может. Струсишь — никогда себе не простишь. В сентябре родится твой ребенок, а к лету сорок первого будет у Гитлера бомба. Ты мог помешать этому, но струсил.

— Не только от меня зависит, — пробормотал Илья.

— Ну, понятно, Проскуров такой же трус. Хороший человек, честный, добрый, но трус. — Доктор махнул рукой, взял папиросу, отошел к открытому окну, повернулся к Илье спиной и закурил.

Илья аккуратно сложил письмо, сунул в карман, посидел еще немного, глядя на мутный групповой снимок в журнале, потом поднялся, на ватных ногах пошел к двери, глухо бросил:

— Спокойной ночи, Карл Рихардович. Позвоню.

Доктор не обернулся, только слабо кивнул в ответ.

* * *

Габи бормотала, вздыхала и всхлипывала во сне. Резко перевернувшись на бок, натянула на себя одеяло, оставила Осю неукрытым. Он бесшумно соскользнул с кровати, накинул халат, вышел на балкон.

Светало. Над Монбланом висел месяц, белый и прозрачный, как лоскуток облака. Слышался медленный плеск воды. У причала яхты покачивали мачтами. Ося пытался сфокусировать взгляд на одной из них. Считается, что эффект маятника действует успокаивающе. Не помогло. Он взял сигарету, чиркнул спичкой. От первой затяжки закружилась голова. Вечером, когда они гуляли по набережной, он предложил Габи удрать в Австралию. Она ответила: лучше уж сразу на Луну.

Габи спала тревожно. Он вообще не мог уснуть в эту их последнюю ночь. Завтра она возвращалась в Берлин, к мужу. Он оставался тут еще на сутки. Времени достаточно, чтобы напечатать отчет для «Сестры». Пока Габи была с ним, он за машинку не садился, и хотя они постоянно говорили о войне, об урановой бомбе, все это потускнело, стало казаться далеким и нестрашным.

Ося ясно представил, как они могли бы жить вместе. Раньше он не позволял себе думать о семейной жизни с Габи. А теперь вдруг накатило.

«Я люблю ее слишком сильно. Даже за несколько дней мы срастаемся в единый организм. Что было бы через месяц, через год? Спать в одной постели, есть за одним столом... Привычка к счастью — непозволительная роскошь. Страх потери меня сожрет, а потеря и вовсе прикончит. Прожив с Габи какое-то время, я уже не смогу без нее».

Позади послышался шорох. Габи встала рядом, затянула пояс халата, зевнула. Растрепанные волосы шевелил ветер.

— Хватит тут курить, я без тебя замерзла.

— Иди спать.

— Эй, ты чего такой мрачный? — Она легонько пихнула его локтем в бок.

— Догадайся с трех раз.

— А, понятно, я стащила с тебя одеяло, не оставила ни кусочка. Извини, больше не буду. — Она взяла из его пальцев тлеющий окурок, затушила в пепельнице. — Пойдем, холодно.

Ося заметил, что она босая, скинул войлочные гостиничные шлепанцы.

— Надень, простудишься.

— А ты?

— Сейчас принесу другую пару.

Но он не двинулся с места, обнял ее.

— У нас еще почти девять часов, — прошептала Габи, прикасаясь губами к его уху.

— Успеем добраться до Австралии, в гриме и с фальшивыми паспортами, — пробормотал он прежде, чем закрыть ей рот поцелуем.

— Верхом на кенгуру. — После поцелуя Габи потерлась щекой об его плечо. — Дурак, почему ты не предложил это два года назад, когда я еще не была замужем?

Он не ответил, сильней прижал ее к себе. Несколько минут стояли молча. Наконец Габи сердито произнесла:

— Если бы не твоя идиотская финская выходка, я бы ни за что не приехала. Я вообще-то с тобой порвала.

— Да, я заметил.

— Учти, опять полезешь под пули — больше никогда меня не увидишь. Второй раз точно не прощу.

— Раньше ты так не вертелась во сне.

— Ты просто давно не спал со мной, забыл.

Вдали послышался гул. С криком взметнулись чайки. В ясном светлеющем небе возникли темные точки, одна жирная и пять маленьких. Они приближались со стороны итальянской границы. Гул нарастал и вдруг заглушился диким, раздирающим мозг воем.

Вой издавал немецкий пикирующий бомбардировщик-«штука». Он летел над Женевским озером в сопровождении пяти истребителей. Легкие юркие «Юнкерсы» выписывали вокруг воющей «штуки» замысловатые фигуры, будто издевались над тишиной и чистотой неба. В первых лучах восходящего солнца мелькали кресты на хвостах и крыльях.

Ося опомнился, схватил Габи в охапку, втащил в номер, закрыл балкон, бросился к двери. Распахнув ее, налетел на Ансерме.

В пижаме, с сеточкой на голове, с лоснящимся от кольдкрема лицом и шевелящимся в беззвучном крике ртом, джентльмен был почти неузнаваем. Он махнул рукой, указал на лестницу, вниз. Ося и Габи помчались по коридору, на первом этаже догнали княжескую пару. Томушка, спускаясь, придерживала длинную ночную рубаху, как бальное платье. На голове торчали папильотки. Тощий лысый Ваня в полосатой пижаме выглядел как заключенный, сбежавший из концлагеря.

Бомбоубежищем служил погреб под кухней. Там уже собрались все обитатели пансиона, включая поваров, горничных и официантов. Последним вбежал Ансерме, закрыл тяжелую дверь.

Электричество вырубили, горела керосинка, тускло освещая полки с продуктами, смутные силуэты людей в халатах и пижамах, бледные лица. Вой проникал даже сюда. Барабанные перепонки не рвал, но на нервы действовал.

— Они не посмеют бомбить, — прозвучало контральто Томушки, — просто пугают.

— Еще как посмеют, — ответил сиплый мужской голос, — они на все способны, хозяева Европы.

— Не говорите ерунды, Мишель! — раздраженно отрезал кто-то. — Они постоянно нарушают наши границы, но еще ни разу не бомбили.

— Кошмарный вой, может свести с ума! Что это вообще такое? Кто-нибудь слышал нечто подобное?

— Я слышал, в Польше, — сказал Ося, — бомбардировщики снабжены специальными сиренами.

— Зачем? — прошептал детский голос.

— Чтобы напугать еще сильней, — ответил женский голос и забормотал молитву.

Габи молчала, уткнувшись лицом ему в грудь. Он поглаживал ее по спине.

— Разве Гитлер объявил войну Швейцарии? — спросил кто-то.

— Перед нападением на Польшу он войны не объявлял, — печально пробасил Ваня, — напал, и все.

— Да, но сначала устроил провокацию...

— Эта сирена и есть провокация, раньше они себе такого не позволяли...

— Обычно их выдворяют наши истребители.

— Почему молчит наша противовоздушная оборона?

— Если их начнут сбивать, они озвереют и сотрут нас в порошок.

— Они и так звери...

— Хуже зверей...

— Господи, это кончится когда-нибудь?

— Успокойтесь, господа, — бодро произнес Ансерме, — бомбить Швейцарию они не будут. Им нужно надежное место, чтобы хранить свое золото, прятать, в том числе и друг от друга. А что в мире надежней швейцарских банков?

— Почему вы так уверены? — спросил Ваня. — Золото прячут одни, бомбят другие.

— Люфтваффе принадлежит Герингу, — объяснил Ансерме, — он руководит грабежом и хранит тут награбленное.

— Нападут и заберут свое золото, да еще чужое прихватят, — угрюмо возразил Ваня.

— Неужели швейцарские банки принимают кровавые деньги? — спросил детский голос.

Кто-то вздохнул и прошептал:

— Деньги не пахнут...

Послышался нервный смешок, Томушка заметила с легкой укоризной:

— Пьер, если вы с самого начала знали, что бомбить не будут, зачем потащили нас сюда?

— Простите, княгиня, запаниковал, эта чертова сирена кого угодно сведет с ума.

— Можно подумать, ты бы продолжала спать, — проворчал Ваня. — Если бы Пьер нас не собрал здесь, у нас бы полопались перепонки.

Ансерме подошел к двери, приоткрыл.

— Ну вот, уже тихо. Война со Швейцарией закончилась. Жду вас к завтраку, господа, после таких потрясений надо хорошо подкрепиться.

Когда вернулись в номер, Габи молча проскользнула в ванную. Ося вытянулся на кровати, поверх одеяла, закрыл глаза, задремал. Стояла блаженная тишина, только озерная вода плескалась да чайки покрикивали, но в голове продолжала завывать сирена, под закрытыми веками замелькали развалины, трупы, кровь.

Проснулся он оттого, что Габи сидела рядом, уже одетая, гладила его по голове. Глаза были сухие, губы белые.

Ося поймал ее руку, поцеловал в ладонь.

— Пойдем завтракать.

В столовой пахло горячими булочками и кофе. Княжеская чета сидела на своем обычном месте. За соседним столом — французское семейство. Довольно молодые родители с дочкой лет четырнадцати. Девочку звали Жанетт. Именно она спросила в погребе: «Неужели швейцарские банки принимают кровавые деньги?» Сейчас сидела бледная, понурая, ковыряла вилкой творожную запеканку.

Ося и Габи поели молча, потом отправились гулять.

— Ну, что ты решил насчет Москвы? — спросила Габи, когда отошли подальше от пансиона.

— Пока ничего.

— Почему? Разве не ясно? Брахт в проекте не участвует. Можно успокоить доктора Штерна.

— Рано делать выводы. — Ося пожал плечами. — Конечно, он уволился из института, но это не мешает общаться с коллегами, обсуждать научные вопросы и давать дельные советы. Ты просто не понимаешь психологию ученых, небожители ни с чем не считаются. Наука превыше всего.

Габи тихо засмеялась.

— Ты перепутал. Небожители сегодня летали над нами и выли. Их психологию действительно понять нельзя. А ученые всего лишь люди. Даже те, кто делает урановую бомбу, обычные люди. Мотивы их вполне прозрачны. Тщеславие, деньги, бронь.

— Думаешь, у Брахта таких мотивов нет?

— Из призывного возраста он вышел, повестка ему не угрожает. Из института уволился, работает в домашней лаборатории. Значит, имеет средства.

— А тщеславие?

— Сомнительное удовольствие. Геростратова слава, только вместо храма в Эфесе сожжен будет весь мир.

— Красиво. — Ося хмыкнул. — Но неубедительно.

— Слушай, о психологии можно рассуждать бесконечно, — сердито заметила Габи, — есть факты. Брахт из института уволился и прибор свой, судя по всему, еще не собрал.

— Доктор Штерн о приборе ничего не спрашивал, значит, и сообщать пока не стоит.

Габи резко остановилась, взяла его за плечи.

— Ты что, перестал им доверять?

Ося вздохнул, отвел взгляд.

— Слишком уж неопределенно сформулированы вопросы.

— Надеюсь, ты не забыл, что они спасли мне жизнь? — Габи повернулась и быстро пошла вверх по тропинке между виноградниками.

Ося догнал ее на маленькой смотровой площадке. Внизу открывался сказочный вид на озеро, над головой раскинулось яркое альпийское небо, без единого облачка. Он обнял Габи за талию.

— На что мы тратим время? Смотри, какая красота!

— Как на открытке, — огрызнулась Габи.

— Между прочим, в спасении твоей жизни я тоже участвовал.

— Спасибо, я помню. — Она взглянула на часы. — Ладно, пора, мне надо еще уложить чемодан.

— Успеешь. Объясни, что на тебя нашло?

— Это ты объясни. Какие у тебя основания подозревать доктора Штерна в нечестности?

— Никаких.

— Тогда почему ты отказываешься передавать информацию?

— В любом случае в ближайшее время сделать это не удастся, падре больше не поедет в Москву.

— Почему?

— Потому что получил высокую должность в секретариате Ватикана. — Ося скользнул губами по шее Габи. — Вот мы уже и ругаемся, как бывалая семейная пара.

Габи отстранилась, взяла его лицо в ладони.

— Подожди, ты подозреваешь, Советы занимаются ураном, мастерски это скрывают, а доктор Штерн ведет двойную игру?

— Его могут просто использовать, — глухо произнес Ося, — я вовсе не хочу, чтобы бомба появилась у Сталина. Пока так много неясностей, я участвовать в этом не стану, при всем уважении к доктору Штерну.

* * *

На месте сгоревшего сарая, возле кривой осины, стояли два полосатых шезлонга, между ними раскладной столик. Сквозь птичий щебет доносился громкий хриплый голос Хоутерманса:

— Нет, Вернер, я не преувеличиваю! Эта идеология должна быть уничтожена раз и навсегда!

Эмма вздрогнула. Зачем же так орать? Соседи могут услышать.

— Большевизм не просто истребляет людей, он растлевает души, — продолжал ораторствовать Хоутерманс.

Слово «большевизм» успокоило Эмму.

Хотерманс заметил ее первым, прикрыл глаза ладонью, шутовски изображая, как ослеплен ее красотой.

— Прекрасная Эмма, весна вам к лицу!

— Привет, дорогуша. — Вернер подставил щеку для поцелуя.

На столике стояла бутылка вина, вазочки с орехами и сухим печеньем. Хоутерманс хотел вскочить, но выбраться из глубокой брезентовой люльки оказалось не так просто, он запутался в своих длинных ногах, едва не свалился вместе с шезлонгом, ухватился за край столика и опрокинул бы его, но Эмма вовремя придержала одной рукой столик, другой — бутылку.

— Не суетитесь, Фриц, могу и постоять.

— Нет уж, красавица, я, слава богу, еще не инвалид. — Он распутал ноги, вылез из люльки, сложив ладони рупором, крикнул: — Агнешка! Принесите, пожалуйста, третий бокал и захватите мои сигареты!

— Ну, что, дорогуша, устала? — спросил Вернер.

— Да, немного. — Эмма аккуратно расправила плащ, опустилась в шезлонг. — А ваш Физзль сегодня хорошо выглядит, бодр и весел.

— Манфред фон Арденне взял его в свою команду, — объяснил Вернер, — и виллу вернули.

Хоутерманс просвистел какой-то залихватский мотивчик и ловко отбил чечетку:

— Меня выпустили из тюрьмы, мне вернули собственность, я получил работу.

— Поздравляю, вы это заслужили, Фриц. И с верной оценкой большевизма тоже поздравляю.

— Он все преувеличивает, я устал от этих ужасов, — проворчал старик.

— Но там действительно ужас! Мне надо выговориться! А он больше слушать не хочет, — пожаловался Хоутерманс.

— Выговаривайтесь, Фриц, я послушаю. — Эмма скинула туфли, взяла из вазочки печенье.

Агнешка принесла бокал, сигареты и раскладной деревянный стул. Хоутерманс сел, с жадностью закурил.

— Вот, я начал рассказывать, а он не дал мне договорить. В ожидании ареста некоторые кончали с собой. Один аспирант во время обыска в лаборатории выпил серную кислоту, потом выпрыгнул из окна с третьего этажа. Выжил. Его арестовали и расстреляли. Со мной в камере сидел Шубин, талантливый теоретик, двадцать девять лет. Ничего не подписывал, имен не называл, держался. Жена его была на сносях. Когда родила, они повезли Шубина в роддом, показали ему новорожденного сына и жену. После этого он все подписал. По его показаниям арестовали десять человек.

— Ужас. — Эмма вздохнула.

— Гестапо не лучше, — тихо заметил Вернер.

— В гестапо меня пальцем не тронули и выпустили на свободу! Да ты вообще ни черта не понимаешь! В России тебя и

Макса давно бы расстреляли, а твои и его дети проклинали бы вас публично, на собраниях, и все равно угодили бы в лагерь!

— Физзль, не пори ерунды, — одернул его старик.

Хоутерманс помотал головой, рубанул ладонью воздух:

— Я там жил два года! Знаю не из газет, видел своими глазами, испытал на собственной шкуре. Там никто пикнуть не смеет, девяносто процентов ютятся в бараках, в грязи, полуголодные, ходят в обносках! Для Сталина все население, поголовно, низшая раса. Он к русским относится точно так же, как к ним относится Гитлер. Но Гитлер открыто говорит о неполноценности славян, а Сталин врет, льстит, болтает о великом советском народе и перемалывает их всех в покорную рабскую массу. Они терпят, молятся этому ничтожеству, славят его! Значит, и правда рабы! Заслуживают такой жизни и такого, с позволения сказать, бога!

Старик не стал возражать, безнадежно махнул рукой. Эмме надоели стоны Хоутерманса. Наверное, он прав, но сколько можно? Она мягко заметила:

— Фриц, мне кажется, психологические травмы только углубляются, когда о них без конца вспоминаешь. Для вас и для вашей семьи советский кошмар закончился. Надо думать о хорошем. Вы дома, вам вернули собственность, вас ждет интересная работа. — Она расслабленно откинулась на спинку шезлонга.

Пучок на затылке мешал, шпильки впились в шею. Вынимая их одну за другой, она поглядывала на старика, пыталась угадать, знает ли он, чем займется его драгоценный Физзль в лаборатории фон Арденне?

Ни одно госучреждение не могло принять на работу помесь второй степени. Манфред фон Арденне взял к себе Хоутерманса потому, что его лаборатория была частным предприятием. Но наравне с государственными институтами лаборатория фон Арденне входила в Урановый клуб, правда, финансировалась довольно скромно, министерством связи. Эмма понятия не имела, как продвигаются у них дела, в далемских институтах фон Арденне считали авантюристом и проходимцем, вроде

Маркони, а его лабораторию — жалкой частной лавочкой. На самом деле он был талантливым экспериментатором, имел кучу патентов на разные оригинальные изобретения.

«А ведь и Хоутерманс далеко не пустое место, — подумала она, — его участие может здорово продвинуть исследования. Было бы забавно, если бы они нас обскакали... Нет, вряд ли. С мозгами у них все в порядке, а вот с деньгами и материалами проблемы. Министерство связи большими средствами не располагает, так что о масштабных экспериментах в частной лавочке мечтать не приходится».

Она вытащила все шпильки. Волосы упали и рассыпались блестящей густой волной с платиновым отливом. Теперь можно было расслабиться в шезлонге. Она поймала взгляд Хоутерманса не только восхищенный, но и откровенно похотливый. Едва заметно передернула плечами, отвела глаза и про себя усмехнулась: «Ух ты! Быстро идешь на поправку, жертва большевизма. Сочувствую твоей жене. У Манфреда фон Арденне много хорошеньких лаборанток, там и разгуляешься».

Вернер налил ей вина. Эмма чокнулась со стариком, качнула бокалом в сторону Хоутерманса:

— Значит, скоро, Фриц, вы сможете переехать в собственную виллу?

— Не так уж скоро. — Он продолжал пожирать ее глазами. — Протекает крыша, паркет вздулся, водопроводные трубы лопнули. Манфред обещал выдать мне приличный аванс, чтобы я мог начать ремонт, так что, надеюсь, в начале июля приглашу вас на новоселье, красавица.

— Придется мне терпеть этого агитатора еще пару-тройку месяцев. — Старик хмыкнул и бросил в рот орешек.

— Не надейся, Вернер, так просто ты от меня не отделаешься, — Хоутерманс растянул в улыбке дымный рот, — когда перееду, буду шляться к тебе в гости, донимать своей болтовней.

— Фриц, все это замечательно, вот только... — Эмма пригубила вино, поставила бокал, озабоченно нахмурилась.

— Ну-ну, красавица, договаривайте. — Хоутерманс выпустил дым из ноздрей.

Эмма покачала головой:

— Нет, Фриц, не стоит портить вам настроение.

Он смотрел на нее удивленно и выжидательно. А Вернер отключился от разговора, задумался, любовался малиновым диском заходящего солнца. Войлочный шлем висел на рейке шезлонга. На месте споротой звезды осталось бесформенное светлое пятно. Лысина слегка поблескивала, морщины на высоком лбу разгладились, губы улыбались. Он будто помолодел лет на десять.

«Думает о Мейтнер, — догадалась Эмма, — с нетерпением ждет свидания. Помесь смиренной овцы и бродячей кошки снизошла, позволила приехать. Интересно, почему он молчит, ничего не говорит мне о своих планах? А с драгоценным Физзлем уже поделился или еще нет?»

Глядя мимо Хоутерманса, она тихо, сочувственно спросила:

— Фриц, вы уверены, что у вашей жены не будет неприятностей, если в Штатах узнают, чем вы тут занимаетесь?

Хоутерманс открыл рот. Вернер перестал мечтать.

— Что ты имеешь в виду, дорогуша?

Он переводил изумленный, настороженный взгляд с нее на Хоутерманса. Тот молчал и прятал глаза.

— Вернер, я не могу ответить. — Эмма облизнула губы, пригладила растрепавшиеся волосы. — Я давала подписку, простите, ляпнула лишнее.

— Физзль?

Хоутерманс виновато кивнул, вздохнул и развел руками.

Эмме стало жаль старика. Такое отстраненное, застывшее выражение она видела на его лице только однажды, во время их последней ссоры с Германом. И опять она легко догадалась, о чем он думает. В лабораторию фон Арденне Физзля устроил фон Лауэ. Честный, порядочный Макс, лучший друг, единомышленник, мужественно бойкотировал режим, но преспокойно отправил Физзля делать бомбу для Гитлера. И Физзль с радостью согласился.

Эмма дотянулась до руки старика, погладила:

— Вернер, вы должны понять: практически вся наша физика и химия сегодня связаны с этим, так или иначе, всем нам приходится...

Старик убрал руку из-под ее пальцев, сморщился. Эмма спокойно продолжила:

— Нельзя остановить время, притормозить развитие науки. Фриц талантливый ученый, он и так потерял два года в советской тюрьме. Ему необходимо работать, да и жить на что-то нужно. А другой работы для ученого сегодня просто нет.

Старик молчал. Эмма забеспокоилась: вдруг сейчас встанет, уйдет в дом? Но сидел, не двинулся с места, только отвернулся. Что ему было делать? Не мог же он порвать со всеми, остаться в полном одиночестве.

«Даже любимая Лиза в этом замешана, — подумала Эмма, — она в первую очередь, а потом уж все мы. Пора свыкнуться, смириться, взглянуть на вещи здраво, по-взрослому».

— Спасибо за поддержку, красавица. — Хоутерманс схватил свой бокал с остатками вина, выпил залпом. — Узнают вряд ли, уровень секретности высокий. Но даже если слухи просочатся, не страшно. После того как Шарлотта и дети удрали из СССР, уже ничего не страшно. Америка цивилизованная страна. Я за свою семью абсолютно спокоен.

Глава двадцать пятая

У тром Поскребышев вручил Илье очередную порцию перехваченной переписки германского посольства. Кроме обычных меморандумов Вайцзеккера, имелась любопытная телеграмма Риббентропа Шуленбургу.

Я не расстался с мыслью о визите Молотова в Берлин. Понятно без слов, что приглашение не ограничивается одним Молотовым. Если в Берлин приедет сам Сталин, это еще лучше послужит нашим целям. Фюрер не только будет рад приветствовать Сталина в Берлине, но и проследит, чтобы он (Сталин) был принят в соответствии с его положением и значением, и он (Гитлер) окажет ему все почести, которые требует данный случай. Как Вы знаете, устное приглашение Молотову и Сталину было сделано мною в Москве, и обоими было принято. В какой форме следует повторить эти приглашения и добиться согласия, Вы сами решите лучше. Во время Вашей беседы приглашение господину Молотову выскажите более определенно, тогда как приглашение господину Сталину Вы должны сделать от имени фюрера в менее определенных выражениях.

Илья переводил текст телеграммы, печатал очередную сводку и думал, что лучшие годы Риббентропа остались позади. Чем больше стран становятся частью рейха, тем меньшую роль играет МИД. На оккупированных территориях дипломаты не нужны. Там распоряжается СС. А с врагом общаются танки вермахта, бомбы люфтваффе и железная воля фюрера. Из серьезных союзников остались только Япония и СССР. Италия не в счет, она давно уже не союзник, а часть рейха.

Риббентроп чувствует, что фюрер нуждается в нем все меньше, вот и носится с идеей организовать еще одно помпезное событие на высшем уровне. Никакого политического смысла и воли фюрера за этим, конечно, не стоит. Только назойливая активность Риббентропа, желание напомнить о себе, романтическая попытка вернуться в славный август тридцать девятого, в свои звездные часы, когда он, Риббентроп, так виртузно разыграл русскую карту, слетал в Москву и привез фюреру пакт с Россией.

Опытный Шуленбург ответил шефу в своем обычном здравом и сдержанном тоне:

Известно, что Молотов никогда не бывал за границей и испытывает большие затруднения, появляясь среди чужеземцев. Это в еще большей степени относится к Сталину. Поэтому только очень благоприятная обстановка или крайне существенная для Советов выгода может склонить Молотова или Сталина к такой поездке. Хотя шансы на успех мне кажутся маленькими, я, конечно же, сделаю все, что в моей власти, чтобы попытаться реализовать план. Удобная стартовая точка для неофициальной беседы на эту тему может быть найдена лишь с большим трудом. Что касается приглашения Сталина, то для начала может быть рассмотрена возможность встречи в пограничном городе.

Илья отыскал в своем личном рабочем архиве сообщение бывшего резидента НКВД в Швейцарии Флюгера с отличной психологической характеристикой Риббентропа и перепечатал для сводки, разумеется, без ссылки на Флюгера, поскольку резидент стал невозвращенцем в тридцать седьмом.

Риббентроп — человек, занимающий ответственный пост, для которого у него нет никаких талантов, знаний, опыта. Он зависит от огромного штата своих советников, которые неотлучно находятся при нем. Чувство неполноценности старается скрыть высокомерием, зачастую невыносимым. Орет на подчиненных. Страдает психически нездоровой страстью всегда и везде выпячивать себя и жить в максимально возможном шикарном стиле.

Связной офицер, постоянно находящийся при Гитлере, передает Риббентропу, что сказал Гитлер в кругу своих самых доверенных лиц. Риббентроп выкладывает Гитлеру его же идеи как свои собственные мысли, отчего возникает иллюзия совпадения, весьма приятная Гитлеру, и тот восхищается феноменальной интуицией своего министра иностранных дел.

Илья закончил с этой частью, вытащил лист из машинки, прикинул реальную возможность и последствия визита в Берлин.

«А вдруг именно такой случай? Связной офицер передал Риббентропу идею фюрера встретиться со Сталиным, и "феноменальная интуиция" заранее готовит почву? Ну, нет! Сейчас ему точно не до Сталина с Молотовым. Раньше осени об официальном приглашении речи быть не может. Только что он занял Данию, добивает Норвегию, потом двинется в Голландию и в Бельгию, оттуда, вероятно, во Францию. Возьмет он Францию так же легко, как Польшу, или завязнет? Судя по сводкам Ивана, французкая армия не в лучшей форме. Старые маршалы воевать будут, как в Первую мировую. Иначе просто не умеют. Англичане, конечно, помогут, это уже не Польша, но все-таки еще и не Британия... А здорово было бы вдарить по фюреру с тыла, когда он атакует Францию! Для маскировки можно предварительно принять приглашение Риббентропа».

Илья усмехнулся. Идеальный Сталин обводит Гитлера вокруг пальца, в самый подходящий момент неожиданно наносит удар в спину, ставит точку в мировой войне, спасает миллионы жизней, сотни европейских городов и деревень от разрушений. Лучший способ избавиться от страха перед Гитлером и предотвратить нападение на СССР — напасть самому, с тыла, когда фюрер будет бить французов. Вот тут как раз общая граница оказалась бы очень кстати. Идеальный Сталин имеет сильную армию. Она продемонстрировала всему миру свою мощь, за пару недель захватила Финляндию, дошла до шведской границы и устроила торжественный парад в Хельсинки ко дню рождения Идеального Сталина, причем победила не только финскую армию, но и английскую, французскую, немецкую. Нет, Идеальный Сталин не будет наносить Гитлеру удар в спину потому, что он и так уже всех победил.

— Кажется, я заразился от Риббентропа романтической мечтательностью, — беззвучно пробормотал Илья.

В папке из Разведупра он нашел подробный анализ действий немецких войск в операциях по захвату Дании и Норвегии. Советский военный атташе из Берлина сообщал о подготовке к вторжению в Голландию и Бельгию, цитировал угрозу Гитлера напасть на Швейцарию: *«По дороге мы захватим этого маленького дикобраза».*

Заявление швейцарского правительства: *«В случае нападения будут взорваны большие Сан-Готардский и Симплонский транзитные туннели под одноименными перевалами».*

Комментарий Проскурова: *«Через эти туннели Италия получает от Германии уголь, без которого ее экономика будет парализована».*

Дойдя до последних страниц, Илья вздрогнул.

Анализ имеющихся материалов и сообщения источников показывают, что в Германии уже год идут секретные работы по созданию сверхмощного оружия на основе энергии, возникающей при расщеплении ядра урана. По оценке специалистов, эта энергия в 20 миллионов раз превосходит взрывчатую силу тротила.

Ведущие немецкие специалисты по атомной физике прекратили публиковаться. В немецких научных журналах за прошедший год не появилось ни одного материала, касающегося урановой темы. Секретными объектами стали более двадцати ведущих научно-исследовательских институтов Германии, в том числе Физический и Химический институты Общества кайзера Вильгельма в Берлине (Далем), Институт физической химии Гамбургского университета, Физический институт высшей технической школы (Берлин), Физический институт Инсти-

тута медицинских исследований (Гейдельберг), Физико-химический институт Лейпцигского университета и др.

Весной тридцать девятого года Германия закупила значительное количество урана в Бельгийском Конго. Фирма «Ауэр гезельшафт» занята эксплуатацией урановых рудников в Богемии и в Иоахимстале (Чехословакия), использует бесплатный труд чешских и польских рабочих, а также узников концлагерей. Таким образом, еще накануне войны Германия оказалась единственным государством, где ядерная тематика получила официальный статус приоритетного направления военных исследований.

После оккупации Норвегии в руки немцев попадет единственный в мире завод по производству тяжелой воды, что может значительно ускорить работу над урановой бомбой. В случае захвата Бельгии немцы получат дополнительный запас урана.

Из-за высокой секретности проекта не представляется возможным выяснить, насколько далеко продвинулись немецкие ученые и кто руководит работами. В проекте заняты практически все немецкие физики и химики.

По анализу научных публикаций можно предположить, что из числа ученых мирового уровня отказались от участия в работах, связанных с производством уранового оружия, только двое: профессор фон Лауэ, лауреат Нобелевской премии, и профессор Брахт, лауреат золотой медали Планка.

Считаю необходимым незамедлительно начать разведку и эксплуатацию имеющихся на территории СССР урановых месторождений и привлечь к работе над созданием советского уранового оружия ведущих советских ученых-ядерщиков.

Зам. Народного комиссара Обороны СССР
Нач. 5-го Управления Красной армии
Герой Советского Союза комдив ПРОСКУРОВ.

Илья сжал пальцами виски. «Значит, вот почему ты молчал так долго. Решился на таран, созрел, отправил послание Идеальному Сталину. Что же не предупредил? Боялся, стану отговаривать? А зачем здесь упомянул Брахта вместе с фон Лауэ? Понятно, информацию от них ты получил вовсе не из анализа научных публикаций. Неужели послал конкретный запрос своему берлинскому источнику? Нет, вряд ли. Предпоследний абзац ты вписал специально для меня. Считаешь, дела твои так плохи, что я не рискну с тобой встречаться?»

Илья пробежал глазами приложенное к проскуровскому тарану письмо академиков Вернадского, Хлопина и Ферсмана.

Работы по физике атомного ядра привели в самое последнее время к открытию деления атомов элемента урана под воздействием нейтронов, при котором высвобождается огромное количество внутриатомной энергии.

В процессе деления выбрасываются быстрые нейтроны. Уже сейчас, пока еще технический вопрос о выделении изотопа урана-235 и использовании энергии ядерного деления наталкивается на ряд трудностей, не имеющих, однако, как нам кажется, принципиального характера, в СССР должны быть приняты меры к формированию работ по разведке и добыче урановых руд и получению из них урана. Это необходимо для того, чтобы к моменту, когда вопрос о техническом использовании внутриатомной энергии будет решен, мы располагали необходимыми запасами этого драгоценного источника энергии. Между тем в этом положение в СССР в настоящее время крайне неблагоприятное. Запасами урана мы совершенно не располагаем. Это металл крайне дефицитный. Производство его не налажено.

Считаем необходимым подчеркнуть, что та страна, которая сумеет практически овладеть достижениями ядерной физики, приобретет абсолютное превосходство над другими странами.

Материалы Разведупра обычно печатались в четырех экземплярах. Первые ложились на стол к Хозяину. Читал ли он их сразу, целиком, или выборочно, Илья не знал. Копии получали нарком обороны Тимошенко (слава богу, уже не Ворошилов) и Особый сектор. Илья вносил в свои сводки то, что касалось Германии и заслуживало хозяйского внимания.

Информация о работах над урановым оружием прямо касалась Германии и безусловно заслуживала внимания. Илья перепечатал текст, слегка отредактировал. Убрал «бесплатный труд чешских и польских рабочих, а также узников концлагерей». Хозяина такие подробности раздражали. Предпоследний абзац выкинул. Письмо академиков просто приложил к сводке.

Прежде чем протянуть руку к телефонному аппарату, он постоял у открытого окна, выкурил папиросу.

Проскуров сразу взял трубку. Голос звучал глухо, хрипло. Илья проглотил ком в горле и произнес спокойным будничным тоном:

— Добрый день, Иван Иосифович. Тут у меня к вам несколько вопросов по сводке. Часам к десяти могу подойти на Знаменку. Устраивает?

В ответ долгая, тяжелая пауза, потом вздох и, будто эхо со дна колодца:

— Так точно, товарищ Крылов.

Когда Ося вернулся из Швейцарии, Чиано сказал, что в ближайшее время от поездок придется воздержаться.

— Джованни, вы нужны мне здесь, грядут большие события.

Под большими событиями его шеф разумел нападение Германии на Бельгию, Голландию, Люксембург и Францию.

Между тем Осе надо было срочно лететь в Париж. Тибо собирался вывезти из Бельгии остатки урана, а Осю подключил к тайной операции по вывозу тяжелой воды из Парижа. Две тонны, которые норвежцы отказались продать немцам, хранились у Жолио Кюри в Коллеж де Франс.

Дуче прицепил Осе на грудь бронзовую медаль за доблесть, гримасничая, произнес короткий пафосный спич о том, что итальянским солдатам следует учиться отваге и мужеству на поле боя у итальянских журналистов.

Потом был ужин у Чиано. Ося прихватил с собой пленки. На вилле министра имелся небольшой кинозал. Портрет Сталина, возвышающийся над полем с трупами красноармейцев, особенно сильно впечатлил зрителей. Эдда, жена Чиано, дочь Муссолини, охнула, прижала ладони к щекам, а после просмотра решительно заявила:

— Джованни, у вас получился готовый фильм! Надо написать закадровый текст и показывать во всех кинотеатрах Италии. Это красноречивей любых газетных репортажей. Вы должны отправиться во Францию и снять кульминацию великих событий.

— Дорогая, но Джованни вовсе не военный оператор, — возразил Чиано, — сейчас его некому заменить в пресс-центре.

— Он лучший военный оператор в Италии, — отрезала Эдда, — я постоянно смотрю хронику и знаю, что говорю. Заниматься пустой болтовней в пресс-центре может кто угодно, а вот так снимать войну — только он один.

Чиано еще немного поспорил с женой, но, конечно, она победила. В их союзе она была главной и всегда побеждала.

Ося поблагодарил Эдду, а также свою верную «Аймо» и портрет товарища Сталина.

На следующий день он обедал с падре Антонио в маленькой пиццерии неподалеку от площади Святого Петра. Они давно не виделись. Падре больше не ездил в Москву, теперь он служил в папском секретариате, возглавлял отдел связей с католическим духовенством на оккупированных территориях.

Старый епископ сотрудничал с британской разведкой уже лет двадцать, но платным агентом не был. Он помогал Осе поддерживать связь с Москвой с тридцать седьмого. Сначала просто выполнил небольшую просьбу — принял и передал информацию от советского разведчика-нелегала. Разведчика отозвали в Москву и сразу арестовали. Его жена осталась в Швейцарии, она была на последнем месяце беременности и собиралась приехать после родов. Благодаря падре удалось сообщить ей, что муж в тюрьме, если она вернется, тоже будет арестована. Ося переправил ее с ребенком в Британию, потом они уехали в

Америку. Без падре спасти эти две жизни было бы невозможно, так же как и жизнь Габи. Ося не знал, сколько всего спасенных на счету старого епископа, да и сам падре вряд ли мог назвать точную цифру.

Информацию в Москву он передавал из личной симпатии к Осе и к доктору Штерну. Единственной точкой опоры епископ считал добрую волю и здравый смысл каждого отдельного человека, независимо от вероисповедания и национальности. Официальным правительственным структурам не доверял, политиков называл «закваской фарисейской». Атмосфера итальянского посольства угнетала его. Он признался Осе:

— Честно говоря, я рад, что больше не надо летать в Москву. Тяжело принимать исповеди и отпускать грехи чиновникам, которые лгут словом и делом, служат дьяволу и продолжают считать себя христианами. Конечно, папский секретариат не лучше. Та же «закваска фарисейская», лгуны, лицемеры, только вместо пиджаков сутаны. Но тут хотя бы появилась возможность заняться полезным делом.

Падре Антонио пытался наладить тайный канал переправки евреев из оккупированной Польши в нейтральные страны. Польским подпольщикам иногда удавалось вывести небольшие группы детей из гетто, приходилось их прятать в деревнях. Семьи, принимавшие их, рисковали жизнью собственных детей.

Он говорил об этом скупо и дал понять, что не очень верит в успех своей затеи.

— Политики в Британии и в Америке не желают слушать о том, что творится в оккупированной Польше. Еврейский вопрос для них слишком щекотливый. Конечно, неприятно сознавать, что Гитлер — прямое следствие европейского и американского антисемитизма. — Он вздохнул и продолжил, перебирая четки: — «Нет ничего сокровенного, что не открылось бы, и тайного, чего не узнали бы. Посему, что вы сказали в темноте, то услышится в свете; и что говорили на ухо внутри дома, то будет провозглашено на кровлях»[1].

---

[1] Евангелие от Луки, гл. 12, ст. 2–3.

Им принесли одну здоровенную пиццу «Кватро фромажо» на двоих. Падре пил воду, Ося — «Кьянти». Когда поели, старик спросил вполголоса:

— Джованни, я сильно подвел вас с Москвой?

Ося развел руками:

— Ну, что же делать, все когда-нибудь заканчивается.

— Там сейчас служит падре Бенито, к сожалению, он не тот человек, к которому можно обратиться. Да, кстати, вам удалось передать ответ доктору Штерну?

Ося молча помотал головой. Падре глотнул воды, придвинулся на стуле поближе и зашептал:

— Джованни, в прошлую нашу встречу мне было неловко признаться вам, но теперь придется. — Пальцы его перебирали четки, от сутаны пахло ладаном и утюгом. — Москва не соблюдает дипломатическую неприкосновенность, на таможне обыскивают. Я не рискнул оставить записку в конфетной коробке, это могло привлечь внимание. Сунул ее в папку к своим бумагам. Потом, в самолете, прежде чем спрятать назад в коробку, не удержался и прочитал.

Ося улыбнулся.

— Падре, вы поступили абсолютно разумно, в коробке ее, конечно, нашли бы.

Старик ничего не ответил, низко опустил голову, продолжал перебирать четки, губы едва заметно шевелились.

Принесли кофе. Осе хотелось курить, вокруг дымили, но зажечь сигарету рядом с епископом, тем более когда он молится, было неловко.

— Да уж ладно, Джованни, закуривайте, — проворчал падре, не поднимая головы.

— Спасибо. — Ося чиркнул спичкой. — Падре Антонио, вы имели полное право прочитать то, что передавали, у меня нет от вас секретов, мы с самого начала так условились.

Старик убрал четки, отхлебнул кофе, взглянул на Осю довольно сурово, исподлобья, и вдруг улыбнулся.

— Счастливая случайность — просто псевдоним Бога. Знаете, кто сказал?

Ося пожал плечами:

— Судя по стилю, вряд ли кто-то из святых отцов.

— Это сказал Альберт Эйнштейн, и я с ним полностью солидарен. — Старик допил кофе, промокнул губы салфеткой. — Вот какая история. В папский секретариат пришел почтовый конверт из Берлина. Внутри два письма, одно на польском, другое на немецком. Под немецким текстом и на конверте стоит имя «Вернер Брахт».

Ося нервным движением загасил окурок, схватил стакан и залпом выпил воду.

— Так и думал, что вы удивитесь, Джованни. — Старик усмехнулся. — Кажется, это мой стакан. Ладно, слушайте дальше. В обоих письмах просьба узнать о судьбе польского ребенка. Его мать угнали в Германию. Ребенок остался в деревне под Краковом у чужих людей. Мать работает горничной в доме Вернера Брахта в Шарлоттенбурге. — Падре поймал пробегавшего официанта, попросил принести еще воды и продолжал: — Я отправил запрос в Польшу, по надежному каналу.

Ося потянулся за второй сигаретой, но падре остановил его:

— Джованни, одной достаточно. Как только придет ответ, дам вам знать. Вас, конечно, не затруднит слетать в Берлин и доставить ответ адресату. Надеюсь, с мальчиком все в порядке, вы принесете в Шарлоттенбург хорошую весть и лично познакомитесь с профессором Брахтом.

— Да, мне давно хотелось познакомиться с ним, — чуть слышно пробормотал Ося.

— Догадываюсь. — Епископ ухмыльнулся.

— Падре Антонио, как вас благодарить?

— Благодарите Бога, Джованни, и не унывайте. Никогда еще из Германии от немцев-хозяев подобных запросов не приходило. Знаете, что я думаю? Немец, который принимает такое живое участие в судьбе польки и ее ребенка, вряд ли согласился бы работать в урановом проекте.

После обеда они еще немного погуляли, вышли к набережной Тибра. Ося показал свою простреленную тетрадь. Падре взял ее в руки, поднес к лицу, посмотрел сквозь дырку от пули, потом вернул Осе, перекрестил его и сказал:

— Джованни, когда вам покажется, что все ужасно и надежды нет, взгляните на мир через это окошко.

* * *

Проскуров ждал Илью на их обычном месте, возле спортивной площадки, неподалеку от здания Комиссариата обороны. Понуро сидел на скамейке, в плаще и шляпе. Почти стемнело. Накрапывал дождь, редкие крупные капли приплясывали в луже под фонарем, блестели на шляпе летчика.

— Привет. — Илья не стал садиться, скамейка была мокрой. — Поднимайся, давай ко мне под зонт.

— Здоро́во, — сипло отозвался Иван, но с места не сдвинулся.

— Вставай, простудишься. — Илья тронул его плечо. — В соседнем дворе беседка, пойдем, под крышей посидим.

Проскуров нехотя поднялся. Поля шляпы, усыпанные каплями, как драгоценными камнями, прятали половину лица. Илья видел только поджатые губы, серую тень щетины на подбородке.

Беседка была занята, там целовалась парочка. Они побрели под зонтом к бульвару.

— Значит, решился на таран, — произнес Илья после долгого молчания. — Почему не предупредил?

— Снимают меня, Илья. Не хотел тебе звонить, я теперь, считай, прокаженный, от меня надо держаться подальше.

«Значит, чутье не подвело обезьянку Шурика. Видимо, Хозяин не вчера принял решение насчет "слишком честной души". Илья покрутил зонтом, стряхивая капли, искоса взглянул на Ивана.

— Приказ уже есть?

— Нет.

— Ну-у, ты паникер, Ваня, честное слово, не ожидал от тебя. Пока нет приказа, говорить вообще не о чем.

— Будет приказ, со дня на день. Клим телегу на меня накатал.

— Невидаль, сотая телега Клима! — Илья хохотнул. — Понятно, просрал Финскую, валит на тебя. Да пусть подотрется телегой своей, его самого сняли, он теперь никто.

— Он теперь председатель Совета обороны при СНК, это, конечно, пшик, а вот в ближнем круге остался. Телега называется «Акт о приеме Наркомата обороны». — Проскуров заговорил скрипучим теноркомом Клима: — «Организация разведки является самым слабым участком в работе наркомата. Организационной разведки и систематического поступления данных об иностранных армиях не имеется».

«Это не телега, это приговор. — Илья сжал зубы. — Да, приговор, потому что абсолютная, наглая ложь. Клим не мог такое накатать без санкции Хозяина».

— «Наркомат обороны не имеет в лице Разведуправления органа, обеспечивающего Красную армию данными об организации, состоянии, вооружении, подготовке и развертыванию иностранных армий, — продолжал Иван, — сдал Ворошилов, принял Тимшенко. Подписали Жданов, Маленков, Вознесенский».

Илья тихо выругался. Проскуров остановился, приподнял пальцем поля шляпы. В ярком фонарном свете Илья увидел красные, воспаленные от бессонницы глаза.

— Ты читал все мои сводки. Что еще ему надо? Объясни, чего он хочет? Чтобы я врал, как Клим?

У Ильи в голове крутились Машкины строчки: «Этот глупенький расчет нам навязывает черт... а в копилке у него, кроме смерти, ничего». Вслух он произнес:

— Нет, Иван, врать, как Клим, ты не сумеешь при всем желании. Нет у тебя таких талантов. Но можно смягчить, пригладить. Просто не лезь на рожон, не спорь, не возражай, во всяком случае сейчас.

— Не возражать? Ты же читал стенограмму, что он там нес, помнишь? — Проскуров спрятал руки в карманы, сгорбился, пробормотал: — Столько людей уложили зазря, а будто и не было ничего. Точных цифр никто никогда не узнает.

— Вань, за точными цифрами правда слишком уж страшная, — осторожно заметил Илья. — Не уверен, что нашим детям и внукам она нужна. Чтобы жить дальше, такое прошлое лучше забыть.

— Забыть? — Проскуров зло усмехнулся. — Вот шлепнут меня, объявят врагом. Моим детям лучше забыть меня? Поверить, что я враг?

— Твои не забудут и не поверят. — Илья помолчал минуту и продолжил с фальшивой бодростью: — Шлепнут, объявят... Ты говоришь как о свершившемся факте. Это еще не факт, далеко не факт. Сейчас не тридцать седьмой, а сороковой. Новый заговор в Красной армии накануне войны он заваривать не станет.

— Новый не нужен, старый вполне сгодится. — Иван усмехнулся. — Остатки сладки. В тридцать седьмом из арестованных выбили показания с хорошим запасом, каждый назвал еще десяток сообщников. Мы все сообщники, любого можно пришить к старому заговору.

С этим Илья поспорить не мог. Военная контрразведка под руководством Берии прочесывала ежовские архивы, собирала компромат на уцелевших. Берия основательно готовился к скорой войне, ему требовались надежные рычаги влияния на комсостав.

— Приказ он подпишет. — Проскуров передернул плечами. — Ну, может, не завтра, через неделю, через месяц. Неважно. Отправит командовать авиаполком где-нибудь в Одессе или в Липецке. Месяц-два помытарит, и привет. Сам знаешь, как это бывает.

Еще бы не знать. Постоянно работала одна и та же схема. Снятие с должности, перевод куда-нибудь в провинцию, арест, расстрел. Так происходило со всеми, от Енукидзе до Тухачевского, от Ягоды до Блюхера.

— Вот я и решился написать про бомбу, — продолжал Проскуров, — терять мне все равно нечего. А вдруг он хотя бы задумается? Конечно, лучше бы лично доложить, но не принимает он меня. Поскребышев талдычит по телефону: «товарищ Сталин занят!»

— Не принимает? — оживился Илья. — Так ведь это хороший знак! Когда он кого-то наметил, наоборот, принимает, тепло беседует. Написал про бомбу, ладно, только пока остановись на этом, пережди, и все обойдется.

Проскуров сморщился, помотал головой:

— Слушай, хватит.

Илью самого уже тошнило от своего фальшиво-бодрого тона.

«А что еще я могу? — с тоской подумал он. — Сказать: "Да, надежды нет, ты обречен, он тебя уничтожит"? Тем более я сам в этом вовсе не уверен».

Илья вздохнул:

— Нет, Вань, я тебя не утешаю, но все-таки время, правда, изменилось. А Финляндия стала хорошим уроком. Что он там нес на заседании, неважно. Надо по делам судить, а не по словам. В итоге Клима он все-таки снял, Рокоссовского выпустил, притормозил строительство Дворца Советов и сверхтяжелого океанского флота.

Илья заметил, что дождь кончился, закрыл зонтик, подумал: «Ладно, пора сменить тему, поговорить, наконец, о письме. Прежде всего — откуда он взял информацию о Брахте... Нет, позже, слишком он взвинчен, пусть немножко остынет».

Он потянул Ивана в сторону от лужи, в которую они оба едва не угодили, и спросил:

— Ну, а что Иоффе?

— Молчит.

— Может, этот резонатор вообще пустышка?

— Нет, не пустышка. — Проскуров помотал головой и ровным безучастным голосом пояснил: — Прежде чем отправить в Ленинград, я отдал контейнер ребятам из технического отдела. Они проверили. Там действительно обогащенный уран.

У Ильи вырвался тяжелый вздох и глупый вопрос:

— Не доверяешь Иоффе?

Иван пожал плечами.

— Просто знаю, тянуть будет бесконечно, вот и решил сразу выяснить главное. Процент изотопа двести тридцать пять невысокий. Но если представить промышленный масштаб. — Иван сморщился. — Конечно, немцы сразу просекут и вцепятся.

— Немцы просекут и вцепятся, — повторил Илья, — а что же наши?

— Помнишь, я тебе говорил о заявке из Харьковского УФТИ? Вот так же и Мазура замылят, тем более ссыльный он, из академиков поперли. — Проскуров усмехнулся. — Они его поперли, а он их всех обскакал. Ученые коллеги такого не прощают.

— Ну, это, положим, их личные проблемы, прощают, не прощают. Результат налицо — обогащенный уран, так что...

— Хороша ложка к обеду, а яичко к Христову дню! — перебил Иван. — Вот если бы уже шла добыча и переработка, если бы партия и правительство трясли академиков, тогда другое дело. Тогда товарищи Иоффе и Хлопин сразу простили бы Мазура, вцепились бы зубами. Резонатор стал бы их общим достижением. Но ничего этого нет. У нас нет. А у немцев есть все. Они глубоко в теме. Получив такой дешевый и эффективный метод обогащения, бомбу сделают к следующей весне.

— Но ведь Брахт в работах не участвует, — осторожно заметил Илья.

Он не стал спрашивать, откуда взялась хорошая новость, подумал: «Решай сам, раскрыть мне свой берлинский источник или нет. А ведь, по сути, ты уже раскрыл. Даешь в сводках информацию без ссылок, понимаешь, что я догадываюсь, откуда она может идти».

— Не участвует, — медленно повторил Проскуров, — и резонатор свой еще не собрал. Но скоро соберет и опубликует.

— То есть Мазур прав? — Илья сглотнул комок в горле.

Он хотел добавить: «Значит, письмо надо отправлять?» — но не успел. Проскуров быстро, на выдохе, произнес:

— Родионова в Берлин не выпускают. — Он поежился, поправил шляпу, заговорил спокойней: — Пробить ему поездку я не могу. Спасибо, если парня за собой не потяну. По-хорошему, надо бы отправить его подальше от меня, назад в НКВД к Журавлеву, но с его характером он там спалится сразу.

Они вышли на ярко освещенную Арбатскую площадь. Из кинотеатра «Художественный» валила толпа с вечернего сеанса. Илья потянул летчика за локоть к стене, чтобы не мешать движению. Они встали под большой цветной афишей: артистка Раневская в соломенной шляпке набекрень держит на руках маленькую пухленькую девочку с косичками. Сверху — огромные красные буквы: «ПОДКИДЫШ».

Илья достал папиросы, чиркнул спичкой. Рядом звонкий голос произнес:

— Извините, пожалуйста! Вы — товарищ Проскуров?

Девочка лет шестнадцати, придерживая рукой белую беретку, смотрела на Ивана снизу вверх восторженными глазами. Рядом стояли еще две девочки и два мальчика, и все смотрели раскрыв рты.

— Ну, я Проскуров, — мрачно откликнулся Иван.

— А-а! Вот! Я же говорю, он! — Девочка в беретке подпрыгнула и хлопнула в ладоши.

— Товарищ Проскуров, у нас кружок юных летчиков носит ваше имя! — сообщил долговязый мальчик в кургузом, не по росту, пальто и кирзовых сапогах.

— Дорогой товарищ Герой Советского Союза! Мы все вами восхищаемся! — заверещала толстушка в мальчишеской спортивной куртке поверх цветастого платья и протянула Ивану открытку. — Разрешите попросить у вас автограф!

— Ребята, да вы что? — смутился Иван. — У меня и карандаша с собой нет.

Илья вытащил самописку, отвинтил колпачок. Долговязый мальчик пригнулся, подставил спину. Иван покачал головой, вздохнул, взял самописку и открытку.

— Минуточку! Это же Валентина Серова!

— Товарищ Проскуров, я вообще не представляла, что встречу вас, ну, пожалуйста, товарищ Проскуров. — Толстушка умоляюще сложила руки. — Ваш снимок из «Огонька» у меня дома, а Серову я сегодня в «Союзпечати» купила, я через кальку автограф ваш обведу, а потом под копирку, на ваш снимок, аккуратненько...

— Давай, Иван Иосифович, расписывайся, не обижай комсомольцев, — подбодрил Илья.

— Товарищ, а вы тоже летчик? — Девочка в беретке вопросительно уставилась на него.

— Почти. — Илья покачался на одной ноге, подкинул и поймал зонтик. — Я канатоходец в цирке.

— Серьезно?! — Глаза девочки округлились. — В цирке, на Цветном бульваре?

— Товарищ шутит. — Иван хмыкнул, вернул толстушке фотографию артистки Серовой с размашистым автографом на обратной стороне.

Подростки поблагодарили и помчались к трамвайной остановке.

— Всенародная слава. — Илья похлопал Проскурова по плечу. — Нет, Иван, не тронет он тебя. С должности, может, и снимет, но не тронет.

— Мг-м, не тронет... — Иван достал из внутреннего кармана плаща конверт: — Держи, спрячь. У меня обыски могут начаться в любую минуту, дома и на службе.

Илья быстрым движением сунул конверт во внутренний карман плаща. Не стал спрашивать, что это. Сразу понял: письмо, подлинник. Они пошли дальше по Никитскому бульвару. После долгого молчания Илья усышал:

— Ты не спросил, откуда информация о Брахте.

— Да уж понятно, не из анализа научных публикаций. Только на черта ты ввел это в сводку?

— Для тебя, чтобы ты был в курсе.

— Думал, побоюсь встречаться с тобой? — Илья шлепнул его плечу. — Дурак ты, Ваня. Ну, так откуда информация?

— Илья, давай посидим, скамейки вроде сухие.

Они сели, закурили.

— Есть у меня там один канал, — пробормотал Проскуров, — хотя, если честно, я не уверен.

— Источник в германском МИДе, — тихо отчеканил Илья.

— Откуда знаешь? — Иван быстро, тревожно взглянул на него.

— Из твоих сводок. — Илья откинулся на спинку скамейки. — Не первый день работаю. Источник сам вышел на связь, верно?

— Вышла. — Проскуров кашлянул. — Но, понимаешь, слишком уж странно она это сделала. На приеме в нашем посольстве подошла к к военному атташе, представилась, мило поболтала, а потом он обнаружил в кармане пиджака записку. Назначила встречу, подписалась кодовым именем. Судя по всему, раньше она работала с ИНО. В их картотеку не влезешь, спросить там не у кого, да и рискованно.

«Еще бы! Сейчас спросить об агенте в НКВД почти то же, что сдать его прямо в лапы гестапо, — усмехнулся про себя Илья, — а ты все-таки держишься, Герой Совесткого Союза, не раскисаешь, соображаешь отлично. Германские источники ИНО так или иначе проходили через меня. Других способов проверки у тебя нет».

— Пока все в порядке, мои ребята анализируют информацию, — продолжал Иван, — вроде дезу не гонит. Но одно дело — текущая информация и совсем другое — подключить ее к урановой теме.

— Так ты уже подключил, — заметил Илья.

— В том-то и дело, что нет! — Иван чуть повысил голос. — Никаких запросов о Брахте я в Берлин не отправлял. Она сама сообщила, причем не только о том, что Брахт уволился из института и бойкотирует режим, но еще и о резонаторе.

— В каком контексте?

— Дала список ученых, самых известных, кто участвует, кто нет, с небольшими комментариями. О Брахте примерно так: радиофизик, занят темой, которую большинство ученых в настоящее время считают неперспективной, но если его работа окажется успешной, публикация произведет фурор.

«Фон Лауэ включила для маскировки, — размышлял Илья, — значит, послание доктора сработало. Отлично. Только почему ответ пришел таким странным образом? Падре не удается выбраться в Москву? Но Ося не мог знать, что через военную разведку это дойдет до нас. К тому же после ухода Флюгера, после того, как НКВД едва не угробил Эльфа, он с нашими спецслужбами дела иметь не желает, работает только со мной и с доктором...»

Илья выбросил погасший окурок в урну и спросил:

— Как она выглядит?

— Красотка, блондинка лет тридцати, глаза голубые. Одевается стильно. Что-то есть от Марлен Дитрих. Работает в пресс-службе Риббентропа. От денег отказалась.

— Предлагали? — Илья скрыл усмешку.

Пока действовал запрет на агентуру в Германии, платить агентам было не из чего. Ни Разведупр, ни ИНО НКВД собственных, неподотчетных валютных фондов не имели.

— Разговор о гонораре был, так сказать, предварительный, — в голосе Ивана прозвучало смущение, будто чувствовал лично себя виноватым в неплатежеспособности Разведупра, — как только запрет будет снят, деньги появятся.

— Твои ребята именно так и ей объяснили? — спросил Илья с шутовской серьезностью.

— Издеваешься? — Проскуров скривился. — Никто ничего не объяснял, просто при первом намеке на вознаграждение она сразу сняла тему. Заявила, что раньше работала бесплатно и своих привычек менять не намерена. Очень надменная, самоуверенная дамочка. Вот это и настораживает. Сейчас, когда мы с Германией практически союзники, получается двойной риск.

— Получается такой риск, что деньгами вряд ли компенсируешь, — тихо заметил Илья, — платные агенты приходят и уходят. Их легко перекупить. Инициативщики надежней.

— Да, я тоже об этом думал, — кивнул Проскуров, — провокатор Гейдриха точно стал бы требовать денег, торговаться для правдоподобия. Но знаешь, есть еще один момент. Она неплохо говорит по-русски. По опыту известно, настоящие инициативщики редко владеют языком, а вот провокаторы Гейдриха обязательно.

— Выучила все-таки. — Илья улыбнулся. — Молодец.

Проскуров застыл. Илья легонько хлопнул его по плечу:

— Кодовое имя Эльф. Номер А-91. Считай, ты ее уже проверил.

Глава двадцать шестая

На территории Института биологии Общества кайзера Вильгельма цвели вишневые деревья. Цветочные облака, ароматные, бело-розовые, скрывали от посторонних глаз бревенчатый барак, «вирусный флигель». Внутри барака шла сборка реактора по проекту Гейзенберга.

Навестив стройку, Эмма любовалась вишневым цветом, спотыкалась о водопроводные трубы и толстые кабели, еще не зарытые в землю, но не падала. Специально надела туфли без каблуков. Сквозь розовые цветы просвечивало ясное небо.

Эмма задумчиво улыбалась и вела счет ошибкам гения. Отказался от графита — раз. Запорол идею с сухим льдом — два. Зациклился на тяжелой воде — три. Решил делить изотопы методом Клузиуса (холодная и горячая труба) — четыре.

Для труб требовалась высоколегированная сталь, только она могла выдержать контакт с гексом. Умники из компании «И.Г. Фарбен» убедили гения, что никель более устойчив к коррозии. На две трубы высотой восемь метров, отлитые «И.Г. Фарбен» для первого эксперимента, ушло семьдесят килограммов никеля.

Эксперимент еще не начали, а уже произвели расчеты: для получения пятисот граммов обогощенного урана понадобилось бы сто тясяч никелевых труб, то есть гигантский завод. Стоило начать эксперимент, и на внутренних поверхностях труб появился предательский зеленоватый налет. Эмма первой заметила коррозию и сообщила Гейзенбергу. Он не поверил, кинулся проверять. Долго мрачно молчал, наконец изрек:

— Этого следовало ожидать. Конечно, никель не выдерживает контакта с гексом. Нужна высоколегированная сталь.

Эмма сочувственно смотрела на Гейзенберга, вздыхала, сокрушенно качала головой, а про себя язвила: «На черта, в таком случае, ты согласился на никель? Тебя же предупреждали! Ган десять раз повторил, даже Вайцзеккер осмелился высказать робкие сомнения насчет никеля. Твоя гениальность испаряется быстрее, чем терпение военного министерства. Невозможно представить, что нобелевский лауреат, ученый уровня Ньютона, и этот суетливый полуремесленник-получиновник от науки — одно лицо. Куда ты влез? А главное, зачем? Ну не твое это, не твое! Кроме позора, ничего не получишь. Забываешь азы химии, мечешься, делаешь одну глупость за другой, будто нарочно. Если бы нарочно! За такой хитрый тайный саботаж тебя можно было бы даже зауважать. Но нет, ты не саботажник. Старик правильно сказал: у тебя психология мелкого чиновника. Стараешься изо всех сил, хочешь всегда оставаться первым, главным. Сам не знаешь, чего боишься больше: не угодить начальству или что кто-то тебя обгонит».

Язык чесался поделиться впечатлениями с Вернером, это было бы особенно приятно сделать в присутствии Хоутерманса, уж он-то Гейзенберга терпеть не мог и обязательно выдал бы в ответ нечто убийственно остроумное.

«Нельзя, нельзя, — повторяла она про себя, стоя на задней площадке трамвая, глядя на далемский пейзаж в нежном предзакатном свете, — в детстве я помалкивала, притворялась, хитрила. Чувствовала: родители и братья не поймут, поднимут на смех. Мы с ними разные, они другие, чужие. Когда поступила в университет и вышла замуж, оказалась среди своих. Герману, Вернеру и Марте с удовольствием выбалтывала все, и они всегда понимали. Первый раз меня замкнуло после потери ребенка. Я скрыла от Германа, что не могу иметь детей. С Мартой, наверное, поделилась бы своей бедой, но к тому времени она уже погибла. С Германом мы не говорим о детях. С тридцать третьего стараемся не говорить о политике, обходим имена бывших коллег-евреев. Герман ужасный трус, а я жалею его, маленького, не хочу, чтобы он пугался и нервничал. Сколько запретных тем прибавилось? Секретность проекта. Ни слова Вернеру о работе в институте. Я давала подписку. О моей тайной работе ни слова никому. Не поймут, поднимут на смех, украдут. Да, украдут, как украли открытие Мейтнер. Ну что ж, детский опыт не пропал даром. Помалкивать, притворяться и хитрить я умею».

Эмма выскочила из трамвая, легким быстрым шагом направилась к дому Вернера. На этот раз без покупок. С покупками отлично справлялась полька.

Открыв калитку, она заметила, что на розовых кустах уже появились крошечные алые бутончики. Присела на корточки, разглядела их, понюхала, но никакого аромата не почувствовала. Позади что-то зашуршало, голос Агнешки произнес:

— Слишком маленькие, чтобы пахнуть. Добрый вечер, госпожа.

Эмма поднялась, одернула юбку.

— Господин Хоутерманс вернулся со службы, и они отправились гулять в парк, — сообщила полька.

— Вот и хорошо, прогулки полезны для здоровья, — Эмма широко, радостно улыбнулась. — Погода чудесная, ваши розы дивно оживили ланшафт.

— Благодарю, госпожа.

«И что это я с ней разболталась? — Эмма поправила прическу перед зеркалом в прихожей. — Ваши розы... Разве здесь есть что-то ее?»

Поднявшись в лабораторию, она бегло проглядела последние записи Вернера, подошла к прибору и поняла, что старик все-таки начал опыты с рубином. Без нее. Это неприятно кольнуло. Но еще неприятней кольнул вид пустого лотка для писем.

«Нет, заметить он не мог... Ну, все, все, надо просто успокоиться и забыть».

Она достала пудреницу, чуть не выронила ее, но поймала на лету, раскрыла, увидела в зеркальце, что лицо пылает, как при высокой температуре. Даже белки глаз налились розовым. Провела по лицу пуховкой, немного посидела неподвижно, с закрытыми глазами, дождалась, когда утихнет стук сердца и пройдет эта отвратительная нервная дрожь.

Прежде чем заняться вычислениями Вернера, она вытащила из сумки свою тайную тетрадь. Пальцы еще продолжали слегка дрожать, но через несколько минут Эмма так увлеклась, что забыла обо всем на свете.

Идея прогнать ускоренные атомы через электромагнитное поле казалась настолько разумной и логичной, что было странно — почему до сих пор никто не додумался? Конечно, если атомы полетят по прямой, толку мало. Фокус в том, чтобы пустить их по дуге, то есть внутри резервуара, изогнутого в форме буквы «С». Более легкие изотопы 235 опишут дугу меньшего радиуса, приземлятся раньше, чем тяжелые. А если ионизировать их выборочно, дать крепкого дополнительного пинка, тогда легкие отделятся от тяжелых уже в полете, и метод станет безупречным.

За окном громкий голос Вернера произнес:

— Нет, это ты меня послушай! Чтобы делать зло, человек должен сначала осознать его как добро. Идеология дает искомое оправдание злодейству. Доносительство превращается в гражданский долг, ненависть к людям других национальностей — в патриотизм, убийство — в подвиг.

— Ерунда! — крикнул Хоутерманс. — У шекспировских злодеев идеологии не было.

— Правильно, они честно осознавали себя злодеями, им оправданий не требовалось, но таких людей очень мало.

Эмма вздрогнула. Так увлеклась, что не услышала ни шагов, ни стука калитки. «Да что со мной? Это всего лишь моя собственная тетрадь. Впрочем, лучше спрятать. Хоутерманс может сунуть свой нос: что вы там пишете, прекрасная Эмма? Ну его к черту, как-никак он теперь конкурент».

Хлопнула дверь. Из прихожей голоса едва доносились, в том числе голос Агнешки. Когда Вернер и Хоутерманс вошли в лабораторию, Эмма, склонившись над записями Вернера, задумчиво покусывала карандаш.

— Привет! — Вернер чмокнул ее в пробор.

— О, прекрасная Эмма! — сипло пропел Хоутерманс, бесцеремонно схватил ее левую кисть и прижал к губам.

Настроение у обоих было приподнятое. Значит, старик смирился с новой работой Физзля. Ну что ж, можно только порадоваться.

— Опять вы пишете на обрывках, — буркнула Эмма, — обещали не начинать без меня с рубином.

— Не злись. — Вернер потрепал ее по щеке. — Пока все равно не получилось. Повторить придется еще тысячу раз.

— Световая лавина. — Хоутерманс чиркнул спичкой, прикурил. — Я переболел этим десять лет назад. Ужасно хотелось проверить экспериментально теорию Эйнштейна о вынужденном излучении. Начал собирать прибор, сжег трансформатор, купил новый, опять сжег. Чуть не разорился на трансформаторах и проклял эту затею.

— Обычная история, — ухмыльнулся Вернер, — у тебя не получилось, значит, в принципе невозможно.

— Нет, почему? Я разве это говорил?

За слоями дыма Эмма увидела, как ползут вверх брови Хоутерманса и рот растягивается в улыбке.

— Не говорил, но думал. — Вернер навис над ее плечом, принялся перечитывать записи.

— О вынужденном излучении нельзя думать, можно только мечтать. — Хоутерманс расхаживал по лаборатории, роняя пепел. — Слишком фантастично, чтобы стать реальностью, без волшебства тут не обойтись. Я вовсе не исключаю, что у тебя получится, участие волшебницы Эммы серьезно повышает твои шансы.

— Спасибо, — небрежно бросила Эмма, а про себя заметила: «В институте тошнит от этих плоских шуточек, теперь вот и здесь балагур завелся».

— Всегда к вашим услугам, красавица. — Хоутерманс шутовски поклонился. — Между прочим, снизу пахнет яблочным пирогом. Вы как хотите, а я иду варить кофе.

— Только, пожалуйста, не такой крепкий, и сахару поменьше, — сказал ему вслед Вернер.

Несколько минут Эмма молча переписывала формулы, Вернер отошел к большому столу, возился с прибором и ворчал:

— Не получилось, так и скажи... Сам ты перегорел, а не трансформаторы. Можно только мечтать! Слишком фантастично! Да, конечно. Если представить, какие открываются возможности... Дорогуша, — произнес он громко, — там еще кое-что, в справочнике по оптике. На подоконнике, открой и посмотри.

Из толстого справочника торчал серый уголок. Эмма вытянула четвертушку почтовой бумаги, исписанную с обеих сторон. Пробежала глазами формулы, облизнула пересохшие губы.

«Не может быть, я просто зациклилась на дополнительном ускорении, поэтому мне мерещится...» — Она зажмурилась, потом широко открыла глаза и еще раз взглянула на свежие записи Вернера.

В строчках формул мелькнула подсказка. Вспыхнула и не погасла. При втором прочтении засияла еще ярче. Будто пересеклись две параллельные прямые в ослепительно светящейся точке. Совместилось несовместимое.

У Эммы перехватило дыхание, невольно вырвался шепот:

— О боже!

— Ты чего вздыхаешь, дорогуша? — спросил Вернер, не поворачивая головы.

Не успев ни о чем подумать, просто повинуясь какому-то новому, очень сильному инстинкту, Эмма сложила листок и сунула его за пазуху, за мгновение до того, как Вернер повернул голову.

— Там ничего нет, — произнесла она дрожащим голосом и поправила воротничок блузки.

— Посмотри внимательней. Должен быть листок. — Вернер подошел, взял справочник, принялся трясти его.

Выпала картонная закладка с изображением Эйфелевой башни, спичка, старая квитанция из прачечной.

— А ведь я предупреждала, — крикнула Эмма срывающимся голосом, — надо было писать в тетради! Как вы теперь восстановите?

— Дорогуша, не переживай. Бумажка найдется, там ничего существенного. Пойдем-ка вниз, а то Физзль слопает Агнешкин пирог вместе с тарелкой и вылакает весь кофе.

* * *

В Париже Ося взял в аренду маленький зеленый «Ситроен» и вышел на связь с лейтенантом французской разведки Жаком Алье, с тем самым Алье, который в марте умыкнул норвежскую тяжелую воду у немцев из-под носа. Теперь он руководил операцией по переправке тяжелой воды в Британию.

10 мая германские войска перешли границы сразу четырех европейских государств: Бельгии, Голландии, Люксембурга и Франции. Была известна дата нападения, но французы ничего не делали. Престарелый маршал Гамелен говорил: лучше подождать развития событий.

Французское командование изучало старые карты. В Первую мировую немцы двинулись от Бельгии прямо к Парижу. Граница с Бельгией по-прежнему оставалась открытой, зато дальше шла неприступная Мажино. Границу с Люксембургом надежно прикрывали Арденны, древние горы, заросшие густыми лесами. Единственным уязвимым местом Гамелен считал бельгийскую границу. Основные силы французов и британского экспедиционного корпуса сосредоточились там.

Немцы разработали блестящую операцию. Пока союзники более или менее успешно отбивали их отвлекающие удары в Бельгии, пятьдесят танковых дивизий вермахта спокойно двинулись через Арденны, в обход Мажино.

Колонны немецких танков растянулись на сотни километров и могли бы стать отличной мишенью для бомбардировок, но ВВС союзников поддерживали свои войска в Бельгии.

Гамелен продолжал считать Арденны непроходимыми даже тогда, когда немецкие дивизии уже прошли через них. Любую информацию об этом французский главнокомандующий воспринимал как предательство и арестовал несколько десятков штабных офицеров.

Войска союзников попали в клещи. Бомбардировщики люфтваффе в первые сутки уничтожили почти все французские аэродромы. Мечта о реванше за ноябрь восемнадцатого была для Германии национальным помешательством. Немцы ждали этого двадцать два года, наконец дорвались, оголтело неслись вперед по испуганной, униженной Франции. Отряды десантников-диверсантов мгновенно захватывали мосты, на месте разрушенных наводили новые, из подручных средств. Пехота без передышки преодолевала десятки километров в день.

Бельгийский уран вывезти не успели. Брюссель пал слишком быстро. Началась паника, какой-то чиновник вовремя не подписал бумагу, не удалось раздобыть транспорт. Теперь ангары обогатительной бельгийской компании «Юнион Майнер» охраняли СС.

Возле здания Коллеж де Франс эсэсовцев пока не было, но с транспортом тоже возникли проблемы. Двадцать стокилограммовых канистр с тяжелой водой планировали вывезти на пяти армейских грузовиках в Кале и оттуда на военном судне переправить в Британию. Но дороги уже забились толпами беженцев.

Алье пытался выбить в министерстве вооружений два-три бомбардировщика, чтобы погрузить в них канистры. Но французских бомбардировщиков почти не осталось, британские бомбили немцев.

В лаборатории Кюри находился самый мощный в мире циклотрон, недавно доставленный туда из США. Его предстояло демонтировать. Это заняло бы неделю. Вместе с тяжелой водой и циклотроном надо было вывезти в Британию французских ученых, сотрудников лаборатории Кюри с семьями.

Немцы приближались к Парижу. Росли толпы беженцев. В окрестностях Киля шли бои. Алье был на грани нервного истощения. Ося предложил не ждать, когда демонтируют циклотрон, погрузить канистры в грузовики и ночью отвезти в Гавр. Там пока спокойно. Оттуда уходили в Британию пассажирские суда с беженцами.

Алье взорвался. Циклотрон оставлять нельзя! Переправлять секретный стратегический груз на пассажирском судне — преступление!

А тут еще Жолио Кюри заявил, что никуда не едет.

Приказ министерства об эвакуации ученых касался в первую очередь Жолио. Его жена Ирен была с детьми в санатории в Швейцарии. По мнению министерства и лейтенанта Алье, в Париже профессора Жолио ничего не держало, если только он не собирался сотрудничать с немцами. В ответ профессор взметнул руку. Ося испугался, что сейчас он вмажет Алье по физиономии, и быстро встал между ними. Но обошлось. Они продолжали лупить друг друга только словами. Маленький пухлый Алье требовал подчиниться приказу командования, нехватку аргументов восполнял выразительной мимикой. Подвижное круглое лицо то наливалось краской, то бледнело. Высокий худой Кюри отвечал, что никакого командования больше не существует, он уйдет в подполье и будет защищать Францию, поскольку тупые трусливые предатели гомелены и петены ни на что не способны.

Пока шла погрузка, лейтенант и профессор продолжали ругаться. Ося так и не дождался конца перепалки. Вскочил в «Ситроен» и покатил следом за грузовиками.

До Гавра по ночным дорогам доехали довольно быстро. В порту Ося проследил за погрузкой канистр в трюм британского пассажирского судна «Блумбарг».

Между тем немцы заняли Кале. Французы вылезли из подземных лабиринтов Мажино, чтобы встретить с тыла немецкие танки. Фронт перевернулся. Дивизии Гудериана наступали в обратном направлении, от Ла-Манша, с запада на восток, и почти достигли германской границы в районе Страсбурга. Гамелену пришлось уйти в в отставку. Главнокомандующим стал генерал Вейган, ему было семьдесят три.

По дорогам Франции тянулись потоки беженцев. Одни двигались в глубь материка, к швейцарской границе, хотя знали, что Швейцария не принимает эмигрантов. Другие двигались к побережью, к портовым городам. Было очевидно, что пассажирские суда не сумеют переправить в Британию такую массу людей. Но беженцы шли со спокойным безнадежным упорством. Казалось, если не попадут на борт, готовы будут кинуться в море, как дельфины выбрасываются на сушу, когда вода отравлена.

Шли женщины, старики, дети, везли свой скарб на телегах, в детских колясках, на каких-то допотопных тачках. Автомобили пытались объехать толпу, отчаянно сигналили. Армейские колонны союзников свистели в свистки, орали в рупоры, иногда палили в воздух. Беженцы отступали к обочинам, пропускали колонны, молча провожая их взглядами, и шли дальше.

Ося выехал из Гавра назад в Париж сразу после отправки тяжелой воды, но понял, что засыпает за рулем. Он выбрал укромное место неподалеку от порта, припарковал машину под старыми каштанами, перебрался на заднее сиденье, положил под голову куртку, свернулся калачиком, проспал как убитый до семи утра. Проснувшись, позавтракал двумя галетами, запил их остатками кофе из термоса и тронулся в путь.

«Ситроен», виляя по узким проселочным дорогам, к полудню героически преодолел километров тридцать и застрял в кювете неподалеку от городка Павийи.

Ося вылез из машины, достал камеру и сразу поймал в объектив древнюю старуху в синем платье. Она ковыляла, опираясь на телегу, мелко трясла растрепанной седой головой. Вместо лошади телегу волокли два мальчика в коротких штанах, лет десяти и четырнадцати. Лица в серых разводах пыли и пота напоминали камуфляжный окрас. На телеге, между узлом, корзинкой и чемоданом, покачивалась детская кроватка с решетками. Внутри сидел годовалый младенец. Он вцепился ручонками в решетку. В кадр попало сморщенное личико, широко открытый рот. Ося понял, что ребенок плачет, но звука не уловил. В небе нарастал гул. Через мгновение включилась сатанинская сирена. Толпа рассыпалась. Бросая скарб, люди кинулись в разные стороны. Старуха упала, прямо на нее рухнул толстяк в рабочем комбинезоне. Ни выстрелов, ни криков не было слышно. Люди беззвучно метались и валились в пыль.

Ося убрал «Аймо» в сумку и увидел, как мальчики, тащившие телегу, бросили оглобли. Младший взметнул руки и упал, старший в панике помчался прочь. Кроватка накренилась.

В три прыжка, будто по воздуху, Ося подлетел, схватил ребенка, нырнул с ним под телегу, очень вовремя. Вой стал нестерпимым. Пикирующий бомбордировщик навис прямо над ними, поливал дорогу автоматным огнем. Любимая забава летчиков лютваффе — расстреливать беженцев.

Малыш дрожал и всхлипывал. Ося чувствовал на щеке горячие слезы и прерывистое дыхание, а под ладонью мокрые насквозь штаны.

Осознав, что теперь они в безопасности, он перевел дух, поправил чепчик, съехавший малышу на глаза, вытер платком грязное личико, достал из сумки фляжку с водой. Пить хотелось ужасно, жара стояла под тридцать. Сначала он поднес фляжку к ротику ребенка. Тот обхватил губами узкое горлышко, как соску, и жадно зачмокал.

— Извини, брат, детской бутылочки у меня с собой нет, — бормотал Ося, регулируя наклон фляжки, чтобы малыш не захлебнулся.

Напившись, ребенок успокоился. Ося сделал несколько глотков, закрыл фляжку и убрал. Воду следовало экономить, неизвестно, когда и где удастся пополнить запас.

Рядом мелькнули пыльные светлые туфли на каблучках, платье в мелкий цветочек. Возле телеги упала женщина. Между колесами Ося увидел молодое красивое лицо. Прямо на него смотрели широко открытые серые глаза. В них не было ужаса и боли, только изумление. Густые каштановые волосы блестели на солнце и трепетали от ветра. Она выглядела абсолютно живой. Ося подумал: даже не ранена, просто упала, и прикинул, как затащить ее под телегу, не потревожив малыша. Хватит ли места?

Стоило шевельнуться, малыш задрожал, прижался к нему и вцепился ручонками в штанину.

— Не бойся, я на секунду, надо помочь...

Ося не понял, произнес он это вслух или про себя, и на каком языке. Он дотянулся до сумки, вытащил из наружного кармана бумажный кулек. Там осталось три галеты. Он достал одну. Малыш схватил ее и принялся грызть крошечными молочными зубками. Ося усадил его поудобней и стал медленно выползать из-под телеги. У колеса взметнулись фонтанчики пыли. Стрельба продолжалась. Он замер, лежа на животе, опираясь на локти, приподняв голову, как ящерица.

Женщина все так же смотрела ему в глаза, но теперь во взгляде не было изумления, только покой и печаль. Взгляд будто говорил: «Не дергайся, уже ничего не нужно». Ося заметил на радужке длинную загнутую ресницу с прилипшим комочком туши. Женщина не моргала и не дышала, оставалось только закрыть ей глаза, но ради этого рисковать вряд ли стоило.

Он отполз назад, в укрытие. Малыш спокойно грыз галету. Ося устроился рядом, поджал ноги, положил голову на сумку.

Время остановилось. Под сомкнутыми веками он продолжал видеть спокойный взгляд серых глаз. Погибшая француженка была немного похожа на Габи чертами лица, плавной линией лба, высоким разлетом бровей, длинным изгибом шеи. Ося пытался прогнать прочь это случайное, смутное сходство. Другой цвет глаз и волос, другой человек. С Габи ничего плохого случиться не может.

Такая вдруг навалилась усталость, что даже вой сирены не помешал отключиться. Он увидел во сне Габи и убедился, что на убитую француженку она вовсе не похожа. Снилось, как они стоят на балконе мансарды швейцарского шале, смотрят на Монблан в лунном свете. «Зачем ты опять лезешь под пули? — спросила Габи. — И что ты будешь делать с этим ребенком?»

Он почувствовал влажное прикосновение к губам, принял его за поцелуй, а когда открыл глаза, обнаружил, что малыш тычет ему в рот замусоленную галету, услышал тихий деловитый лепет и понял, что сирена стихла. Налет кончился.

Ося выполз из-под телеги, вытащил малыша. Возле тела женщины в цветастом платье сидел мальчик лет пяти, тряс ее за плечо и плакал. Уцелевшие поднимались, выходили на дорогу, шатаясь, глядя прямо перед собой пустыми глазами. Из всех звуков самым отчетливым было тихое, уютное сопение. Малыш уснул, уткнувшись носом Осе в ключицу.

— Что же мне с тобой делать? — пробормотал Ося, покосился на плачущего мальчика и одернул себя: «Нет, хватит, невозможно помочь всем».

Ребенок ответил сонным прерывистым вздохом и опять засопел. Фланелевые ползунки были настолько мокрыми, что с них капало. Правая ручка продолжала сжимать замусоленную половинку галеты, левая обнимала Осю за шею.

Он отчетливо помнил, что возле телеги не было никого, кроме старухи и двух мальчишек. Младший погиб. Тело осталось лежать неподалеку.

Ося стоял посреди дороги, вглядывался в лица, пытаясь найти старшего мальчика, надеясь, что малыша узнает кто-нибудь из соседей. Судя по телеге, семейство, скорее всего, деревенское, в деревнях все друг с другом знакомы.

«Взять малыша с собой в Париж и отдать там в приют? Но я даже имени не знаю. Если вдруг кто-то из родственников уцелел, как его потом найдут? Сколько придется ехать до Парижа? Его надо переодеть, он не только мокрый, еще и покакать успел. В телеге должны быть детские вещи. И бутылочка с соской не помешает».

Ося оглядел телегу. Рыться в чужом скарбе не хотелось. Он решил подождать еще немного. Малыш так крепко спал, жаль будить.

«Старший мальчик, надежда только на него. Может, стоит поискать? Нет, лучше пока остаться возле телеги. Если он выжил, обязательно вернется сюда. Ладно, в крайнем случае в Париже вручу этот подарок профессору Жолио. Собирается спасать Францию, вот пусть для начала позаботиться о малыше. Что ж, план неплохой, лишь бы "Ситроен" завелся».

Рядом сиплый голос произнес:

— Анн-Мари!

Ося увидел старшего мальчика, вздохнул с облегчением, погладил малыша по чепчику, пробормотал:

— Ты, оказывается, мадемуазель. Вот уж не думал. Привет, Анн-Мари, приятно познакомиться. — Он обратился к старшему: — Ты ее брат? Как тебя зовут? Где ваши родители?

По бурому от пыли лицу текли слезы, оставляя светлые дорожки. На голых коленках алели свежие ссадины.

— Анн-Мари, — повторил старший, медленно опустился на корточки, закрыл лицо ладонями и затрясся.

— Слушай, хватит рыдать! — прикрикнул на него Ося. — Твою сестру надо срочно переодеть. В телеге найдутся какие-нибудь ее вещи?

Малышка завертелась, захныкала. Мальчик уставился на нее снизу вверх мокрыми вытаращенными глазами.

— Анн-Мари, ты жива!

— О господи, ты что, только сейчас это понял?

— Я бросил ее, — забормотал старший, — я дрянь, трус, предатель, ее могли убить, я бросил ее!

— Успокойся, ты ничего не соображал, у тебя был шок, ты не виноват, — медленно, четко произнес Ося и спросил еще раз: — Как тебя зовут?

Старший наконец пришел в себя, поднялся на ноги, вытер слезы. Звали его Поль. Он оказался не братом, а дядей Анн-Мари.

Из корзины торчали три большие бутылки с водой, в чемодане нашлись чистые ползунки и пеленки. Пока они, сидя на обочине, приводили малышку в порядок, мыли, вытирали, переодевали, Поль рассказал, что живет в Руане, отец на фронте, мать работает медсестрой в больнице. Погибший мальчик — его младший брат Анре. Когда напали немцы, они с Анре гостили на ферме у замужней старшей сестры, ее звали Клер. Анн-Мари ее дочь. Немецкие самолеты бросали зажигалки. Они с Анре в это время купались в реке. Вернувшись, увидели пылающий дом. Клер и ее муж погибли. Прабабушка и маленькая Анн-Мари находились на лужайке за домом. Анн-Мари ползала по разложенному одеялу, прабабушка сидела рядом на раскладном стуле.

— Мы решили идти в Руан, к маме, — продолжал Поль, — на вокзале сутолока, в поезд не влезешь. Вот и отправились пешком.

— Если дом сгорел, откуда же у вас столько барахла? — спросил Ося.

— Кроватку, одежду для Анн-Мари, еду и воду дали соседи. Телегу мы взяли в сарае. Кое-что прихватили из летнего флигеля. Мы с Анре хотели идти налегке, но прабабушка сказала: когда война, надо иметь при себе все необходимое. У нее большой опыт.

Вдвоем им удалось вытащить автомобиль из кювета. «Ситроен» долго не желал заводиться, но смилостивился. Ося загрузил в багажник корзинку с продуктами и чемодан с детской одеждой. Прежде чем отправиться в путь, перекусили деревенским хлебом и сыром. Нашлась бутылка с соской, но молоко скисло. Пришлось Анн-Мари опять пить воду из горлышка.

Дети скоро уснули на заднем сиденье. Ося то и дело сверялся с картой, старался не выезжать на трассы, по которым шли беженцы и двигались армейские колонны. Хотелось вымыться, переодеться, вытянуться в нормальной кровати и поспать. Он извалялся в пыли. После короткого тревожного сна на заднем сиденье мышцы ныли. «Если мать Поля предложит мне помыться и переночевать, отказываться не стану».

Когда добрались до окрестностей Руана, Ося разбудил Поля. Объясняя дорогу, мальчик опять принялся всхлипывать:

— Вот тут направо... Анре, Клер... Прабабушка сразу умерла... Не говорите, пожалуйста, маме, что я сбежал и бросил Анн-Мари...

— Конечно, — кивнул Ося.

— Скажите ей сами про Клер, Анре и прабабушку, — попросил он после долгой паузы. — Пожалуйста, прошу вас, я не смогу.

Ося пообещал.

Наконец подъехали к дому. Уже стемнело, фонари и окна не горели. На лестнице ни зги не было видно. Ося нес Анн-Мари и чемодан, Поль тащил корзинку и освещал путь зажигалкой. Постучали. Дверь на третьем этаже открылась через минуту. В прихожей горела керосиновая лампа. На пороге стояла женщина. Ося опустил чемодан, передал ей на руки сонную Анн-Мари, взял у Поля свою зажигалку, щурясь, ни на кого не глядя, произнес:

— Мадам, Анре, бабушка, Клер и ее муж погибли.

Он не сумел добавить что-то вроде «сожалею, крепитесь». Тишина показалась страшней и оглушительней воя сирены. Даже Анн-Мари замерла, перестала хныкать и вертеться. Ося лишь на мгновение заглянул в застывшие глаза женщины и понял, что не может оставаться тут ни минуты. Больше нет сил видеть страдания, нужна передышка.

Он протянул руку, погладил Анн-Мари, склонился к Полю:

— Старший, ты справишься, — развернулся, щелкнул зажигалкой, стал быстро спускаться по лестнице.

Поль растерянно пробормотал ему вслед:

— Месье, куда вы? Не уходите!

Ося чуть замедлил шаг, не оборачиваясь, помахал огоньком зажигалки. Дверь квартиры оставалась открытой. Когда он дошел до площадки второго этажа, услышал лепет Анн-Мари и женский голос:

— Месье, храни вас Бог!

Глава двадцать седьмая

В июне в Красной армии вводились генеральские звания. С апреля составлялись списки, фамилии комдивов и комбригов вписывались, вычеркивались. В последнем списке напротив фамилии Проскурова стояло: генерал-лейтенант авиации, и еще имелся подписанный Хозяином приказ о награждении Проскурова орденом Красной Звезды.

«Все-таки не тронет? — размышлял Илья. — Или обычные игры? Повысить, наградить, осчастливить теплым участием, подождать, пока человек окончательно успокоится, и потом уж прихлопнуть...»

Сводка с информацией о немецкой урановой бомбе так и осталась незамеченной. Проскуров больше не записывался на прием, Хозяин его не вызывал и со спецреферентом Крыловым ни разу об этом не заговорил. Илья боялся, что на урановых листках появится помета Хозяина: «тов. Берия», тогда Берия точно раздавит Ивана. Но на сводке стояла помета: «В архив».

Сталину сейчас было не до немецкой бомбы и уж тем более не до Проскурова. Он решал проблему посерьезней.

Вчера вечером вместе с Берией зашел в святилище капитан НКВД по кличке Хирург. Когда-то Илья познакомился с ним у Слуцкого, кое-что слышал о Хирурге от Карла Рихардовича. Красавец капитан был специалистом по убийствам за границей. В тридцать седьмом он успешно шлепнул лидера украинских националистов Коновальца. Сколько всего висело на нем трупов — неизвестно. В январе этого года он был на грани ареста, но благополучно проскочил. Восстановили в партии, повысили в должности. Вчера Берия и Хирург провели в кабинете

Хозяина около часа. Сегодня утром в журнале посещений имя Берия появилось, а имя Хирурга — нет. Вместе с наркомом святилище посетила безымянная тень, которой было поручено выполнение сверхсекретной спецоперации.

Сезон охоты на Троцкого открылся еще полгода назад. Тратились гигантские средства на подкуп и вербовку, уничтожались родственники и сподвижники Троцкого в разных странах, но добраться до него самого убойной команде пока не удавалось. Его мексиканскую виллу окружала крепостная стена, круглосуточно дежурили охранники. Недавно Илья читал в «Нью-Йорк Таймс» об очередном несостоявшемся покушении. Двадцать боевиков, переодетых в форму мексиканской полиции, вооруженных автоматами и зажигательными бомбами, прорвались к вилле, перерезали телефонные провода, открыли шквальный огонь по окнам спальни Троцкого, расстреляли все патроны, оставили несколько зажигательных бомб и скрылись. Троцкий вовремя залез под кровать вместе с женой и остался невредим. Мексиканская полиция вела расследование и пыталась установить личности нападавших.

Левые западные журналисты утверждали, будто Сталин ненавидит Троцкого, завидует ему и считает опасным конкурентом. Если бы все было так просто, Троцкий уже лет пятнадцать лежал бы в могиле и сейчас не пришлось бы устраивать пальбу в Мексике.

Яд, автомобильная катастрофа, злодейский выстрел террориста-одиночки. Торжественные похороны с последующим разоблачением вражеской деятельности, или сначала разоблачение, потом пуля в затылок. Так Сталин поступал со всеми, кто ему не нравился, мешал или просто надоел. Никого, кроме Троцкого, он не оставлял в живых и не высылал за границу.

В двадцать втором—двадцать третьем около восьмидесяти человек были высланы по приказу Ленина. Профессора, врачи, писатели, философы принудительно покинули Россию вместе с семьями. Теперь ясно, как здорово им повезло. Почему же Сталин поступил с главным своим врагом так гуманно, по-ленински? Кучу народу перебил, а Троцкого не тронул, выпустил за границу, да еще позволил вывезти личный архив[1] и советского гражданства лишил не сразу, а через три года после высылки, в тридцать втором. Илья долго ломал голову над этой загадкой, и только сейчас забрезжил ответ.

Конечно, уголовник Джугашвили люто ненавидит политического экстремиста Бронштейна. Но демон революции и демон Сталин намертво сцеплены идеологической пуповиной. Сталин не мог убить Троцкого, пока пуповина пульсировала. При внешней несхожести и взаимной вражде эти двое неразделимы, как причина и следствие, как теза и антитеза, как карточный король в двух лицах, один головой вниз, другой — вверх.

Для того чтобы беззвестный кавказский уголовник, семинарист-недоучка, скверно владеющий русским языком, сумел стать хозином России, сначала требовалось развалить страну, ввести ее в состояние безвластия и духовного шока. Это работа демона революции. Без Троцкого не было бы Сталина.

В двадцать девятом, в год мнимого пятидесятилетия Сталина и высылки Троцкого, вышла книжка Ворошилова «Сталин и Красная армия», повествующая о деятельности Троцкого, но только Троцкий там назывался «Сталин». Достижения и победы демона революции приписывались Сталину. Слаборазвитый мозг Клима не мог сотворить такую уникальную литературную мистификацию. Творцом был личный сталинский секретарь Иван Павлович Товстуха, вдохновителем и редактором, конечно же, сам Сталин.

Таким образом, Джугашвили присвоил прошлое Бронштейна, превратил мифического себя в реального Троцкого, в мотор октябрьского переворота и Гражданской войны, в ближайшего соратника Ленина и создателя Красной армии. А потом крутанул обратное сальто-мортале, превратил мифического Троцко-

---

[1] Сразу после высылки архив Троцкого стали воровать мелкими порциями агенты ГПУ. Часть документов сгорела во время пожара в 1931-м, случившегося при подозрительных обстоятельствах. В марте 1940-го Троцкий продал основную часть оставшихся бумаг Гарвардскому университету.

го в реального Сталина, подарил изгнаннику все провалы и кровавые ужасы последующих десяти лет своего тупого единовластного правления.

Голод начала тридцатых, пожары, аварии — Троцкий. Хроническая нехватка самых необходимых товаров — Троцкий. Убийство Кирова — Троцкий. Заговоры в армии и в НКВД — Троцкий. Аресты и расстрелы — Троцкий. Сотни тысяч советских граждан были объявлены троцкистами, то есть подданными антиимперии, существовавшей внутри СССР. Не покладая рук трудились на антиимперию следователи НКВД, охранники тюрем и лагерей, пропагандисты-агитаторы, осведомители, доносчики. Переписывались учебники, тасовались архивы. Огромная армия цензоров глотала пыль в библиотеках и на книжных складах, старательно изымала все, что имело прямое или косвенное отношение к Троцкому. Рядовые граждане по всей стране прочесывали печатную продукцию у себя дома, не дай бог завалится где-нибудь старый журнал со статьей, газета с портретом, книга со сноской или ссылкой.

При этом в советской прессе, в радиоречах, на митингах и собраниях Троцкого упоминали почти так же часто, как Сталина. Главная книга в СССР была целиком посвящена Троцкому. Он стал сюжетным стержнем «Краткого курса», на нем и на борьбе с ним держалась вся сталинская сказка.

Илье запомнился абзац из сводки областного НКВД тридцать седьмого. В очереди старуха колхозница рассказывала об аресте своего зятя: *«Траскист! Какой-такой траскист? Шофер он, грузовик водит, а не траксер!»*

Апогеем деяний мифического Троцкого стали тайные переговоры с Гессом и шашни с Гитлером. Вместе с Гессом он готовил военный переворот, вместе с Гитлером планировал нападение на СССР.

Круг замкнулся. В Брест-Литовске в марте восемнадцатого большевики подписали с немцами Брестский мир. Через двадцать один год, в сентябре тридцать девятого, в том же Брест-Литовске прошел совместный парад Красной армии и вермахта.

Ленин, главный инициатор Брестского мира, назвал его «похабным». Троцкий в подписании не участвовал, не желал позориться, слинял после второго раунда переговоров. Пакт с Гитлером в советской прессе именовался величайшим достижением Сталина, а вся многолетняя тайная подготовка к «величайшему достижению» определялась как вражеская деятельность международного шпиона Троцкого.

На вилле в Мексике, за крепостными стенами, доживал свои дни старый запуганный человек Лев Давидович Бронштейн. Изгнанник все еще назывался Троцким, давал интервью, строчил статьи и книги. Разоблачал самозванца Кобу, доказывал: «Я, а не он, был главным соратником Ленина, я, а не он, создал Красную армию и обеспечил большевикам победу в Гражданской войне! Он нагло присвоил все мои революционные и полководческие заслуги, истребил большевиков-ленинцев, уморил голодом крестьян», и так далее, и так далее. Бронштейн тщетно пытался произвести обратный обмен, забрать назад свои злодейства и вернуть Джугашвили его злодейства. Вроде неглупый человек, но почему-то не догадывался, что от перемены мест слагаемых сумма не меняется.

Бурная деятельность изгнанника абсолютно ничего не значила. Бронштейн был всего лишь пустой оболочкой. Троцкий остался в СССР и работал на Сталина в тысячу раз эффективней всех молотовых и кагановичей вместе взятых.

Илья механически подчеркивал абзацы из передовицы «Фолькише беобехтер», неслышно бормотал:

— Гитлер скоро возьмет Париж, а Инстанция занята охотой на Троцкого. В разгар мировой войны пишет эпилог «Краткого курса». Продолжает жить внутри своей сказки и сам же ставит в ней последнюю точку, убивает свое второе «Я». Зачем? Почему именно сейчас?

Илья пытался нащупать хоть какой-то реальный, политический, а не сказочный смысл в сверхсекретной спецоперации. Вспомнил, как возмущались немцы оскорбительными публикациями в советской прессе о тайных переговорах Троцкого с Гессом и союзе троцкистов с нацистами, и подумал:

«А может, он решил таким образом показать Гитлеру, что окончательно отмежевался от еврейского большевизма и поэтому нападать на СССР не нужно? Маленький Сосо всерьез верит, что немцы тоже живут внутри его сказки и Троцкий ужасно их интересует?»

В очередной сводке Разведупра был подробный разбор германского наступления. Судя по развитию событий, до победы остались считаные дни. Любые упоминания о том, что немцы скоро захватят Францию, бесили Хозяина. Может, не стоило так жестко подчеркивать успехи Гитлера?

Поймав себя на этой мысли, Илья сморщился.

«Господи, помилуй! Ну что за бред! Подчеркивай, не подчеркивай, смягчай, вуалируй, лавируй... Капитуляцию Франции начальник советской разведки Проскуров отменить не в силах».

Пролистав страницы сводки, Илья увидел под ними копию короткой докладной Проскурова на имя Сталина:

«Последние 2 года были периодом чистки агентурных управлений и разведорганов. За эти годы органами НКВД арестовано свыше 200 человек, заменен весь руководящий состав до начальников отделов включительно. За время моего командования только из центрального аппарата и подчиненных ему частей отчислено по различным политическим причинам 365 человек. Принято вновь 326 человек, абсолютное большинство которых без предварительной подготовки».

Он захлопнул папку, бессильно откинулся на спинку стула. Если еще оставались у Инстанции какие-то колебания насчет Проскурова, теперь все. Такая докладная пострашней неосторожных высказываний на заседаниях, доносов Клима и неправильно расставленных акцентах в сводках. Вот уж тут точно появится косой росчерк: «Тов. Берия».

Захотелось вытащить листок из папки и уничтожить, как он делал это с незарегистрированными доносами из сводок областных НКВД. Но что толку жечь копию, когда оригинал уже на столе у Хозяина?

Он хрустел сплетенными пальцами. В голове неслось: «Иван, ты что, думаешь, будто он не знает этих твоих точных цифр?

Вредитель Берия по собственной инициативе потрошит военную разведку, а дорогой товарищ Сталин не в курсе? Решил глаза ему открыть? Или пытаешься таким образом отбить атаку Клима? Да Клим ноль без палочки, телегу свою писал по указанию Хозяина. А ведь он предупредил тебя, «слишком честная душа», ясно дал понять, что ты ему не подходишь. Нет в тебе яда и желчи, врать не умеешь».

Илья встал у открытого окна. В лицо пахнуло нежным теплом, бой курантов на минуту заглушил радостный птичий щебет. Он смотрел на пышные белые облака в глубоком синем небе, на зеленую пирамидку Набатной башни.

Впервые за годы работы в Особом секторе спецреферент Крылов нарушил табу. Тщательно выстроенная система служебных отношений дала трещину, и сквозь нее, будто трава сквозь асфальт, пробилась живая человеческая симпатия. Говорящий карандаш позволил себе подружиться с начальником разведки. По должности не положено ни с кем дружить. Только один есть друг: товарищ Сталин.

Илья закурил, слегка успокоился. «Не так много у него летчиков-асов, Героев Советского Союза. Ладно, снимет с должности, но не может не понимать, что при нынешнем состоянии авиации профессионалы необходимы. Допустим, отправит командовать ВВС в какой-нибудь округ, с глаз долой, и просто забудет о "честной душе". Главное, чтобы до войны не тронул. А как война начнется, он увидит, что такое люфтваффе, и вынужден будет беречь своих летчиков-асов».

* * *

После захвата Норвегии команда немецких физиков, химиков и инженеров обнаружила, что на заводе в Виморке никаких запасов тяжелой воды нет. Оборудование испорчено, большинство норвежских специалистов уволились. На очередном совещании Physik-Musik долго и пафосно разоблачал гнусные норвежские диверсии, обещал скорую расправу над подлыми саботажниками, утверждал, что наши специлисты трудятся не покладая рук, восстанавливают оборудование и налаживают производство.

«Наши специалисты, — усмехнулась про себя Эмма, — откуда им взяться, если в Германии тяжелую воду никогда никто не производил?»

— По данным нашей разведки, — продолжал Physik-Musik, — весь запас тяжелой воды был тайно переправлен из Виморка не в Соединенные Штаты, как предполагалось прежде, а значительно ближе. — Он сделал театральную паузу, поднял вверх палец и громко, торжественно произнес: — Во Францию!

По залу прокатился вздох облегчения. До этой минуты все считали, что годовой запас тяжелой воды давно уплыл с европейского континента в Америку, к Ферми. В лучшем случае канистры могли находиться в Британии. А вот, оказывается, кто их умыкнул. Французы!

«Ясно, это козни Кюри, — размышляла Эмма, слушая бравурное соло Physik-Musik. — Ирен и Жолио жаждут реванша. Им долго не везло. Почти открыли нейтрон, но перед самым финишем их опередил Чедвик. Подошли вплотную к открытию позитрона, и тут их опередил Андерсен. Открытие искусственной радиоактивности, конечно, огромная их победа. Нобелевскую премию по химии тридцать пятого года заработали честно. Следущей их победой могло бы стать открытие расщепления ядра урана. Они были главными участниками гонки, шли ноздря в ноздрю с Ферми, расщепляли ядро несколько лет подряд. Но опять не повезо. Так же, как и Ферми, не замечали очевидного. Им не хватило смелости переступить общепринятые догмы, и первой оказалась Мейтнер».

— В лаборатории Кюри должен находиться мощный американский циклотрон, — сказал Вайцзеккер.

— Совершенно верно, Карл, — физиономия Physik-Musik приобрела сладко-лирическое выражение, — но только не просто мощный, а самый мощный циклотрон в мире.

Еще одной хорошей новостью стали три с половиной тысячи тонн урановых соединений, захваченных в Бельгии.

Напоследок Physik-Musik все-таки добавил ложку дегтя, напомнил, что принято решение повысить уровень секретности проекта. С мая сего года вступил в силу приказ, строго запрещающий прямую передачу сведений из одного института в другой. Любая переписка должна вестись только через Управление вооружений.

Позади послышался нервный шепот Гана:

— Они нас хотят совсем закупорить. Как можно работать без обмена информацией?

Эмма повернулась, одарила его понимающей улыбкой и подумала: «Бедняжка, теперь ты вряд ли сумеешь тайно кататься за границу на свидания с Лизой, и переписку придется прекратить».

Усиление секретности, конечно, не нравилось никому, но в общем совещание закончилось на оптимистичной ноте. Франция скоро капитулирует, запас тяжелой воды и циклотрон окажутся в руках именно далемской группы, вместе с большей частью бельгийского урана. Вот уж об этом Дибнер позаботится.

Гейзенберг приболел. Ходили слухи, что гению пришлось опять воспользоваться знакомством своей матушки с матушкой Гиммлера. Был ли он удостоен личной аудиенции рейхсфюрера СС или хватило общения матушек, осталось тайной, но очевидно, какие-то руководящие указания от могущественного патрона гений получил. По собственной воле он не стал бы публиковать в «Вестнике Прусской академии» статейку о том, что «*теория относительности, бесспорно, возникла бы и без Эйнштейна*».

Дома, после ужина, чета Брахт уютно сидела на диване. Горел торшер, Эмма читала вслух позорный опус Гейзенберга и хихикала:

— Бесспорно! Какое точное словцо! Кто осмелится спорить с протеже Гиммлера?

Герману было не до смеха.

— Мы все заложники этого протеже, не то что спорить — смотреть на него не могу! О чем он вообще думает?

— О теории относительности без Эйнштейна — раз, о тяжелой воде — два, о циклотроне — три, о скорой капитуляции Франции — четыре, — промурлыкала Эмма, загибая пальцы.

— Это напоминает сказку о голом короле, — мрачно заметил Герман, — только в нашей сказке все наоборот. Платье есть, а короля нет.

Эмма улыбнулась и погладила его по щеке.

— Удачное сравнение, милый, платье шьем из самых дорогих материалов, а короля нет. Гений сконструировал свой реактор в расчете на обогащенный уран. Реактор почти готов, но как делить изотопы, до сих пор не знаем.

«Вы не знаете, — пропела она про себя, — а я уже знаю».

— Метод Клузиуса провалился, — продолжала она грустно, — осталась центрифуга. Сколько стали и киловатт электроэнергии сожрет — представить жутко. Вряд ли они раскошелятся на центрифугу.

Герман поймал ее руку, уткнулся носом в ладонь и пробурчал:

— Господи, до чего же все это надоело. Одна радость — ты сегодня дома, я так соскучился.

Он скинул на пол с ее колен «Вестник Прусской академии». Губы поползли вверх по ее руке, остановились у ямки локтевого сгиба. Обычно он возбуждался постепенно, а тут сразу засопел, принялся дрожащими пальцами расстегивать пуговицы ее домашней кофточки. Эмма отстранилась чуть резче, чем следовало.

— Не здесь, милый, пойдем в спальню.

Через двадцать минут он крепко уснул, она выскользнула из-под одеяла, накинула халат, ушла в свой маленький кабинет, достала из ящика бюро тетрадь. Подперев подбородок сплетенными пальцами, долго, задумчиво глядела на строчки формул.

Вернер, конечно, представить не мог, что его случайный набросок по энергетическим выходам световой лавины подскажет Эмме ответ на главный вопрос: как и чем дать пинка легким изотопам урана.

Вернер вообще не думал об уране. Прикидывая разные технические перспективы использования своей игрушки, он почему-то зациклился на медицине, верил, что в будущем луч сумеет заменить скальпель и таким образом сделает хирургические операции менее опасными, травматичными, поможет лечить и спасать.

А Эмма думала только об уране, вот ей и пришло в голову, что разные изотопы должны по-разному реагировать на облучение строго определенной частоты. Резонансное поглощение света изотопом зависит от его массы. Надо только точно настроить световую лавину, чтобы она выборочно ионизировала изотопы 235.

По первым, осторожным прикидкам такой метод в промышленном масштабе мог дать не меньше пятисот граммов обогащенного урана в сутки. Расход материалов и затраты электроэнергии невелики. Вместо гигантского обогатительного завода потребуется лишь небольшая фабрика. Для производства одной бомбы, способной смести с лица земли самый крупный советский город, достаточно пяти килограммов чистого U 235.

Жаль, невозможно объяснить Вернеру, что уран сейчас в миллион раз важней медицины и всяких тонких технологий далекого будущего. Только немецкая урановая бомба даст шанс на будущее. С бомбой Гитлер уже не нужен. Европейскую цивилизацию от большевистского ада спасет немецкий интеллект, а вовсе не истеричный австрийский ефрейтор без высшего образования.

Вернер улетел в Стокгольм. Накануне отъезда он волновался, как подросток перед первым свиданием. Хоутерманс добродушно подшучивал над ним. Агнешка вычистила и отутюжила старый, но очень элегантный и дорогой светло-серый летний костюм, который не вынимался из шкафа ни разу после гибели Марты. К костюму понадобились новые ботинки. Вернер вместе с Эммой отправился в обувной магазин, терпеливо перемерил дюжину пар, пока не нашлась подходящая. Кроме ботинок, купили еще летнюю шляпу, дорожный саквояж из мягкой светло-коричневой кожи и зонтик-трость.

В костюме и шляпе он выглядел настоящим щеголем, даже сутулиться перестал.

Перед самым отъездом зашел фон Лауэ, принес подарок для Мейтнер — серебряный портсигар, на котором были красиво выгравированы ее инициалы. Прощаясь, попросил передать привет еврейской физике от немецкой физики.

Эмма и Хоутерманс на такси отвезли Вернера в аэропорт. Она думала: «Мы выглядим как семья, только вместо Германа тут почему-то Хоутерманс. Грустно. Неужели так никогда не помирятся? А Вернер все-таки выполнил свое обещание, отправился на свидание к дорогой Лизе, когда его игрушка уже практически готова».

Последние опыты с рубином и с аммиаком прошли успешно и подтвердили самые смелые догадки Эммы. Значит, не просто так ее тянуло в лабораторию Вернера, не зря тратила она столько времени и сил, помогая старику. Главное недостающее звено оказалось именно тут, прямо у нее под носом.

Предчувствие близкого успеха покалывало пальцы. Иногда она просыпалась среди ночи от внезапного всплеска радости, лежала с открытыми глазами и улыбалась в темноте. Простота, стройность и логичность идеи доставляли ей физическое удовольствие. На бумаге метод уже существовал. Но для точных расчетов нужны точные данные, которые можно получить только в экспериментах. Где их проводить? Выкрасть из института несколько граммов урана и принести к Вернеру, пока его нет? Но Хоутерманс может в любой момент появиться. За два-три часа провернуть такой объем работ не удастся, нервы и спешка все испортят. О том, чтобы экспериментировать с ураном при Вернере, даже думать нечего. Можно попробовать собрать копию резонатора в институтской лаборатории. Вариант куда более реальный, но только на первый взгляд. Сделать все это в одиночку, так, чтобы никто не обратил внимания, чем занимается смиренная пчелка-труженица фрау Брахт, немыслимо. Действовать вдвоем с Германом было бы куда проще. Но поделиться идеей — значит потерять ее. Ради такого блестящего метода обогащения урана Герман, конечно, пожертвует своей идиотской ненавистью к отцу. Ухватится обеими руками. Скажет: малышка, это потрясающе, ты умница, я как раз об этом думаю.

«Нет, мой дорогой. Об этом думаю я, а ты даже не догадываешься. Ты постоянно твердишь: шарлатан, шарлатан. А он великий ученый, не чета тебе».

Пока Вернер был в Стокгольме, Эмма дважды приезжала в Шарлоттенбург, благо Хоутерманс целыми днями пропадал в лаборатории фон Арденне.

Сначала она забежала на пятнадцать минут, навестила игрушку. Хотелось убедиться, что дорогой Физзль к ней не прикасается. Показное равнодушие и снисходительные шуточки могли быть только маскировкой. Хоутерманс слишком умен, к тому же глубоко в теме. Среди потенциальных конкурентов он, безусловно, занимал первое место.

Перед отъездом Вернер оставил прибор на лабораторном столе и накрыл его массивным деревянным ящиком. Эмма была рядом и незаметно подсунула под край ящика свой волосок. Надежно прижатый к столу, волосок мог исчезнуть лишь в том случае, если Физзль поднимал ящик.

Но нет, все оказалось в порядке. Волосок на месте.

Во второй раз она провела в лаборатории почти три часа, скопировала через кальку схемы и чертежи резонатора, выписала в отдельную тетрадь множество цифр и формул. Пока она сидела в лаборатории, пришел почтальон. Агнешка показала ей телеграмму из Стокгольма от Вернера. Он возвращался послезавтра вечером и просил Физзля встретить его в аэропорту.

«Как только прилетит, начнет готовить описательную часть к публикации, — подумала Эмма, — собрать копию прибора и провести хотя бы первые эксперименты с ураном я, конечно, не успею».

Она прикинула, что на подготовку у Вернера уйдет не меньше месяца. Потом какой-то запас времени даст военная цензура. Публикация не выйдет без экспертизы специалистов из Седьмого отдела СД. Эти тупые бюрократы будут обнюхивать резонатор довольно долго. Не факт, что засекретят, скорее, ни черта не поймут. Пустят или не пустят в открытую печать — не важно. Члены уранового сообщества обязательно познакомятся с игрушкой. В отличие от военных цензоров, они оценят ее очень быстро. Нельзя допустить, чтобы кто-то из них перехватил идею Эммы и обошел ее на финише. Готовый метод должен появиться одновременно с готовой игрушкой. Резонатор вынужденных излучений Вернера Брахта. Метод деления изотопов урана Эммы Брахт. Научное сообщество обалдеет. Гейзенбергу придется тихо отползти в сторонку.

Эмма аккуратно сложила несколько страниц кальки в большой конверт, убрала в сумку вместе с тетрадью.

Четвертушку почтовой бумаги с расчетами по энергетическим выходам она давно принесла назад, сунула под мраморное пресс-папье в углу маленького письменного стола. Вернер так ничего и не заметил, он напрочь забыл о своем случайном наброске.

Он вернулся из Стокгольма в отличном настроении, шутил, болтал без умолку. Несколько раз помянул Сигбана и весело смеялся, цепляя к имени прозвище Кислый Монстр. Эмма осторожно спросила, когда он собирается готовить публикацию. Он ответил, что спешить не хочет. «Влияние Мейтнер, — подумала Эмма, — помесь овцы и бродячей кошки могла вообще отговорить его публиковаться в Германии», — и тут же услышала:

— Лиза считает, пора публиковать, но у меня пока нет чувства завершенности. Я слишком много отдал игрушке сил и времени, чтобы на финише пороть горячку.

* * *

Ося так устал, что видел окружающий мир сквозь бледную дрожащую пелену в черно-белом цвете. Ему хотелось, во-первых, выспаться, во-вторых, чтобы настоящее поскорее стало прошлым и превратилось в кадры кинохроники.

Взрывы, грохот зениток, руины, трупы, колонны пленных. Асы люфтваффе на бреющем полете расстреливают беженцев. «Мессер» садится прямо на площадь Конкорд. Офицеры вермахта крепят немецкий флаг к верхушке Эйфелевой башни. Фюрер в сопровождении свиты прогуливается у Гранд-Опера. По Елисейским Полям маршируют шеренги солдат вермахта и СС. Гарцует конница. Фюрер принимает парад. Угрюмые растерянные лица зрителей-парижан.

Ося стоял в группе журналистов, снимал главный, долгожданный триумф Гитлера. Местом действия фюрер выбрал Компьенский лес, вагон маршала Фоша, в котором 11 ноября 1918 года было подписано перемирие между Германией и Францией.

Мемориальный вагон хранился в музее. Немецким саперам пришлось разобрать стену, чтобы вытащить его и поставить на рельсы, посреди поляны, на то самое место, где двадцать два года назад маршал Фош диктовал побежденным немцам свои условия.

Был яркий солнечный день, поляна выглядела живописно, ее окружали могучие вязы, дубы и сосны. Гитлер прибыл на своем огромном «Мерседесе», в компании Гесса, Риббентропа, Браухича, Кейтеля, Редера и Геринга. Процессия остановилась у монумента, воздвигнутого в честь победы союзников в Первой мировой. Верхнюю часть скульптурной композиции задрапировали нацистскими флагами. Надпись, выбитая на гранитном блоке, осталась открытой. *«Здесь 11 ноября 1918 года была сломлена преступная гордыня германской империи, побежденной свободными народами, которые она пыталась поработить».*

Гитлер широко расставил ноги в сверкающих сапогах, сплел руки внизу живота. Риббентроп склонился к нему, что-то зашептал на ухо, вероятно, перевел надпись с французского. Геринг стоял рядом, выпятив необъятное брюхо, поигрывал своим маршальским жезлом.

Когда процедура подписания закончилась, Гитлер на поляне возле вагона отбил нечто вроде чечетки, показал, как он топчет

Францию, с грацией лавочника, вывалившегося из пивной. В группе журналистов слышались нервные смешки.

Через три дня по приказу Гитлера монумент был взорван, вагон сожжен.

Ося встретился с Тибо в маленькой альпийской деревне Айроло на итальянско-швейцарской границе. Бельгиец заметно похудел, морщины стали резче, наружные уголки глаз опустились, и даже когда он улыбался, лицо оставалось печальным.

Они гуляли по берегу небольшого зеркального озера. В розово-золотых бликах закатного солнца плавал белый лебедь. Вечер был теплый и тихий. Тибо тяжело дышал, на ходу обмахивался шляпой, говорил глухим, слегка простуженным голосом:

— Я успел вывезти из Брюсселя семью, но опоздал с ураном, три с половиной тысячи тонн урановых соединений в руках немцев. Никогда себе не прощу.

— Рене, разве кто-нибудь мог предвидеть, что все произойдет так быстро?

— Дата нападения была известна. Уже год идет война, а мы до сих пор не проснулись, нам по-прежнему снится, что Гитлер воюет против евреев и коммунистов. Предав Польшу, французы предали самих себя. Год назад французская армия превосходила немецкую по численности и вооружению. Был отличный шанс атаковать, помочь полякам. Гитлер не продержался бы и двух месяцев.

— Но это означало бы вступление в войну еще и с Советами, — заметил Ося.

— Нет, Джованни. — Тибо слабо помотал головой. — Сталин поджал бы хвост. В Польшу он ввел войска, когда уже никакого сопротивления быть не могло.

— Муссолини оказался решительней. — Ося усмехнулся. — Капитуляции не дождался, ударил в спину Франции так же, как Сталин в спину Польши, но при этом честно объявил войну, а не назвал свое вторжение братской помощью.

Они сели на скамейку. Ося снял темные очки. Можно было смотреть на солнце не щурясь. Оно стало оранжевым и медленно погружалось в зеленые волны холмов у горизонта.

— Рене, есть хорошая новость — меня переводят в Берлин, в пресс-центр посольства.

— Да что вы! — Тибо оживился. — Как вам это удалось?

— Синьора Чиано влюбилась в мою кинохронику и потребовала, чтобы после Франции я снимал воздушные бои над Ла-Маншем. Я не возражал, но вмешался синьор Чиано: «Дорогая, это уж слишком! Я не могу подвергать такому риску моих лучших сотрудников». Чиано бесится, когда Эдда лезет в кадровые вопросы, но вынужден скрывать свои эмоции. Зять дуче — профессия тяжелая. Он хотел оставить меня в Риме, я осторожно повернул разговор к Берлину. В посольстве не хватает толковых инициативных людей. Чиано сразу ухватился за эту идею. Если бы я остался в Риме и мозолил Эдде глаза, она бы продолжала настаивать на своем, не потому, что моя кинохроника так уж хороша, а просто из упрямства.

Лебедь плыл вдоль берега, иногда останавливался, выгибал шею, почесывал клювом хвост и спину между крыльями. Белое оперение сияло, будто излучало чистый ангельский свет. Чем дольше Ося смотрел на птицу, тем ярче становились краски. Он удивился, что все еще способен видеть красоту.

Тибо вытирал лицо платком и говорил с одышкой:

— Да, агент Феличита в Берлине — огромная удача, особенно сейчас. С радостью сообщу руководству, надо как следует обдумать детали. А у меня тоже приятная новость. — Он убрал платок, пожал Осе руку и торжественно произнес: — «Сестра» благодарит вас за тяжелую воду. Господин премьер-министр просил передать вам личную свою признательность.

— Спасибо, Рене, я рад, что мистер Черчилль больше не считает урановую тему ерундой и немецкой уткой. Если бы еще удалось вывезти циклотрон и профессора Жолио Кюри...

— Это было не в ваших силах, вы приняли верное решение. Жолио позаботится, чтобы циклотрон как можно дольше оставался в нерабочем состоянии.

— То, что Жолио не уехал, полнейшее безумие, его могут отправить в лагерь.

— Не посмеют, — отрезал Тибо и тихо добавил: — Хот? черт их знает.

— Я мало знаком с Жолио, но у меня сложилось впечатле ние, что настроен он весьма решительно. Ни на какие компро миссы с немцами не пойдет.

— Так же, как и Нильс Бор, — кивнул Тибо, — его угова ри вали удрать из Копенгагена, но он остался и теперь помогае? в организации подполья.

— Наверняка немцы попытаются привлечь их обоих к про екту. — Ося достал сигарету. — Кроме практической пользы участие Жолио и Бора стало бы для Далема моральным оправ данием.

Бельгиец захихикал.

— Что смешного, Рене?

— Представляю лицо Бора, если Гейзенберг обратится к не му с подобным предложением.

— Ну, примерно как лицо Черчилля, когда Гитлер твердит ? перемирии. — Ося чиркнул спичкой, затянулся и подумал:

«А ведь если бы премьером стал Галифакс, он бы точно от кликнулся на мирные предложения Гитлера».

Бельгиец, будто прочитав его мысли, пробормотал:

— Кретины в парламенте хотели Галифакса, — он скривил ся и покрутил пальцем у виска, — но в самый ответственны? момент у него разболелся живот.

— Оказывается, воля Божья может проявляться в таких ме лочах, как расстройство желудка у лорда Галифакса. — Ося по качал головой. — Удивительно, именно десятого мая, когда Гитлер напал сразу на четыре государства и все было абсолют но плохо, премьером стал Черчилль. Уж он перемирия точно н? подпишет.

— А потом это чудо в Дюнкерке. — Тибо извлек из кармана маленькую упаковку сдобного печенья, открыл. — Угощайтесь Джованни.

— Нет, Рене, спасибо.

Ося глядел на озеро с лебедем и видел огромный песчаны? пляж, заполненный измотанными солдатами и разбитым?

орудиями. Много больных и раненых. Жара, отчаяние. Отступавшие войска союзников были прижаты к побережью Ла-Манша. Танкам Гудериана ничего не стоило добить их, но Гитлер вдруг приказал остановить наступление. Это дало возможность эвакуировать экспедиционный корпус в Британию. Операция называлась «Динамо» и проходила под личным руководством Черчилля. В спасении армии добровольно участвовали все жители южного и юго-восточного побережья Британии, имевшие личные плавучие средства. К Дюнкерку двинулось множество мелких и крупных судов, рыбацкие лодки, пассажирские и спортивные катера, яхты. Даже буксиры с Темзы приплыли.

Британская истребительная авиация прикрывала большие корабли, успешно отбивала атаки люфтваффе. Мягкий прибрежный песок глотал бомбы и уменьшал силу взрывов. Лодки, яхты и катера сновали от берега к кораблям и обратно, забирали и выгружали людей. Потопить бомбами с воздуха такое множество мелких суденышек было невозможно. Кто-то из журналистов удачно назвал их «москитной армадой».

Даже море помогало. Все девять дней, пока продолжалась эвакуация, стоял штиль.

С двадцать седьмого мая по четвертое июня удалось переправить в Британию триста пятьдесят тысяч человек, из них французов оказалось только двадцать шесть тысяч. Французское командование так и не удосужилось отдать приказ об эвакуации своих солдат.

— Рене, вы называете чудом ошибку Гитлера или удачно проведенную операцию «Динамо»? — спросил Ося.

— И то, и другое, — промычал Тибо с набитым ртом, прожевал печенье и продолжил: — Ну, согласитесь, невозможно объяснить, почему он вдруг остановил такое успешное наступление?

— Тут нет чуда. — Ося пожал плечами. — Он действовал точно по расовой теории, англосаксы — родственная раса. Остановил наступление, чтобы не отрезать путь к дальнейшим переговорам. Сколько раз после падения Франции он предлагал Британии почетный мир? Официально дважды, а через Ватикан и Швецию уже раз десять.

— Ему в голову не приходит, что англосаксам наплевать на расовую теорию. — Тибо ухмыльнулся. — Британия никогда не согласится стать нацистским государством и будет до последнего защищать свою свободу.

— Гитлер объясняет отказ от мира исключительно кознями международного еврея Черчилля, — Ося вздохнул, — а ведь отчасти он прав. Парламент хотел Галифакса. Помните, с каким восторгом в тридцать восьмом встречали Чемберлена, когда он прилетел из Мюнхена? Вот так же и Галифакс мог слетать в Берлин, не по расовой теории, а из-за глупости и трусости. И размахивал бы листком договора, заявлял, что привез мир, сохранил британские города от бомбардировок и спас миллионы жизней. Очень скоро Британия превратилась бы в островную провинцию рейха, а нам с вами пришлось бы стать сотрудниками абвера.

Тибо задумчиво покрутил в пальцах последнее печенье, вздохнул, отправил его в рот, прожевал и произнес чужим, лающим голосом:

— Партайгеноссе Тибо и партайгеноссе Касолли. Звучит неплохо. — Он скомкал в кулаке бумажную упаковку. — Знаете, Джованни, мне страшно смотреть на карту Европы. Гитлеру принадлежит практически весь континент, Па-де-Кале выглядит таким узким, Британия — такой маленькой и одинокой.

Крошки печенья посыпались Тибо на колени. Ося взял у него смятую упаковку, встал и выкинул в урну вместе со своим погасшим окурком. Вернулся, сел рядом, помолчал, наблюдая, как бельгиец отряхивает платком брюки, и задумчиво произнес:

— Чтобы высадить на остров хотя бы пять дивизий, потребуется не меньше двухсот больших кораблей. Спрятать такую армаду невозможно, а разбомбить и потопить ничего не стоит. Чтобы выбросить воздушный десант, необходимо превосходство в воздухе. Уже очевидно, что немцы его не добьются. А они сумеют переправить на остров достаточное количество танков для блицкрига? Да никак! Значит, им остается бомбить

Британию и тешить себя надеждой, что англосаксы в конце концов устанут и запросят мира у братьев по расе.

— Судя по всему, главной целью Гитлера остается Россия. — Тибо наморщил лоб. — Он старается доказать Британии свое превосходство, а Россию намерен просто уничтожить.

— Рене, как думаете, Сталин это понимает?

— Спросите что-нибудь полегче. — Тибо вздохнул. — Сталин снабжает Германию стратегическим сырьем так щедро, будто сделал ставку на победу Гитлера над Британией. Неужели сложно просчитать на шаг вперед и догадаться, что после Британии придет очередь России?

— Ну, вероятно, он хочет выиграть время, укрепить собственную армию.

— Джованни, вы шутите? Десять лет разрушал, а теперь за год-два укрепит?

— Нет, Рене, не шучу. Просто пытаюсь поиграть в адвоката дьявола, понять его позицию, проследить логику.

— Дело полезное. — Тибо усмехнулся. — Ладно, давайте попробуем. Скажите, а что вообще ему дал союз с Гитлером?

— Отсрочку нападения плюс новые территории.

— Ерунда, пропагандистский штамп. — Тибо поморщился. — Разве в сентябре тридцать девятого была реальная угроза нападения Германии на СССР? Ни вооружения, ни ресурсов для такой войны Гитлер тогда не имел. Даже при его безумии он бы не полез в Россию в сентябре, накануне зимы. А что касается новых территорий, он просто получил «пятую колонну» на границе с Германией.

— Латвия, Литва, Эстония присоединились добровольно.

— Мг-м. — Тибо хмыкнул. — И сразу очень пожалели об этом. Начались депортации в Сибирь, конфискации земли и жилья, разбой и грабеж. Они встретят Гитлера как освободителя. Прибалты считают себя нордической расой, жителей Западной Украины роднит с Гитлером традиционный антисемитизм. Нет, Джованни, понять логику Сталина в тридцать девятом так же невозможно, как и в тридцать седьмом.

— Рене, а что, если Сталин задумал сам напасть?

— На кого?

— На Гитлера или на всех сразу.

— Как напал на Финляндию? — Тибо сморщился от смеха. — На всех сразу! Тайный план мировой революции!

Он хохотал так громко, что лебедь испуганно захлопал крыльями.

— А почему нет? — Ося пожал плечами. — Огромная территория, неисчерпаемые ресурсы, гигантское население, все в его власти. Война в Европе ослабит обе стороны. Он рассчитывает именно на это и втайне готовит свой блицкриг.

Тибо наконец отсмеялся, вытер глаза.

— Блицкриг требует хотя бы минимального представления о том, что такое внешний мир, как там живут люди. Джованни, может, я чего-то не знаю? Сталин когда-нибудь бывал за границей?

— Вроде бы в молодости, до революции... Да, пожалуй, вы правы. Об этом говорят все европейские дипломаты. После семнадцатого года Сталин никуда ни разу не выезжал.

— Никуда ни разу, — повторил Тибо, — ну, а союзники у него есть? Кроме Гитлера, конечно.

— Кажется, Монголия...

— О, Монголия! — Тибо поднял палец. — А как насчет военачальников? Назовите хотя бы одно известное имя. Кто там у него командовал в Финляндии?

Ося молча помотал головой. Тибо снисходительно потрепал его по плечу.

— Джованни, я не слишком высокого мнения об интеллекте Сталина, однако все-таки не верю, что он клинический идиот и решится на блицкриг в Европу при таких вот исходных данных. Ладно, допустим, он победит. А дальше? Чтобы удержать власть в России, ему пришлось закупорить страну, полностью изолировать ее от внешнего мира. Он надеется закупорить всю Европу, а заодно и Америку?

— Да, исходные данные скверные. — Ося кивнул. — Пожалуй, у Гитлера есть шанс, причем уникальный, которого еще не было ни в одной из завоеванных стран. На оккупированных территориях раздать крестьянам землю, не зверствовать, хотя бы первое время, позволить им жить чуть лучше, чем они живут при Сталине, и большинство населения с восторгом примет новую власть.

— Слушайте, а ведь если кто-то подскажет ему такой ход, сумеет убедить... — Тибо нахмурился. — ...ведь это же очень просто.

— Просто, но только не для Гитлера. Расовая теория не позволяет. Русские для него не люди, церемониться с ними, как с норвежцами и голландцами, он не будет. Он представляет Россию гигантской аморфной массой недочеловеков, над которой возвышается смутная фигура Сталина, и уверен, что победить ее так же легко, как перехитрить Сталина. Это его роковая ошибка.

— Думаете, после стольких лет диктатуры русские сохранили способность сражаться?

— Надеюсь...

— А Финляндия?

— Там они сражались на чужой территории. Завоеватели они, правда, никудышные, это вам не немцы. А вот когда нападет Гитлер, станут защищать свою страну уже не по приказу Сталина, а по собственной воле, точно зная, с кем и за что воюют.

— Дай Бог, чтобы защитили. Если Гитлер захватит Россию, Британии несдобровать. — Тибо печально вздохнул. — Судьба Британии зависит от России, судьба России — от Британии. Черчилль понимает. А Сталин, видимо, нет. К несчастью, открыть ему глаза сумеет только Гитлер. Кстати, ваши предположения насчет советского уранового проекта полнейшая ерунда, я оказался прав.

Ося задержал дыхание, досчитал до тридцати, выдохнул и спросил как можно равнодушней:

— Рене, откуда информация? Неужели «Сестре» удалось кого-то завербовать в России или внедрить агента?

Тибо усмехнулся и подмигнул:

— Об агентуре в России по-прежнему остается только мечтать. Все значительно прозаичней. Вы когда-нибудь слышали о русском академике Вернадском?

— Что-то знакомое.

— Академик Вернадский, геохимик, философ, создатель учения о биосфере, — объяснил Тибо, — впрочем, это неважно. Крупный, всемирно известный ученый. Он остался в России, а сын его эмигрировал, живет в США, преподает историю в Йельском университете. Они постоянно переписываются.

— Переписываются? — Ося изумленно поднял брови. — Я слышал, в СССР можно угодить в лагерь не то что за переписку, а лишь за факт существования родственников за границей.

— Академик Вернадский слишком заметная фигура, таких не трогают. Кстати, он еще в десятых годах составил карту урановых месторождений на территории России, занимался исследованиями радиоактивности в лаборатории Мари Кюри в Париже. Сын отправляет ему вырезки из американской и британской прессы с материалами, касающимися урана. С сентября прошлого года их переписка перлюстрируется по личному распоряжению Гувера. ФБР в последнее время стало охотней делиться с нами информацией. Из писем Вернадского-старшего можно сделать вывод, что работы в этом направлении в России пока не начинались.

— Где гарантия, что он пишет самостоятельно, а не под диктовку НКВД?

— Джованни, перестаньте! — Тибо поморщился. — Слишком сложно, а главное, абсолютно бессмысленно. Если бы они начали, урановой темы в письмах из России просто не могло бы возникнуть. Я когда-то был знаком с Вернадским. Он не тот человек, который согласился бы играть в такие игры и врать собственному сыну. Он бы просто ничего об этом не писал. Ни слова, понимаете?

Ося кивнул и подумал: «Плохо вы знаете СССР, дорогой Рене, там заставить могут любого. Но в общем, это похоже на правду».

Тибо наконец заметил лебедя, указал пальцем:

— Смотрите, какая прекрасная птица! Эх, жаль, я съел все печенье, а то бы угостил красавицу.

Глава двадцать восьмая

Дважды в неделю Карл Рихардович заходил в телефонную будку где-нибудь подальше от дома, набирал один и тот же номер. Звучали долгие гудки. Изредка отвечали чужие голоса, он молча клал трубку. Занятие совершенно бессмысленное и опасное. Если падре все-таки появится, позвонит сам. Но просто ждать и ничего не делать было слишком тяжело.

Митю Родионова в Германию так и не выпустили, он работал в немецком подразделении Разведупра. В июне Проскуров получил звание генерал-лейтенанта авиации и орден Красной Звезды, в июле был снят с должности и отправлен командовать ВВС Дальневосточного округа. Военной разведкой теперь руководил некто Голиков. Митя дал ему емкую характеристику из трех слов: «Трус, холуй и сволочь».

Митя иногда получал шифровки от Эльфа. Хозяин наконец позволил восстановить агентурную сеть в Германии, теперь можно было открыто ссылаться на берлинский источник.

Илья рассказал, что Эльф через военную разведку передала ответ от Оси: профессор Брахт в урановом проекте не участвует, о резонаторе ничего не известно. С тех пор прошло три месяца. Подлинник письма Мазура хранился у Карла Рихардовича. Конверт лежал в ящике письменного стола. Он не прятал его. Если случится обыск, все равно найдут.

Давно закончились все споры: отправлять, не отправлять. Илья и Проскуров согласились: отправить надо срочно. Да что толку от их согласия? Это «срочно» звучало как издевательство. Возможности передать письмо в Берлин не было. Последний, единственный шанс — падре. С каждым днем этот шанс таял. Время неслось, падре не появлялся.

В ШОН Карл Рихардович вел новую немецкую группу. Всех бывших его учеников переправили в Прибалтику еще в мае, незадолго до добровольного присоединения Латвии, Литвы и Эстонии к дружной семье советских республик. Удалось ли кому-то из группы попасть в рейх с последними эшелонами фольксдойчей, неизвестно.

Доктор аккуратно посылал письма в Тулу, маме Любы Вареник. Каждый раз, вырезая очередной листок из общей тетради, опуская конверт в почтовый ящик, мысленно произносил молитву не только за Любу, но и за всех них, чтобы остались живы.

В новых лицах он невольно искал знакомые черты. Худышка с короткими каштановыми волосами, Шура Семенова из Костромы, чуть-чуть похожа на Любу. Витя Глушко из Свердловска, высокий синеглазый брюнет с плоским боксерским носом, напоминает Владлена Романова. Конечно, сходство было мнимым, он просто скучал по ним и старался не привязываться к этим, новым.

В августе ему полагался двухнедельный отпуск. Профком дал путевку в санаторий в Кисловодске. Доктор хотел отказаться, все еще надеялся: вдруг падре появится. Но придумать уважительную причину не удалось. Когда он заикнулся, что, пожалуй, лучше останется в Москве, профком несказанно удивился и стал подозрительно сверлить его глазами. Пришлось взять путевку. Поезд уходил завтра в семь утра с Курского вокзала.

Илья с Машей пять дней назад отправились в дом отдыха в Сочи. Живот у Маши стал огромный. Она носила просторное платье, повзрослела, больше не улыбалась во весь рот щенячьей улыбкой, не хихикала без всякого повода, как в первые месяцы беременности. От нее веяло покоем и здоровьем, лишь иногда немного дрожал голос и появилась привычка прикрывать живот ладонями, будто защищая.

Акимовы перебрались в «Заветы». Отдохнуть на море всей семьей у них не получалось. Петру Николаевичу отпуск дали сейчас, в августе, Веру Игнатьевну обещали отпустить только в конце сентября. Она ездила из «Заветов» в Москву на работу на пригородном поезде. Настасья Федоровна вела хозяйство в дачном доме, стряпала, ворчала на Васю, потихоньку от Маши вязала чепчики, кофточки и носочки для будущего внука.

«Сегодня в последний раз», — сказал себе доктор, когда зашел в будку возле Краснопресненского универмага.

После трех длинных гудков он услышал незнакомый баритон, но вместо того, чтобы сразу повесить трубку, произнес по-немецки, старательно искажая голос:

— Добрый вечер, попросите, пожалуйста, падре Антонио.

— Падре Антонио тут нет, — ответил баритон по-немецки с мягким итальянским акцентом, — я падре Бенито. Могу вам чем-нибудь помочь?

— Скажите, вы не знаете, когда падре Антонио приедет в Москву? — неожиданно для себя выпалил доктор и прикусил язык. «Идиот! Что ты делаешь?»

В трубке шуршало, потрескивало. Следовало сию секунду бросить ее на рычаг и бежать прочь, подальше от этой будки. Но рука задеревенела, пальцы не разжимались.

— В ближайшее время вряд ли, — спокойно ответил падре Бенито, — он теперь служит в Ватикане. Назовите ваше имя, я попытаюсь связаться с ним, если что-то срочное.

— Не нужно, благодарю, — пробормотал доктор и повесил трубку.

Выйдя из будки, он дождался, когда на светофоре загорится зеленый, стараясь не бежать, пересек площадь, свернул в Краснопресненский парк, замедлил шаг, прошел еще немного, опустился на свободную скамейку, трясущимися руками достал папиросу. После первых двух затяжек немного полегчало.

Был жаркий безветренный вечер. В стеклах открытых окон играли всполохи закатного солнца. Листья кленов и лип отбрасывали кружевные тени на аллею. На соседней скамейке стучали костяшками домино пожилые мужички в белых фуражках-сталинках. Из радиотарелки неслось танго «В парке Чаир». Две девочки лет семи скакали по квадратам, начерченным на асфальте оранжевым осколком кирпича. Парусиновые тапочки толкали круглую коробку из-под гуталина. От сильного удара коробка покатилась, стукнулась о бордюр, открылась. Из нее посыпался песок.

«Конечно, продолжать разговор, задавать вопросы — верх идиотизма, — размышлял доктор, — посольские телефоны слушают непрерывно. Но я слишком устал. Теперь хоть какая-то ясность. Уеду отдыхать с чистой совестью, и не будет мне мерещиться ночами, как разрывается телефон в пустой квартире. Последний шанс рухнул. Последнее мирное лето на исходе. Брахт наверняка уже собрал свой резонатор. Ничего изменить нельзя. Поздно. Тупик».

Доктор взглянул на часы. Половина восьмого. Спешить больше некуда. Впереди ненужный вечер. Надо уложить чемодан. Слишком тяжко оставаться наедине со своими мыслями.

Он дошел до площади Белорусского вокзала, сел в трамвай, доехал до Мещанской. На лестничной площадке, сунув ключ в скважину, услышал за дверью ломающийся Васин голос:

— Сколько можно повторять?! Вы не туда попали!

В тот момент, когда доктор открыл дверь, Вася резким движением повесил трубку и угрюмо поздоровался.

— Привет. — Карл Рихардович снял ботинки, надел тапочки. — Ты почему в Москве и почему такой сердитый?

— Кое-какие книжки нужно взять, а эта дура звонит уже в третий раз. — Вася скорчил рожу и пропищал: — «Попросите, пожалуйста, Жозефину Осиповну».

— Кого? — рассеянно переспросил доктор.

— Жозефину Осиповну, — продолжая гримасничать, повторил Вася. — Из-за нее опоздаю на поезд, папа меня убьет. Еще имечко такое...

— Да, имечко. — Доктор усмехнулся, потрепал Васю по загривку. — Ладно, иди, собирай свои книжки, позвонит опять — я возьму трубку.

Они разошлись по комнатам. Карл Рихардович снял пиджак, бросил на спинку стула, проворчал себе под нос:

— Жозефина Осиповна. Интересно... Если бы она назвала фамилию Гензи, было бы совсем интересно. — Он замер, не замечая, как сползает на пол пиджак.

Жозефина Гензи — запасной псевдоним Эльфа. Осиповна — дополнительная подсказка. От Оси. Ну кто еще мог звонить трижды и упрямо повторять этот импровизированный пароль?

Доктор выпил залпом стакан воды. Выкурил подряд две папиросы. Схватил с дивана томик Гоголя, открыл на заложенной странице, смутно вспомнил, как затянули его вчера вечером в свой уютный печальный мир «Старосветские помещики», но сейчас строчки прыгали перед глазами.

Вася крикнул из коридора:

— Карл Рихардович! Я уехал!

— Счастливо! — отозвался доктор, захлопнул книжку и кинул на кушетку.

Стукнула дверь. Повисла тишина. Он мерил шагами комнату, коридор, кухню. Машинально зажег огонь под чайником. Неподвижно стоял перед открытым кухонным окном, ждал, пока закипит, наблюдал за вороной, свившей гнездо в густой кроне старого тополя.

«Вряд ли перезвонит еще раз. Да и что толку? Поздно. Видимо, прилетела в Москву ненадолго, набрала номер на всякий случай».

Он налил в стакан заварку, погасил огонь, взял чайник с плиты и чуть не обварился кипятком, услышав телефонный звонок.

Голос в трубке звучал устало, слегка сипло. Доктор видел Эльфа всего один раз в жизни. Год назад она едва лопотала по-русски. Теперь говорила уверенно. Во фразе «Добрый вечер, попросите, пожалуйста, Жозефину Осиповну» акцент почти не чувствовался.

— Какой номер вы набираете? — спросил доктор.

— «Б»-пятнадать-восемь-двадцать два.

Карл Рихардович вспомнил, что сегодня пятнадцатое августа, медленно, четко повторил номер и произнес:

— Вы ошиблись. У нас тут нет Жозефины Осиповны.

— Простите за беспокойство. — Она вздохнула и добавила с легкой вопросительной интонацией: — До свидания?

— До свидания, — утвердительно ответил доктор, повесил трубку, вернулся в комнату, поднял с пола пиджак, надел, достал из ящика конверт и сунул во внутренний карман.

Через сорок минут он был на Никитском бульваре. Стемнело, зажглись фонари. Он шел очень медленно, озирался по сторонам, вглядывался в лица. Какие-то подростки, старухи, влюбленные парочки. Дальше две пустые скамейки. Он повернулся, двинулся в обратную сторону. Подумал: «А вдруг я что-то напутал с цифрами? "Б" — бульвар. Бульвар может быть только Никитский, мы ведь ровно год назад тут с ней встречались. Но если "пятнадцать" — не дата, а время, и встреча не сегодня, а двадцать второго, в три часа дня?»

Среди редких прохожих мелькнула одинокая женская фигура. Она шла навстречу, быстро приближалась, попала в круг фонарного света. Карл Рихардович узнал ее, но все еще боялся поверить, ускорил шаг, споткнулся, чуть не упал, поправил шляпу и произнес громко, на выдохе:

— Эльф, неужели это вы?

— Здравствуйте, доктор Штерн, — она поцеловала его в щеку и взяла под руку, — я тут уже третий день, приехала по делам, никак не могла вырваться из посольства. Завтра утром улетаю. Позвонила вам наудачу. Какой-то сердитый мальчик все время брал трубку.

— Вася, сын соседей, — объяснил доктор, — вы здорово придумали с Жозефиной Осиповной.

Она улыбнулась:

— Не сомневалась, что Жозефину вы легко расшифруете. А вот номер... Я знаю, что с падре вы договаривались о встречах именно так, но в каком порядке должны идти цифры, понятия не имела. Боялась вас запутать. Ладно, встретились, и слава Богу.

— Да, можно считать это чудом. Падре совсем исчез.

— Он больше не приедет в Москву, он теперь важная шишка в Ватикане.

— Знаю, — доктор вздохнул, — постоянно пытался дозвониться ему, вот сегодня впервые решился задать вопрос новому падре и получил ответ про Ватикан. А Ося? Он куда пропал?

— Обзавелся кинокамерой, бегает под пулями, снимает войну. — Габи заправила прядь за ухо. — Скажите, Карл, моя информация о Брахте дошла до вас?

— Да, я как раз об этом хотел поговорить... Габи, тут такая история... — От волнения у него сел голос.

Не получалось задать главный вопрос. Язык прилип к нёбу, в горле першило. Он был уверен, что услышит в ответ: да, резонатор уже собран, появились публикации. Какой-то глупый упрямый инстинкт заставлял тянуть время, будто несколько минут отсрочки что-то изменят. Вряд ли Ося и Габи понимали, что такое этот резонатор для производства бомбы. Он отправил им слишком смутный, неопределенный запрос о Брахте. Написал бы яснее...

Он откашлялся, просипел:

— Знаете, тут такая история, падре исчез, от Оси никаких вестей, и с вами только односторонняя связь, а нужно срочно... Нет, наверное, уже поздно.

Она замедлила шаг:

— Что вы имеете в виду? Что поздно?

— Габриэль, давайте сядем, вот здесь, под фонарем.

Они опустились на скамейку.

— Карл, почему вы так нервничаете? Что случилось?

Он достал из кармана конверт, протянул Габи.

— Долго объяснять. Вот, прочитайте. Сумеете при таком освещении?

Габи вытащила листки, исписанные лиловыми чернилами, поднесла близко глазам, прищурилась.

— Да, почерк разборчивый.

Пока она читала, Карл Рихардович сидел, сгорбившись, бессильно уронив руки на колени, и видел будто со стороны две маленькие фигурки под фонарем на скамейке. Они выглядели слишком уязвимыми и беспомощными. Старик в мятом холщовом пиджаке, в летней светлой шляпе на лысой голове. Белокурая девушка в синей вязаной кофточке поверх легкого цветастого платья.

Так же они сидели тут год назад, двадцать третьего августа тридцать девятого, в день подписания пакта между СССР и Германией. Тогда казалось, самое страшное уже произошло, маховик войны запущен и хуже быть не может. Тогда впереди была просто война. Все войны рано или поздно кончаются, оставалась надежда, что Гитлер проиграет. Но, получив урановое оружие, он точно выиграет, так что теперь дела обстоят несравнимо хуже, чем год назад.

Габи читала последнюю станицу, доктор заметил, как шевелятся ее губы, услышал шепот:

— «...Надеюсь, мое предупреждение не опоздало, у тебя еще осталось время принять решение, а у наших внуков — шанс вырасти... Твой Марк».

Она вскинула глаза, быстро взглянула на доктора, отвернулась, пару секунд хмуро смотрела куда-то в сторону, потом сложила письмо, убрала в конверт.

— Спрячьте, — просипел доктор, откашлялся и добавил уже нормальным голосом: — В любом случае письмо надо передать Брахту, даже если уже поздно.

Габи положила конверт в сумочку, попросила папиросу. Он протянул ей пачку, чиркнул спичкой, повторил:

— Поздно.

Габи пожала плечами. Карл Рихардович поймал ее взгляд, затаив дыхание, спросил:

— Хотите сказать, публикации о резонаторе вынужденных излучений пока не появлялись?

— Теперь точно не появятся, в любом случае.

— Почему? — Доктор принялся сосредоточенно крутить пуговицу пиджака.

— Потому что рукописи научных статей и заявки на изобретения теперь проходят военную цензуру. При малейшей вероятности, что какое-то открытие или новое техническое устройство может иметь военное значение, в печать не пропустят. Это касается не только уранового проекта, а вообще всех естественных наук, включая биологию и медицину. Резонатор вынужденных излучений, конечно, сочтут именно таким изобретением. Вряд ли сразу догадаются использовать его для деления изотопов, но засекретят точно.

— Мазур еще полгода назад был уверен, что Брахт соберет резонатор в ближайшее время, — пробормотал доктор, — догадаются не сразу, но скоро.

Габи кинула потухший окурок в урну, похлопала ладонью по своей сумочке и задумчиво произнесла:

— Ну, теперь у нас хотя бы есть шанс узнать все из первых рук. Вернусь в Берлин — попробую познакомиться с Брахтом. — Она тронула его за локоть. — Карл, пожалуйста, оставьте в покое пуговицу. Вы сейчас ее оторвете.

* * *

Вернер начал новую серию экспериментов. Эмма помогала ему, записывала показатели приборов и ломала голову, как же ей провести хотя бы несколько опытов с ураном.

Сложилась парадоксальная ситуация. В Далеме — уран, в Шарлоттенбурге — резонатор. Между Шарлоттенбургом и Далемом четыре трамвайные остановки, но соединить одно с другим невозможно.

Она давно поняла, что собрать копию резонатора в институтской лаборатории в одиночку не сумеет. Нужен союзник, помощник. Первым кандидатом оставался все-таки Герман. Конечно, это капитуляция. Поделиться идеей — значит потерять ее. Но и не поделиться — тоже потерять.

В конце июня, сразу после захвата Франции, Дибнер вместе с Physik-Musik отправились в Париж. Гейзенберг сучил ножками от нетерпения. Герман шепотом заметил:

— Ждет тяжелую воду, как дождя в пустыне.

— А что же ему, бедняжке, остается? — прошептала в ответ Эмма.

Но из Парижа пришли убийственные вести. Тяжелой воды в Коллеж де Франс нет. Циклотрон в нерабочем состоянии. Все сотрудники Кюри удрали, сам Жолио остался и преспокойно сообщил, что канистры с тяжелой водой вывезли англичане.

Physik-Musik на очередном заседании заявил, что Жолио Кюри заслуживает военного трибунала.

— Расстрела, — прошипел Гейзенберг.

Слышали лишь те, кто сидел поблизости. Глаза гения забегали, губы растянулись в фальшивой улыбке, он сухо откашлялся и добавил:

— Шучу, конечно.

Июль пролетел будто один день. Герман возглавил группу, занятую вычислениями зависимости величин эффективного сечения атомов от скорости бомбардирующих нейтронов. Работа тонкая, кропотливая. Ассистентов набралось много, но основная нагрузка, как всегда, свалилась на Эмму. У нее почти не оставалось времени. Врожденная добросовестность не позволяла халтурить, к тому же появилась возможность экспериментально проверить и скорректировать собственные расчеты по изометрическому смещению спектральных линий в атомах урана, определить частотный сдвиг между спектрами изотопов 238 и 235.

Каждый раз, когда в лабораторию заходил Дибнер, Эмма все внимательней вглядывалась в невыразительное чиновничье лицо, в тусклые серые глаза, уменьшенные линзами очков. Солдафон-бюрократ, специалист по взрывчатым веществам, он с самого начала был сердцем уранового проекта. Именно Дибнер пробил финансирование и бронь для ученых. На нем лежал весь груз ответственности. Он выстроил в Готтове на полигоне Куммерсдорф свой реактор, внушительней и перспективней «вирусного флигеля» Гейзенберга, воздвигнутого посреди вишневого сада на территории Института биологии.

Гейзенберга считали мозгом проекта. Но мозг слабел, а сердце стучало ровно и уверенно. Далемские снобы не желали этого замечать, по-прежнему боготворили Гейзенберга, перемигивались и презрительно улыбались за спиной Дибнера.

Однажды, когда вошел Дибнер, в лаборатории никого, кроме Эммы, не было. Он спросил, как дела, она рассказала. Он выслушал, кивнул и произнес своим глухим монотонным голосом:

— Вы отлично справляетесь, фрау Брахт, давно за вами наблюдаю. Будь вы военным человеком, я бы ходатайствовал перед руководством о повышении вашего звания. — Он снял очки, улыбнулся. Лицо его сразу будто осветилось изнутри, стало мягче, обаятельней.

— Благодарю, профессор Дибнер, от вас мне особенно приятно это слышать. — Эмма смотрела в его близорукие глаза и думала: «В любом случае заявку придется писать на его имя. Физик он, конечно, слабенький, но ему хватит знаний, чтобы оценить идею, увидеть в ней спасительный прорыв. Научных амбиций у него немного, в соавторы не полезет, зато чиновничьи амбиции очень высокие. К тому же он должен отчитаться перед Герингом за гигантские расходы денег и стратегических материалов. Он даст мне все — отдельную лабораторию, оборудование. Германа я уже потом просто поставлю перед фактом. Как-нибудь переживет».

— Скажите, фрау Брахт, почему вы до сих пор не защитили докторскую? — спросил Дибнер.

«Потому что все мои темы присваивает мой муж для своих статей», — мысленно ответила Эмма.

Вслух она ничего не сказала, только грустно улыбнулась и развела руками.

— Да, понимаю. — Дибнер сочувственно вздохнул. — Непросто быть женщиной в мужском научном мире.

В лабораторию зашел Герман, с ним еще несколько сотрудников. Эмме понравилось, что Дибнер не стал продолжать этот разговор при посторонних, только произнес вполголоса, склонившись к ее уху:

— Повысить вам звание, к сожалению, не могу, а вот насчет повышения жалованья пора подумать.

Эмма поблагодарила, улыбнулась и про себя вздохнула с облегчением. Теперь ясно, как действовать дальше. Раскрывать

Дибнеру сразу все карты, конечно, не стоит. Сначала только первая часть: электромагнит, изменение траектории полета, резервуар в форме буквы «С». Главное — добиться разрешения на собственную группу, начать самостоятельные эксперименты.

Эмма не спеша готовила свою заявку и ждала подходящего момента. В первых числах сентября они с Германом собирались отправиться в отпуск на десять дней. Решили лететь в Венецию. В сентябре там уже не так жарко. Эмма понимала, что ей необходима передышка. Перед броском надо прийти в себя, набраться сил.

В один из последних дней августа кто-то принес в комнату отдыха швейцарскую газету с интервью очередного шарлатана, сумасшедшего ученика Маркони. Вайцзеккер, давясь от смеха, зачитывал вслух:

— «Во время сеанса связи профессор рассказал, что, настроив излучатель определенным образом, можно воздействовать на радиоактивные элементы, изменяя процентное соотношение различных изотопов. Он подчеркнул, что прежде всего это касается урана. Таким образом, лучи Маркони могут быть использованы не только как самостоятельный вид оружия, но и оказать существенное влияние на производство уранового оружия».

Отбросив газету, он произнес с серьезной миной:

— Ну что ж, господа, боюсь, придется лететь в Италию и умолять синьора Валетти открыть нам тайну обогащения урана при помощи магических лучей. — Усмехнулся и добавил: — А вообще, это позор для газеты — компрометировать серьезную науку бредом во славу Маркони.

— А почему бы нам не обратиться к Вернеру Брахту? — пробормотал себе под нос Ган. — Разве его лучи менее магические?

— Отто, перестаньте, — одернул его Вайцзеккер и повернулся к Герману и Эмме: — Не обращайте внимания на этого брюзгу. Кстати, как дела у Вернера?

Герман напрягся. Эмма спокойно ответила:

— Здоров, полон сил, по-прежнему возится со своим резонатором в домашней лаборатории.

— Я слышал, Фриц Хоутерманс вернулся из России. — Вайц-зеккер сунул в рот сигарету. — Это правда, что Вернер приютил его у себя?

— Правда. — Эмма вздохнула. — Бедняга Фриц до сих пор не может опомниться после большевистского ада, рассказывает кошмарные вещи. К счастью, ему вернули виллу. Недавно там закончился ремонт, и он переехал.

Герман сидел рядом, от него било током. Присутствие Хоутерманса в доме отца все еще оставалось больной темой. Поездку Вернера в Стокгольм он пережил сравнительно легко. Мейтнер хотя бы не коммунистка. Эмма терпеливо объясняла, что Хоутерманс теперь фанатичный антикоммунист, общение с ним совершенно не опасно, фон Арденне принял его на работу, да и не живет он больше у Вернера.

По дороге домой Герман опять завел свою шарманку:

— Что за странная тяга к евреям? Мазур, Мейтнер, теперь вот коммунист Хоутерманс, помесь второй степени.

— Это у тебя тяга к еврейской теме, — вяло бросила Эмма.

Герман что-то забубнил в ответ, Эмма только махнула рукой. Она думала о своем. Идиотское интервью с очередным шарлатаном в швейцарской газете оставило неприятный осадок. «Какого черта они прикасаются к моей работе своими грязными руками! Да еще эта грубая выходка Гана. Кто его тянул за язык? Зачем он приплел Вернера? Ненавидит его, ревнует к нему Мейтнер. Каким надо быть кретином, чтобы путать резонатор Вернера с лучами Маркони-макарони!»

Герман продолжал бубнить:

— Так и останется посмешищем, ничего другого ему не светит.

— Послушай, хватит! — не выдержала Эмма. — Какая-то болезненная потребность поливать отца грязью!

Она вырвала руку, не оглядываясь, побежала к трамвайной остановке, вскочила в вагон. Конечно, он обиделся. Но ничего, ему полезно.

До отлета в Венецию осталось всего два дня. Они с Вернером решили, что к ее возвращению он засядет, наконец, за подготовку публикации. Из нижней секции лабораторного шкафа заранее вытащили старую «Эрику», изящную, легкую и безотказную. Когда-то Марта перепечатывала на ней рукописи Вернера. Теперь это предстояло делать Эмме. Машинка была в полном порядке, оставалось закупить ленту, бумагу и копирку.

* * *

От короткого отпуска в Сочи остался только загар, бледнеющий с каждым днем, и дюжина курортных фотографий. Илья и Маша в обнимку под пальмой. Илья по пояс в воде, с мячом в поднятых руках. Маша в свободном светлом платье с обезьянкой пляжного фотографа на плече. Илья в полосатом халате сидит в плетеном кресле на балконе, читает «Правду». Маша в мокром купальном костюме у кромки пляжа, по щиколотку в воде. Волосы убраны под резиновую шапочку, голова повернута в сторону аппарата. На лице возмущенно-жалобное выражение. Брови домиком, рот открыт. На обратной стороне этого снимка Илья написал простым карандашом: «Ну хватит меня снимать!»

Маша соглашалась сниматься только в платье, ворчала, что в купальном костюме с таким огромным животом она выглядит неприлично.

— Неприлично красиво, — уточнял Илья.

Когда Маша лежала в шезлонге, живот шевелился, поднимались упругие бугорки, большие и маленькие. Илья накрывал их ладонями, спрашивал:

— Пятка или коленка?

— Это вообще-то попа! — серьезно отвечала Маша.

— А может, головка?

— Ты что? Головка внизу!

Дом отдыха был высшей категории, числился под кодовым названием «Госдача номер семь». Трехэтажный особняк в стиле раннего модерна до революции принадлежал какому-то чайному магнату. Теперь в нем отдыхали члены ЦК и высшее руководство НКВД. Никаких передовых колхозников, стахановцев и народных артистов. Только аппаратная элита.

Накануне отъезда Маша сказала:

— Но ведь с ними придется общаться.

— Не придется, — успокоил ее Илья, — те, кому известна моя должность, будут вежливо здороваться, но не приблизятся, а те, для кого я загадочный инкогнито, будут обходить нас стороной. Так что мы с тобой невидимки.

В гигантском номере с балконом на море сохранилась мебель из карельской березы, на полу — персидские ковры. Даже в ванной комнате висела хрустальная люстра.

Илье казалось, что он очнулся от кошмарного сна или, наоборот, сладко уснул после долгой мучительной бессонницы. Папки, сводки, выпученные глаза Поскребышева, тяжелый полумрак хозяйского кабинета, письмо Мазура, урановая бомба, война — все вылетело из головы. Они с Машей жили так, словно нет ни прошлого, ни будущего, а лишь одно мгновение длиной в десять суток.

В последний день перед отъездом было пасмурно, побережье заволокло туманом. Они отправились гулять в ботанический сад, разглядывали диковинные цветы, читали латинские названия на табличках. Вдруг в глубине пустой аллеи возник силуэт, будто соткался из тумана. Высокая худая старуха в черном платье, в черном платке, в галошах на босу ногу шла навстречу, тихо шаркая по гравию. За ней тянулся поливальный шланг. Платок закрывал лоб, нависал над круглыми глубокими глазницами. Запавший беззубый рот шевелился. Когда старуха приблизилась, сквозь шарканье галош и шорох шланга прорезался низкий звучный голос:

— *Горе беременным и питающим сосцами в те дни… Ибо в те дни будет такая скорбь, какой не было от начала творения.*

Илья потянул Машу в сторону, они свернули с аллеи на тропинку между кустами роз. Голос продолжал звучать:

— *И будете ненавидимы всеми за имя Мое; претерпевший же до конца спасется.*

Они обернулись. Старуха стояла и смотрела им вслед. Шланг лежал у ее ног черной змеей. Скрюченная артритом пергаментная рука медленно кроила воздух сверху вниз, справа налево.

— Что это? — прошептала Маша. — Она нас проклинает?

— Нет, это слова из Евангелия. Она нас крестит. Все будет хорошо, не бойся.

Утром, перед самым отъездом, Маша захотела кинуть в море монетку на прощание. Разыгрался шторм, не меньше шести баллов. Волны переваливались через каменные пирсы, ревели, рушились на пустой пляж, оставляя на мокром песке слой тины, щепки, обломки ракушек. Илья разулся, закатал брюки до колен, спустился на пляж, закинул пятак подальше и едва успел удрать от огромной надвигающейся волны. Когда он поднялся на набережную, Маша дрожала, в глазах блестели слезы.

— Дурак! Тебя могло унести! — Она уткнулась лицом в грудь и заплакала, впервые за десять беззаботных курортных дней.

Они оба понимали: это последний их отдых, последнее мирное лето. Кидай не кидай монетку, если и суждено вернуться сюда, то очень не скоро.

В поезде, читая на первой странице «Правды» очередной доклад Молотова о крепнущей германо-советской дружбе, Илья невольно повторял про себя: *«Горе беременным... такая скорбь, какой не было от начала творения».*

В рабочем кабинете его ждали горы бумаг. Поскребышев предупредил, что уже завтра должна быть сводка. Илья просмотрел папки из Разведупра. После увольнения Проскурова он каждый раз морщился, когда в глаза бросалась подпись: *«Начальник Разведывательного управления Генштаба Красной армии генерал-лейтенант Голиков».*

За прошедшие три года Филипп Иванович Голиков стал шестым по счету начальником Разведупра. Из пяти его предшественников пока остался в живых только один Проскуров.

В июле на заседании Главного военного совета Наркомата обороны Иван доложил, что в этом году Гитлер не сумеет высадить десант на территории Великобритании. Для успешных боевых действий ему потребуется не меньше шестидесяти дивизий, из них десять танковых. Германия не располагает необходимым количеством перевозочных средств, к тому же крупные суда и баржи при подходе к острову будут потоплены силами британских ВВС и флота, которые контролируют пролив.

Падение Франции стало для Хозяина серьезным ударом, пожалуй, самым серьезным за все годы его правления. Он надеялся на затяжную войну в Европе. Подписывая пакт с Гитлером, он действовал так же, как в середине двадцатых, когда пробирался к власти по головам старых большевиков. Банальная схема: исподтишка подогреть конфликт, стравить противные стороны, заставить их вцепиться друг другу в глотки, дождаться, когда ослабеют, и добить. Он не сомневался в успехе, не видел разницы между внутрипартийной склокой и мировой войной.

Но схема не сработала. Сталин утешался надеждой на высадку немецкого десанта в Британию. Доклад Проскурова его взбесил.

«Совсем недавно, товарищ Проскуров, вы уверяли нас со своими цифрами и данными, что наступление немцев на Западе приведет к затяжной и кровопролитной войне. Мы поверили вам и провели соответствующие мероприятия. Теперь вы так же нас уверяете, пытаетесь уверить, что десант в Англию невозможен, потому что на ваших бумагах не сходятся нужные цифры. Таким образом, вы вводите в заблуждение Политбюро ЦК».

На следующий день вышел приказ о снятии Проскурова с должности начальника разведки.

Илья читал стенограмму заседания, Иван пересказывал ему все своими словами и говорил:

— Ну что ему нужно? Я должен был заранее выяснить стратегические планы немцев и предупредить французов, что немцы попрут на танках через Арденны? Не обещал я ему затяжную войну на Западе! Не обещал! Вот увидишь, посадит на мое место холуя из политработников, уж он ему все как надо наобещает. А я ведь только начал сколачивать толковую команду. Как мои ребята будут под холуем работать?

Хозяин отправил Проскурова командовать ВВС Дальневосточного фронта. Голиков в первой же своей сводке объяснил быстрое поражение Франции «боязнью генерала Вейгана возможности революции».

Впрочем, у него хватило ума не трогать ребят Проскурова. Илья видел результаты их работы.

В отдельной папке лежал доклад Разведуправления Генштаба «О франко-немецкой войне 1939–1940». В сопроводительной записке указывалось, что доклад составлен по официальному отчету французского Генштаба, который вручил советскому военному атташе генерал Гамелен. Приводились слова генерала: «Изучайте, смотрите, чтобы вас не постигла та же участь».

Пятьдесят бесценных страниц о немецкой армии. Вооружение, состав и нумерация больше сотни дивизий, схемы развития боевых действий от первого до последнего дня войны. Блицкриг во всех подробностях. В конце приводились слова французского офицера:

«Впереди против нас двигаются с грохотом тысячи танков, сверху над нами ревут и воют тысячи самолетов и обрушивают на наши головы тысячи бомб, которые, разрываясь, сотрясают землю. Войска прижались к земле и лежат, как парализованные, не могут даже пошевелиться, поднять головы».

В следующей папке Илья нашел сообщение от Эльфа:

«...31 июля на совещании высшего командного состава в Бергхоффе Гитлер заявил: "Если надежда на Россию исчезнет, то Америка нападет на Англию. Россия должна быть ликвидирована. Чем скорее мы разгромим Россию, тем лучше"».

Почти каждую ночь в Секторе особых просмотров крутили немецкую и английскую кинохронику. Хозяин несколько раз смотрел специальный выпуск геббельсовского «Еженедельного обозрения», посвященный победе над Францией.

Восторженные толпы в Берлине приветствовали фюрера, влезали на фонари, рыдали, вопили. Механически переводя закадровый текст, Илья думал: «Победа над Францией означает окончательную победу Гитлера над немцами. Он подарил им вожделенный реванш, теперь может делать с ними что угодно. Сталин не подарил нам ничего, кроме своей сказки. Интересно, как же ему удалось одержать окончательную победу над нами?»

Сразу после падения Франции вышли указы Президиума Верховного Совета СССР «*О переходе на восьмичасовой рабочий день, на семидневную рабочую неделю и о запрещении самовольного ухода рабочих и служащих с предприятий и учреждений*». Опоздание на работу приравнивалось к уголовному преступлению. Обеденный перерыв сократился до двадцати минут. В газетах замелькали разъяснения врачей-диетологов: «*Научно доказано, что у голодных рабочих производительность труда повышается, а у сытых понижается. Сытость вызывает сонливость*».

Нет, все-таки одну победу за границей Сталин этим летом одержал. В Мексике наконец шлепнули Троцкого.

На экране люфтваффе бомбили Лондон. В немецкой хронике это называлось триумфом Германии и предсмертной агонией Британии, в английской — бессмысленной попыткой поставить Британию на колени. Из западной прессы, из дипломатических источников и сообщений разведки было известно, что Гитлер постоянно предлагает Британии мир.

Голиков старался смягчить информацию о перебросках германских дивизий к Востоку невнятными выводами: «*Резкое увеличение германских войск на территории Восточной Пруссии и бывшей Польши объясняется необходимостью размещения освободившихся после перемирия с Францией войск на территории с враждебно настроенным против Германии населением и с более богатыми продовольственными ресурсами*».

А что еще оставалось новому начальнику разведки? Он не Проскуров. Самолеты люфтваффе в Испании десятками не сбивал, героических перелетов не совершал. Он кабинетный политработник. Твердо усвоил: Гитлер не нападет, пока не добьет англичан, то есть не раньше сорок второго. Почему? Потому что только к сорок второму мы успеем как следует вооружиться и укрепить армию. Надо тянуть время.

Илья пытался понять: Хозяин действительно верит, что магическое заклинание «тянуть время» способно сделать время резиновым и повлиять на Гитлера?

Блицкриг через пролив невозможен в любом случае. Да и не хочет Гитлер громить англичан. Россия ему нужна, восточные территории. Он никогда и не скрывал этого. Европейские блицкриги — только разминка. Все готово для решающего броска. Граница придвинута, никаких заливов нет. Территории «бывшей Польши» и трех прибалтийских государств — нечто вроде Троянского коня, жители новых республик с энтузиазмом обменяют советское счастье на нацистское. Гитлер для вида еще побомбит Англию, потихоньку перебросит войска на восток и дождется весны, когда просохнут дороги. Если у него появится урановая бомба, наши шансы равны нулю.

После хроники поставили новый фильм Александрова «Светлый путь». На экране над облаками полетели нарисованные журавли. Голос Орловой запел: «Ой, боюсь, боюсь отстану! Ой, боюсь, не долечу!»

Началась сказка про советскую Золушку в исполнении Орловой. Принца-инженера играл красавец Самойлов, фею, секретаря парткома, высокая дородная Тяпкина. Превращение безграмотной придурковатой замарашки в передовую ткачиху-стахановку сопровождалось песнями, частушками, шутками и потешными трюками. Кабриолет с двумя Орловыми на борту взмыл в небо и поплыл над кремлевскими башнями. Обе Орловы, одна в деловом пиджаке, другая в костюме Снегурочки с кокошником на голове, в безумном восторге распевали: *Здравствуй, страна героев, страна мечтателей, страна ученых!*

Илья украдкой тер сонные глаза и думал: «А ведь скоро над страной мечтателей полетят бомбардировщики люфтваффе... Урановая бомба могла бы стать нашим главным козырем. Академики заявку Мазура запороли, но хотя бы продолжают писать, что пора начать добычу урана. Реакции никакой. Заглушка Берия работает безотказно».

Хозяин вдруг поднялся и вышел. Механик остановил пленку. Включили свет. Молотов взглянул на Большакова и зашипел:

— Что за дрянь вы нам привезли?!

Большаков побледнел, растерянно заморгал, не зная, как ответить. Но тут вернулся Хозяин, по дороге поправляя брюки. Сел на место. Свет погас, фильм продолжился. Замарашка получила орден Ленина, стала депутатом Верховного Совета. На Всесоюзной сельскохозяйственной выставке, стоя на трибуне между гигантским ткацким станком и гигантским белоснежным Сталиным, произнесла речь в стихах, потом погуляла за ручку с принцем вокруг фонтанов. Возле барельефа, изображающего колхозную жизнь, на фоне упитанных колхозниц, коров и свиней влюбленные наконец поцеловались.

Сталину сказка понравилась. Молотову, разумеется, тоже.

Глава двадцать девятая

Ося прилетел в Берлин поздно вечером. В кармане у него лежало письмо из деревни под Краковом, написанное по-польски. В конверте была маленькая фотография очень серьезного четырехлетнего мальчика. Звали его Анджей Залесский. Он жил в крестьянской семье, скучал по маме, нарисовал на отдельном листке домик, человечков, больших и маленьких. Рядом какое-то кудрявое животное, размером с домик. То ли собака, то ли овца.

В аэропорту Осю встретил на машине посольский чиновник. Они проехали мимо нового здания итальянского посольства на Тиргартенштрассе. Неделю назад убрали строительные леса. Трехэтажный особняк с плоской крышей, широкий и приземистый, стоял посреди просторной зеленой лужайки. Он был выстроен в стиле нацистского неоклассицизма, отделан белым и розовым римским травертином и напоминал нарядную обувную коробку из дорогого дамского магазина.

Осю поселили в жилом доме для итальянских дипломатов на Бельвьюштрассе, в десяти минутах ходьбы от нового здания посольства. Квартира состояла из двух идеально квадратных комнат с белыми стенами и плотными бежевыми шторами на окнах. Над письменным столом висел портрет дуче. В прихожей на столике лежал берлинский телефонный справочник.

Отправляя запрос в Ватикан, профессор Брахт не забыл указать в письме свой номер. Ося на всякий случай проверил по справочнику. Цифры совпали.

Он неплохо выспался на широкой кровати с резными дубовыми спинками. Утром встал пораньше, принял душ, вышел из дома, прошел несколько кварталов и нырнул в телефонную будку, чтобы позвонить Брахту, договориться о встрече. Когда услышал голос в трубке, понял, что машинально набрал номер Габи.

Она слегка сипела спросонья. Он сказал ей, что на этот раз приехал надолго, будет работать в пресс-центре посольства.

— Габриэль, мне срочно нужен ваш совет, можете уделить мне полчасика?

— Хорошо, Джованни, давайте позавтракаем вместе. Помните кафе «Апфель» на Луцовплац? Ждите меня там, постараюсь приехать побыстрей.

Ося бросил еще одну монету и набрал номер Брахта. Ответил молодой женский голос с польским акцентом:

— Вилла профессора Брахта. Слушаю вас.

— Доброе утро, могу я поговорить с господином Вернером Брахтом?

Издалека послышался недовольный мужской голос:

— Агнешка, кто это в такую рань?

— Как вас представить? — спросила полька.

— Фелиппе Бенини, — невнятно пробормотал Ося, — господину Брахту мое имя ничего не скажет, мы незнакомы, меня попросили передать ему хорошие новости из Рима.

— Матка Боска!

Что-то громко зашуршало и стукнуло. Видимо, Агнешка выронила трубку. Донесся мужской голос:

— Сядь, успокойся, вот, выпей воды.

Брахт взял трубку. Ося еще раз представился выдуманным именем, повторил про хорошие новости из Рима и добавил нарочито небрежно:

— У меня есть письменный ответ на ваш запрос.

— Где и когда мы можем встретиться? — По голосу Брахта было слышно, что он разволновался.

— Сегодня вечером, в парке в Шарлоттенбурге, после восьми. Вам это удобно?

— Да-да, конечно, в любое время.

— Я позвоню, когда освобожусь.

— Спасибо, буду ждать. А, простите, господин...

— Бенини.

— Господин Бенини, как мы узнаем друг друга?

— Ну, что-нибудь придумаем, договоримся.

Кафе «Апфель» было в двух шагах. Столики стояли на улице. Ося заказал яичницу со шпинатом, гренки и кофе. В голове крутились разные варианты предстоящего разговора с Брахтом. Он прихватил с собой номер «Джорнале де Италия» на немецком языке, с очередным интервью ученика Маркони о магических лучах. Удачная зацепка. «Я немного увлекаюсь физикой. Вот, взгляните. Что вы об этом думаете?» Ну, а дальше — как получится.

Тибо вскользь упомянул, что в мае Брахт приезжал в Стокгольм к Мейтнер. «Сестру» это свидание мало интересовало. Бельгиец говорил о повышении секретности проекта: «Спасибо Управлению сухопутных вооружений, Отто Гану вряд ли теперь удастся навестить Лизу, никого из них за границу не выпускают, запретили переписку. А вот Вернер Брахт человек свободный, и похоже, у него с Мейтнер довольно близкие отношения».

Ося не стал вытягивать подробности, и так уж задал Тибо слишком много вопросов о Вернере Брахте. Он решил раскрыть эту карту «Сестре» лишь в том случае, если Брахт согласится уехать в США. Там собиралась крепкая команда во главе с Ферми. Судя по всему, Белый дом скоро дозреет и благословит американский урановый проект. Эйнштейн написал еще одно послание Рузвельту. Весь уран компании «Юнион Майнер», оставшийся в Бельгийском Конго, успешно переправили по морю из Катанги в Нью-Йорк. Тысяча триста тонн уранового концентрата, половина мирового запаса. Другая половина досталась немцам. Канистры с тяжелой водой пока хранились в подвале Виндзорского замка под надежной охраной.

Отто Фриш, племянник Мейтнер, пытался уговорить Лизу переехать в Америку. Она ответила: «Я бомбу делать не буду!» Нильс Бор тоже категорически отказался. Эйнштейн хоть и писал Рузвельту, но участвовать лично в работе над бомбой не стремился, впрочем, он там был и не нужен.

Тибо презрительно пожимал плечами: «Хотят остаться чистенькими за чужой счет. Пацифизм дело благородное, но только не во время такой войны».

Ося задавал себе вопрос — как бы он поступил на их месте? И благодарил Бога, что перед ним такой выбор не стоит. Одно дело — мешать немцам, и совсем другое — самому участвовать в производстве бомбы.

Наконец появилась Габи. Ося поднялся, поцеловал ее в щеку. Она шепнула:

— У меня мало времени, есть срочная информация.

За соседним столиком завтракали два полицейских. Габи заказала кофе, бутерброд с сыром и прощебетала:

— Ох, Джованни, до чего же приятно вернуться домой, особенно из Москвы. Провела там всего три дня, хватило по горло. Не представляю, как наши в посольстве живут в этом большевистском убожестве годами.

По блеску глаз и нервным смешкам Ося догадался, что ей не терпится сообщить ему нечто действительно важное.

Она быстро съела бутерброд и выпила кофе. Ося расплатился. Свой темно-синий «Порш» Габи припарковала в соседнем квартале. Они почти бегом помчались к машине, нырнули внутрь и стали целоваться. Первой опомнилась Габи:

— Хватит! Между прочим, эта машина куплена на его деньги! После Швейцарии до сих пор не могу смотреть ему в глаза, чувствую себя гадиной. Он любит меня очень сильно, верит мне, совершенно ничего не подозревает. Просил передать тебе привет, здоровьем твоим интересовался.

— Я тронут. — Он попытался снова обнять ее, но она скинула его руки.

— Хочешь разрушить мою жизнь? Все, времени мало, у меня важная информация. — Она достала из сумочки незапечатанный конверт. — Читай!

— Что это? — Он извлек сложенные листки, исписанные лиловыми чернилами.

— Читай! — повторила она и включила зажигание.

«Порш» свернул на Клингерхофферштрассе и через пять минут остановился неподалеку от входа в Тиргартен. Ося дочитывал последние строки. Габи молча ждала. Он сложил письмо, убрал конверт во внутренний карман пиджака. Они вылезли из машины, зашли в парк.

— Надеюсь, теперь тебе ясно, где Мазур достал уран? — прошептала Габи. — Надеюсь, ты убедился, что Советы бомбу не делают, а доктор Штерн не провокатор НКВД? Зачем ты запихнул письмо в карман? Я должна срочно передать его Брахту!

— Каким образом?

— Один вариант уже сорвался. — Габи вздохнула. — Была вероятность, что он придет на сентябрьскую встречу выпускников Университета Гумбольдта. Единственное мероприятие, где он иногда появлялся. Там бы я с ним точно познакомилась. Но он не пришел. Тянуть больше нельзя. Я просто позвоню и договорюсь о встрече.

— И что ты ему скажешь по телефону?

— «Господин Брахт, вам привет от вашего друга Марка», — выпалила Габи, помолчала и продолжила спокойней: — Да, риск серьезный, и не факт, что он вообще согласится встретиться. Но нельзя же просто опустить в почтовый ящик! Мы не получим никакого ответа и останемся в подвешенном состоянии. Не знаю, как твои нервы, а мои этого не выдержат.

Их обогнали трое подростков в форме гитлерюгенд, прямо навстречу шагали два молодых эсэсовца. Ося потянул Габи за руку в глубь парка. Они нашли безлюдное место, сели на скамейку. Ося, не отпуская ее руки, спросил:

— Штерн рассказал тебе, как к нему попало письмо?

— Случайно, через бывших студентов Мазура. — Габи достала из сумочки сигареты. — Ты же понимаешь, он далеко не все мог говорить.

— Понимаю. — Ося сунул в рот сигарету и щелкнул зажигалкой. — Он лично знаком с Мазуром?

— Нет.

— Ну, а кто такой «папа И», которому передали на экспертизу девять граммов, он объяснил?

— Разумеется, он не называл имен. — Габи передернула плечами, затянулась и выпустила дым. — Допроса я ему не устраивала. Он сказал, что заявку Мазура академики запороли. Никому неохота пробивать изобретение ссыльного, с которого к тому же не сняли обвинений.

— Ладно. — Ося вздохнул. — Какие-нибудь дополнительные подробности от Штерна удалось узнать?

— О Брахте ничего нового. Мазур выглядит плохо, в тюрьме его били. Перед арестом он уговорил жену и дочь отречься от него, благодаря этому их не арестовали. Он выдержал пытки, ничего не подписал. Он твердо убежден в порядочности Брахта, ручается, что ни при каких обстоятельствах...

— Это ясно, — жестко перебил Ося, — иначе не написал бы ему такое письмо.

— Кстати, о письме. — Габи сурово нахмурилась. — Будь любезен, верни мне его.

— М-м. — Ося похлопал себя по карману. — Тебе оно больше не нужно, я сам отдам Брахту.

— С ума сошел?! — Она вскочила. — Ты иностранец, Чиано твой до сих пор под подозрением! Я гражданка рейха и рискую меньше!

— Ты рискуешь чудовищно, гражданка рейха! — Ося потянул ее за руку, усадил на место. — Прекрати свои шашни с Москвой раз и навсегда!

— Я не обязана спрашивать у тебя разрешения, я взрослый человек, и ты мне не муж! — Габи резко выдернула руку.

— Можно подумать, ты спросила разрешения у Максимилиана! — шепотом крикнул Ося. — Объясни, зачем тебе это?

— Развлекаюсь. — Она зло оскалилась. — Ты же знаешь, я авантюристка, без приключений жить не могу.

— Габи, я серьезно спрашиваю.

— Боишься, «Сестра» пронюхает?

— Дело не в «Сестре», пронюхать может гестапо! За работу на англичан отправят в лагерь. Работа на русских — гильотина, и ты это отлично знаешь.

— Англичане твои ни черта не делают, только и способны, что защищать свой драгоценный остров, а на остальное плевать!

— Они единственные воюют. Пожалуйста, говори тише.

Габи склонилась к его уху, зашептала:

— Все зависит от России, настоящая схватка начнется там, и очень скоро. Ко мне информация валом валит, именно по России. Геринг уже создал специальный экономический отдел, они собирают картотеку советских предприятий и полезных ископаемых. Борову не терпится. Военные делегации немцев в СССР — это вылазки наводчиков накануне глобального разбоя. Русские должны знать правду и не питать иллюзий! Чем лучше подготовятся к нападению, тем больше шансов, что покончат с нацизмом.

— И построят коммунизм во всем мире, — зашептал в ответ Ося. — А тебе не приходит в голову, что они сами пускают к себе этих наводчиков и кормят вермахт стратегическим сырьем? Сталин боится Гитлера, до последнего будет его ублажать. Эту стену не прошибить. Ради чего рисковать жизнью?

— Уж точно не ради Сталина!

Ося развернул ее за плечи, посмотрел в глаза:

— Габи, без разговоров, рви все контакты! Работа на русских во время войны — это не просто гильотина, это жуткие пытки. Ведешь себя как идиотка!

— Не буду я с тобой спорить, но и ты со мной не спорь. — Габи взглянула на него исподлобья. — Письмо передам я. Тебе нельзя светиться. Брахт может быть под наблюдением. Его сын и невестка заняты в урановом проекте.

Она протянула руку к его карману. Ося перехватил и сжал ее запястье.

— Ты что?! — Она дернулась, гневно сверкнула глазами. — Отдай конверт!

— Хорошо. Только будь добра, посиди спокойно одну минуту. — Он отпустил ее руку, достал из кармана конверт, но другой, с посланием из Польши.

Габи изумленно разглядывала фотографию и рисунок, попыталась прочитать латинские буквы первых строчек:

— Джжен добры пани Залесски... — Она уставилась на Осю. — Я не понимаю! Это польский или чешский? Что это вообще такое?

Ося ухмыльнулся.

— Пани Залесски угнали в Германию. Ребенок остался в Польше. Пани работает горничной на частной вилле в пригороде Берлина. Ее хозяин обратился в секретариат Ватикана с просьбой разузнать что-нибудь о судьбе ребенка. Мальчика зовут Анжей, ему четыре года. Симпатичный, только очень серьезный. Конечно, досталось бедняге. Маму свою год почти не видел, живет у чужих людей в деревне. Падре Антонио попросил меня, как приеду в Берлин, передать письмо лично в руки немцу, который отправил запрос. Ну, вот. А теперь отгадай две загадки. Кто там нарисован, собака или овца, и как фамилия немца?

— Собака, — прошептала Габи, сложила письмо, рисунок и фотографию в конверт.

— А по-моему, овца. — Ося убрал конверт в карман. — Знаешь, падре долго извинялся. Дело в том, что твой драгоценный Штерн, блестящий конспиратор, спрятал записку в коробке с конфетами. Падре догадался, что это может привлечь внимание советских таможенников, вытащил из коробки и сунул в папку к своим бумагам. А потом, в самолете, не удержался, прочитал. Имя Вернер Брахт крепко врезалось ему в память. — Ося погладил морщинку между ее бровями. — Не хмурься, я не засвечусь, мое знакомство с Брахтом произойдет самым естественным образом.

Габи помолчала и чуть слышно спросила:

— Когда ты с ним встречаешься?

— Сегодня вечером. — Он взял ее лицо в ладони. — Надеюсь, советский друг Мазур не ошибся в нем и мы не опоздали.

— А если они найдут какой-нибудь другой метод или уже нашли? — Габи все еще хмурилась, но невольно потянулась к его губам.

После долгого поцелуя Ося заправил ей прядь за ухо и прошептал:

— Не знаю. Все может быть.

* * *

Из открытых окон гостиной раздавались аккорды фортепиано. На багровых лепестках роз блестели капли. Лейка стояла у крыльца. Прежде чем войти в дом, Эмма склонилась к розовым кустам, понюхала.

Агнешка играла какую-то незнакомую мелодию. Эмма открыла дверь, в очередной раз заметив, насколько спокойней и уютней стало тут после переезда Хоутерманса. Запах табака выветрился, Вернер в отсутствие дорогого Физзля курил значительно меньше, его сигареты были не такими крепкими и вонючими.

Музыка стихла, полька услышала шаги и вышла в прихожую. В легком светлом платье, с непокрытой белокурой головой, она выглядела слишком красиво для прислуги. Волосы отросли, она зачесала их назад, сколола на затылке. Такая прическа очень ей шла, лицо казалось тоньше, интересней. Исчезла обычная мертвенная бледность.

«Неужели начала пользоваться помадой и румянами? Платье новое, дорогое. Купила на деньги Вернера, — подумала Эмма и тут же одернула себя: — Обращать внимание на косметику и наряд польской горничной? Фу, какая гадость!»

— Добрый вечер, госпожа Брахт. Господин Брахт наверху, в лаборатории.

— Здравствуйте, милая, вы отлично выглядите. — Эмма ласково улыбнулась. — Скажите, что вы сейчас играли? Приятная мелодия, но совершенно незнакомая.

— Полонез Огиньского, «Позегнане очизну».

— Простите, я поняла только слово «полонез».

— «Прощание с родиной», композитор Михал Клеофас Огиньский, — тихо объяснила Агнешка.

— Есть такой композитор? — Эмма вскинула брови. — Впервые слышу. И с какой родиной он прощается?

— С Польшей.

— Очень актуально. — Из вежливости она сдержала усмешку. — Когда же он успел написать эту трогательную музыку?

— В тысяча семьсот девяносто пятом году. — Агнешка легким движением поправила волосы. — Огиньский участвовал в восстании Тадеуша Костюшки против раздела Польши между Австрией, Пруссией и Россией, восстание было подавлено...

— Все-все, милая. — Эмма замахала руками. — Лекцию по польской истории вы мне прочитаете в другой раз.

— Простите, госпожа. Хотите чай или кофе?

— Ничего не нужно, спасибо.

Вернер сидел за маленьким столом, грыз карандаш. Стол был завален исписанными бумагами. Эмма подняла с пола несколько упавших листков, чмокнула старика в щеку и небрежно спросила:

— Вы все-таки решили ссылаться на Мазура?

— Странный вопрос, дорогуша. — Старик пожал плечами. — А как же иначе?

— Да, но вы уже семь лет работаете без него.

— Не семь, а шесть, — спокойно уточнил Вернер, — это не имеет значения. Главные этапы мы проходили вместе.

Эмма стояла у стола и шарила глазами по разбросанным страницам. Имя Мазура мелькало слишком часто. Ладно, черт с ним, военная цензура вычеркнет, да и какая, в конце концов, разница? А вот то, что своего имени она не увидела, обожгло крепко, будто кипятку глотнула.

— «Черный корпус» больше не свирепствует, Россия теперь дружественное государство, надеюсь, Марка не вычеркнут. — Старик поднял голову и поймал ее взгляд. — Эй, дорогуша, ты чего надулась?

— Я? Нет, все нормально.

— Доценту Эмме Брахт будет отдельная подробная благодарность на последней странице.

— Спасибо, Вернер, не нужно.

— Дорогуша, в чем дело? Или хочешь, чтобы я зачислил тебя в соавторы?

Она молча отвернулась и до боли закусила губу. Он легонько похлопал ее по руке.

— Спасибо, Вернер, теперь я знаю, как хорошо вы обо мне думаете, — процедила она сквозь зубы.

— Ладно, прости, пожалуйста, просто ты выглядишь такой обиженной, непонятно почему. Кстати, Герман в курсе, что ты мне помогаешь?

— Да, конечно.

— И как он к этому относится?

— Сначала злился, потом принял как данность, — быстро произнесла Эмма и достала из сумки пудреницу.

— Ну, слава богу. — Вернер вздохнул. — А то я боялся, что у него будет шок, когда выйдет публикация.

Ей надо было прийти в себя, сменить тему. Обида жгла нестерпимо. Как он смел предположить, что она претендует на соавторство? Все равно что заподозрить в воровстве! Но отдельная благодарность на последней странице, за все, что она для него делала, — это крайне оскорбительно. Так благодарят жалких лаборантов. Быстро прикасаясь к лицу пуховкой, она небрежно произнесла:

— Ваша пани Кюри сегодня сияет.

— Еще бы ей не сиять. — Старик развернулся на стуле, оскалил в улыбке вставные белоснежные зубы. — Утром пришло известие, что ее ребенок жив.

— Что? — Эмма едва не выронила пудреницу. — Как? Каким образом удалось узнать?

Он поманил ее пальцем и таинственно прошептал:

— Мы связались с польским подпольем.

Эмма отпрянула.

— Кто это — мы?

— Какая ты пугливая, совсем разучилась понимать шутки.

— Это очень плохая шутка, — медленно отчеканила Эмма, спрятала пудреницу в сумку и спросила еще раз, спокойнее: — Ну, и как же удалось узнать?

— Макс посоветовал обратиться в Ватикан. — Вернер встал, покрутил головой, разминая шею. — Там есть специальная служба, которая поддерживает контакты с польским духовенством. Три месяца назад мы отправили запрос. И вот наконец получили ответ.

— Кто — мы?

— О господи, — Вернер закатил глаза. — Разумеется, мы с Агнешкой.

Внизу зазвонил телефон. Старик взглянул на часы и быстро вышел. Дверь осталась открытой. Эмма слышала его шаги по лестнице, голос Агнешки:

— Тот господин, который звонил утром.

Потом голос Вернера:

— Да... Буду через пятнадцать минут... Третья скамейка справа от главного входа... Да, понял... Светло-серый пиджак... Ну, и отлично. До встречи.

Эмма сбежала вниз, замерла у лестницы, открыв рот. Вернер был уже в ботинках и надевал пиджак поверх домашней рубашки.

— Что случилось? Куда вы? — Она не могла понять, почему вдруг так тревожно забилось сердце.

Старик на ходу напялил шляпу, обернулся на крыльце, послал воздушный поцелуй.

— Дорогуша, я скоро вернусь!

— Вернер, подождите, я с вами!

Но Агнешка уже закрыла за ним дверь. Эмма протянула руку, чтобы отстранить польку, и встретила ее спокойный, слегка удивленный взгляд, который подействовал как ушат холодной воды.

«Да что со мной? Бежать за ним глупо. — Эмма сморщилась, тряхнула головой. — Он взрослый человек, я ему не нянька».

— Госпожа, мне нужен ваш совет. — Полька все еще стояла у двери, но глаза опустила. — Я впервые попыталась сделать вишневый штрудель. Пожалуйста, попробуйте. Правильно ли у меня получилось, и если нет, то в чем ошибка?

* * *

Ося вышел из телефонной будки, не спеша прошел пару кварталов до парка. Третья скамейка справа от главного входа оказалась занята. На ней сидели две пожилые дамы, двигали спицами, оживленно болтали и уходить явно не собирались. Он опустился на соседнюю, закурил.

На групповых снимках участников научных конференций Брахт всегда стоял или сидел рядом с Мазуром. Внешность у обоих была запоминающаяся. Ося не сомневался, что сумеет узнать Брахта.

В воскресном приложении к «Ивнинг пост» за август двадцать шестого, посвященном дню рождения Резерфорда, среди дюжины фотографий он нашел знакомые лица. Вместе с Резерфордом в кадр попали Марк Мазур, Вернер Брахт и молодая красивая женщина. Из подписи внизу Ося узнал, что это Марта Брахт. Снимок был сделан в Кембридже, в парке на большой лужайке у озера. Все четверо, включая Марту, в широких летних брюках. Ее гладкие светлые волосы подстрижены прямым каре, по моде тех лет. Ворот свободной блузки расстегнут, тонкая талия перетянута широким ремнем. Рука лежит на руле велосипеда, прислоненного к стволу дерева. Марта смеется в объектив. Вернер сидит по-турецки на траве у ее ног, Мазур и Резерфорд стоят лицом к лицу в комичных бойцовских позах, изображая, что готовятся отдубасить друг друга.

Резерфорду тогда исполнилось пятьдесят пять. Брахту и Мазуру уже перевалило за сорок. На снимке все четверо выглядели молодыми и счастливыми.

Дожидаясь Брахта, Ося вспомнил ту фотографию и подумал: «Марта погибла, Резерфорд умер, Мазур попал в советскую тюрьму. Все эти годы работа над резонатором оставалась для Брахта главным утешением, смыслом жизни».

Дамы на соседней скамейке обсуждали способы лечения ревматизма, качество вязальной пряжи, последнюю комедию с Марикой Рекк и пользу спортивных лагерей для здоровья подростков. Ося встал, отошел, чтобы выкинуть окурок в урну, и вдруг услышал:

— Добрый вечер, господин Брахт.

— Здравствуйте, фрау Грюн, здравствуйте, фрау Мильх.

Невысокий худой старик в светло-сером пиджаке и шляпе стоял возле третьей скамейки. Ося вернулся, сел на место, снял темные очки, поймал взгляд Брахта и едва заметно кивнул. Старик кивнул в ответ, поправил шляпу.

— Господин Брахт, присаживайтесь. — Дама положила свое вязание на колени и похлопала ладонью по скамейке. — Давно хотела вас спросить, как вам польская прислуга?

— Часто вижу ее в бакалее, вы доверяете ей покупку продуктов? — заверещала вторая. — Мы своей польке никогда не даем наличных денег.

— Милые дамы, я бы с удовольствием поболтал с вами, но простите, у меня сегодня весь день болит голова, мне надо немного прогуляться.

— От головной боли отлично помогают теплые компрессы из отвара лаванды...

— Можно еще добавить немного мелиссы...

Брахт растерянно взглянул на Осю. Ося подмигнул, поднялся и медленно двинулся по аллее в глубь парка. Пройдя метров двадцать, остановился, оглянулся. Брахт быстро шел к нему.

— Господин Бенини? — спросил он с легкой одышкой.

— Да, это я. — Ося пожал ему руку. — Здравствуйте, господин Брахт. Приятно познакомиться.

— Простите, я отнял у вас время, Шарлоттенбург вроде маленького поселка, на каждом шагу встречаешь знакомых. Аптекарша и булочница всегда появляются некстати и разносят сплетни.

— Ничего, я не тороплюсь.

— Если я правильно понял, вы привезли официальный ответ из секретариата Ватикана?

— Я привез письмо из деревни под Краковом от женщины, которая приютила мальчика. Давайте сядем, на ходу неудобно.

— Да, конечно, идемте, я знаю тихое место, где никто не помешает. — Брахт взял Осю под руку. — Не могу найти слов, чтобы вас поблагодарить. Честно говоря, совершенно не надеялся получить ответ. А вы как-то связаны с Ватиканом?

— Нет, я журналист. — Ося улыбнулся. — Мой друг епископ, узнал, что я лечу в Берлин, и попросил передать вам письмо лично в руки. Опасался отправлять по почте.

— Абсолютно правильное решение, — Брахт понизил голос, — вы знаете, тут у нас почту вскрывают, полякам и чехам запрещено переписываться с родственниками, письмо на польском могло привлечь внимание цензуры.

Они свернули с главной аллеи, по тропинке вышли к маленькой поляне, окруженной кленами и липами. Ося взглянул на часы, подумал: «Скоро начнет темнеть. Он должен прочитать при мне».

— Вы все-таки торопитесь, — виновато заметил Брахт.

— Нет, вечер у меня совершенно свободный, просто дурацкая привычка постоянно смотреть на часы.

На краю поляны, между стволами кленов, стояла одинокая скамейка без спинки, такая короткая, что они вдвоем едва на ней поместились. Ося протянул Брахту польский конверт.

— Вот, возьмите. Там фотография мальчика и его рисунок.

Брахт надел очки, осторожно вытащил снимок, шмыгнул носом, пробормотал:

— Похож, одно лицо... Удивительно, еще остались люди...

Ося поглядывал на него искоса и мысленно подгонял: «Ну, давай же быстрее! Темнеет! Потом будешь переживать и умиляться сколько душе угодно!»

Наконец конверт и фотография нырнули в карман Брахта. Он достал платок, вытер глаза, высморкался.

— Господин Бенини, мне бы хотелось... Скажите, я могу как-то отблагодарить вас и вашего друга епископа?

— Да, можете. — Ося протянул ему московский конверт. — Это письмо вам. Пожалуйста, прочитайте сейчас.

— Мне? — Старик так высоко поднял брови, что шляпа поползла к затылку. — От кого?

— Откройте, посмотрите, думаю, вы легко узнаете почерк.

Брахт поправил очки, дрожащими руками вытащил листки.

— Господи! Откуда это у вас?

— Долгая история. Пожалуйста, вы сначала прочитайте. — Ося поднялся. — Я отойду на пару шагов, чтобы вам не мешать.

Он встал спиной к скамейке, прислонился плечом к стволу клена. Сумерки опускались быстро. Заметно похолодало. В кронах уже мелькали первые желтые и красные листья. Где-то совсем близко трещала сорока, по траве стелился легкий туман. Через пять минут раздался изменившийся, глухой голос:

— Пожалуйста, дайте мне сигарету, я забыл свои.

Ося сел рядом на скамейку, закурил вместе с ним. Брахт глубоко затянулся и произнес:

— Главное, жив. — Он снял очки, взглянул на Осю. — Вы там были? Видели Марка? Говорили с ним?

— Нет. Письмо попало ко мне через четвертые или пятые руки.

— Пожалуйста, расскажите все, что знаете.

— Знаю совсем мало. Со здоровьем у него неважно. В тюрьме пытали. Он выдержал, ничего не подписал. Накануне ареста убедил дочь и жену отречься от него, решил, так будет безопасней, и не ошибся.

— Да, я слышал, что там творится. — Старик тяжело вздохнул. — И про аресты, и как заставляют подписывать фальшивые признания. Вот о фальшивых отречениях слышу впервые. Женя живет с ним. Слава богу, он там не один. А скажите, есть надежда, что ему позволят вернуться в Москву из ссылки?

Ося усмехнулся.

— Господин Брахт, я никак не связан с теми, кто решает такие вопросы.

— Да, но вы... скажите честно, вы ведь работаете в разведке?

— Не в советской и не в немецкой, — чуть слышно пробормотал Ося, — больше ничего сказать не могу.

— Понимаю. — Старик прикусил губу, помолчал. — Письмо для Агнешки это только повод, верно?

— Не совсем так. Письмо из Польши абсолютно подлинное. Я бы передал вам его в любом случае. — Ося наклонился, поднял с травы кленовый лист, тронутый желтизной. — Господин Брахт, можно теперь я вам задам вопрос?

— Догадываюсь, о чем вы хотите спросить, и сразу отвечу. Нет, я не успел опубликовать.

— Не успели? — Ося пристально взглянул ему в глаза. — То есть вы уже приняли решение?

— Тут решать нечего. После того, что написал Марк, о публикации речи быть не может.

— Спасибо. — Ося обмяк, будто только что пробежал длинную дистанцию со спринтерской скоростью, даже голова слегка закружилась.

— Господин Бенини, неужели вы думали, что я мог принять какое-то другое решение?

— В вашем решении я не сомневался, — выпалил Ося, покрутил черенок кленового листа, и тихо добавил: — Меня беспокоит другое. Простите, я понимаю, вопрос бестактный. Насколько глубоко сын и невестка посвящены в вашу работу?

— Ерунда! — Брахт махнул рукой. — Беспокоиться не о чем. Сын мою работу считает шарлатанством, как, впрочем, большинство его коллег. Невестка часто меня навещает, с ней мы дружим, она помогает мне с вычислениями и в экспериментах.

— Вот, а говорите, не о чем беспокоиться. Она знает, что вы подготовили публикацию?

— Конечно. — Старик кивнул. — Эмма даже взялась перепечатать рукопись, когда они с Германом вернутся из отпуска.

— Когда они вернутся?

— Уедут послезавтра, вернутся через десять дней. — Брахт пожал плечами. — А что?

— Как вы ей объясните, почему вдруг раздумали публиковать? — быстро спросил Ося.

— Раздумал, и все! — Он сердито повысил голос: — Хочу провести еще серию эксериментов. Да какое это имеет значение?

— С ее помощью?

— Нет, я скажу ей, что хочу поработать в одиночестве, — медленно, упрямо произнес Брахт.

— Вы сказали, что она взялась перепечатать рукопись, — напомнил Ося. — Рукопись у нее?

— У меня, — пробормотал старик и вдруг резко вскочил.

В сумерках глаза его блетели, шляпа опять съехала на затылок. Он заговорил тихим ровным голосом:

— Послушайте, господин Бенини, я не понимаю, в чем вы подозреваете мою невестку? Она добрый, порядочный человек, и я не позволю...

Ося тронул его руку:

— Гейзенберг, Ган, Вайцзеккер тоже добрые порядочные люди, я никого ни в чем не подозреваю, я просто знаю, что все они, включая вашего сына и вашу невестку, делают урановую бомбу для Гитлера.

Брахт сморщился, глаза потухли, он отвернулся, минуту смотрел на деревья, потом медленно опустился на скамейку и усталым, безучастным голосом спросил:

— Господин Бенини, объясните, чего вы от меня хотите? Публиковать я не буду. Разве этого мало?

— Господин Брахт, — Ося вздохнул и заговорил как можно мягче, — вы же понимаете, если о возможностях вашего резонатора догадается кто-то из участников уранового проекта, произойдет катастрофа. Может, вам на некоторое время лучше уехать в Швецию или в Швейцарию и забрать с собой ваш резонатор вместе со всеми рукописями и чертежами?

— Что значит — уехать? — Брахт выпрямился и стукнул кулаком по колену. — Я прожил тут всю жизнь, тут мой дом, моя лаборатория!

— Вы известный ученый, лабораторию вам дадут где угодно. В Стокгольмском университете, в Кембридже, в Принстоне. Когда Германия перестанет быть нацистской, вы вернетесь.

— В Принстоне... — Старик зло усмехнулся. — Послушайте, господин Бенини, я должен сразу предупредить. Я, конечно, уважаю Энрике, но не допущу, чтобы мой резонатор попал к нему и помог сделать американскую урановую бомбу. Ее скинут на Берлин. Я в этом участвовать не буду!

«Ну вот, иного я и не ожидал, — вздохнул про себя Ося, — те же слова, привет от Бора и Мейтнер».

— Господин Брахт, — Ося внимательно разглядывал прожилки на кленовом листке, — вы вольны решать, отдать резонатор в руки Ферми или нет. Выбор остается за вами, конечно, если вы уедете. А если нет, выбора не будет. Далем разрешения у вас не спросит. Они просто возьмут ваш резонатор и используют в своих целях. Попробуете возразить — окажетесь в лагере. Поймите, наконец, ваша невестка может в любую минуту догадаться, связать возможности вашего резонатора с проблемой разделения изотопов.

— Чтобы догадаться, надо быть Марком, — выпалил старик и продолжил чуть тише: — Эмма — толковый физик, но без экспериментов с ураном, теорети... — Он вдруг замолчал на полуслове, сгорбился, сжался, будто его ударили.

Шляпа соскользнула на траву, Ося поднял ее, отряхнул и держал в руках. Наконец послышался тихий голос:

— Нет, она никогда на такое не пойдет.

— Не пойдет на что? — осторожно уточнил Ося.

Брахт закрыл лицо ладонями, минуты три сидел неподвижно, потом взял у Оси свою шляпу, надел, поднялся, спокойно произнес:

— Уже совсем темно. Пора домой.

По тропинке шли молча. Ботинки намокли от росы, старик поскользнулся, Ося поддержал его за локоть и спросил:

— Вы напишете ответ Марку?

— Да, конечно. А вы сумеете передать?

— Постараюсь. Когда вам позвонить?

— Завтра утром, в любое время.

Они вышли из парка, Ося протянул руку.

— До свидания, господин Брахт.

— До свидания, господин Бенини. — Старик крепко пожал его кисть и прошептал: — Мне надо подумать.

Глава тридцатая

И лья проснулся от телефонного звонка. За окном едва забрезжил рассвет. Часы показывали без десяти шесть. Он прошлепал босиком в кабинет, взял трубку и услышал голос Проскурова:

— Здоро́во, извини, что разбудил.

— Иван, ты когда прилетел? — Илья не верил своим ушам, они не виделись два месяца.

— Спроси лучше, когда улетаю.

— Когда?

— Сегодня. — Проскуров хмыкнул. — Ну что, Илья Петрович, погоняем мячик?

— Через пятнадцать минут буду, Иван Иосифович.

Сон пропал, хотя лег он только в четыре. Повезло, что Иван застал его. В последнее время Илья редко ночевал дома, после работы ехал в «Заветы», к Машке. Она была на сносях, переселилась на дачу, на свежий воздух, к Настасье под крылышко. Сегодня он остался на Грановского потому, что рабочий день закончился только в начале четвертого утра, глаза слипались, он боялся уснуть за рулем.

Проскуров ждал его в беседке, во дворе возле спортивной площадки. Сидел и задумчиво жевал большой бутерброд. На коленях расстелил носовой платок, чтобы крошки не сыпались на шикарные генеральские штаны, темно-синие, с голубыми лампасами. Рядом лежал портфель, на нем фуражка с голубым околышем. Он заулыбался, сверкнул белыми зубами, положил свой бутерброд на платок и крепко пожал Илье руку.

— Привет. Ну, как? Никто еще у вас не родился?

— Пока ждем. — Илья уселся на лавку. — А ты как?

— Нормально. В октябре заступаю на должность замначальника Главного управления ВВС по дальнебомбардировочной авиации.

Илья уже знал об этом и окончательно убедился, что опасность миновала. В последнее время Хозяин зациклился на дальнебомбардировочной авиации. Вряд ли назначил бы Проскурова на такую должность, если бы собирался его уничтожить.

— Поздравляю с повышением, Ваня. Должность что надо. Как раз для тебя. Наконец займешься любимой работой.

Проскуров отломил половину бутерброда.

— Позавтракаешь со мной за компанию?

— Спасибо, товарищ генерал-лейтенант. Утренний банкет в честь твоего нового назначения. Черняшка с сыром — самое оно.

— Долго ли удержусь на должности? — пробормотал Иван с набитым ртом, прожевал и продолжил: — Дела в авиации хреновые. Аварийность зашкаливает. Летный состав готовят по ускоренной программе. Двадцать учебных часов налетал и уже летчик. Даже у японских камикадзе обязательная норма учебных полетов тридцать часов. Начну докладывать — опять снимет.

— Может, все-таки послушает? Вроде он уже догадался, что война совсем скоро.

— Зачем ему кого-то слушать? — Иван усмехнулся. — Он все знает лучше всех, и про войну, и про разведку, и про военную авиацию. Требует поднять производство самолетов до пятидесяти штук в сутки. А что при такой гонке каждая третья машина выйдет с заводским браком и грохнется вместе с недоученным экипажем — это вредители виноваты... Лучший друг советских летчиков.

Илья дожевал бутерброд и спросил:

— Вань, дальнебомбардировочная авиация — это ведь для наступательных действий, верно?

— Ну, в общем, не для обороны. — Проскуров стряхнул невидимые крошки. — Да, я тоже об этом думаю.

— И что думаешь?

Проскуров помотал головой.

— Он первым по Гитлеру не ударит. Вот о новой финской войне разговоры идут.

— Окончательное решение финского вопроса, — пробормотал Илья, — но влезать в Финляндию, когда там уже стоят немецкие дивизии, это все равно что напасть на Германию.

— На Германию, — медленно повторил Проскуров, — нет, Илья Петрович, до весны сорок второго никто ни на кого не нападет. Главное, вычистить из агентуры провокаторов, которые хотят натравить Гитлера на нас.

— Знакомая песня. — Илья кивнул и сморщился.

Вчерашняя его сводка была посвящена анализу переброски немецких дивизий на восток за июль-август. Хозяин с тупым упрямством повторял, что кто-то все это придумывает, нарочно завышает количество немецких дивизий в Восточной Пруссии и в «бывшей» Польше. Цифры, правда, впечатляли. Если их там сейчас столько, что же будет к маю сорок первого? Но упоминать эту дату в сводках и устно с каждым днем становилось все рискованней. Это была реальная дата, а положено верить в сказочную. Гитлер нападет не раньше весны сорок второго. И попробуй усомнись!

Илье повезло, перед ним из кабинета вышли Фитин и Голиков, они приняли на себя главный удар. Говорящему карандашу достались только едкие замечания по поводу его неправильных выводов да песня о весне сорок второго и агентах-провокаторах.

— Конечно, во всем виновата агентура, как всегда. — Он похлопал Проскурова по плечу. — Радуйся, Ваня, ты больше не начальник разведки.

— Командование ВВС тоже во всем виновато, — буркнул Иван, помолчал и добавил: — Вчера заходил к своим ребятам, видел Родионова. Мазур умер, знаешь?

— Нет. Когда?

— Неделю назад. Родионову телеграмма пришла от дочки его. Двусторонняя пневмония.

— Да, жаль старика, совсем не успел пожить после тюрьмы, а физик, видимо, гениальный. Не то что славы — даже простой благодарности за свое изобретение не получил. — Илья вздохнул. — С резонатором по-прежнему глухо?

— Запороли окончательно. Обычная формулировка: «не имеет под собой реального фундамента». — Проскуров прикурил. — Родионов едет в Иркустк, разберется с записями, с резонатором, а то ведь все пропадет. Ну и дочку, конечно, поддержать хочет.

— Неужели командировку удалось пробить?

— Ты смеешься? Какая командировка? — Иван махнул рукой. — Просто отпуск у него.

— Ну, дай Бог, чтобы сохранил. Может, этот чудо-резонатор когда-нибудь пригодится для нашей урановой бомбы?

— Не знаю. Не уверен. — Иван выпустил колечко дыма. — Заявки академиков по-прежнему ложатся под сукно. Родионов еще один доклад накатал, Голиков обматерил его и приказал заткнуться на эту тему. Берия, кобель на сене, сам ни хрена не делает и другим не дает.

— Тоже тянет время, ждет волшебного сорок второго года. — Илья покачал головой. — Непробиваемая сволочь.

— Да, вот такие дела, Илья Петрович. — Иван аккуратно сложил платок, убрал в карман. — Заявку запороли, Мазур умер, Брахт небось все уже опубликовал, Далем осваивает этот фантастический подарок. От письма теперь никакого толку. — Он покосился на Илью. — Ты, надеюсь, уничтожил его?

— Нет.

— Сожги. — Проскуров нахмурился. — Хранить опасно да и незачем теперь.

— Не могу, Вань. — Он развел руками. — Поздно.

Иван вздрогнул, выпрямился, глаза изумленно расширились.

— Почему? Что случилось?

Илья выдержал долгую паузу и небрежно бросил:

— Письмо уже в Берлине.

Проскуров шлепнул себя по коленке, надел фуражку, потом опять снял, просвистел какую-то знакомую веселую мелодию, ткнул Илью кулаком в плечо:

— И ты молчал!

— Рано радоваться, Вань, пятнадцать дней прошло, оттуда пока никаких известий.

— Ну, пятнадцать дней пустяк. — Иван наморщил лоб. — Ответ по какому каналу придет, можешь сказать?

— Ты этот канал знаешь.

Иван пошевелил бровями, подумал минуту и неуверенно прошептал:

— Эльф?

Илья кивнул, отбил пальцами дробь по облезлым перилам беседки.

— Канал, конечно, надежный, письмо скорее всего уже дошло, и может, даже не опоздало. Только обольщаться не стоит. У них найдется десяток других способов делить изотопы.

Иван нервным движением пригладил волосы.

— Конечно, способы могут быть разные. Но если они не получат этот, очевидно дешевый и эффективный, значит, мы их уже хотя бы в чем-то победили.

— Будем надеяться, не получат. — Илья вздохнул. — Как удалось передать — не спрашивай.

Иван поймал его взгляд, минуту молча, пристально смотрел в глаза.

— Войну выиграем — тогда расскажешь.

— Выиграем?

— Куда ж мы денемся? — Иван зло оскалился. — Видел я этих этих непобедимых асов люфтваффе. Ничего особенного. Бил их Испании за милую душу.

— В Испании мы проиграли, и в Финляндии тоже, — тихо заметил Илья.

— Не сравнивай. — Иван помотал головой. — В Испании мы только помогали республиканцам. В Финляндии вообще не знали, за что воюем. На своей земле, в своем небе война будет совсем другая. Готовы мы к ней или не готовы, а победить обязаны.

Илья резко поднялся, расправил плечи.

— Ладно, Вань, пойдем пройдемся.

Проскуров надел фуражку, взял портфель, подмигнул.

649

— Эх, Илья Петрович, жаль, мяча нет, а то бы погоняли.

Они медленно побрели к бульвару. День обещал быть ясным и теплым.

* * *

Отдых в Венеции утомил Эмму. Влажная духота, запах плесени и водорослей. Наглые голуби на Сан-Марко хлопали крыльями прямо перед носом, голубиный помет хрустел под ногами и пачкал обувь. Эмма еще раз убедилась, что итальянцы крикливы, неопрятны и навязчивы. Хвалеными архитектурными красотами можно полюбоваться и на открытках.

Она старалась не показывать мужу, как ей все это противно. Деньги, потраченные на поездку, обязывали наслаждаться отдыхом. Герман был в Венеции в сотый раз, но не уставал восторгаться, таскал Эмму по музеям, уплетал за обе щеки пиццу и пасту. Каждый раз, когда садились в гондолу, он лез целоваться, считал, что это очень романтично. Однажды в таверне возле верфи на Рио Сан Тровазо он вылакал за ужином целую бутылку дорогущего «Неббиоло». Эмма только пригубила, вино ей показалось тяжелым и слишком крепким. По дороге к отелю Герман заваливался на ходу, в гондоле громко и фальшиво запел: «О, соле мио!»

Двухкомнатный номер в старинном отеле на Гранд-Канале не оправдывал своей цены. В ванной комнате по углам чернела плесень. Краны подтекали, стоки были забиты, на дне ванной ржавый налет, в раковине — закорючка чужого черного волоса. Мебель в стиле рококо, ковры, бархатные шторы, лепнина на потолке, зеркала в золоченых рамах — все это выглядело наглой показухой.

Герман засыпал как убитый. Эмма почти не спала, уходила в другую комнату, садилась за кривоногое бюро, перечитывала свои записи и набрасывала в тетради черновик заявки Дибнеру. Иногда Герман вставал, плелся в уборную, на обратном пути подходил, заглядывал через плечо.

— Малышка, почему не спишь? Чем увлеклась?

— Так, пустяки, хочу кое-что уточнить по изометрическим смещениям спектральных линий. — Эмма искусственно зевала. — Сейчас ложусь.

Герман целовал ее в макушку и отправлялся в постель. Он был слишком сонным и расслабленным для изометрических смещений.

В Берлин она вернулась с готовой заявкой. Оставалось только перепечатать.

Домой из аэропорта они приехали в половине одиннадцатого вечера. Эмма сразу набрала номер Вернера и минут пять слушала унылые длинные гудки. Это было странно. «Гуляет в парке? Так поздно? Отправился в гости к Хоутермансу или к фон Лауэ? Но полька в любом случае должна взять трубку».

— Малышка, куда ты звонишь? — спросил Герман.

— У Вернера никто не отвечает, — прошептала Эмма и облизнула пересохшие губы.

Он резким движением нажал на рычаг:

— Мы только что вошли, ты еще не разобрала чемодан, ты даже руки не вымыла.

— Да, ты прав, надо вымыть руки и разобрать чемоданы.

Она отстранила его, как неодушевленный предмет, и пошла в ванную комнату. Хотела запереть дверь на задвижку, но не успела. Герман влетел и схватил ее за плечи.

— Подумаешь, какое дело? Трубку не берет! Он совершеннолетний и вроде бы еще не в маразме! Ну что ты застыла как статуя? Посмотри мне в глаза!

— Милый, не кричи, пожалуйста. Со мной все хорошо. Просто я немного волнуюсь.

Ее вялый монотонный голос напугал Германа еще больше, но он взял себя в руки, заговорил спокойно и ласково:

— Он может быть наверху в мансарде, если закрыта дверь, звонка не слышно. А полька вышла во двор, или... Ты, кажется, рассказывала, что она иногда играет на мамином рояле?

Эмма механически кивнула.

— Ну, вот. Играет и тоже не слышит. Завтра вечером зайдешь и убедишься, что все в порядке.

— Конечно, милый, ты совершенно прав.

Эмма вымыла руки, разобрала чемоданы. Остаток вечера прошел очень спокойно. В постели она добросовестно выполнила супружескую обязанность, дождалась, когда Герман уснет, перенесла пишущую машинку на кухню, поставила ее на толстую войлочную подстилку. Кухня находилась досточно далеко от спальни. Эмма точно знала, что при закрытых дверях стук клавиш не слышен.

Она печатала быстро и без ошибок. К рассвету семь страниц заявки были готовы. Эмма сложила их в тонкую папку, спрятала в свою объемную сумку, с которой обычно ходила в институт, и нырнула под одеяло к Герману.

Утром, пока он принимал душ, она опять набрала номер Вернера, послушала долгие гудки и успела повесить трубку прежде, чем Герман вышел из ванной. Явилась приходящая домработница, приготовила завтрак. Они поели и отправились в институт.

Эмма уже потеряла счет этим бессонным ночам, но ни слабости, ни сонливости не было, наоборот, она чувствовала необыкновенный прилив сил.

В начале рабочего дня Дибнер заглянул в лабораторию, поздоровался со всеми за руку. Когда очередь дошла до Эммы, спросил:

— Как вы отдохнули, фрау Брахт?

— Спасибо, прекрасно. — Она стрельнула глазами, убедилась, что Герман достаточно далеко, и тихо произнесла: — Господин Дибнер, мне надо с вами посоветоваться, я давно обдумываю одну идею, по-моему, она заслуживает внимания.

— Ну что ж, напишите заявку, я с удовольствием познакомлюсь с вашей идеей, фрау Брахт.

— Заявка уже готова, она у меня с собой.

— Вот как? — Он взглянул на часы. — Зайдите ко мне сегодня, после шести.

Когда он удалился, Герман спросил:

— О чем ты так мило беседовала с руководством?

— Руководство интересовалось, как мы отдохнули в Венеции, — ответила Эмма.

После обеда группа отправилась в «вирусный флигель». Реактор Гейзенберга был почти готов. Там приходилось переодеваться в защитные костюмы. Эмма легко сочинила уважительную причину, чтобы остаться в лаборатории. Когда все ушли, она еще раз перечитала свою заявку и ровно в шесть открыла дверь приемной Дибнера. Никого, кроме секретаря, не было. Он поднял трубку, доложил о ее приходе и сказал:

— Фрау Брахт, господин директор примет вас минут через десять.

Эмма сидела неподвижно, тонкая папка лежала на коленях. В голове крутилось: «Сдвиг по энергии между уровнями три, десять, пятнадцать электронвольт. Телефон может быть неисправен. У аппарата в столовой несколько раз ломался механизм звонка. Частотный сдвиг между спектрами восемь гигагерц. Сказать польке, чтобы прекратила бренчать на фортепиано».

— Добрый вечер, милая Эмма.

Она увидела Вайцзеккера. Он только что вышел из директорского кабинета.

— Здравствуйте, Карл.

Для вопроса «Что вы здесь делаете?» щенок-философ был слишком хорошо воспитан и поэтому спросил:

— Как поживают львы Святого Марка?

— Отлично, — ответила Эмма.

Папка соскользнула с колен. Щенок-философ поднял. Конечно, ему хотелось заглянуть внутрь. Но ленточки были туго завязаны. Настолько туго, что Эмма не сумела распутать узелок, когда оказалась в директорском кабинете, и пришлось просить у секретаря ножницы.

Дибнер внимательно читал заявку. Эмма спокойно ждала. Наконец он положил листки на стол, взглянул на Эмму поверх очков.

— Поздравляю, фрау Брахт, идея блестящая. — Он откинулся на спинку кресла, открыл красивую деревянную шкатулку и вытащил сигарету. — Вы позволите?

— Да, конечно.

Он щелкнул массивной золотой зажигалкой, затянулся, задумчиво произнес:

— Электромагнитный метод при измененной траектории полета мог бы стать для нас прорывом, — он выпустил дым, помолчал, — но лишь в том случае, если мы найдем способ задать изотопам двести тридцать пять мощное дополнительное ускорение.

— Совершенно верно, господин Дибнер. Дополнительное ускорение. — Эмма заерзала на стуле. — Через пару недель я буду готова доложить вам, каким образом дать им крепкого пинка.

Дибнер рассмеялся.

— Крепкого пинка! Очень точно выражение. — Он стряхнул пепел. — Не терпится узнать, что именно вы придумали, фрау Брахт. Может, хотя бы намекнете?

Эмма помотала головой:

— Простите, господин Дибнер, пока не могу, мне надо провести еще дополнительные расчеты. — Она улыбнулась и, пристально глядя ему в глаза, добавила: — Если бы у меня была своя лаборатория и своя группа, дело пошло бы значительно быстрей.

— Ах, вот вы о чем? — Дибнер отбил пальцами дробь по столешнице. — Да, я понимаю вас, фрау Брахт, но помочь пока не могу. Управление вряд ли выделит дополнительные средства на еще одну группу по разработке электромагнитного метода.

— Еще одну? — Эмма судорожно сглотнула.

— Впрочем, я готов вернуться к этому разговору, когда вы порадуете меня заявкой насчет крепкого пинка.

— Простите, господин Дибнер, — Эмма слегка дернула головой, — вы сказали «еще одну группу». Если я верно вас поняла...

Дибнер приложил палец к губам, подался вперед и прошептал:

— В Гейдельберге профессор Боте и доктор Фламмерфельд уже третий месяц над этим работают.

— С измененной траекторией? — уточнила Эмма.

— А как же еще? Бессмысленно пускать атомы по прямой. — Он погасил сигарету, вздохнул. — Я сам устал от этой секретности. Запрет на обмен информацией между институтами создает массу проблем.

«Значит, меня опередили, — спокойно подумала Эмма. — Ну что ж, удивляться нечему. Идея лежит на поверхности, Вальтер Боте талантливый физик, но вряд ли он догадается, как дать дополнительного пинка изотопам 235, он ведь из тех, кто категорически отрицает саму возможность создать резонатор вынужденных излучений».

— Разумеется, ничего этого я вам не говорил, фрау Брахт.

— Разумеется, господин директор. — Эмма притронулась пальцами к ушам, потом к губам. — Я ничего не слышала.

Дибнер поднялся.

— Рад был побеседовать с вами. С нетерпением буду ждать вашей следующей заявки. Желаю успеха. — Он вскинул руку: — Хайль Гитлер!

Эмма ответила тем же.

Она вернулась в лабораторию, взяла сумку, повесила в шкаф белый халат, надела плащ, домчалась до трамвайной остановки. На этот раз никаких прогулок по парку.

Привычным движением она просунула руку между прутьями калитки, отодвинула задвижку, вошла во двор, взлетела по ступенькам крыльца и дернула дверную ручку. Заперто. Постучала. Тишина. Достала ключи из сумки. Верхний замок мягко щелкнул, но дверь не открылась. Ключа от нижнего замка у нее не было, Вернер никогда его не запирал. Эмма спустилась с крыльца, огляделась, заметила, что розы отцвели и дорожка усыпана алыми лепестками.

Через пять минут она давила на кнопку звонка у калитки виллы Хоутерманса. Открыла Агнешка.

— Добрый вечер, госпожа Брахт, проходите, пожалуйста. Господина Хоутерманса нет дома, но он должен скоро вернуться. Хотите кофе или чаю?

Эмма по инерции сделала несколько шагов, резко остановилась и отчеканила:

— Где господин Брахт?

— В Стокгольме. — Агнешка удивленно вскинула брови. — Разве он вас не предупредил?

— Когда он уехал? — Эмма пристально смотрела в светло-голубые польские глаза.

Агнешка слегка отпрянула.

— Уже неделю назад. Я думала, вы знаете...

Калитка у Эммы за спиной стукнула, раздался голос Хоутерманса:

— Добрый вечер, красавица, вот сюрприз, не ожидал! — Он бесцеремонно развернул ее за плечи и чмокнул в щеку. — Роскошно выглядите, только почему такая бледная?

— Вернер сказал, когда намерен вернуться? — Эмма взглянула на дорогого Физзля и машинально отметила, что у него такие же светло-голубые глаза, как у польки.

— Обещал через месяц. — Хоутерманс подмигнул и добавил интимным шепотом: — Седина в голову, бес в ребро.

— Что вы имеете в виду, Фриц? — холодно спросила Эмма.

— Бурный роман с Лизой, что же еще? — Он взял Эмму под руку. — Пойдемте в дом, красавица, сварю вам кофе. Видите, как мне повезло. Теперь Агнешка наводит чистоту в моей холостяцкой конуре, готовит вкуснейшие блюда и вечерами играет на рояле.

Эмма высвободила руку и перевела взгляд на польку.

— Он оставил вам ключ от нижнего замка?

— Да. — Агнешка испуганно кивнула. — Если что-то нужно в доме, я могу вас проводить.

— Будьте любезны.

Как только дверь открылась, Эмма помчалась по лестнице с такой скоростью, что Агнешка, наблюдая за ней снизу из прихожей, вскрикнула:

— Госпожа, осторожней, упадете!

Эмма влетела в лабораторию и застыла. Оба стола, большой и маленький, оказались пусты. Она заметалась, открывая дверцы и ящики шкафов. Нашла старый сломанный гальванометр, коробку с запасными лампами, пучки проводов и прочее ненужное барахло. Все детали резонатора, все рукописи и тетради исчезли. Она схватила толстый справочник по оптике, принялась его трясти, выронила, услышала голос польки:

— Госпожа, с вами все в порядке?

Агнешка стояла в дверном проеме, у нее за спиной маячил Хоутерманс.

— Красавица, в чем дело?

Она молча прошагала к двери, глядя прямо перед собой. Полька и дорогой Физзль посторонились, проводили ее изумленными взглядами и стали спускаться следом.

— Огорчились из-за игрушки? — спросил Хоутерманс, когда вышли во двор. — Ну что же делать? Поиграли, и будет.

Эмма не ответила, не оглянулась. Вместо того чтобы сесть в трамвай, пошла пешком. Свежий вечерний воздух и быстрая ходьба помогли успокоиться и собраться с мыслями. «Не все потеряно. Напишу вторую заявку. Если он мог так со мной поступить, я имею полное право на него не ссылаться. Метод деления изотопов Эммы Брахт. Резонатор вынужденных излучений Эммы Брахт. Опубликует в Швеции? Ну и что? Мы шли параллельными путями. В науке такое случается часто».

Дома она скинула туфли, на цыпочках прошмыгнула по коридору в свой кабинет. Там горел свет. Герман сидел за ее бюро и курил.

— Что ты тут делаешь? Какого черта куришь в моем кабинете?

— Прости, малышка, я перенервничал. — Он затушил сигарету в крышке от чернильницы. — Хоутерманс позвонил в половине восьмого, сказал, ты ушла ужасно расстроенная и подавленная. Уже четверть десятого.

— Хоутерманс? — Эмма вздрогнула. — Звонил сюда? Зачем?

— Твое состояние показалось ему странным, он считал своим долгом предупредить меня, что ты не в себе. — Герман поднялся. — Вот так, малышка, даже посторонние стали замечать. Карл видел тебя сегодня в приемной Дибнера. Зачем ты к нему ходила?

— Мне надо было... Я просто попросила у него новый спектрометр. — Эмма через его плечо оглядела кабинет и заметила в углу у двери медное ведерко для угля, наполненное клочьями бумаги. Попыталась вырваться. Герман крепче стиснул ее. Он только казался хлипким. Руки у него были как стальные клещи.

— Не ври. Я давно почуял неладное, наблюдал за тобой в Венеции. Ты говорила Дибнеру о чертовом резонаторе?

— Нет, — сквозь зубы процедила Эмма.

— Слава богу, этого я боялся больше всего. Ну, так зачем ты к нему ходила?

— Отпустишь — скажу.

Он ослабил объятия. Она вырвалась, метнулась в угол, опустилась на колени у ведра.

— Что ты наделал?!

Дрожащие пальцы перебирали обрывки тетрадных страниц и кальки, на которую она скопировала чертежи резонатора.

— Все, хватит! Я хотел сразу сжечь, но не успел! — Герман схватил ведро и направился в гостиную.

Эмма бросилась за ним, в коридоре стукнулась коленом об угол шкафа, опустилась на пол, скорчилась и дико, по-волчьи завыла.

— Малышка! Что случилось?! — крикнул Герман из гостиной. — Подожди, я сейчас!

Через пару минут он присел рядом с ней на корточки.

— Ударилась? Ну, где больно?

— Уйди, не прикасайся ко мне! — простонала Эмма. — Ты хотя бы заглядывал в записи? Там был готовый метод разделения изотопов! Ты уничтожил немецкую урановую бомбу, идиот!

— Нет, малышка, я уничтожил твое помешательство. Я благодарен Хоутермансу, его звонок стал последней каплей. — Герман погладил ее ногу, нащупал шишку сквозь шелковый чулок. — Пойдем, ты ляжешь.

Эмма не шевельнулась. Он взял ее на руки, отнес в гостиную, уложил на диван. В камине горел огонь. В медном ведерке было пусто. Она обмякла, как тряпичная кукла. Он стянул с нее чулки, ушел, вернулся, влил ей в рот что-то горькое из рюмки, накрыл ушибленное колено влажной холодной салфеткой.

— Ну что, полегче? Ты совсем не спишь. У тебя абсолютно расшатаны нервы. Тебе просто надо поспать.

— Он собрал резонатор, я вычислила математически, — сказала Эмма, глядя в потолок, — лучевой метод даст до трех килограммов в сутки. Уровень обогащения девяносто процентов.

— Малышка, ты бредишь. — Герман тяжело вздохнул. — Знаешь, все это время я был в отчаянии, чувствовал, как ты ускользаешь, растворяешься в нем и в его бредовых идеях. Я перестал для тебя существовать. А ведь то же самое происходило с мамой. Конечно, я виноват, мне следовало давно покончить с этим, но я верил в твой здравый смысл, надеялся, что ты не поддашься его страшным чарам.

— Ненавижу тебя...

Герман не услышал, продолжал говорить, поглаживая ее ледяную руку:

— Он планомерно сводил тебя с ума, как когда-то маму. Она погибла из-за него. Я не допущу, чтобы ты стала следующей жертвой. Я слишком тебя люблю. Наконец он уехал. Этот кошмар закончился. В нашем доме не должно ничего остаться от его шарлатанства. Ни клочка, ни строчки, ничего!

Герман убрал влажную салфетку, поцеловал ушибленное колено, накрыл Эмму пледом, потянулся к журнальному столику, зашуршал газетой.

— Послушай. — Он принялся читать вслух комически-серьезным голосом: — «Во время одного из сеансов связи профессор Маркони рассказал своему любимому ученику Луке Валетти, что, настроив излучатель определенным образом, можно не только входить в контакт с потусторонними мирами, но и успешно делить изотопы урана. При помощи лучевого метода удастся получить больше пятидесяти килограммов обогащенного урана в сутки». — Он бросил газету на пол. — Вот так, малышка. Ты была в двух шагах от общения с марсианами и деления изотопов при помощи магических лучей.

— Это английская утка, они что-то пронюхали и пытаются сбить меня с толку, — отчетливо произнесла Эмма.

— Совсем плохо дело, — прошептал Герман. — Неужели придется обратиться к врачу? Нет, ни за что! Я должен справиться сам. Никому не отдам мою малышку!

Он поцеловал ее в лоб, погасил торшер возле дивана, поправил кочергой поленья, сел в кресло, закурил. В камине плясали язычки пламени. Эмма смотрела в потолок и глухо, монотонно твердила:

— Выборочная ионизация достигается при помощи излучения высокого уровня монохромности... Сдвиг по энергии между уровнями три, десять, пятнадцать электронвольт. Частотный сдвиг между спектрами восемь гигагерц... Метод деления изотопов урана Эммы Брахт. Резонатор вынужденных излучений Эммы Брахт.

* * *

Сентябрь был сухой и теплый, Маша жила на даче в «Заветах», днем гуляла в роще, бродила по берегу реки Серебрянки, вечерами читала на веранде. Проглотила всего Чехова, от первого до последнего тома, взялась за Толстого.

Она привыкла к своему огромному животу и чувствовала себя священной коровой. Мама, папа и Вася по очереди навещали ее, иногда кто-нибудь оставался ночевать.

Илья приезжал на дачу поздно ночью. В этом смысле никакой разницы с московской жизнью не было. Он работал практически без выходных. Сквозь сон Маша слышала урчание мотора, шаги, тихий стук двери. Каждый вечер Настасья заявляла:

— Дождусь, не лягу.

Но засыпала в кресле или на диване. Илья не будил ее, поднимался наверх, нырял к Маше под одеяло, мгновенно выключался, выныривал рано утром и уезжал.

Маша не разрешала никому ничего покупать, шить и вязать для ребенка заранее, упорно верила в старинную примету, но запрет нарушали все. Евгеша пропадал в сарае, оттуда слышался глухой визг напильника и стук молотка. Он мастерил колыбельку. Настасья успела навязать кучу кофточек, чепчиков и носочков. Мама обметывала на машинке пеленки. Папа привез из очередной командировки лошадку-качалку и деревянный стульчик с дыркой для горшка. Илья купил кроватку и коляску, спрятал их в сложенном виде в кладовке на Грановского. Вася вычистил и привел в порядок своих солдатиков, чтобы передать по наследству.

Настасья ходила вокруг Маши на цыпочках, не приставала с пирогами и котлетами, тихо, умильно причитала, замечая, как движется и прыгает живот под ситцевым домашним платьем.

Первый осенний дождь начался утром девятнадцатого числа. Он был теплый и редкий, небо затянулось низкими желтоватыми тучами. После завтрака Маша сидела на веранде в кресле-качалке, положив босые ноги на табуретку, дочитывала последние главы «Анны Карениной», иногда поднимала глаза и глядела на дождь сквозь разноцветные ромбики больших верандных окон.

К сцене самоубийства Анны она подбиралась с опаской. В прошлый раз, года четыре назад, когда впервые читала роман, после этой сцены долго плакала от жалости к Анне и от злости на Льва Толстого. Зачем он ее убил?

Сейчас она только немного загрустила и подумала: «Он будто за руку подвел ее к платформе и толкнул под поезд. Миллионы людей читают, миллионы раз, опять и опять, погибает бедная Анна. Вот такая вечная казнь».

Настасья крикнула из кухни:

— Скелетинка, творожку покушаешь?

Маша усмехнулась. На скелетину она давно не была похожа, скорее уж на шар с ногами.

— Спасибо, Настасья Федоровна, не хочу, сыта.

— Творожок свежий, с малиновым вареньем, очень вкусно.

На крыльце застучали шаги. Дверь открылась. Мама вошла на веранду, поставила сумку на лавку, скинула капюшон плаща, поцеловала Машу.

— Привет. Ну, как ты?

В последнее время у мамы появилась манера слишком внимательно и тревожно заглядывать Маше в глаза. У нее самой глаза были сонные, красные.

— Я в порядке, а тебе бы поспать.

— Сегодня не получится, вырвалась на пару часиков, к трем надо быть на работе.

Из кухни пришла Настасья с миской творога:

— Вера Игнатьевна, покушайте. Сейчас чаю поставлю и варенья принесу.

Маша поняла, что спокойно почитать не удастся, немного посидела с ними и потихоньку смылась наверх. Минут через пятнадцать мама поднялась к ней. На шее висел фонендоскоп.

— Мам, я же сказала, все хорошо, — проворчала Маша.

— Если бы ты ходила в консультацию, я бы к тебе не приставала. Давай укладывайся.

Каждый раз, когда мама слушала и щупала живот, Машу разбирал смех. Во-первых, щекотно, во-вторых, мамино лицо становилось необыкновенно серьезным и важным.

— Кончай хихикать, ты мне мешаешь!

На этот раз она занималась животом дольше обычного, поглядывала на часы.

— Что-то не так? — тихо спросила Маша.

— Все так, сердечко в порядке, сто двадцать в минуту, лежит он правильно. — Мама сняла фонендоскоп. — Тебе пора в Москву, Манечка.

— Почему?

— Родишь скоро.

— Ну, здрас-сти! Срок только через неделю. Забыла?

— Маня, он опустился, значит, уже очень скоро.

— Илья приедет, завтра утром меня отвезет. — Маша лениво потянулась. — Мам, до завтра не начнется, обещаю.

Мама встала и принялась расхаживать по комнате.

— Если бы я могла остаться с тобой, но я должна сегодня обязательно ассистировать на операции. Маня, поехали, пожалуйста!

— Рано, я чувствую. Ты же сама говорила, первые роды обычно долгие. Тут телефон у коменданта, если что, вызовем «скорую».

Мама очень уговаривала, но Маша уперлась. Неохота было нарушать это чудесное, спокойное течение дачной жизни, когда еще удастся вот так бездельничать, гулять, читать, валяться в постели до полудня?

Мама сдалась. Маша проводила ее до станции, пообещала, если что, сразу вызвать «скорую» по комендантскому телефону, не спеша вернулась, пообедала с Настасьей и Евгешей. Когда допили чай, Евгеша с таинственным видом повел ее к сараю, широким жестом распахнул дверь:

— Готово! Принимай работу!

Колыбелька была как из сказки. Евгеша покрасил ее белой масляной краской, разрисовал разноцветными цветочками и ягодками. Маша восхищенно охнула:

— Да вы прямо художник!

— Когда-то увлекался, в гимназической юности. — Евгеша скромно потупился.

К вечеру дождь припустил с новой силой, поднялся ветер. Маша ушла наверх, закуталась в большой пуховый платок, уютно устроилась в кресле с «Анной Карениной».

Жаль было дочитывать. Как ни злись на Толстого за Анну, все равно оторваться невозможно. Последние строчки финального монолога Левина Маша прочитала шепотом, вслух:

— *«...но жизнь моя теперь, вся моя жизнь, независимо от всего, что может случиться со мной, каждая минута ее — не только не бессмысленна, как была прежде, но имеет несомненный смысл добра, который я властен вложить в нее!»*

Маша закрыла книгу, спустилась вниз, умылась, почистила зубы, пожелала Настасье и Евгеше спокойной ночи.

Давно стемнело. Дождь барабанил по крыше, форточка поскрипывала от ветра, кружевная занавеска медленно поднималась и опускалась, будто дышала. Маша незаметно уснула.

Ей приснилась, что она идет по незнакомой улице, вдоль невысоких решетчатых заборов. За заборами дома, слишком маленькие для городских, но и не деревенские, каменные, в два-три этажа, очень аккуратные, серого, желтого, бежевого цвета. Нигде, никогда Маша не видела таких улиц и таких домов. Совсем незнакомый мир, может, вообще не на земле, а на другой планете. Освещение тревожное, зеленоватое, с огненным отливом. Не то чтобы страшно, а как-то не по себе.

Мимо сновали смутные фигуры. Маша разглядела высокую женщину в сером плаще, вроде бы красивую, но больше похожую на куклу, чем на человека. Лицо белое, как известка, глаза большие, круглые, ни белков, ни зрачков. Нечто гладкое, серебристое, будто вместо глазных яблок ртутные шарики.

Женщина-кукла остановилась возле одного из домов, открыла калитку. Перед крыльцом росли темно-зеленые кусты. Дорожка была усыпана алыми лепестками, словно обрызгана кровью. Поднялась на ступени, повернула дверную ручку. Маша знала: если кукла откроет дверь и войдет в дом, случится что-то кошмарное, непоправимое. Дверь дрожала, кукла размеренно и мощно била по ней кулаком. Маша вскрикнула, проснулась, включила свет.

Снаружи разыгралась настоящая буря. Ветер выл, занавеска взлетала до потолка. Окно распахнулось, с подоконника капало. Маша встала и сморщилась от внезапной тянущей боли в пояснице. Взглянула на часы. Половина второго.

Она закрыла окно, погасила свет, забилась под одеяло, но только стала засыпать, боль вернулась.

— Нет, пожалуйста, не сейчас!

Опять приступ боли.

— Что я за дура? — Маша всхлипнула. — Конечно, надо было поехать с мамой... Ой, господи, как больно!

Она опять включила свет, дрожащими руками натянула платье, закуталась в шаль, осторожно, медленно держась за перила, стала спускаться по лестнице. Боль заставила ее сесть на ступеньку и замереть, пережидая, когда немного отпустит.

Сквозь шум дождя и вой ветра прорезался звук мотора. Через пару минут на крыльце застучали шаги. Илья вошел на веранду.

— Илюша... — Она попыталась встать и застонала.

— Что, уже? — Он опустился перед ней на корточки.

— Мг-м... Каждые пять минут схватки.

В машине она никак не могла удобно устроиться на заднем сиденье, пробовала лечь на спину, подогнув ноги, сжимала кулаки, впивалась ногтями в ладони, кусала губы и пальцы, чтобы не заорать. Дождь хлестал в стекло, дорога была мокрой и скользкой. Илья боялся прибавить скорость. Казалось, никогда не доедут. В голове пульсировало: «Так не бывает! За что мне эта пытка?»

В короткие промежутки между схватками она вглядывалась в окно, ничего не видела сквозь пелену дождя. Наконец замаячили городские огни. Мелькнул темный силуэт «Рабочего и колхозницы». Значит, уже скоро.

Когда машина остановилась возле подъезда роддома имени Грауэрмана, сиденье под Машей было мокрым. Дальше все понеслось и закружилось. Каталка, клеенка, кафельные стены, лица в белых масках, короткие команды: «Не тужься, тужься!» Боль стала абсолютно нестерпимой, будто тело напополам перепилили. В голове вспыхнуло: «Все! Я умираю!»

И вдруг боль выключили, мгновенно, одним щелчком. Раздалось громкое сердитое кряканье. Большие резиновые руки держали маленькое подвижное существо вишневого цвета. Сморщенное личико, слипшиеся темные волосенки, широко открытый рот.

— Девочка!

Имя они с Ильей давно выбрали. Елена. Так звали его родную маму. Маша отдыхала, ни о чем не думала, слышала рядом Леночкин плач и голоса медсестер:

— Гляди-ка, шустрая какая! Записывай: три двести, пятьдесят сантиметров. Это ж надо, четвертая девка за сутки, вот, говорят — война, война! Перед войной одни пацаны родятся, а девки — к долгому миру.

— Дуся, брось ты свои деревенские суеверия. Войны не будет, потому что товарищ Сталин не позволит.

Эпилог

Э мма Брахт два года болела нервным расстройством, Герман за ней самоотверженно ухаживал. Когда она поправилась, пыталась восстановить записи и чертежи, но не сумела. После войны чета Брахт вместе с группой немецких физиков отправилась в СССР, делать советскую урановую бомбу. Они работали в Физико-техническом институте в Сухуми. Герман Брахт удостоился Сталинской премии. В Берлин они вернулись в 1953-м и до конца своих дней жили в ГДР.

Вернер Брахт вернулся в Германию в 1946 году. Вилла в Шарлоттенбурге уцелела. Он был признан героем-антифашистом и награжден Большим Федеральным крестом первой степени за заслуги перед ФРГ. Его называли совестью немецкой физики. Его работы заложили основу нового направления в радиофизике.

В его личном архиве сохранилось письмо Марка Мазура и воспоминания о том, как и почему он сбежал из Германии в сентябре 1940 года. Он завещал опубликовать архив только через тридцать лет после своей смерти. Боялся, что публикация навредит семье Марка и людям, передавшим письмо.

Вернер Брахт умер в 1962 году в возрасте восьмидесяти четырех лет. Публикация его архива в 1992-м вызвала большой резонанс в научных кругах. Марк Мазур опередил время на сорок с лишним лет. Его метод обогащения урана был заново открыт только в начале восьмидесятых. Метод оказался настолько дешевым и эффективным, что производство уранового оружия могло стать доступным для террористических организаций. Технологии были сразу засекречены.

Лиза Мейтнер уехала в Англию, преподавала в Кембридже. Нобелевскую премию за открытие расщепления ядра урана она не получила. Председателем Нобелевского комитета по физике был Мане Сигбан. Никакие протесты Эйнштейна и Бора не помогли. Сигбан настоял, чтобы премия досталась Гану и Штрассману.

Вернер Брахт и Лиза Мейтнер остались близкими друзьями. Вернер дважды в год приезжал к ней в Англию. Лиза в Германию больше никогда не возвращалась.

Ося Кац до конца войны работал на британскую разведку. В 1942-м участвовал в диверсионной операции по выводу из строя завода тяжелой воды в Норвегии. Был ранен. В 1945-м в составе объединенной группы британских и американских разведчиков (миссия «Алсос»; оперативный сбор информации по немецкому урановому проекту) участвовал в аресте и допросах Гейзенберга, Вайцзеккера, Гана.

Их переправили в Англию. О том, что американская атомная бомба сброшена на Хиросиму, они узнали, сидя под арестом. Все их разговоры записывались. Гейзенберг долго не мог поверить, что американцам это удалось. Ган плакал. Вайцзеккер сказал: «Если бы мы захотели, мы бы тоже ее сделали».

Скоро их освободили и отпустили домой, в Германию.

После войны Ося жил в Лондоне, работал на Би-Би-Си «Телевижн Сервис», снимал новостные репортажи и документальные фильмы.

В последний раз он побывал в Москве в октябре 1940-го, встретился с доктором Штерном и передал ему письмо Брахта. Оно до сих пор хранится у дочери Мазура, Евгении.

Габриэль фон Хорвак свое последнее сообщение в Москву передала 25 ноября 1940-го, через десять дней после визита Молотова в Берлин. В сообщении говорилось, что нападение на СССР весной 1941 года подтверждается секретным приказом Гитлера. Удары планируются в трех направлениях: Москва, Ленинград, Киев. После этого она окончательно прекратила связь с советской разведкой.

Габи и ее муж Максимилиан были арестованы гестапо как участники заговора в первые дни августа 1944-го, после знаменитого покушения на Гитлера 20 июля. Освобождены из тюрьмы в мае 1945 года. После войны Максимилиан занял высокий пост в бундестаге. Габи работала в пресс-службе МИД. Ося несколько раз пытался увезти ее с собой в Англию, но она так и не рассталась со своим Максимилианом.

19 июня 1941 года генерал-лейтенант авиации Проскуров был назначен командующим Военно-воздушными силами 7-й армии, дислоцированной в Карелии. Прежде чем отправиться к месту назначения, Иван Иосифович заехал в Разведуправление, выяснил обстановку и передал в Петрозаводск начальнику штаба ВВС приказ немедленно перебросить самолеты с основных аэродромов на запасные. Приказ успели выполнить. Это спасло авиацию 7-й армии от уничтожения.

27 июня 1941 года Проскуров был арестован в Петрозаводске и доставлен на Лубянку. Обвинение гласило: «...обвиняется в том, что являлся участником военной заговорщической организации, по заданиям которой проводил вражескую работу, направленную на поражение Республиканской Испании, снижение боевой подготовки ВВС Красной армии и увеличение аварийности в Военно-Воздушных силах».

Вместе с Проскуровым по обвинению в «заговоре» арестовали еще двадцать генералов авиации, в том числе Героев Советского Союза П.В. Рычагова, Г.М. Штерна и дважды Героя Советского Союза Я.В. Смушкевича. Из них выбивали признательные показания. Многие сломались. В протоколе допроса Проскурова осталась запись: «Виновным себя не признал».

Семья Ивана Иосифовича в августе эвакуировалась в Куйбышев. Жену, Александру Игнатьевну, сразу арестовали. Дочери, четырнадцатилетняя Лида и семилетняя Галя, остались одни в чужом городе. Детей вызывали на допросы. После одного из них Лида вернулась седая. Позже всех троих выслали в Казахстан.

Проскуров был расстрелян вместе с двадцатью генералами авиации 28 октября 1941 года в поселке Барбыш под Куйбышевом, без суда, по приказу Берия.

В октябре 1941-го в Запорожье немцы расстреляли отца Ивана, Иосифа Проскурова, за то, что его сын — генерал Красной армии.